P9-BYH-204

COLLECTION « VÉCU »

sous la direction de Charles Ronsac

DU MÊME AUTEUR

Chez le même éditeur

LA VARIÉTÉ ANDROMÈDE, 1970

SPHÈRE, 1988

JURASSIC PARK, 1992

SOLEIL LEVANT, 1993

HARCÈLEMENT, 1994

LE MONDE PERDU, 1996

TURBULENCES, 1997

MICHAEL CRICHTON

VOYAGES

L'auteur de « Jurassic Park »
raconte ses aventures
extraordinaires

traduit de l'américain par Pierre-Emmanuel Dauzat

ROBERT LAFFONT

Titre original : TRAVELS

ISBN 2-221-08400-4
(édition originale : ISBN 0-345-35932-1. Alfred A. Knopf, Inc., New York)

Dans l'auto-analyse, le danger de l'inachèvement est particulièrement grand. On se satisfait beaucoup trop tôt d'une explication partielle.

Sigmund Freud

Il n'est pas dans le pouvoir des mots de définir l'existence.

Lao-tseu

Ce que vous voyez, c'est ce que vous voyez.

Frank Stella

Préface

Longtemps, je n'ai voyagé que pour moi. Je refusais d'écrire quoi que ce soit sur mes voyages, même de les préparer à toutes fins utiles. Des amis me demandaient quelle recherche m'avait conduit en Malaisie, en Nouvelle-Guinée ou au Pakistan, puisque, de toute évidence, il ne viendrait à l'idée de personne d'aller là-bas uniquement pour se changer les idées. À moi, si.

Et j'éprouvais un réel besoin de me ressourcer, de faire des expériences qui m'éloigneraient de ce que je faisais habituellement, de ma vie ordinaire.

Dans ma vie quotidienne, j'étais souvent suffoqué par le sentiment que tout ce que je faisais répondait à un dessein. Chaque livre que je lisais, chaque film que je voyais, chaque déjeuner ou dîner me semblait obéir à une raison précise. De temps à autre, j'éprouvais le besoin pressant de faire quelque chose sans raison.

Je concevais ces voyages comme des vacances – des répits –, mais les choses se passaient autrement que je le prévoyais. Je finis par comprendre que, dans ma vie, les changements les plus importants s'étaient produits à la suite de mes voyages. Car, quoique ternes en comparaison des excursions des véritables aventuriers, ces odyssées étaient pour moi d'authentiques aventures : je bataillais contre mes peurs et mes limites, et j'apprenais tout ce que je pouvais apprendre.

Mais, le temps passant, le fait de n'avoir rien écrit finit, étrangement, par me peser. Quand on est écrivain, on est presque obligé d'écrire si l'on veut assimiler les expériences les plus importantes. Écrire, c'est faire sienne l'expérience vécue, examiner ce qu'elle signifie pour soi, en prendre possession, et pour finir la livrer au public. Après toutes ces années, j'éprouvai un véritable soulagement à écrire sur quelques-uns des endroits où j'étais allé. J'étais fasciné de voir tout ce que j'étais capable d'écrire sans me reporter à mes carnets de notes.

Il y avait quelques épisodes de la faculté de médecine que j'avais depuis toujours l'intention d'évoquer par écrit. Mais je m'étais promis d'attendre quinze ans, le temps que ça devienne de l'histoire ancienne. À ma grande surprise, je m'aperçois que j'ai assez attendu. On en trouvera donc ici la relation.

J'ai également relaté dans ce volume des expériences relevant de domaines qu'on qualifie parfois de psychiques, de transpersonnels ou de spirituels. Dans mon esprit, il s'agit d'un voyage intérieur, qui vient compléter les voyages extérieurs, quand bien même cette distinction – entre ce qui est sensation interne et stimulus externe – se brouille souvent dans mon esprit. Mais cet effort pour démêler mes perceptions s'est révélé utile d'une façon que je n'avais pas imaginée.

Souvent, j'ai l'impression de me rendre aux antipodes afin de me rappeler qui je suis vraiment. Pourquoi doit-il en être ainsi ? Il n'y a là aucun mystère. Arraché à son cadre de vie ordinaire, loin de ses amis et de la routine, de son réfrigérateur plein à craquer et de sa penderie bien rangée, loin de tout cela, on est contraint et forcé de se plonger dans l'expérience directe. Du coup, on prend inévitablement conscience de celui qui vit l'expérience en question. Ce n'est pas toujours bien confortable, mais c'est toujours revigorant.

J'ai fini par comprendre que l'expérience directe est l'expérience la plus précieuse qu'il me soit donné de faire. L'homme occidental est tellement assailli d'idées, bombardé d'opinions, de concepts et de structures d'informations de toutes sortes qu'il devient difficile de vivre quoi que ce soit sans passer par le filtre desdites structures. Et le monde naturel – la source traditionnelle de nos intuitions directes – disparaît à vue d'œil. Dans les villes modernes, on ne voit même plus les étoiles la nuit. L'homme est désormais privé de cette invitation à la modestie, de ce rappel de la place de l'être humain dans l'ordre général des choses qu'il lui était jadis donné de voir une fois toutes les vingt-quatre heures. Comment s'étonner, dès lors, que les hommes perdent leurs repères, qu'ils perdent la trace de ce qu'ils sont vraiment et du vrai sens de la vie ?

Voyager m'a donc aidé à faire des expériences directes. Et à mieux me connaître.

De nombreuses personnes m'ont aidé à mener ce livre à terme. Parmi ceux qui ont lu les premières moutures du manuscrit, et m'ont fait part de leurs observations et de leurs encouragements, je dois citer Kurd Villadsen, Anne-Marie Martin, mes sœurs Kimberly Crichton et Catherine Crichton, mon frère Douglas Crichton, Julie

Halowell, ma mère Zula Crichton, Bob Gottlieb, Richard Farson, Marilyn Grabowski, Lisa Plonsker, Valery Pine, Julie McIver, Lynn Nesbit et Sonny Mehta. Les participants eux-mêmes ont lu des versions ultérieures, y apportant des correctifs et me faisant profiter de leurs précieuses suggestions.

Je leur suis à tous reconnaissant, de même qu'à Kathy Bowman, de World Wide Travel (Los Angeles), et à Joyce Small, d'Adventures Unlimited (San Francisco), mes deux agents de voyages que j'accable de mes demandes depuis de longues années.

Bien qu'elles n'apparaissent guère dans ce livre, certaines personnes ont eu une influence considérable sur ma réflexion. Je pense en particulier à Henry Aronson, Jonas Salk, John Foreman et Jasper Johns.

J'ai à dessein limité l'ampleur de ce livre. Freud définit un jour la vie comme la somme du travail et de l'amour, mais j'ai choisi de ne parler ni de l'un ni de l'autre, hormis lorsque mes expériences de voyageur m'y obligeaient. Je ne me suis pas non plus retourné sur mon enfance. Mon intention était plutôt d'écrire sur les interstices de ma vie, sur les événements survenus tandis que se déroulait ce que je croyais être ma vraie vie.

Une dernière précision s'impose : j'ai dû apporter un certain nombre de changements au texte original. Tous les noms et les traits caractéristiques des médecins et de leurs patients ont été modifiés. Et dans les derniers chapitres, j'ai procédé de même à la demande de certains intéressés.

MÉDECINE

1965-1969

Cadavre

Il n'est pas facile de découper la tête d'un homme à la scie à métaux. La lame ne cessait de faire des accrocs à la peau et de déraper sur l'os lisse du front. Si je faisais une erreur, je glissais d'un côté ou de l'autre, et il m'aurait été impossible de voir avec précision le centre du nez, de la bouche, du menton et de la gorge. Il y fallait une formidable concentration. Je devais être très attentif et, en même temps, ne pas trop penser à ce que j'étais en train de faire, parce que c'était trop horrible.

Quatre étudiants se partageaient ce cadavre depuis des mois, mais c'est sur moi que c'est tombé. C'est moi qui ai dû ouvrir la tête de la vieille femme. Je demandai aux autres de quitter la pièce pendant que je m'affairais. Ils ne pouvaient pas regarder sans faire de plaisanteries, sans troubler ma concentration.

Les os du nez étaient particulièrement délicats. Il me fallait procéder avec soin, découper sans émietter ses os qui avaient la finesse d'un tissu. Je m'arrêtai à plusieurs reprises pour retirer du bout des doigts les éclats d'os qui se coinçaient dans les dents de la lame, puis je reprenais. Comme je sciais avec application, soucieux de faire du bon boulot, je songeai que jamais je n'avais imaginé que ma vie tournerait de cette façon.

Je n'avais jamais vraiment voulu être médecin. J'avais grandi dans une banlieue de New York, où mon père était journaliste. Il n'y avait aucun médecin dans ma famille, et mes premières expériences de la médecine n'avaient guère été encourageantes : à plusieurs reprises, je m'évanouis en faisant des piqûres ou des prises de sang.

J'étais allé à l'université en pensant devenir écrivain, mais de bonne heure s'affirmèrent des penchants scientifiques. Au département d'anglais de Harvard, je me faisais vivement reprendre à cause de mon style et j'avais le plus grand mal à obtenir la moyenne avec mes dissertations. À dix-huit ans, j'étais infatué de ma manière d'écrire et j'avais le sentiment que c'était Harvard, pas moi, qui était dans l'erreur. Ainsi décidai-je de faire une petite expérience. Le prochain devoir était un texte sur *Les Voyages de Gulliver*, et je me souvins d'un essai de George Orwell qui pourrait aller. Non sans quelque hésitation, je recopiai à la machine l'essai d'Orwell et le présentai sous mon nom. J'hésitai parce que, si j'étais pris en flagrant délit de plagiat, je me ferais renvoyer. Pourtant j'étais assez sûr que mon instructeur ne connaissait rien au style, mais aussi que son bagage culturel était assez léger. En tout état de cause, George Orwell obtint tout juste la moyenne à Harvard, ce qui acheva de me convaincre que le département d'anglais était trop difficile pour moi.

Je décidai alors de me tourner vers l'anthropologie. Mais je doutais de mon désir d'aller jusqu'à la licence, et je m'inscrivis donc à une prépa de médecine – au cas où...

D'une façon générale, Harvard me paraissait être un endroit excitant, où les gens se souciaient avant toute chose d'étudier et d'apprendre, sans trop se préoccuper des notes. Mais commencer une prépa de médecine, c'était entrer dans un monde différent, fait de méchanceté et de concurrence. Le cours le plus critique était un cours de chimie organique : entre nous, on disait « cours d'enculage des potes ». Si on n'avait pas entendu ce que disait le prof et qu'on demandait à son voisin, il vous donnait un mauvais tuyau. Il valait donc mieux se pencher pour jeter un coup d'œil sur ses notes, mais du coup il s'empressait de les cacher. Au labo, si vous posiez une question à votre voisin, il vous racontait n'importe quoi, espérant que vous alliez faire une erreur ou, mieux encore, provoquer un incendie. Les notes s'en ressentaient immanquablement. Dans mon année, j'acquis la douteuse distinction d'avoir mis plus souvent le feu que n'importe qui, dont une fois avec de l'éther : les flammes spectaculaires montèrent jusqu'au plafond et laissèrent de grandes traces de roussi – stigmates d'ineptie qui restèrent au-dessus de ma tête jusqu'à la fin de l'année. L'hostilité, voire la paranoïa, dont il fallait faire preuve pour réussir dans ce cours me mettait mal à l'aise. Je pensais qu'une profession humaine comme la médecine aurait dû encourager d'autres valeurs chez les candidats. Mais personne ne me demandait mon avis. Je tâchai de m'en sortir au mieux. La médecine, telle que je l'imaginais, avait deux aspects : les soins et la science. Les choses allaient si vite que les praticiens ne pouvaient se permettre d'être dogmatiques : ils devaient se montrer au contraire souples et ouverts. C'était certainement un boulot intéressant, et il était hors de doute qu'on pouvait faire de sa vie quelque chose qui en valait la peine : secourir les malades.

Je me présentai donc à la fac de médecine, passai les tests d'aptitude et, après les entretiens réglementaires, ma candidature fut acceptée. Puis je reçus une bourse pour aller en Europe, ce qui retarda d'un an le début de mes études.

L'année suivante, cependant, j'allai à Boston, louai un appartement à Roxbury, près de la Harvard Medical School, achetai les manuels et m'inscrivis aux cours. Et c'est à l'inscription que je fus pour la première fois confronté à la perspective de disséquer un cadavre.

En tant qu'étudiants de première année, on avait consulté l'emploi du temps et on avait pu voir qu'on aurait droit à des cadavres dès le premier jour. Impossible de parler d'autre chose. On interrogeait les deuxième année, des vieux cracks qui nous considéraient d'un air de commisération amusée. Ils nous donnaient des conseils. Tâchez d'avoir un homme, pas une femme. Un Noir plutôt qu'un Blanc. Un maigre plutôt qu'un gros. Et, surtout, un qui ne soit pas mort depuis des années.

Dociles, on prenait bonne note en attendant le fatidique lundi matin. On imaginait la scène, on se souvenait comment Broderick Crawford l'avait jouée dans *Pour que vivent les hommes*, affirmant d'une grosse voix aux étudiants terrifiés qu'« il n'y avait rien de drôle dans la mort » avant de dévoiler le corps.

Ce matin-là, dans l'amphi, Don Fawcett, le professeur d'anatomie, donna le premier cours. Il n'y avait pas de cadavre dans la salle. Le Dr Fawcett était un homme grand et posé, rien à voir avec Broderick Crawford, et il consacra l'essentiel du temps à des questions administratives. Comment s'organiseraient les dissections. Quand tomberaient les examens. Comment les dissections d'anatomie générale seraient liées aux leçons d'anatomie microscopique. Et l'importance de l'anatomie générale : « On ne peut pas plus devenir un bon médecin sans une intelligence approfondie de l'anatomie générale qu'on ne peut devenir mécanicien sans ouvrir le capot d'une voiture. »

Mais c'est à peine si on pouvait l'écouter. On attendait le corps. Où était le corps ?

Un assistant finit par arriver avec un lit roulant. Un croisé de coton bleu recouvrait une forme allongée. On avait les yeux braqués sur la forme. Personne n'entendit un traître mot de ce que disait le Dr Fawcett. Il descendit de l'estrade pour s'approcher du corps. Personne n'écoutait. Tous attendaient l'instant où il retirerait le linge.

Ce qu'il fit. On entendit un grand soupir. Chacun reprit son souffle. Sous le linge se trouvait une grande protection de plastique. On ne voyait toujours rien du corps.

Le Dr Fawcett retira le plastique, découvrant un autre linge blanc plus léger qu'il retira à son tour. On aperçut enfin une forme toute pâle. Des membres, un torse. Mais la tête, les mains et les pieds étaient enveloppés de gaze comme une momie. Il n'était pas facile d'y reconnaître un corps humain. La tension retomba peu à peu tandis qu'on prenait conscience que le Dr Fawcett continuait à parler. Il donnait des détails sur les techniques de conservation, expliquant pourquoi on protégeait ainsi les mains et la figure. Il parla de la tenue nécessaire dans la salle de dissection. Et il nous signala que l'agent de conservation, le phénol, était aussi un anesthésique : il n'était pas rare de ressentir un engourdissement et des picotements dans les doigts au cours de la dissection. Qu'on n'aille pas croire à une redoutable paralysie refilée par les cadavres !

La leçon terminée, on se dirigea vers la salle de dissection pour choisir les corps.

On s'était auparavant partagés en groupes de quatre. J'y avais beaucoup réfléchi et j'étais parvenu à me rattacher à trois étudiants qui envisageaient tous de devenir chirurgiens. Je me disais que la dissection serait une partie de plaisir pour des chirurgiens en herbe et qu'ils feraient tout eux-mêmes. Avec un peu de chance, je resterais les bras croisés à les regarder, ce qui était mon espoir le plus ardent. Si je pouvais m'en passer, je ne voulais même pas être en contact avec le corps.

La salle de dissection était vaste et, en septembre, il y régnait une chaleur plutôt désagréable. Il y avait une trentaine de corps sur des tables, tous recouverts de draps. Les assistants refusèrent de nous laisser jeter un coup d'œil sous les draps pour choisir les corps. Nous n'avions qu'à rejoindre une table et attendre. Mon groupe choisit la table la plus près de la porte.

Les assistants prirent la parole. Nous étions debout à côté de nos corps. La tension revint au galop. Être assis sur les derniers gradins de l'amphi quand on montrait un corps était une chose. C'en était une tout autre que d'être campé à proximité d'un corps, à portée de main. Mais personne n'y touchait.

– C'est bon, au travail, lança l'assistant.

Long silence. Tous les étudiants ouvrirent leur trousse de dissection pour en retirer scalpels et ciseaux. Personne ne voulait toucher au drap. L'assistant nous rappela qu'on pouvait le retirer. Ce qu'on fit timidement, en le prenant du bout des doigts. Puis, retenant notre respiration, on découvrit les pieds pour le remonter jusqu'au bas-ventre.

On était tombés sur une femme, une Blanche, mais elle était maigre et très vieille. Les mains et les pieds étaient enveloppés. Malgré la forte odeur de phénol, ce n'était pas aussi terrible que je l'avais imaginé.

L'assistant nous expliqua qu'on allait commencer la dissection avec deux personnes installées de chaque côté du corps. On allait commencer par la jambe. On pouvait y aller.

Personne ne bougea.

Tout le monde s'épiait du coin de l'œil. L'assistant expliqua qu'il fallait travailler vite et régulièrement si on voulait être dans les temps et avoir terminé la dissection dans trois mois.

On finit donc par s'y mettre.

La peau était froide, gris-jaune, légèrement moite. Je fis ma première incision au scalpel, à l'endroit où la cuisse se rattache au corps, puis je descendis jusqu'au genou. La première fois, je n'allai pas assez profond. C'est à peine si j'entaillai la peau.

– Non, non, protesta l'assistant. *Coupe !*

Je coupai de nouveau, la chair s'ouvrit, et on put commencer à détacher la peau du tissu sous-jacent. C'est alors qu'on se mit à comprendre que la dissection était une rude affaire, à la fois méticuleuse et exténuante. Il fallait faire le plus gros avec la pointe émoussée d'une paire de ciseaux. Ou avec les doigts.

La peau s'ouvrant, la première chose qu'on vit, ce fut la graisse – une grande étendue de tissu jaunâtre qui enveloppait tout ce que qu'on voulait voir. Dans la chaleur, la graisse était savonneuse et fondante. Ce matelas retiré, on découvrit les muscles dans leur enveloppe de cellophane laiteuse. C'était le fascia. Il se révéla solide et résistant : on eut du mal à le découper pour atteindre le muscle. Les muscles, en revanche, répondaient à notre attente : rougeâtres, striés, avec un renflement au milieu et des extrémités effilées. Les artères étaient souples : on y avait injecté du latex rouge. Mais aucun de nous ne savait à quoi pouvait bien ressembler un nerf avant que l'assistant ne vînt en dégager un pour nous : un genre de corde blanche et coriace.

L'après-midi passait, tournant au cauchemar : tout le monde au travail, le visage dégoulinant de sueur ; l'odeur, âcre et indescriptible ; la répugnance à s'éponger la figure de crainte de se barbouiller de phénol ; la découverte subite et horrifiée qu'un bout de chair avait giclé pour venir vous coller au visage ; l'atmosphère blafarde et spectrale de la salle elle-même, dépouillée, étouffante, dans son gris réglementaire. Ce fut une expérience lugubre, épuisante.

Rien que les noms étaient déjà assez difficiles à apprendre : artère sous-cutanée abdominale, artère honteuse externe, ligament de Cooper, épine iliaque, ligaments rotuliens. Au total, quarante structures différentes qu'il nous fallait mémoriser dès le premier jour !

On travailla jusqu'à cinq heures avant de poser des points de suture et d'injecter de l'eau, histoire de garder l'incision humide, et on s'en alla. On n'avait pas réussi à achever la dissection telle qu'elle était esquissée dans le manuel du labo.

Dès le premier jour, on avait déjà pris du retard.

Le soir, personne ne put avaler grand-chose. Les étudiants de deuxième année nous regardaient d'un air amusé, mais c'étaient les premiers jours et on n'était guère d'humeur à plaisanter. On avait tous fort à faire pour dominer nos sentiments, pour tenir le coup.

La vague de chaleur automnale continua, et la salle de dissection se transforma en véritable étouffoir. Les dépôts graisseux fondaient ; les odeurs étaient âcres ; tout était poisseux au toucher. La poignée de porte était parfois tellement visqueuse qu'on avait du mal à la tourner en fin de journée. Et même quand on découvrait des asticots dans un cadavre, et que les assistants se mettaient à parcourir la pièce en long et en large avec des tue-mouches, personne ne riait.

C'était un travail éprouvant. On essayait de le faire, un point c'est tout.

Les semaines passaient. La vague de chaleur continuait. On était soumis à de terribles pressions pour suivre le rythme de la dissection : surtout ne pas prendre de retard ! Les premiers examens d'anatomie approchaient. Deux après-midi par semaine, on travaillait dans les salles de dissection. Et de nouveau le week-end, si on avait du retard à rattraper. On commençait à faire des plaisanteries de mauvais goût.

Une blague fit le tour des tables.

Un professeur d'anatomie s'adresse à une jeune femme de la classe :

– Mademoiselle Jones, voulez-vous me donner le nom de cet organe dont le diamètre est multiplié par quatre sous l'effet d'une stimulation ?

Embarrassée, la jeune femme se met à bredouiller.

– Ne soyez pas embarrassée, mademoiselle Jones. Il s'agit de la pupille – et vous, ma chère, vous êtes bien optimiste !

Après le premier examen d'anatomie, je reçus une lettre au courrier :

> Cher monsieur Crichton
>
> Bien que vous ayez eu des résultats satisfaisants aux récents examens d'anatomie macroscopique, vous avez été

suffisamment près de la moyenne pour qu'il soit dans votre intérêt de venir me voir dans un proche avenir, à votre convenance.

Bien sincèrement à vous,
George Erikson,
professeur d'anatomie

Panique. Sueurs froides. J'étais très ébranlé. Puis, à midi, je découvris que je n'étais pas le seul à avoir reçu ce genre de lettre. En fait, près de la moitié de la promotion. J'allai voir le Dr Erikson dans l'après-midi. Il ne me dit pas grand-chose ; juste quelques encouragements, quelques allusions à la mémorisation. « Parlez tout seul, expliqua-t-il. Dites les choses à voix haute. Mettez-vous par deux pour vous poser des colles. »

Très bientôt, tout le monde, au labo d'anatomie, se mit à parler à voix haute, à répéter des trucs mnémotechniques pour mieux mémoriser :

« S 2, 3, 4 te maintient le cul au-dessus du sol », pour dire que les nerfs du muscle releveur de l'anus trouvent leur origine dans les deuxième, troisième et quatrième segments sacrés.

« Saint George Street », pour l'ordre des muscles s'insérant autour du genou.

« Ton Zèbre Broute Mes Couilles », pour les branches du nerf facial : temporale, zygomatique, buccale, mandibulaire et cervicale.

Mon acolyte de labo en imagina un nouveau : « D-Y, D-O, U-N, U-B », deux yeux, deux oreilles, un nez, une bouche...

Ils ne cessaient de se moquer de nous, nous donnant du « docteur » alors même qu'on n'était qu'en première année. Un jour, l'assistant débarqua en balançant une radio de crâne. Je n'en avais encore jamais vu. Une radio de crâne est d'une incroyable complexité.

– Très bien, docteur Crichton. À votre avis, qu'est-ce que c'est ?

Il montrait du doigt une zone blanche. Près du visage, et horizontale.

– La voûte du palais ?

– Non, c'est plus bas, dit-il en montrant une autre ligne horizontale un peu plus bas.

J'essayai encore une fois et, soudain, je compris :

– La limite inférieure de l'orbite.

– Exact.

J'étais fier de moi. Mais il revint aussitôt à la charge.

– Et ceci ?

Un petit truc en forme de crochet au milieu du crâne, ou presque. Fastoche !

– La selle turcique.
– Contenant ?
– L'hypophyse.
– Et là, juste à côté ?
– Le sinus caverneux.
– Contenant ?
Je récitai ma leçon d'un trait :
– L'artère carotide interne et les nerfs oculaires, trois, quatre et six, ainsi que deux branches du nerf trijumeau, le nerf ophtalmique et le maxillaire.
– Et cet espace sombre, juste au-dessous ?
– Le sinus sphénoïdal.
– Et pourquoi est-il sombre ?
– Parce qu'il est plein d'air.
– Très bien. Maintenant à vous, docteur Martin..., enchaîna-t-il en s'adressant à un autre membre du groupe.

J'y arrive, pensai-je. Enfin, je commence à y arriver. J'étais tout excité. Mais, en même temps, la pression montait. Chaque jour un peu plus.

Les blagues étaient de pis en pis. « Corps à vendre », écrivit un type au dos de sa blouse. Et on commençait à distribuer des noms aux cadavres : le Joyeux Géant Vert, le Maigre, King Kong.

Le nôtre reçut également un nom : Lady Brett.

Au bout de deux mois, un jour que nos instructeurs n'étaient pas dans la salle, quelques étudiants jouèrent au foot avec un foie. « Il sort, il s'enfonce dans la zone de but, la balle est en l'air... et... but ! » Le foie voltigeait à travers la salle.

Quelques-uns feignaient d'être horrifiés, mais personne ne l'était vraiment. On avait maintenant disséqué les jambes et extrait les pieds de leurs bandelettes. On avait disséqué les bras, les mains et l'abdomen. On voyait bien que c'était un corps humain, un mort allongé sur la table devant nous. Impossible d'oublier ce qu'on était en train de faire : on voyait clairement la forme. Pas moyen de prendre la distance nécessaire, de se détacher, sauf à dépasser les bornes et à manquer de respect. Pas moyen de survivre, à part rire.

Il y avait certaines parties de la dissection que personne ne voulait accomplir. Par exemple, personne ne voulait couper le pelvis en deux. Personne ne voulait disséquer le visage. Personne ne voulait gonfler les globes oculaires avec une seringue. Il fallut se partager la tâche, à grands renforts de discussions.

Je réussis à éviter toutes ces opérations.
– OK, Crichton, mais c'est toi qui devras sectionner la tête.
– OK.

– Tu te rappelleras, hein...

– Ouais, ouais, je me rappellerai.

La tête, ce n'était pas pour tout de suite. Je m'en inquiéterais le moment venu.

Mais le jour finit par arriver. Ils me tendirent la scie à métaux. Je compris que j'avais passé un horrible marché. J'avais attendu, mais je devais maintenant m'appuyer la mutilation la plus redoutée de toutes : découper la tête en suivant le plan sagittal médian, la couper en deux comme un melon, qu'on puisse voir à l'intérieur, en inspecter les cavités, les sinus, les passages, les vaisseaux.

Les yeux étaient gonflés, braqués sur moi pendant que je m'activais. On avait disséqué les muscles autour des yeux, si bien qu'il n'y avait plus moyen de les fermer. Il ne me restait qu'à aller jusqu'au bout, et à tâcher de le faire correctement.

Quelque part au fond de moi, il y eut un déclic : je me bandais les yeux, je ne voulais pas savoir, en termes humains ordinaires, ce que je faisais. Après ce déclic, je n'eus plus aucun problème. Je travaillai bien. Ma section fut la meilleure de la promo. Tout le monde rappliqua pour admirer le boulot, parce que j'avais suivi exactement la médiane et qu'on voyait parfaitement tous les sinus.

Plus tard, j'appris que ce déclic, cette manière de se bander les yeux, était essentiel pour devenir médecin. Il était impossible de s'en tirer si l'on était terrassé par ce qui se produisait. En vérité, j'étais beaucoup trop vulnérable. J'avais tendance à m'évanouir – quand je voyais des accidentés aux urgences, dans le bloc opératoire ou en faisant des prises de sang. Il fallait que je trouve un moyen de me blinder contre ce que je ressentais.

Plus tard encore, j'appris que les meilleurs toubibs trouvaient un moyen terme : ni terrassés par leurs sentiments ni entièrement détachés. C'était la position la plus difficile de toutes, et l'équilibre précis – ni trop détaché, ni trop affecté – était une chose que peu apprenaient.

À l'époque, je m'indignais que notre formation, en apparence, portât autant sur les émotions que sur le contenu concret de ce qu'on apprenait. Cet aspect émotionnel ressemblait plus à du bizutage, à une initiation professionnelle, qu'à de l'enseignement. Je mis du temps à comprendre que la conduite d'un médecin avait au moins autant d'importance que son savoir. Et, assurément, je ne soupçonnais pas que mes doléances finiraient par se focaliser presque exclusivement sur les attitudes émotionnelles des praticiens plutôt que sur leur bagage scientifique.

Une bonne histoire

Le travail clinique de l'étudiant commence par des entretiens avec des patients souffrant de maladies diverses.

– Va donc voir M. Jones, chambre 5, il a une bonne histoire, te demande l'interne de l'étage, voulant dire par là que le M. Jones en question donne un historique clair d'une maladie bien spécifique.

Tu vas donc trouver M. Jones, tu écoutes son histoire et tu diagnostiques sa maladie.

Pour un étudiant qui commence à travailler en milieu hospitalier, interviewer les patients ne va pas sans tensions considérables. Tu essaies d'agir en professionnel, comme si tu savais ce que tu fais. Tu essaies de faire un diagnostic, de ne pas oublier toutes les choses que tu es censé demander, toutes les choses que tu es censé vérifier, y compris des points de détail. Parce que tu n'as aucune envie de retourner vers l'interne pour lui annoncer :

– M. Jones souffre d'un ulcère de l'estomac,

et de t'entendre dire :

– Exact. Mais qu'en est-il de ses yeux ?

– Ses yeux ?

– Oui.

– Ses yeux, hum...

– T'as jeté un coup d'œil à ses yeux ?

– Euh... oui, naturellement.

– Et t'as rien remarqué ?

– Non...

– T'as pas remarqué à gauche, son œil de verre ?

– Mince !

Pour éviter ce genre de déconvenue et se faciliter la tâche, tous les étudiants apprenaient vite certains trucs. Le premier était d'amener quelqu'un à vous faire part du diagnostic, de manière à ne pas être obligé de le deviner par soi-même. Savoir le diagnostic rendait l'entretien beaucoup moins stressant. Avec un peu de chance, l'interne lui-même laissait échapper :

– Va donc voir M. Jones, chambre 5, il a une bonne histoire d'ulcère à l'estomac.

On pouvait aussi s'en remettre à la miséricorde des infirmières :

– Où il est, M. Jones ?

– Ulcère de l'estomac. Chambre 5.

Parfois, on trouvait des parents du malade en arrivant. Ça valait toujours la peine d'essayer.

– Hello, madame Jones. Comment ça va aujourd'hui ?

– Très bien, docteur. Je parlais à l'instant avec mon mari du régime qu'il devra suivre pour son ulcère quand il rentrera à la maison.

Et, pour finir, les patients savaient généralement le diagnostic, et ils pouvaient tout à fait en parler, surtout si on allait s'asseoir à leur chevet et qu'on lançait d'un ton enjoué :

– Eh bien, monsieur Jones, comment on se porte aujourd'hui ?

– Beaucoup mieux.

– Et les médecins vous ont dit ce qui ne va pas ?

– Un petit ulcère à l'estomac de rien du tout.

Mais, même si les malades ne connaissaient pas le diagnostic, dans un CHU on les avait déjà interrogés tant de fois qu'on devinait à leurs réponses comment il fallait procéder. Si on était sur la bonne piste, ils soupiraient : « Tout le monde me demande si j'ai mal après les repas » ou : « Tout le monde me demande la couleur de mes selles. » Mais si on faisait fausse route, ils se plaignaient : « Pourquoi vous me demandez ça ? Jamais personne ne m'a posé la question. » Ainsi avait-on souvent le sentiment de suivre un sentier battu.

Mais, même si on devinait le diagnostic, l'interview des patients gardait toujours une part d'incertitude excitante. On ne savait jamais ce qui allait se passer.

– Va voir Mme Willis, me dit un jour l'interne. Chambre 8. Elle a une belle histoire d'hyperthyroïdie.

Je descendis le couloir en me disant : hyperthyroïdie, hyperthyroïdie, qu'est-ce que j'en sais, moi, de l'hyperthyroïdie ?

Mme Willis était une femme maigre de trente-neuf ans : assise dans son lit, elle fumait cigarette sur cigarette. Elle avait des yeux protubérants. Elle était nerveuse et semblait malheureuse. Son teint hâlé faisait ressortir la multitude de balafres qui lui zébraient les bras et le visage, vraisemblablement le fruit d'un grave accident de la route.

Je me présentai et me mis à lui parler, en me focalisant sur les questions de thyroïde. La thyroïde régule le métabolisme général du corps et elle affecte la peau, les cheveux, la voix, la température, le poids, l'énergie et l'humeur. Mme Willis me donna toutes les réponses que j'attendais. Elle avait beau manger, elle ne prenait jamais un gramme. Elle avait toujours chaud et dormait toujours sans rien sur elle. Elle avait remarqué que ses cheveux étaient devenus cassants. Oui, oui, oui... tout le monde lui demandait les mêmes choses. Elle répondait du tac au tac, avec humeur. Elle paraissait souvent au bord des larmes.

Je l'interrogeai sur son hâle. Elle me dit qu'elle était allée chez sa sœur, en Alabama. C'était au poil, parce que l'appartement de sa sœur avait l'air conditionné. Elle avait passé trois mois chez sa sœur en Alabama. Maintenant, elle était de nouveau à Boston.

Pourquoi l'avait-on hospitalisée ?

– Pour ma thyroïde, elle est trop haute.

Qu'est-ce qui l'avait amenée à l'hôpital ?

Haussement d'épaules.

– Je suis venue, et ils m'ont dit de rester. À cause de ma thyroïde.

– Et ces balafres, sur vos bras ?

– Des coupures.

– Des coupures ?

– Au couteau, pour la plupart. Celle-ci, du verre.

Les cicatrices semblaient être d'époques différentes, les unes récentes, les autres plus anciennes.

– Oui. Celle-ci remonte à cinq ans, les autres à moins.

– Comment c'est arrivé ?

– Mon mari.

– Votre mari ?

Je devais procéder avec ménagement. Elle paraissait au bord des larmes maintenant.

– C'est lui qui me taillade. Quand il boit, vous comprenez.

– Depuis combien de temps ça dure, madame Willis ?

– Je vous l'ai dit : cinq ans.

– C'est pour ça que vous êtes allée chez votre sœur ?

– Elle m'a conseillé d'appeler la police.

– Et vous l'avez fait ?

– Une fois. Ils ont pas bougé. Ils sont venus et ils lui ont dit d'arrêter ça. C'est tout. Il est devenu *fou* de rage après ça.

Sur ce elle éclata en sanglots si forts que tout son corps en était secoué et que les larmes ruisselaient de son visage.

J'étais confus. La labilité émotionnelle est caractéristique de l'hyperthyroïdie ; les patients éclatent souvent en sanglots. Mais visiblement, cette femme avait subi des sévices graves de la part de son mari. Je continuai la conversation. Elle était d'abord venue à l'hôpital à cause de ses blessures. Les médecins l'avaient admise pour hyperthyroïdie, mais c'était manifestement un prétexte pour la sortir des griffes de sa brute de mari. Elle était en sécurité à l'hosto, mais qu'allait-il arriver une fois qu'elle aurait signé sa décharge ?

– Personne n'est venu vous parler au sujet de votre mari ? Une assistante sociale ou je ne sais qui ?

– Non.

– Vous auriez envie d'en parler avec quelqu'un ?

– Oui.

Je promis d'arranger ça et je filai, révolté.

En ce temps-là, les violences physiques au sein de la famille n'étaient pas vraiment reconnues. Tout le monde faisait comme si les femmes battues ou les enfants maltraités, ça n'existait pas. Il n'y avait pas de lois, pas d'organismes officiels, pas de foyers ni le moindre mécanisme pour venir au secours de ces gens. Je ressentais vivement l'injustice de cette situation, et le dangereux isolement de cette femme – assise toute seule dans son lit d'hôpital, attendant qu'on la renvoie chez son mari, qui allait recommencer à la taillader.

Personne ne levait le petit doigt. Les médecins pouvaient bien traiter sa thyroïde, mais personne ne s'occupait de ses vrais problèmes, des menaces qui pesaient sur sa vie.

Je retournai voir l'interne.

– Écoute, t'as vu les blessures de madame Willis ?

– Oui.

– Ce sont des coups de couteau.

– Oui, pour certaines.

Il avait l'air calme.

– Eh bien, ici, on soigne son hyperthyroïdie, mais moi, j'ai l'impression qu'elle a un problème autrement plus grave.

– Tout ce qu'on peut traiter, c'est son hyperthyroïdie, répondit l'interne.

– Je pense qu'on peut faire plus. On peut prendre des mesures pour l'éloigner de son mari.

– Quel mari ?

– Le mari de madame Willis.

– Mais elle n'a pas de mari. Qu'est-ce qu'elle t'a raconté ?

Je lui dis ce que j'avais appris.

– Écoute. Mme Willis a été transférée ici d'un sanatorium privé d'Alabama. Elle est d'une famille aisée, mais il y a des années que son mari l'a quittée. Voilà une dizaine d'années qu'elle va d'une institution à l'autre. Toutes ces coupures sont des blessures volontaires.

– Oh !

– T'as pensé à lui demander si elle était jamais allée à l'hôpital psychiatrique ?

– Non.

– Bon. T'aurais dû lui demander. Elle est pas si timbrée que ça. Elle te le dira elle-même... si tu lui demandes.

– Va donc voir M. Benson, me dit une autre fois l'interne. Il a une belle histoire d'ulcère duodénal.

J'allai voir M. Benson et commençai par m'arrêter au pied de son lit pour jeter un œil à sa feuille de température. Encore un truc. Les infirmières y notaient les doses de médicament, des trucs comme ça, mais ça pouvait quand même être sacrément utile. Commencer par lire la feuille de température sitôt entré, ça donnait un air professionnel.

– Ah, monsieur Benson ! Je vois que vous êtes passé sur le billard il y a deux jours, lançai-je en me disant que si on l'avait opéré pour son ulcère, ce devait être du sérieux.

– Oui.

– Côté urines, pas de problème.

– Non.

– Comment vous sentez-vous ? Vous avez mal ?

– Non.

Je me disais : Rien que deux jours après l'opération, et aucune douleur ?

– Eh bien, vous récupérez à merveille.

– Non.

Pour la première fois, je le regardai vraiment. Il était assis dans son lit, en sortie de bain : un petit homme sec et tendu de quarante et un ans. Il avait l'air détaché de nombreux patients après une opération, quand ils concentrent leur énergie à l'intérieur pour guérir. Mais dans son cas, c'était un peu différent.

– Eh bien, repris-je, parlez-moi de votre ulcère.

Harry Benson s'exprimait d'une voix éteinte et monocorde. Il était arbitre en assurances sur Rhode Island. Il avait passé toute sa vie avec sa mère. Elle était malade et elle avait besoin qu'il veille sur elle. Il ne s'était jamais marié et il avait peu d'amis en dehors du boulot. Depuis cinq ans, son ulcère le faisait souffrir horriblement. Il lui arrivait de vomir du sang. Il avait été hospitalisé à six reprises à cause de ces douleurs et de ces vomissements. Il avait fallu lui faire des transfusions à répétition. On lui avait fait ingurgiter du baryte pour mieux faire apparaître l'ulcère. Les médecins lui avaient expliqué l'an dernier qu'il faudrait l'opérer si les médicaments n'agissaient pas. Les hémorragies avaient continué. Il était donc revenu à l'hôpital et on l'avait opéré il y a deux jours.

Telle était son histoire.

Comme l'avait promis l'interne, c'était une histoire classique et, après avoir été soumis à une telle attention de la part des médecins, M. Benson la racontait clairement. Il connaissait même le jargon des médecins, et employait « baryte » à la place de « transit gastroduodénal ».

Mais pourquoi était-il si déprimé ?

– Eh bien, étant donné votre histoire, vous devez être ravi que l'opération soit passée.

– Non !

– Comment ça, non ?

– Ils ont rien fait.

– Qu'est-ce que vous voulez dire ?

– Ils m'ont ouvert, mais ils ont rien fait. Ils ont renoncé à l'opération.

– Monsieur Benson, je crois que vous vous trompez. Ils ont fait l'opération pour vous retirer une partie de l'estomac.

– Je vous dis que non. Ils s'apprêtaient à faire une résection partielle, mais ils ont rien fait. Ils ont jeté un coup d'œil et ils m'ont refermé.

Sur ce il éclata en sanglots en se prenant la tête entre les mains.

– Qu'est-ce qu'ils vous ont dit ?

Il secoua la tête.

– À votre avis, qu'est-ce qui ne va pas ?

Il secoua la tête.

– Vous croyez que vous avez un cancer ?

Il fit un signe de tête tout en continuant à sangloter.

– Monsieur Benson, je ne pense pas que ce soit le cas.

Il n'avait pas les glandes enflées, pas de perte de poids, pas de douleur dans d'autres parties du corps. Et puis jamais ils n'auraient envoyé un étudiant chez quelqu'un qui venait d'apprendre qu'il avait un cancer incurable.

– Si, insista-t-il. Un carcinome.

Il était si bouleversé que j'eus le sentiment que je devais faire quelque chose.

– Monsieur Benson, je vais aller vérifier ça tout de suite.

Je retournai au poste des infirmières. L'interne traînait dans les parages.

– Tu connais M. Benson ? Ils lui ont fait une résection gastrique ?

– Non, rien.

– Et pourquoi non ?

– Quand ils l'ont ouvert, sa pression sanguine a crevé le plafond et ils se sont dit qu'ils pouvaient pas continuer. Ils se sont contentés de le refermer le plus vite possible.

– Et quelqu'un le lui a dit ?

– Bien sûr. Il sait.

– Eh bien, il croit qu'il a un cancer.

– Encore ? C'est ce qu'il pensait hier.

– Eh bien, il le croit toujours.

– On le lui a dit en toutes lettres, qu'il a pas le cancer, reprit l'interne. Je le lui ai dit, l'interne en chef le lui a dit, son médecin le lui a dit, le chirurgien le lui a dit. Tout le monde le lui a dit. Ce Benson est un type bizarre, tu sais. Il vit avec sa mère.

Je retournai voir M. Benson. Je lui dis que j'avais vérifié auprès de l'interne et qu'il n'avait pas de cancer.

– Allez, ne me racontez pas d'histoire.

– Je ne vous raconte pas d'histoire ! Le chef de service et les autres internes ne sont-ils pas venus vous voir hier ?

– Si.

– Et ils vous ont dit que vous n'avez pas le cancer ?

– Oui. Mais je sais, moi. Ils ne me le diront pas en face, mais je sais.

– Et comment vous le savez ?

– Je les ai entendus parler, quand ils croyaient que je n'écoutais pas.

– Et ils ont dit que vous aviez le cancer ?

– Oui.

– Qu'est-ce qu'ils racontaient ?

– Ils racontaient que j'avais des nœuds ?

– Quel genre de nœuds ?

– Des nœuds aériens.

Jamais entendu parler de ça !

– Des nœuds aériens ?

– Oui, c'est comme ça qu'ils les ont appelés.

Je retournai voir l'interne.

– Je t'ai bien dit qu'il est bizarre. Personne ne lui a jamais parlé de ganglions, tu peux me croire. Je n'arrive pas à comprendre comment... Une minute !

Il se tourna vers les infirmières.

– Qui occupe le lit à côté de M. Benson ?

– M. Levine, post-cholécystostomie.

– Mais il est arrivé aujourd'hui. Qui occupait ce lit hier ?

– Hier... mince !

Personne ne se souvenait de qui occupait le lit la veille. Mais l'interne insista. On sortit les dossiers pour vérifier. Il fallut une demi-heure de plus, et de nouvelles discussions avec M. Benson, pour tirer l'affaire au clair.

Le lendemain de son opération, M. Benson, inquiet qu'on n'ait pas poursuivi l'opération, avait fait semblant de dormir pendant la tournée des internes. Il avait écouté ce qu'ils disaient et il les avait entendus discuter du patient qui occupait le lit voisin, qui souffrait d'une arythmie cardiaque liée au nœud sinusal. Mais M. Benson avait cru qu'ils parlaient de lui et des ses « nœuds aériens ». Et il fréquentait les hôpitaux depuis assez longtemps pour savoir que les nœuds, c'étaient des cancers.

Voilà pourquoi il était sûr qu'il allait mourir.

Tout le monde retourna lui parler. Et il finit par comprendre que, tout compte fait, ce n'était pas le cancer. Il était terriblement soulagé.

Tout le monde se retira. Je restai seul avec lui. Il me fit signe d'approcher.

– Hé, écoutez, merci ! dit-il en me fourrant vingt dollars dans la main.

– Vraiment, ce n'est pas nécessaire, protestai-je.

– Non, non, donnez ça à Eddie, chambre 4.

Et il m'expliqua qu'Eddie était un bookmaker et qu'il prenait les paris pour tout l'étage.

– Sur Fresh Air, dans la sixième !

Tel fut le premier signe que M. Benson était en bonne voie de guérison.

– Va donc voir M. Carey, chambre 6 ; il a une bonne histoire de glomérulonéphrite, dit l'interne.

J'étais soulagé de connaître le diagnostic, mais mon ardeur retomba aussitôt.

– En fait, le type va probablement mourir.

M. Carey était un jeune homme de vingt-quatre ans. Assis dans son lit, il jouait au solitaire. Il paraissait en pleine forme et enjoué. En vérité, il était si chaleureux que je me demandais pourquoi personne, semblait-il, n'allait jamais dans sa chambre.

M. Carey était jardinier dans une propriété de la périphérie de Boston. Sa gorge l'avait fait affreusement souffrir quelques mois auparavant. Il était allé voir un médecin qui lui avait donné des comprimés contre les streptocoques, mais il n'en avait pas pris plus de quelques jours. Un peu plus tard, il observa un gonflement de son corps et il se sentit faible. Puis il apprit qu'il avait une maladie des reins. Il était maintenant sous dialyse, à raison de deux séances par semaine. Les médecins avaient bien parlé de transplantation, mais il n'était pas sûr. Pour l'instant, il attendait.

Voilà bien ce qu'il faisait : il attendait.

Il avait mon âge. Plus je lui parlais, plus j'étais sous le choc. En ce temps-là, la dialyse était encore un traitement exotique, et la transplantation rénale plus exotique encore. Les statistiques n'étaient pas très encourageantes. Si la transplant marchait, l'espérance de vie moyenne était de trois à cinq ans.

Je parlais à un homme condamné.

Je ne savais que dire. Un moment, la conversation tourna autour des Celtics, de Bitt Russell. Il semblait content de parler de sport, ravi de ma présence ici. Mais mon seul désir à moi était de filer au plus vite. J'étais pris de panique. J'avais l'impression d'étouffer. Qu'est-ce que je pouvais bien *faire* ici ? Je n'étais qu'un étudiant en médecine face à quelqu'un qui allait mourir, aussi sûrement que la saison de basket-ball allait prendre fin dans quelques semaines. C'était inévitable. Je ne voyais vraiment pas ce que je pourrais dire.

En attendant, il avait l'air tellement content de bavarder ! Je me demandais jusqu'où il savait. Pourquoi était-il si calme ? Ne connaissait-il pas sa situation ? Il devait être au courant. Il devait savoir qu'il ne ressortirait sans doute plus de cet hôpital. Pourquoi était-il si calme ?

Juste un brin de causette. Les sports. La saison de base-ball. L'entraînement du printemps.

C'était plus que je n'en pouvais supporter. Je devais filer. Je devais sortir de la chambre.

– Eh bien, je suis sûr que vous serez d'aplomb d'ici peu, dis-je.

Il eut l'air déçu.

– Ce que je veux dire, repris-je, c'est que vous êtes en bonne voie, que vous serez probablement sorti d'ici une petite semaine.

Il eut l'air *très* déçu. Je racontais des bobards. Mais qu'est-ce que j'aurais dû dire ? Je n'en avais pas la moindre idée.

– Haut les cœurs ! Je suis sûr qu'ils vont vous arranger votre sortie d'un jour à l'autre maintenant. Je dois y aller. La tournée, vous savez.

Il me dévisagea sans dissimuler son mépris.

– Naturellement, parfait !

Je décampai, en prenant soin de refermer la porte derrière moi et de chasser de mon esprit la vision de cet homme de mon âge à l'article de la mort.

Je retournai voir l'interne.

– Qu'est-ce qu'on est censé dire à un mec comme ça ?

– C'est un dur, répondit l'interne.

– Il sait ?

– Ouais, bien sûr.

– Et qu'est-ce que tu racontes ?

– Moi-même, je ne sais jamais quoi dire. Une foutue saloperie, pas vrai ?

Avec le recul, il me paraît inconcevable qu'en quatre années d'études de médecine jamais personne ne nous ait parlé, de manière formelle ou informelle, des mourants. À la fac de Harvard, c'est à peine si on parlait de la mort, qui est pourtant la chose la plus importante en médecine. On ne s'attardait pas sur ce qu'on pouvait ressentir en présence d'un mourant : la panique, la peur, un sentiment d'échec, le douloureux rappel des limites de notre art. On ne s'interrogeait pas sur ce que pouvait vivre un mourant, sur ce dont il pouvait avoir besoin, ce qu'il pouvait désirer. Pas un mot sur tout ça. À nous de découvrir la mort par nos propres moyens.

Quand j'y pense, j'imagine l'horrible isolement que devait ressentir ce pauvre garçon, assis à longueur de journée dans une chambre où personne n'avait envie de mettre les pieds. Et pour finir, voilà qu'un malheureux étudiant en médecine rapplique et qu'il a une petite chance d'échanger deux mots avec un autre être humain. Il est aux anges. Il aimerait bien parler de ce que lui réserve la vie. Il s'inquiète de ce qu'il va devenir. Il a envie de parler parce que, à la différence de moi, il ne peut pas fuir la réalité. Je me tire en quatrième vitesse, lui non. Il est tétanisé par la réalité de sa mort imminente.

Mais au lieu d'engager la conversation, au lieu d'avoir assez de cran pour lui tenir compagnie, je me contentai de marmonner des platitudes et de détaler. Au fond, son regard de mépris, à la fin, n'avait rien de surprenant. Je n'avais pas grand-chose d'un médecin : je me préoccupais beaucoup plus de moi que de lui, alors que c'était lui qui était en train de mourir.

Je continuais à me raconter que j'étais un peu différent – qu'il n'était pas comme moi –, que ça ne m'arriverait jamais à moi, des choses pareilles.

Le pavillon des courges

Quatre heures du matin. Je fouille à tâtons dans un placard de mon appartement plongé dans l'obscurité. J'essaie de mettre la main sur tout le barda que je suis censé apporter, mon stéthoscope, ma trousse de médecin, mon carnet de notes et tout le reste, parce que le jour est arrivé, enfin ! Fini le temps partiel à l'hosto à jouer les toubibs. Aujourd'hui commencent mes stages cliniques. À compter de ce jour, je travaillerai tous les jours et toutes les nuits à l'hôpital. Je suis terriblement excité et nerveux, et je ne cesse de laisser tomber des choses dans mon placard. Et quand, enfin, j'ai tout réuni, impossible de trouver mes clés de voiture. Il est cinq heures du matin. Je vais être en retard pour ma première garde, en neurologie, au Boston City Hospital.

Les vieux immeubles de briques de Boston ressemblaient plus à une prison qu'à autre chose. Je trouvai le parking et me dirigeai vers le pavillon de neuro en empruntant les couloirs en sous-sol.

– Bonjour, lançai-je au type de l'ascenseur.

– Hello, doc, répondit-il d'une voix grave.

L'homme s'appelait Bennie. C'était un acromégalique de deux mètres de haut qui devait facilement peser dans les cent cinquante kilos, avec de longs bras, de gros doigts, un long nez et un menton en galoche.

– Je vais en neuro, dis-je.

Bennie poussa un grognement et tira la grille. Le vieil ascenseur démarra.

– Fait beau, n'est-ce pas ?

Bennie poussa de nouveau un grognement.

– Ça fait longtemps que vous travaillez ici ?

– Depuis que j'ai été patient.

– Au poil!
– Ils m'ont opéré.
– Je vois.
– À la tête.
– Hum, hum.
– Nous y voilà, doc, dit Bennie en ouvrant la grille.

Ma première vision du pavillon de neurologie fut saisissante. Des patients se contorsionnaient comme des serpents sur leurs fauteuils, agités de mouvements choréo-athétosiques. D'autres étaient sanglés sur leur siège, le regard perdu dans le vide, et radotaient. Il y avait aussi des patients alités, qui geignaient de temps à autre. De lointains hurlements de douleur. On se serait cru plongé au XVIIIe siècle, aux beaux jours de Charenton.

J'avais six semaines à passer ici. Je me dirigeai vers le poste des infirmières pour me signaler. Je passai devant un grand type assis dans son lit, les draps remontés jusqu'au menton.

– Hé, doc!
– Bonjour!
– Hé, doc! Tu peux me filer un coup de main?

Et pour s'assurer que je n'allais pas prendre la tangente, il m'empoigna par le bras. C'était une grosse baraque, avec des grandes patoches comme des tranches de barbaque. Grisonnant, les cheveux coiffés en brosse, avec une grande balafre en travers du visage. Il avait l'air dangereux. Il me regardait fixement.

– Personne ne veut m'aider dans cette piaule, dit-il.
– Bon Dieu!
– Tu vas m'aider, doc?
– Promis. Où est le problème?
– Me retirer mes godasses.

D'un signe de tête, il me désigna le pied de son lit, où on devinait un renflement sous les draps. Je me demandais pourquoi il gardait ses chaussures au lit, mais il était tellement imposant et brusque que je me dis que ça ne valait pas la peine de demander.

– Pas de problème, répondis-je.

Il me lâcha le bras, et je me dirigeai vers le pied de son lit. Je soulevai les draps.

Je vis deux grands pieds nus. Dix orteils – ou plutôt neuf, parce que l'un des gros orteils manquait. Il n'y avait qu'un moignon noir.

Je me retournai vers lui. Il me regardait attentivement, rayonnant.

– Vas-y!
– Que voulez-vous que je fasse encore?
– Que tu me retires mes godasses.
– Parce que vous avez des chaussures?

– T'es miro ou quoi, juste sous tes yeux ! cria-t-il en colère.

Je rabattis les draps, histoire de bien lui montrer qu'il avait les pieds nus. Mais il se contenta de hocher la tête.

– Bon sang, mais vas-y !

– Vous voulez dire ces chaussures, ici ? demandai-je en montrant du doigt ses pieds nus.

– Ouais. Les godasses, à mes pieds. Faut te faire un dessin ?

– Non, dis-je. Mais dites-moi, qu'est-ce que c'est comme godasses ?

– T'occupe. Retire-les.

Il avait l'air si inconstant. Je n'avais aucune idée de ce qui n'allait pas chez lui, ni de la manière dont je devais m'y prendre. Je décidai tout de même de continuer.

Je fis semblant de retirer ses chaussures.

– *Bon Dieu !* cria-t-il en gémissant.

– Ça va pas ?

– C'est pas vrai, ça ! T'as vraiment rien dans le ciboulot ? Les lacets d'abord !

– Oh, désolé.

Je fis semblant de délacer les souliers.

– C'est mieux ?

– Ouais, bon Dieu !

Je fis mine de retirer la première chaussure, puis la seconde. Il soupira et remua les orteils.

– Ah, c'est mieux. Merci beaucoup, doc.

– Surtout pas un mot !

J'avais hâte de m'en aller. Je me dirigeai vers le poste des infirmières.

– Hé ! Pas si vite, lança-t-il en m'empoignant de nouveau. Tu comptes aller où, comme ça ?

– Au bureau des infirmières.

– Avec mes godasses ?

– Désolé.

– Désolé, mon œil ! J'suis pas né d'hier. Laisse-les ici !

– OK. Voilà, ça va ?

– Vous les mecs, faut toujours vous tenir à l'œil !

Sur ce il changea brusquement d'expression. Il avait baissé les yeux sur les draps. Il fut soudain pris de panique, effrayé.

– Hé, doc ! Tu peux m'aider ?

– Qu'est-ce qu'il y a maintenant ?

– Tu chasses cette araignée, sur les draps, tu veux bien ? Les deux araignées. Tu les vois, là.

– Vous avez vu des araignées ?

– Oh, ouais, des tas. Surtout la nuit dernière – y en a plein sur les murs.

Un alcoolique, en plein delirium tremens !

– Je vais voir les infirmières.

Il m'empoigna de nouveau par le bras et rapprocha son visage du mien.

– *Je ne touche plus à ces araignées !*

– Bonne idée, dis-je. À plus tard !

Il me relâcha. J'allai au bureau de soins. Il y avait quelques infirmières et un homme de trente et un ans au visage tiré. Il avait une dégaine pas possible avec son pantalon au pli impeccable, sa veste irréprochable, sa cravate et sa coupe immaculée. Il jeta un coup d'œil à sa montre.

– Docteur Crichton ? Ou devrais-je dire monsieur Crichton ? Donald Rogers, interne, c'est moi qui suis responsable de ce service, et vous êtes en retard. Quand je dis que je veux vous voir ici à six heures, je veux dire six heures et pas six heures trois. Compris, m'sieur ?

– Oui, monsieur.

Ainsi commença mon stage de neurologie.

Les choses ne devaient jamais s'arranger.

La neurologie clinique est, pour l'essentiel, une spécialité diagnostique, parce que les troubles neurologiques graves susceptibles d'être traités sont assez rares. Le service de neurologie clinique de Boston était à l'image de cet état de choses déprimant. Au fond, on admettait simplement les cas pour que les jeunes médecins puissent les voir. Les trente-sept patients de l'étage avaient tous des maladies différentes. L'équipe ne voulait jamais d'un patient s'il y en avait déjà un à l'étage affligé de la même maladie. Ce n'était pas un service hospitalier, c'était un musée. La plupart des gens en parlaient comme du pavillon des gourdes ou des courges.

Quant à nous, on faisait comme si c'était un service comme les autres, avec des patients traitables. On suivait la routine hospitalière : tournées, prises de sang, consultations et tests diagnostiques. On jouait la charade avec un grand souci de précision, alors même qu'on ne pouvait pas faire grand-chose pour qui que ce soit.

À part moi – seul et unique étudiant en médecine –, il y avait un certain Bill Levine, un interne de New York, un dénommé Tom Perkins, qui faisait sa première année d'internat, et le Dr Rogers. C'était un homme du Sud, de Duke, qui faisait tout comme dans les livres. Rogers était toujours sur son trente et un. Sa « présentation », comme il disait, en imposait. Un jour, Levine, qui détestait Rogers, l'interrogea sur ses cravates.

– Tu aimes ces cravates ? demanda Rogers avec son léger accent du Sud.

– Eh bien, Don, je me demandais comment tu te débrouillais pour qu'elles soient toujours nickel, sans un faux pli.

– C'est ma femme. Elle les repasse.

– Vraiment ?

– Oui. Elle se lève avec moi à cinq heures du matin et, une fois que je suis habillé et que j'ai noué ma cravate, elle me la repasse. Elle le fait sur moi.

– Tu te fiches de moi !

– Eh oui, elle est au poil, reprit Rogers. Une seule fois elle a légèrement brûlé ma chemise, et il a fallu que je me change entièrement. Mais elle n'a plus jamais remis *ça*.

– Je l'aurais parié, observa Levine.

– Non. Ça lui aura servi de leçon, conclut Rogers en gloussant.

Rogers était un tantinet sadique. Il avait une série d'épingles au revers de sa veste, près de la boutonnière. En tournée, il aimait asticoter les patients, « afin de tester leurs réactions ». Il y avait dans tout cela quelque chose de profondément malsain. Jamais aucun patient ne s'en trouvait mieux. On ne voyait jamais le moindre changement, d'un jour ou d'une semaine à l'autre, hormis pour les deux qui avaient une tumeur au cerveau inopérable et qui se mouraient lentement. Pour le reste, personne ne changeait. Les patients étaient des indigents, des malades incurables ballottés d'une institution à l'autre. Comme on faisait la tournée tous les matins, il n'y avait pas vraiment grand-chose à discuter. Mais Rogers les piquait quand même.

Levine n'avait qu'un mois à faire dans ce service. C'était un type costaud et souriant de vingt-cinq ans, presque chauve. Homme au cœur chaud, il méprisait Rogers et le service. Il exprimait son dégoût en s'allumant un joint tous les matins avant la tournée.

Je ne m'en aperçus que le deuxième jour. Passant devant les toilettes des hommes, je sentis la fumée et entrai.

– Bill, qu'est-ce que tu fabriques ?

– Une petite taf, dit-il en reniflant. Il passa le joint à Perkins, l'interne, qui tira une longue bouffée puis me le tendit.

Je le repoussai.

– Tu te fiches de moi ? Qu'est-ce que tu fabriques ?

Il était six heures trente du matin.

– Comme tu voudras !

– Tu veux dire que *vous êtes tous camés pendant les tournées* ?

– Et pourquoi pas ? Personne ne peut le deviner.

– Bien sûr que si, on peut.

– T'aurais pas dit ça hier. Et tu crois que Tête-d'épingle peut le dire ? (Tête-d'épingle était le surnom que Levine avait donné à Rogers.)

– Hé, relax ! dit Levine en tirant une grande bouffée. Tout le monde s'en fout. La moitié des infirmières sont bourrées, elles aussi. Venez. C'est pas de la camelote. Tu sais d'où elle vient ? Bennie.

– Bennie ?

– Bennie. Tu sais bien, l'ascenseur.

Parmi les tâches d'un étudiant en médecine, il y avait les prises de sang quotidiennes aux patients. Je me pointais tous les matins à six heures au poste des infirmières, et l'interne de garde cette nuit-là lisait à voix haute la liste des prises de sang à faire dans la journée. X bouchons rouges de M. Roberti, un rouge et un bleu de M. Jackson, un rose et un bleu de Mme Harrelson, et ainsi de suite. Je devais prélever une vingtaine de tubes en une demi-heure ; ils devaient être prêts pour la tournée du matin, à six heures trente.

Le seul ennui, c'était que j'en étais à mon premier stage clinique et que je n'avais encore jamais fait de prise de sang. Et que j'avais tendance à tourner de l'œil à la vue du sang.

Concrètement, j'allais voir mon premier patient, lui passais le tourniquet, laissais gonfler la veine puis j'essayais d'enfoncer l'aiguille sans tomber dans les pommes. Puis, quand le sang giclait, je fixais le tube et en remplissais le nombre nécessaire en inspirant profondément. J'étais invariablement pris de vertiges. Je m'empressais d'en finir, je retirais l'aiguille, appliquais une rondelle de coton sur l'épaule, me précipitais à la fenêtre la plus proche que je laissais grande ouverte pour m'abreuver de l'air de janvier tandis que les patients gueulaient qu'ils se gelaient.

Dès que je me sentais mieux, je passais au suivant.

Impossible de faire vingt patients en une demi-heure. Avec un peu de veine, j'arrivais à trois.

Par chance, je recevais de l'aide. Le premier jour, j'allai voir un géant noir, un certain Steve Jackson. Il voyait bien que je n'en menais pas large.

– Hé, chef, qu'est-ce que tu fabriques ?

– Prise de sang, M. Jackson.

– Tu sais ce que tu fais, chef ?

– Bien sûr que je sais ce que je fais !

– Alors comment ça se fait que t'as les mains qui tremblent ?

– Oh, ça... je ne sais pas.

– T'as jamais fait de prise de sang ?

– Bien sûr que si, pas de problème.

– Parce que j'ai pas envie qu'un mec me bousille les veines, reprit-il en m'arrachant l'aiguille des mains. Qu'est-ce que tu veux, chef ?

– Du sang.

– Je veux dire lequel ? Quels tubes ?

– Oh ! Bouchon rouge et bouchon bleu.

– File-moi les tubes et reviens plus tard, t'auras ce qu'il te faut.

Sur ce il prit le tourniquet entre les dents, le passa à son bras et se fit lui-même la prise de sang. Maintenant, je pigeais : Jackson était un toxico et il ne voulait pas qu'on vienne lui triturer les veines. À compter de ce jour, tous les matins, je lui balançai le matériel sur son lit.

– Aujourd'hui, jaune et bleu, Steve.

– À ton service, Mike.

Et je passais au suivant.

Hennessey, le voisin de Steve, était le plus clair du temps inconscient. Steve me regardait tâtonner pour faire venir le sang et je crois que je choquais son sens de la finesse. Il déclara donc qu'il se ferait ses prises de sang lui-même, et celles de Hennessey aussi.

Les infirmières me prirent à leur tour en pitié, et elles prélevaient deux tubes pour moi. Et Levine en faisait autant quand il était de garde la nuit. Les jours passant, je n'étais plus obligé de rester aussi longtemps pendu à la fenêtre. Tout le monde s'y mettant, je finis par arriver à achever les prises de sang à temps pour le début des tournées.

– Ravi de vous voir à l'heure pour une fois, *monsieur* Crichton. Vous en faites un cirque, pour une malheureuse prise de sang.

Je commençai à détester Rogers, moi aussi.

Ainsi, les semaines se traînaient : l'étudiant en médecine qui tournait de l'œil à chaque prise de sang, les internes camés en tournée, et Rogers qui asticotait tout le monde avec ses épingles dès qu'on avait le dos tourné. Et, toujours, les patients qui bavassaient et se contorsionnaient dans leur coin, les alcoolos qui balayaient d'un revers de main des fourmis ou des araignées invisibles. Un cauchemar de louf, une rude épreuve.

Vers la fin, l'équipe organisa un soir une petite sauterie. Tout le monde se soûla à l'alcool de labo. Vers minuit, on se dit que ce serait amusant de se faire des prises de sang et de les envoyer pour tester les fonctions hépatiques. On se servit des noms des patients et on les envoya.

Le lendemain matin, les infirmières ne savaient plus où elles en étaient.

– Je ne comprends pas. M. Hennessey crève tous les plafonds aux tests de fonctions hépatiques. M. Jackson aussi. Et le taux d'alcool dans le sang ! C'est pas possible ! Mais qui a commandé ces tests ? Ils sont pas dans les livres.

– Oh, *ces* tests, répondit Levine, les yeux tout rouges. Je m'en souviens. C'est pour moi.

Et il nous distribua les feuilles de résultat. Le fait est que nous avions tous le foie très atteint. Et sans aucun doute de sacrées gueules de bois !

– Prêt pour la tournée ? demanda Rogers avec entrain.

Il fut accueilli par un concert de grognements.

– Allez, allez, nous avons déjà quatre minutes de retard.

On se mit en route. M. Rogers était d'humeur exceptionnellement enjouée. Il ne se lassait pas d'asticoter les gens avec ses épingles. Pour finir, il se dirigea vers Mme Lewis. Dans le service, le rideau était toujours tiré autour de son lit, parce que Mme Lewis était une vieille femme semi-comateuse et incontinente et que de temps à autre elle balançait ses excréments dans des mouvements spasmodiques. Il y avait toujours du danger dans l'air quand on approchait de son lit. Et ce matin-là, on avait si mal aux cheveux qu'on n'était pas très chauds.

Mais son lit était propre et il n'y avait pas la moindre odeur. Mme Lewis semblait dormir.

– On dirait qu'elle dort, dit Rogers. Voyons donc comment elle réagit aujourd'hui.

Et il lui enfonça une épingle dans le corps. La malheureuse comateuse grimaça de douleur.

– Hum, hum, on dirait qu'elle est légèrement sensible, conclut Rogers en remettant ses épingles au revers de sa veste et en appuyant son pouce sur l'arête osseuse, juste au-dessous des sourcils.

Il appuyait fort.

– C'est un moyen classique de susciter une réaction à la douleur, expliqua-t-il.

Mme Lewis se tordait de douleur. Elle glissa la main sous ses fesses. Et en moins de temps qu'il n'en faut pour le dire elle prit une pleine poignée de merde qu'elle flanqua sur la chemise et la cravate bien repassée de Rogers puis s'affala à nouveau sur son lit.

– Délicieux, murmura Rogers, soudain livide.

– C'est une honte, dit Levine en se mordant la lèvre.

– De toute évidence, elle ne sait pas ce qu'elle fait, dit Perkins en hochant la tête.

– Monsieur Crichton, demandez qu'on fasse sa toilette. Je vais essayer de me changer. Mais je n'ai pas ce qu'il faut à l'hôpital. Il faudra sans doute que je rentre chez moi.

– Oui monsieur.

J'aidai à faire la toilette de Mme Lewis tout en la bénissant. Peu de temps après, je quittai le service de neurologie pour la psychiatrie en espérant que ce serait un peu mieux.

La fille à qui personne ne résistait

Trois étudiants en médecine furent désignés pour prendre leur tour dans le pavillon de psychiatrie du Massachusetts General Hospital. La vie en communauté était la règle : une quinzaine de patients mangeaient et dormaient dans un dortoir pendant six semaines. À la fin de cette période, l'équipe portait un diagnostic et recommandait un complément de thérapie pour chacun d'eux.

L'interne expliqua la procédure de A jusqu'à Z. En tant qu'étudiants nous était attribué à chacun un patient à interroger au cours des six semaines. Nous ferions ensuite un rapport à l'équipe et prendrions part au diagnostic. D'autres médecins s'entretiendraient également avec les malades, mais nous les verrions plus souvent que quiconque, et nous devions donc prendre nos responsabilités au sérieux.

À notre arrivée sur les lieux, les patients étaient en pleine réunion générale. Il n'était pas question pour l'interne d'interrompre la discussion, mais de l'extérieur il nous montra du doigt nos patients. Pour Ellen, ce fut une femme forte de cinquante ans passés, habillée comme l'as de pique et maquillée comme un totem. Cette femme avait eu une liaison avec un médecin qui lui avait donné des amphétamines et elle était actuellement très déprimée. Bob se vit attribuer un homme maigre de cinquante ans qui avait l'air d'un intello : il avait été interné à Dachau et souffrait de problèmes cardiaques imaginaires. Quant à moi, il me désigna une grande fille de vingt ans, un vrai canon avec ses cheveux blonds coupés court et sa mini-jupe. Elle était assise dans un rocking-chair, les jambes repliées sous elle, apparemment très calme et posée. On aurait dit une étudiante.

– Quel est son problème ? demandai-je.

– Karen, me dit-il, a réussi à séduire tous les hommes qu'elle a jamais rencontrés.

Quand on était de garde en psychiatrie, on voyait son patient trois fois par semaine. On voyait aussi un analyste didacticien deux fois par semaine, histoire de discuter du cas dont on s'occupait et des sentiments qu'il vous inspirait.

Mon analyste à moi se nommait Robert Geller. Homme d'âge mûr, il portait la barbe et avait un faible pour les chemises à rayures vives. Très alerte, il allait toujours droit au but.

Le Dr Geller me demanda ce que j'espérais retirer de mon passage en psychiatrie, et je lui répondis que c'était une branche de la médecine qui m'intéressait énormément, que je songeais même à en faire ma spécialité. Il dit que c'était parfait. Il avait l'air d'un homme posé, équilibré.

– Dites-moi. Savez-vous quoi que ce soit de votre patiente ?

– Oui, fis-je.

Je lui expliquai que je n'avais pas encore eu l'occasion de lui parler, que je l'avais juste aperçue dans la salle : une fille de vingt ans assise dans un rocking-chair.

– Et alors ?

– Elle m'a paru sympa. Jolie. Certainement pas l'air d'une timbrée.

– Alors, qu'est-ce qu'elle fait là ?

– Eh bien, l'interne m'a raconté qu'elle avait réussi à séduire tous les hommes qu'elle a jamais rencontrés.

– Qu'entendait-il par là ?

Je ne lui avais pas posé la question.

– Vraiment ? *Moi*, je l'aurais posée, la question, dit le Dr Geller.

J'expliquai que je n'y avais pas pensé, un point c'est tout. Je ne voulais rien laisser passer ; je me suis contenté de la regarder, et ainsi de suite.

– Et ça vous a fait quoi de la regarder ?

– Je sais pas.

– Alors comme ça, vous savez pas ?

– Non.

– Vous avez dit qu'elle était belle...

– Séduisante, oui.

– Qu'avez-vous pensé en apprenant qu'elle serait votre patiente ?

– Je crois que je me suis demandé si j'arriverais à la prendre en main.

– La prendre en main...

C'était un truc de psychiatre : on répète vos derniers mots pour vous inciter à continuer.

– Oui, dis-je. Je me suis demandé si j'arriverais à prendre en main son cas.

– Pourquoi n'en seriez-vous pas capable ?

– Je sais pas.

– Eh bien, dites-moi ce qui vous passe par la tête.

Un autre truc de psychiatre. Je fus aussitôt sur mes gardes.

– Il ne me passe rien par la tête.

Le Dr Geller me regarda d'un drôle d'air.

– Bon, reprit-il, vous avez peur de ne pas être assez brillant pour vous occuper d'elle ?

– Oh non !

– Pas de problème de ce côté-là. Du côté du savoir-faire.

– Non.

– Vous avez peur de ne pas en savoir assez long pour l'aider ?

– Non...

– Vous avez peur de ne pas trouver assez de temps à lui consacrer tant vous êtes occupé ?

– Non, non...

– Alors quoi ?

– J'en sais rien, répondis-je avec un haussement d'épaules.

Suivit un temps de silence.

– Vous avez peur de la baiser ?

Je fus profondément ébranlé. C'était si direct et grossier de sa part. Je ne savais pas comment il pouvait même imaginer une chose pareille. J'étais sonné, comme si j'avais reçu un coup sur la tête. Je secouai la tête pour retrouver mes esprits.

– Oh non, non, non, vous y êtes pas du tout.

– Vous êtes sûr que c'est pas ça ?

– Oui, certain.

– Comment le savez-vous, que c'est pas ça ?

– Eh bien, je veux dire, je suis marié.

– Et alors ?

– Et je suis médecin.

– Y a des tas de médecins qui baisent leurs patientes. Jamais entendu parler ?

– J'y crois pas.

– Pourquoi pas ?

– Je crois que lorsque des patients viennent vous voir, ils sont dans un état de dépendance, ils consultent parce qu'ils ont besoin d'aide et qu'ils sont effrayés. Et ils méritent qu'on les traite avec égards, non qu'un médecin abuse de la situation. Ils méritent de recevoir ce qu'ils sont venus chercher.

J'y croyais mordicus.

– Peut-être qu'elle est venue se faire sauter par son médecin.

– Ouais...

– Peut-être que c'est ce qu'il lui faut pour aller mieux.

Je commençai à avoir les nerfs en pelote. Je voyais parfaitement où il voulait en venir.

– Vous voulez dire qu'à votre avis j'ai envie d'avoir, euh..., d'avoir des relations sexuelles avec elle ?

– J'en sais rien. C'est à vous de me le dire.

– Non, dis-je. C'est pas le cas.

– Alors qu'est-ce qui vous tracasse ?

– Mais rien !

– Vous venez de me dire que vous n'étiez pas sûr d'arriver à la prendre en main.

– Eh bien, je voulais dire... en général, j'étais pas sûr.

– Écoutez, si vous voulez la baiser, ça me dérange pas. Mais le faites pas.

– Je le ferai pas.

– C'est bon. Quel âge avez-vous ?

– Vingt-quatre ans.

– Depuis combien de temps êtes-vous marié ?

– Deux ans.

– Heureux ?

– Absolument.

– La vie sexuelle, OK ?

– Parfait. Super.

– Alors, a priori, ça vous tenterait pas ?

– À quoi vous pensez ?

– Je me dis que comme vous êtes heureux en ménage et que vous avez une sexualité satisfaisante, a priori vous ne serez pas tenté par cette fille.

– Eh bien, je veux dire... Eh bien non, bien sûr que non.

– Elle est jolie ?

– Oui.

– Sexy ?

– Je crois.

– Je parie qu'elle sait y faire avec les hommes.

– Probablement.

– Je parie qu'elle sait exactement ce qu'il faut dire et faire pour les mener par le bout du nez.

– Eh bien, je suis sûr que je saurai m'en occuper.

– Je suis ravi d'entendre ça, répondit le Dr Geller. Parce que ça va être votre boulot.

– Que voulez-vous dire ?

– La seule forme de rapport avec les hommes que cette fille connaisse, c'est le sexe. Elle obtient tout – amitié, chaleur, réconfort, apaisement – par l'acte sexuel. Ce n'est pas une très bonne stratégie de vie. Elle a besoin d'apprendre qu'il y a d'autres formes de relation avec les hommes, qu'elle peut obtenir la chaleur et l'approbation qu'elle attend d'un homme sans avoir de rapports sexuels avec lui. Elle n'en a encore probablement jamais fait l'expérience. Vous serez sa première expérience.

– Oui.

– À condition que vous ne finissiez pas par la sauter.

– Non. Je le ferai pas.

– J'espère que non. Bonne chance avec elle. Tenez-moi au courant.

Ma conversation avec le Dr Geller me parut utile. De toute évidence, il avait une idée fixe, il s'était mis dans la tête que je désirais avoir des relations sexuelles avec cette fille, ce qui ne me tracassait pas le moins du monde. J'étais absolument certain que ça n'arriverait pas. Je savais qu'en faisant ma médecine j'assumais des responsabilités particulières. C'était la première.

En fait, loin de m'inquiéter d'avoir des tentations, j'avais hâte de voir Karen et de me mettre au travail avec elle. Je retournai aussitôt dans la salle et me présentai.

Elle était assez grande. Quand nous nous tenions côte à côte, elle m'arrivait à l'épaule. Elle avait un corps mince et athlétique, et de grands yeux vert clair. Elle me dévisagea.

– Vous êtes mon docteur ?

– Oui, dis-je. Je suis le Dr Crichton.

– Vous êtes très grand.

Elle se rapprocha au point que son front finit par toucher mon épaule.

– Oui.

– J'aime les mecs grands.

– C'est bien.

Je reculai d'un pas, ce qui parut l'amuser.

– Vous êtes *vraiment* mon médecin ?

– Oui. Pourquoi souriez-vous ?

– Vous avez l'air trop jeune pour être médecin. Vous êtes sûr que vous n'êtes pas simplement étudiant en médecine ou quelque chose comme ça ?

– Je suis votre médecin, croyez-moi.

– D'où ça vient, Crichton ?

– C'est écossais.

– Je suis écossaise, moi aussi. C'est quoi votre prénom ?

– Michael.

– C'est comme ça qu'on vous appelle ? Michael ou Mike ?

– Michael.

– Je peux vous appeler « Michael » ?

– « Docteur Crichton », ce serait mieux.

Elle fit la moue.

– Pourquoi ? Pourquoi vous êtes si à cheval sur les conventions ?

– Nous sommes ici pour travailler ensemble, Karen, et je crois qu'on ne devrait pas perdre de vue cette relation.

– Quel rapport avec la manière dont je vous appelle ? « Docteur Crichton ». Berk. Je déteste « docteur Crichton ».

– Je pense que c'est mieux, c'est tout.

Je n'étais pas très à l'aise de rester à côté d'elle comme ça. Elle avait une présence physique extrêmement forte. J'en étais un peu ébranlé. Pour établir le bilan de santé qu'on me demandait, je devais commencer par des prises de sang pour des analyses de routine, et je l'entraînai dans une salle d'examen. On était seuls.

– Vous n'allez pas fermer la porte ?

– Non.

– Pourquoi non ?

– C'est très bien comme ça.

– Vous avez peur d'être seul avec moi ?

– Qu'est-ce qui vous fait dire ça ? demandai-je.

Je me sentais très malin, très psychiatre, de dire ça. De lui répondre par une question.

– Dois-je retirer mes vêtements ?

– Ce ne sera pas nécessaire.

– Vraiment ? Mais vous ne devez pas m'examiner ? Mon corps et tout ?

– Juste une petite prise de sang.

Elle passa les doigts sur la table d'examen.

– Ça vous dérange si je m'allonge sur ce lit ?

– Faites donc.

Ayant terminé mon stage en neurologie, j'étais plus à l'aise avec les prises de sang. Mais à cet instant précis, mes mains tremblaient. À coup sûr, elle allait le remarquer.

Elle se coucha sur la table d'examen et s'étira comme un chat.

– Vous me voulez sur le ventre ou sur le dos ?

– Sur le dos, c'est parfait.

– Ce divan est trop court. Je suis obligée de relever les jambes.

Sa mini-jupe lui remontait sur les hanches.

– Comme vous serez le mieux, dis-je.

– Ça va faire mal ? demanda-t-elle, les yeux grands ouverts.

– Non, pas du tout.

– Pourquoi vous tremblez, docteur Crichton ?

– Mais je ne tremble pas.

– Si, vous tremblez. C'est moi qui vous rends nerveux ?

– Non.

– Même pas un petit peu ?

Elle souriait, en se moquant de moi.

– Vous êtes une belle fille, Karen, n'importe qui serait nerveux avec vous.

Elle sourit de plaisir.

– Vous trouvez ?

– Bien sûr.

Elle parut rassurée, et moi aussi, je me sentais plus calme. Ça ne peut pas faire de mal, me disais-je, de lui dire qu'elle est séduisante.

Je commençai la prise de sang. Elle regardait l'aiguille et observait les tubes se remplir. Elle avait un regard posé, une manière tranquille d'observer les choses.

– Vous êtes seul ?

– Non, je suis marié.

– Vous racontez tout ce que vous faites à votre femme ?

– Non.

– Les hommes le font jamais, dit-elle en riant. Un rire sarcastique, entendu.

– Ma femme est étudiante, expliquai-je. Il m'arrive de ne pas la voir plusieurs jours d'affilée.

– Vous allez lui parler de moi ?

– Ce qui se passe entre vous et moi est confidentiel.

– Alors vous n'allez pas lui dire ?

– Non.

– *Tant mieux*, conclut-elle en se passant la langue sur les lèvres.

J'habitais en appartement à Cambridge, Maple Avenue. J'avais connu ma femme au lycée. Elle étudiait la psychologie des enfants à Brandeis. À un pâté de maisons de là, la condisciple de ma femme au collège vivait avec son mari ; ils étaient tous deux étudiants à Harvard. Un peu plus loin encore habitaient une autre amie et son mari, avec qui je jouais au basket au lycée. Tous les six, tous rangés, tous mariés, tous étudiants, tous liés par notre passé, nous passions beaucoup de temps ensemble. Nos relations étaient profondes. Nous formions un petit monde fermé sur lui-même.

Ma femme aimait faire la cuisine. Elle faisait à manger pendant que nous bavardions.

– Cette fille fait des études ?

– Oui, en première année de fac. Elle dit qu'elle veut être avocate.

– Intelligente ?
– Il semble bien.
– Et elle est ta patiente ?
– Oui.
– De quoi souffre-t-elle ?
– Elle a des problèmes avec les hommes.
– Et tu es censé faire quoi ?
– M'entretenir avec elle. Découvrir ce qui ne va pas. Et pour finir écrire un papier.
– Un long papier ?
– Cinq pages.
– Pas mal, conclut ma femme.

L'interne m'expliqua que je pourrais rencontrer ma patiente deux fois par semaine, voire trois si je l'estimais nécessaire. Je pensais que trois séances hebdomadaires s'imposaient. Il y avait une salle d'entretien qu'il fallait réserver.

Je demandai à Karen comment elle avait été admise à l'hôpital. Elle me raconta qu'elle avait goûté au LSD dans son dortoir et que ça avait mal tourné. C'est la police du campus qui l'avait conduite ici.

– Mais je ne sais pas pourquoi ils m'ont fait interner. Je veux dire, c'était pas bien grave, juste un mauvais trip.

Je me promis de vérifier auprès des autorités du campus, puis je lui demandai de me parler de ses antécédents, avant la fac.

Karen parlait librement. Elle avait grandi dans le Maine, dans une petite ville côtière. Son père était vendeur ; il était toujours fourré avec des femmes. Il avait toujours fait comme si elle n'existait pas. Quand elle s'était mise avec Ed, ça ne lui avait pas plu, simplement parce qu'il était un Hell's Angel [1]. À quatorze ans, quand elle était tombée enceinte d'Ed, il avait piqué une colère noire. Il l'avait obligée à garder le bébé. Elle l'avait aussitôt abandonné. Son père n'avait jamais beaucoup aimé non plus ses autres flirts. Par exemple, il n'aimait pas Tod, le gosse de riches qui l'avait engrossée à seize ans. Il voulait qu'elle garde aussi ce bébé-là, mais elle avait fait une fausse couche. À Porto Rico, précisa-t-elle en rigolant.

– Vous avez avorté ?
– Tod est riche. Et il avait pas envie que son *père* le sache. Vous me trouvez probablement cinglée.
– Pas du tout.
– Vous n'arrêtez pas de fumer quand on est ensemble.
– Ah oui ?

1. C'est-à-dire un membre de l'une de ces bandes de loubards qui se déplaçaient en moto et proclamaient bien haut leur haine de la société. (*N.d.T.*)

– Oui, vous fumez cigarette sur cigarette. Je vous rends nerveux à ce point ?

– Pas que je sache.

– Tant mieux. J'ai pas envie de vous rendre nerveux. J'apprécie votre aide.

Elle portait tout le temps des mini-jupes. Elle aimait se pelotonner sur son siège. Elle attendait le bon moment pour se pelotonner et me montrer sa culotte rose. Je m'empressais de détourner le regard, mais quand mes yeux croisaient de nouveau les siens, je voyais bien qu'elle se moquait de moi.

– Alors ? Vous lui avez pas encore fait un enfant ?

– Non, répondis-je au Dr Geller.

– Racontez-moi comment ça se passe.

Je lui dis ce que j'avais appris jusque-là. Son histoire paraissait terrible. J'y voyais le cri d'une jeune fille qui cherchait à attirer l'attention de son père, d'un homme qui de toute évidence était incapable de lui donner l'amour et l'affection dont elle avait besoin. C'était un homme sans cœur et répressif. Après deux grossesses, il l'avait flanquée à la porte. Elle était passée par plusieurs foyers... En moi-même, je trouvais étonnant que Karen s'en soit si bien sortie – qu'elle soit allée en fac et tout ça.

– Pourquoi être si protecteur envers elle ?

– Mais je ne le suis pas.

– Papa est un salaud, et elle, elle est une victime ?

– Eh bien, elle n'en est pas une ?

– Comment Karen est-elle avec vous ?

– Elle semble très ouverte.

– Interrogez-la sur sa mère.

Karen n'avait pas grand-chose à dire sur sa mère. Une institutrice à la retraite, qu'un accident d'auto avait laissée estropiée. Sa mère était une femme faible qui laissait son père la maltraiter et abuser d'elle. Et sa mère ne prenait pas la défense de Karen, même lorsqu'elle savait...

Elle se tut en regardant par la fenêtre.

– Savait quoi ? demandai-je.

Elle hocha la tête, sans cesser de regarder par la fenêtre.

– Savait quoi ? demandai-je.

Elle soupira.

– À propos de mon père.

– Mais quoi à propos de votre père ?

– Mon père passait son temps à fricoter avec moi.

– Que voulez-vous dire ?

– Vous savez bien, il passait son temps à fricoter avec moi. Il me disait de rien dire à ma mère.

– Vous voulez dire que votre père avait des rapports avec vous ?

Elle sourit.

– Vous êtes tellement *conventionnel.*

Cela faisait une semaine que nous parlions de son père.

– Pourquoi ne m'en avoir rien dit auparavant ?

– Je ne sais pas. Je pensais que vous seriez furieux contre moi.

Elle se pelotonna de nouveau sur sa chaise comme une petite chatte. Cette fois-ci, sous la mini-jupe, elle ne portait pas de culotte.

– Comment se conduit-elle avec vous ?

– Je dirais « séductrice ».

– Comment ?

– Eh bien, en général, elle ne porte pas de culotte sous sa mini-jupe. Et, un jour, elle a voulu venir à notre séance en chemise de nuit.

– Qu'avez-vous fait ?

– Je lui ai demandé de retourner se changer dans sa chambre.

– Pourquoi ?

– J'ai pensé que ça valait mieux.

– Pourquoi ?

– J'essaie de modérer ses avances.

– Pourquoi ?

– Eh bien, j'ai encore beaucoup de choses à découvrir à son sujet.

– Qu'est-ce que vous ne savez pas ?

Après sa seconde grossesse, sa mère découvrit que Karen avait des relations sexuelles avec son père. Son père décida alors de recourir au placement familial. Dans sa première famille d'accueil, Karen ne tint que six mois.

– Pourquoi ?

Le type avait un problème. Il ne pouvait pas s'empêcher de la tripoter.

– Et après ?

Nouveau placement. Cette fois, c'est la femme qui l'a flanquée dehors parce qu'elle a vu ce qui était en train de se tramer entre Karen et le mari.

– Et après ?

Un pasteur et sa famille. Elle a vécu chez eux pendant près d'un an. C'était un homme très droit, très pur, et il lui a dit d'arrêter ça, qu'il ne serait jamais tenté par elle.

– Et alors ?

– Alors, il mentait, dit-elle en haussant les épaules. Un jour sa femme est rentrée de bonne heure et nous a surpris. Mais de toute manière il était temps pour moi d'aller au collège.

Elle s'y est ennuyée, expliqua-t-elle. C'était tellement rasoir. Elle avait de bonnes notes alors même qu'elle loupait la plupart des cours. Elle aimait faire des voyages, aller au ski, à New York. N'importe où, pourvu qu'elle puisse se tirer. C'était si ennuyeux, l'école.

– Vous avez parlé aux gens de l'école ? demanda-t-elle. Aux gens de l'administration ?

– Non, pourquoi ?

– Je me demandais, c'est tout.

– Je devrais ?

– Je m'en fiche. De toute façon, ils savent rien de moi.

J'interrogeai la mère. Une femme douce, usée, de cinquante ans. Elle avait les chevilles enflées, qu'elle ne cessait de croiser et de décroiser. Helen fut bouleversée d'apprendre que Karen était hospitalisée pour problème mental. Il y avait longtemps qu'elle se faisait du souci pour elle. Karen n'avait pas été une enfant de tout repos. Elle avait espéré que ça s'arrangerait quand elle serait en fac, mais manifestement ce n'était pas le cas.

Je la questionnai sur les grossesses de Karen. Elle resta dans le vague. Elle ne se souvenait pas de grand-chose. Je l'interrogeai sur les problèmes entre Karen et son père. Helen dit qu'ils ne s'étaient jamais bien entendus. Je l'interrogeai sur des gestes déplacés.

– Du genre ? demanda Helen.

Je parlai de relations sexuelles, sous une forme ou sous une autre.

– C'est Karen qui vous a dit ça ? Quelle *petite menteuse* !

– Ce n'est pas vrai ?

– Je ne sais pas comment elle a pu dire ça.

– Ce n'est pas vrai ?

– Bien sûr que non, c'est pas vrai. Grand Dieu, mais pour qui nous prenez-vous ?

– Alors pourquoi avoir choisi le placement familial ?

– Parce qu'elle continuait à voir des garçons, voilà pourquoi. C'était notre devoir de l'éloigner. Alors, elle vous a raconté ça sur Henry ? Et je parie que vous l'avez crue. Les hommes croient toujours ce qu'elle dit.

– Eh bien, vous *attendiez* qu'elle vous dise quoi ? demanda Karen. Vous croyez qu'elle va admettre *ça* ?

Puis elle me dit qu'elle demandait la permission de sortir de l'hôpital le week-end suivant, pour retourner à son école samedi et dimanche. Il y avait une soirée qu'elle ne voulait pas manquer.

Je dis non.

– Pourquoi ne pas lui donner l'autorisation ? demanda le Dr Geller.

– Je ne pense pas que ce soit une bonne idée.

– Qu'est-ce qui ne va pas ? Vous la croyez dangereuse ? Elle va se suicider ?

– Non.

– Vous pensez que c'est pour s'envoyer en l'air ?

– Probablement.

– Et vous y trouvez quelque chose à redire ?

– Rien. Elle peut faire ce qui lui chante. Ça m'est bien égal.

– Alors laissez-la filer.

– C'est ma responsabilité qui me retient.

– Votre responsabilité, c'est d'établir un diagnostic, non de diriger sa vie.

– Je n'essaie pas de diriger sa vie.

– C'est bon. Parce que vous n'en avez pas les moyens, vous le savez.

– Je sais.

Je lui donnai un sauf-conduit. Je passai le week-end à penser à elle, à me demander où elle était, ce qu'elle faisait. Je passai quelque temps dans mon appartement, mais j'avais la tête ailleurs. La vie de Karen me semblait dangereuse ; elle évoluait à la limite, d'une façon qui ne m'était pas familière. J'avais toujours été si prudent dans ma vie, tellement circonspect. Voici quelqu'un qui n'en faisait qu'à sa tête, qui disait ce qu'elle avait envie de dire et se conduisait suivant son bon plaisir.

Je commençais à rêver d'elle. Ses yeux. Ses jambes.

– Si vous voulez savoir la vérité, je crois que je suis un peu attiré par elle.

– Vraiment ? dit le Dr Geller.

– Ouais. Je suis un peu préoccupé par elle et tout ça.

– Des rêves ?

– Quelquefois.

– Des rêves sexuels ?

– Quelquefois.

– J'imagine que j'en aurais, moi aussi. Elle doit être sacrément jolie. Et par-dessus le marché, elle est brillante à ce que vous dites. Vous aimez son intelligence.

– Elle est brillante, en effet.

– Joli corps, jolie jeune fille, jolies jambes, et ainsi de suite.

– Oui.

– C'est tout naturel d'être attiré. Toute la question, c'est de savoir ce que vous allez en faire.

– Rien.

– Peut-être que vous devriez lui parler de vos sentiments ?

– Pourquoi je le ferais ? C'est elle la patiente.

– C'est vrai, dit le Dr Geller.

Long silence. Il attendit. Je savais d'expérience qu'il était capable d'attendre longtemps.

– Mais alors quoi ? demandai-je.

– Mais si elle cherche à vous aguicher, vous devriez peut-être discuter de son comportement et de ce que vous ressentez. Si vous parveniez à lui en faire prendre conscience, elle aurait une petite chance de changer.

– Peut-être qu'elle changerait pas.

– Comment le savez-vous ?

Subitement, je me sentis confus.

– Je ne crois pas que ce soit une bonne idée, de discuter de mes sentiments.

– Simple suggestion, dit-il.

Après sa longue sortie du week-end, Karen se montra enjouée et évasive. Elle avait vu des amis. Elle était allée dans des soirées. Quant à moi, j'étais irritable.

– Pourquoi ? dit-elle. Quelle importance ça a ?

– Pour quoi ?

– Pour votre article de recherche sur moi, ou ce que vous fabriquez.

– Qui a dit que je faisais une recherche ?

– Ellen a dit à Margie que tous les étudiants le font.

Margie était la déprimée séduite par son médecin.

– Qu'est-ce que vous allez écrire sur *moi* ? demanda-t-elle.

À la maison, dîner avec ma femme, nos amis. La question du divorce vint sur le tapis. Marvin connaissait quelqu'un qui divorçait, un autre couple de la fac. L'assemblée fut parcourue d'un frisson glacé, une petite lueur tremblotante

Je commençai à réfléchir. Et si je divorçais. Je serais médecin du travail. Quelles femmes est-ce que je rencontrerais ? Mes patientes, essentiellement. Je serais occupé, je n'aurais guère le loisir de sortir en dehors du travail. Les femmes que je rencontrerais, ce seraient donc mes patientes.

Et, même si j'étais divorcé, je ne pourrais pas sortir avec mes patientes. Je ne pourrais certainement pas avoir des relations sexuelles avec elles. Alors, comment est-ce que je m'y prendrais, au juste ? Comment est-ce que je trouverais des femmes avec qui sortir ?

Et en fait, comment est-ce que je ferais avec ma clientèle ? Des femmes pourraient venir me consulter, que je trouverais excitantes. Qu'allais-je donc faire ? La vocation de la médecine conçue comme un sacerdoce, c'était une belle chose dans l'abstrait. Mais quand on a affaire à des membres de chair, à des membres sexy, et à des corps superbes sur la table d'examen, des seins, des cous, des filles qui ne mettent pas de culotte...

Probablement est-elle malade, me dis-je pour me consoler. Mais ce n'était pas une grande consolation.

– Oui, dis-je au Dr Geller, je ne suis pas très clair dans mes sentiments.

– Vous la désirez, hein ?

– Quelquefois.

– Juste quelquefois ?

– Écoutez, je suis parfaitement maître de la situation.

– Je ne dis pas le contraire. Et votre couple ?

– De ce côté-là, c'est pas toujours aussi brillant.

– Ça l'est chez personne. Mais sexuellement ?

– Pas très brillant. Pas tout le temps.

– Vous pensez donc à Karen ?

– Ouais.

– Écoutez, reprit le Dr Geller. C'est bien. En fait, c'est normal.

– Ah bon ?

– Bien sûr. Pensez à elle autant que ça vous plaît. Mais ne la sautez pas.

– Il est pas question que je la saute.

– Très bien. Ravi de vous l'entendre dire.

Je m'appliquai à rassembler les faits, les dates, les renseignements en tout genre. Je rédigeai un rapport de vingt pages, quatre fois plus long que nécessaire. Je le présentai à toute l'équipe psychiatrique. Au fond, mon tableau était celui d'une enfant dont on avait gravement abusé et qui avait grandi sans trouver les soutiens ni les encouragements indispensables, mais qui se battait vaillamment pour garder la tête au-dessus de l'eau et allait probablement s'en sortir. Karen était une fille forte et intelligente, et même si elle avait des obstacles formidables à surmonter, j'étais persuadé qu'elle s'en tirerait.

L'équipe me complimenta de mon excellent rapport, inhabituellement détaillé. Mais, à leurs yeux, le cas de Karen était beaucoup plus grave. Cette fille avait déjà fait une tentative de suicide l'an passé, à la fac. Cette tentative, que j'ignorais, avait nécessité une dialyse dans un autre hôpital de Boston pour overdose de barbituriques. Karen avait une très mauvaise image d'elle-même. Elle avait pris quantité de drogues psychédéliques. Peut-être était-elle schizophrène, du moins un cas limite. Son intelligence empêchait le contact avec ses vrais sentiments. Son recours à la manipulation lui évitait de ressentir sa douleur. Son pronostic n'était pas bon. Il y avait plus d'une chance sur deux qu'elle refasse une tentative de suicide dans les cinq prochaines années.

Pour moi, ce fut un choc. J'eus envie de leur dire qu'ils faisaient fausse route, qu'ils se trompaient avec leur détachement et leurs statistiques. J'eus envie de les arracher à leur petit ronronnement satisfait. Nous étions en train de parler d'une vie humaine... d'une vie humaine ! S'ils croyaient vraiment que Karen allait mourir, ils devaient l'aider. Ils devaient empêcher sa mort absurde.

Aussi posément qu'il m'était possible, je dis quelque chose en ce sens.

Le chef de service tira sur sa pipe.

– La vérité, c'est qu'il n'y a pas grand-chose qu'on *puisse* faire pour elle... Vous avez vu comment elle est, reprit-il après un temps de pause.

Je hochai la tête.

– Vous avez vu comment elle se conduit.

Je hochai la tête.

– Vous avez pu juger vous-même comment c'est elle qui est la cause de ses propres malheurs. Et il est probable qu'elle va continuer.

Je hochai la tête. Je comprenais parfaitement. Après tout, elle avait bien réussi à me séduire.

Le chef de service eut un geste d'impuissance.

– Eh bien, voilà. C'est dur, mais c'est comme ça.

Elle était toute guillerette et m'attendait dans la salle de conférences.

– Vous avez eu la réunion ?

– Oui.

– Et qu'est-ce qu'ils ont dit sur moi ?

Elle était excitée comme une môme.

– L'interne vous en parlera.

– Non, vous.

– Karen, pourquoi ne m'avoir rien dit du flacon de barbituriques ?

– Quels barbituriques ?

– L'an dernier, à la fac.
– C'était pas grand-chose.
– Je crois que si.
– Je pensais que vous saviez déjà. Je pensais qu'on vous en aurait parlé quand vous avez appelé là-bas.
– Non, fis-je. Je n'ai pas appelé.
– Peu importe, dit-elle avec un haussement d'épaules, mais qu'est-ce qu'ils ont dit de moi à la réunion ?
– Eh bien, ils pensent qu'il faut que vous poursuiviez une thérapie. Ils croient que c'est important pour vous.
– C'est vous qui allez vous en occuper ?
– Non, j'ai bien peur que les six semaines touchent à leur fin. Je commence un nouveau stage lundi.
– Vous... quoi ?
Elle parut en état de choc.
– Oui, vous vous souvenez ? Je vous l'ai dit la semaine dernière.
– Je me souviens pas.
– Oui.
– Bon. Au moins j'aurai l'occasion de vous revoir ?
– Probablement pas. Je ne crois pas.
– C'est donc fini ? demanda-t-elle les yeux inondés de larmes.
– Oui.
– Vraiment ?
– Oui.
Elle se leva et me regarda fixement. Les larmes, s'il y en avait jamais eu, avaient séché.
– OK, salut ! dit-elle en me filant sous le nez avant de claquer la porte.
Je ne l'ai jamais revue. Je n'ai jamais su ce qu'elle était devenue. Je n'ai jamais cherché à savoir.

Une journée à la maternité

La fac de médecine de Harvard était entourée de cinq CHU, mais aux yeux des étudiants le moins intéressant était la maternité de Boston. Au fil des ans les autres hôpitaux avaient décidé de renoncer à l'obstétrique, si bien que tous les accouchements avaient maintenant lieu au Boston Lying In Hospital : tout un hôpital rempli de nouveau-nés.

Si la plupart des étudiants n'étaient pas très excités par l'obstétrique, la perspective de voir un accouchement, et même d'en pratiquer un ou deux, me fascinait.

Mon premier jour à la maternité, j'entrai dans un monde qui ne me rappelait rien tant que *L'Enfer* de Dante. Toutes les salles, l'une après l'autre, étaient remplies de femmes qui se tordaient et se contorsionnaient sur leurs lits recouverts de draps de plastique pareils à des berceaux géants, et toutes hurlaient à pleins poumons dans la plus atroce des souffrances. J'étais effaré. On se serait cru en plein XIXe siècle. Ou en plein XVIIIe siècle.

– Ouais, eh bien, elles sont toutes sous scopo, dit l'interne. Elles le réclament toutes. À peine elles ont franchi la porte, la première chose qu'elles demandent, c'est la piquouse. Alors on les met sous scopo.

La fameuse scopolamine des films sur la Seconde Guerre mondiale, le redoutable sérum de vérité, était un soporifique ! Mais comme l'expliqua l'interne, ce n'était pas du tout un antalgique.

– Voilà pourquoi elles hurlent tant. La scopo n'est pas un calmant.

– Alors à quoi ça sert ?

– C'est un amnésique. Elles dégustent, mais une fois que c'est fini, elles n'en ont plus aucun souvenir.

Une bonne chose, me dis-je en les voyant se contorsionner, hurler de douleur et pousser des cris perçants. Pour beaucoup, il fallait les attacher à leur lit avec des sangles.

– T'as intérêt à faire gaffe qu'elles soient bien attachées, parce que t'as pas envie qu'elles se réveillent avec des bleus au poignet. Mais si tu les attaches pas, elles se cognent de partout et elles se font mal, elles arrachent, elles envoient balader la perf et tout le bataclan.

Je me sentais gêné pour ces femmes. Beaucoup étaient riches et élégantes : maquillage soigné, coiffure magnifique, ongles manucurés. Et elles se retrouvaient sanglées à une table de caoutchouc, en train de jurer et de hurler, absolument incapables de se retenir. Je ne me sentais pas à ma place, comme si j'avais eu sous les yeux une chose que je n'aurais pas dû voir.

– Pourquoi tu fais ça ? demandai-je.

– C'est elles qui insistent. Tu leur expliques, voilà ce qui se passe, tu leur montres même, elles veulent rien savoir : je m'en fiche, ma piquouse !

Je ne quittais pas des yeux les infirmières, tâchant de deviner ce qu'elles éprouvaient. C'étaient des femmes, elles aussi. Mais les infirmières gardaient un visage impassible, neutre. Pour elles, c'était comme ça, un point c'est tout.

– Y a vraiment pas d'autre moyen ?

– Bien sûr que si, répondit l'interne.

Un peu plus loin il y avait d'autres chambres. Pas de berceaux de caoutchouc ici, des lits tout ce qu'il y a de plus ordinaire, avec des femmes qui haletaient et gémissaient et, de temps à autre, lâchaient un cri de douleur. La plupart des lits étaient équipés de perfuseuses.

– Ici, elles sont sous épidurale, pour la douleur. Et parfois on leur donne un peu de Démérol, pour les aider à supporter la douleur.

Ça paraissait beaucoup mieux comme ça, beaucoup plus humain.

– Ouais. Si on veut.

Il y avait encore d'autres chambres.

– Plus loin, reprit l'interne, c'est là qu'on met les filles du Foyer.

– Du Foyer ?

– Les mères célibataires, expliqua-t-il en me donnant le nom de l'établissement en question.

– Ici, il faut tenir les infirmières à l'œil. Si tu fais pas attention, elles donnent rien pour la douleur. Des fois, elles les laissent partir jusqu'à la salle d'accouchement sans rien leur donner. Une manière de les punir de leurs péchés.

J'avais du mal à y croire. J'étais de nouveau dans *L'Enfer* de Dante.

– Eh bien ouais, c'est Boston, observa l'interne comme on entrait dans la chambre.

C'était d'une tranquillité incroyable. Quatre ou cinq adolescentes, haletant, soupirant et comptant les contractions, avec une seule infirmière pour s'occuper d'elles... et encore était-elle le plus souvent dehors. Certaines de ces filles souffraient terriblement et elles avaient l'air effrayées, esseulées, dans l'expérience de la douleur. Je restai avec elles.

L'une des filles, Debbie, était une jolie rousse. Ravie d'avoir de la compagnie, elle me dit tout sur le Foyer et les religieuses qui le dirigeaient. Debbie n'était pas catholique, mais sa famille s'était fâchée quand elle était tombée enceinte. Ils l'avaient placée au Foyer cinq mois plus tôt. Et ils n'étaient pas venus la voir une seule fois depuis. Quelques copines de l'école lui avaient rendu visite, mais pas beaucoup. Sa sœur lui écrivait bien des lettres, mais elle expliquait que son père interdisait à toute la famille d'aller la voir tant que l'affaire ne serait pas close.

À en croire Debbie, ça pouvait aller avec les religieuses du moment qu'on ne prêtait pas attention à leurs sermons sur le péché. Le Foyer, disait-elle, c'était OK. La plupart des filles avaient quinze-seize ans. Elles s'inquiétaient de manquer l'école. Debbie aurait dû terminer sa deuxième année de fac.

Debbie avait lu des tas de bouquins sur l'accouchement et m'expliqua comment le bébé se développait dans l'utérus, qu'au départ ce n'était qu'une tête d'épingle, mais que deux mois plus tard c'était un cœur qui battait, et tout et tout. Elle me parla de la rupture des eaux et des contractions, de la façon de respirer avec la douleur ; elle et les autres filles avaient pratiqué la respiration. Elle savait qu'on ne lui donnerait pas d'antalgiques. Elle avait entendu ça. Les religieuses le lui avaient dit.

De temps à autre, alors que nous parlions, elle s'interrompait sous l'effet des contractions. À ces moments-là, elle me prenait la main et la serrait très fort. Puis elle la relâchait, jusqu'à ce que les contractions reprennent.

Les filles, expliqua Debbie, parlaient beaucoup de garder les bébés. La plupart voulaient les garder, mais, à son avis, beaucoup de ces mères ne seraient pas à la hauteur. Elle-même désirait garder le sien, mais elle savait qu'elle ne pourrait pas, parce que son père ne voulait pas en entendre parler et que, de toute façon, elle devait reprendre ses études.

– Je peux vous reprendre la main ?

Nouvelle série de contractions. Elle jeta un coup d'œil à l'horloge. Elle me dit qu'elles revenaient toutes les trois minutes. Ce ne serait plus très long maintenant.

Je bavardai avec d'autres filles de la salle. Elles étaient toutes pareilles, toutes en plein travail, attentives, stoïques. La plupart me confièrent qu'elles ne voulaient pas voir le bébé après la naissance : elles avaient peur que ce soit trop dur si elles le voyaient. Elles vivaient une douleur physique intense, et elles parlaient d'une profonde souffrance émotionnelle, mais elles l'acceptaient sans rechigner. Parmi elles régnaient le calme et la dignité.

Pendant ce temps-là, dans les salles réservées aux femmes de la haute, les patientes privées, ces femmes mariées et respectables, étaient sanglées sur des lits de caoutchouc, jurant comme des matelots, hurlant à tue-tête.

La logique de la situation m'échappait. Le sort le plus enviable était au fond celui des punies, quand celui des chouchoutées était un vrai calvaire.

Je vis mon premier accouchement. D'un certain côté, c'était exactement ce à quoi je m'étais attendu. D'un autre, voir surgir la petite tête puis le petit corps vous transportait immédiatement dans une autre réalité. Ce n'était pas une technique médicale, c'était un miracle. Je circulai ahuri. Je vis d'autres accouchements, sans pouvoir me faire à ce sentiment. Je flottais.

Je retournai dans la salle des filles du Foyer. Elle était toujours paisible, les filles toujours haletantes, seules. Debbie était partie. Je jetai un coup d'œil dans les autres chambres. Impossible de la trouver. Je tombai sur l'interne qui se lavait les mains devant le bloc opératoire.

– Dis-moi, cette fille du Foyer, elle a accouché ?

– Quelle fille ?

– Debbie.

– Connais pas.

– Bien sûr que si. Une mignonne petite rousse. Debbie.

– Je ne regarde jamais les visages, trancha l'interne.

Je finis par prendre en grippe la maternité. Je cessai de faire acte de présence quand j'étais de service.

Naturellement, l'accouchement a beaucoup changé depuis. On laisse le mari entrer dans la salle d'accouchement et il n'est plus question pour lui de laisser sa femme, sanglée sur un lit, hurler comme un animal, même si les médecins et les infirmières ne trouvent rien à y redire. Et on mesure bien, désormais, les conséquences négatives de la naissance de bébés sous narcotiques. À la fin des années 1960, l'accouchement naturel était une rareté à Boston. Les rares médecins qui le pratiquaient passaient pour des drôles d'oiseaux, pour des cinoques. Aujourd'hui, c'est devenu chose courante. De fait, hormis la vogue récente des césariennes, l'art de l'accouchement est l'un des domaines où la médecine a changé en mieux. Et il y a belle lurette que la maternité de Boston a été rasée.

Pouilleuse à l'admission

Emily était une femme de soixante-six ans qui vivait seule dans un petit appartement. Lors d'une visite de routine, l'assistante sociale la découvrit affalée sur le sol, sans connaissance, et la fit transporter aussitôt à l'hôpital.

Aux urgences, on put constater qu'elle était semi-comateuse pour des raisons inconnues. Ses habits étaient crasseux, négligés. Et elle grouillait de poux. Après une séance de toilettage et d'épouillage, on la dirigea dans un service de médecine générale.

La première fois que je la vis, Emily était une grande femme aux cheveux gris et au visage anguleux, léthargique et insensible. Si on essayait de la réveiller, elle râlait et chassait l'importun. Personne ne savait ce qui n'allait pas, depuis combien de temps elle gisait sur le sol de son appartement, ni d'où venait son état de stupeur, mais les examens en laboratoire mirent en évidence un déséquilibre profond.

Tim, mon interne, parcourut sa feuille.

– Pouilleuse à l'admission, dit-il en reniflant. De toute évidence, beaucoup de laisser-aller, ici, probablement un peu de sénilité. Dieu sait combien de temps elle est restée sur le carreau.

Emily fut donc placée sous perfusion afin de corriger ses déséquilibres, mais elle ne sortit pas de sa torpeur. En attendant, personne ne put en apprendre davantage sur son compte. Visiblement, elle vivait seule dans un petit appartement d'un quartier déshérité. Apparemment, elle n'avait pas d'amis ni de famille. Personne ne venait la voir. C'était une vieille femme isolée, laissée pour compte, à l'évidence incapable de se prendre en charge. Elle était entre nos mains.

Et nous n'arrivions pas à savoir pourquoi elle était léthargique. Elle semblait plongée dans un sommeil profond, mais on ne pouvait pas dire pourquoi.

Brusquement, le troisième jour, Emily se réveilla. Elle nous dévisagea tous à tour de rôle.

– Merde !

Son langage acheva de l'éloigner du personnel médical. Une vieille qui jurait : elle était manifestement sénile. On lui posa des questions. Son nom ?

– Vous croyez que j'sais pas ? Bas les pattes, pépère.

Savait-elle où elle était ?

– Jouez pas les idiots.

Savait-elle quel jour on était ?

– Et vous ?

Savait-elle qui était le président ?

– Franklin Delano Roosevelt, répondit-elle en ricanant.

Une consultation en psychiatrie s'imposait. « Idéation bizarre, enchaînement d'idées étrange et affect hostile », conclut le psychiatre après avoir examiné Emily. Observant qu'elle grouillait de poux à l'admission, il laissa entendre qu'elle était sans doute aux premiers stades de la démence sénile.

On n'avait toujours pas la moindre idée du pourquoi de son coma, et on multiplia donc les examens. En attendant, elle semblait dormir moins et, d'une manière générale, elle était plus vive. Mais elle restait pour le moins farfelue : on ne savait jamais comment on allait être accueilli quand on entrait dans sa chambre.

Un jour c'était : « Ah, *dottore*, comment allez-vous aujourd'hui ? avec un accent italien passablement vulgaire. Quelles nouvelles du Rialto ? »

Un autre jour, c'était : « Rien de nouveau sur le front ouest ? » et son ricanement horripilant.

Un autre jour encore, c'était : « Z'allez encore me foutre tout un tas d'aiguilles aujourd'hui ? Cobaye humain, hein ? Hé pépère, vous croyez que j'sais pas ce que vous fabriquez ? »

Elle détestait Tim, et il le lui rendait. Mais pour je ne sais quelle raison, elle m'aimait bien. « Ah, mais c'est le grand angelot, *como esta usted ?* Pablo devrait faire ton portrait, mon p'tit chou. »

Je parlai avec elle. J'eus confirmation qu'elle n'avait pas de famille vivante, qu'elle n'avait jamais été mariée, qu'elle vivait seule depuis des années. Je lui posai les questions qu'on posait d'habitude aux personnes âgées, du genre : est-ce qu'elle avait des hobbies. Elle en repoussait l'idée même avec mépris.

– Des hobbies, des *hobbies* ? J'suis pas idiote.

– Bon, mais alors, à quoi occupez-vous votre temps, Emily ?

– À aucune de vos foutues affaires, *dottore*.

Elle m'intriguait. Elle était fuyante, mais il y avait une force étrange en elle, un je ne sais quoi d'impérieux. Je m'imaginais que c'était une vieille dame riche de Boston qui avait connu des déboires et ne savait trop comment se dépêtrer de sa situation. Je l'imaginais d'origine étrangère. Visiblement, elle en connaissait un rayon sur les artistes, la littérature et la musique ; à tout bout de champ, elle parlait de Pablo et d'Ezra, de Thelonius et de Miles.

Ces allusions passaient au-dessus de la tête de Tim et des autres internes. Ils la croyaient tout simplement sénile. En fait, Tim en avait de plus en plus par-dessus la tête et multipliait les examens.

On ne savait toujours pas ce qui n'allait pas. Emily avait quantité de problèmes mineurs – légère hyperthyroïdie, petite anémie –, mais rien qui pût expliquer l'état de stupeur qui était le sien à son arrivée. Il n'y en avait plus trace maintenant. Mais Tim continuait à prescrire des examens.

– Il faut continuer à traiter son anémie, finit-il par dire. Je vais demander une biopsie de la moelle épinière.

Les biopsies de la moelle épinière n'étaient pas une partie de plaisir.

– Pourquoi ? demandai-je.

– Juste pour compléter le bilan.

– Mais son anémie s'arrange et il s'agit probablement d'un déficit en fer. Il n'y a pas le moindre signe d'un autre problème. Pourquoi tu la soumets à une biopsie ?

– J'ai l'impression que c'est nécessaire.

En fait, je n'aimais pas Tim. J'avais eu une chance du tonnerre avec tous les autres internes qu'on m'avait assignés au cours de mon année de travail clinique, mais il était inévitable que tôt ou tard on me colle un type avec qui je ne m'entendrais pas.

Beaucoup de choses me troublaient en lui. Il était plutôt ignare, sauf sur les questions strictement scientifiques. Il ne connaissait rien au sport, à la politique ou à la culture populaire et n'était jamais au courant des films qui sortaient. Il ne comprenait rien à ce que les patients disaient s'ils y faisaient la moindre allusion.

Pour cette raison ou pour une autre, il était sarcastique avec les patients. Il faisait des crasses à presque tous ceux qui étaient placés sous sa responsabilité. Il se plaignait aussi des familles et des ennuis qu'elles causaient quand elles venaient en visite à l'hôpital.

Pour couronner le tout, il était grossier et brutal. Il secouait et bousculait les gens dans leurs lits. Il passait son temps à les maltraiter et à les attraper : « Non, non et non ! Pas comme ça, restez comme je vous l'ai dit. »

Avec le recul, Tim m'apparaît comme un homme effrayé qui essayait de masquer son sentiment d'insuffisance derrière une façade de type mal embouché. Mais en même temps, je trouvais sa conduite révoltante. Toute l'équipe médicale en avait été témoin ; plus d'une fois, on s'était échangé des coups d'œil au chevet des malades. J'avais l'impression qu'il fallait l'écarter, qu'il avait besoin d'une aide psychiatrique. Mais personne ne voulait lever le petit doigt, et je n'étais pas en position de suggérer qu'un membre de l'équipe avait besoin d'un psy. Je n'étais qu'un petit étudiant en médecine, bref le dernier des derniers. Et à la fin des trois mois, c'est lui qui devait me noter.

Mais Tim envisageait maintenant de faire une biopsie agressive sur l'os de la hanche : une opération douloureuse et que je croyais inutile. J'avais l'impression qu'il n'oserait pas le faire si Emily n'était pas une vieille femme sans amis ni parents, une femme qui ne valait pas mieux qu'une poivrote, une vioque pouilleuse à l'admission.

– Je la fais à une heure, dit-il. Tu veux y assister ?

– Non.

– Si tu veux, je te laisserai faire, promit-il pour m'appâter.

– Non.

– Pourquoi non ?

J'avais déjà signifié ma protestation et je me bornais à répondre que j'avais des contrôles cliniques tout l'après-midi.

– OK, dit Tim. Tu as loupé une occasion. Je vais demander à l'infirmière de m'aider.

J'espérais encore qu'il finirait par renoncer, mais il n'en fit rien. Le test ne donna aucun résultat. La moelle d'Emily était en parfait état.

Ce qui ne devait pas les empêcher de garder Emily à l'hôpital. Elle était là depuis quinze jours maintenant. Il y avait une règle tacite à propos des vieux, qui était de les renvoyer chez eux au plus vite. Emily avait régulièrement repris des forces au cours de la première semaine, mais elle commençait de nouveau à décliner, à sombrer dans une vague passivité.

Le lendemain, lors des tournées, l'équipe parla de nouveaux examens. Des analyses de sang plus exotiques. Encore un électro encéphalogramme. Une série de radios du cerveau, un pneumo encéphalogramme. Tous ces examens prendraient encore une semaine.

Je me sentais déjà coupable d'avoir laissé faire la biopsie de la moelle épinière. Mais je n'avais plus le choix. Je protestai.

Je déclarai que, certes, Emily était une femme étrange, mais qu'elle paraissait maintenant en bonne santé. Il n'y avait aucune raison pressante de continuer les examens. Si elle était sénile, comme tout le monde le pensait, tout cela ne lui ferait aucun bien. Quel intérêt de diagnostiquer une maladie incurable ? Naturellement, on n'avait jamais trouvé ce qui l'avait plongée dans le coma, mais cela faisait deux semaines qu'on essayait et il n'y avait aucune raison de penser qu'on réussirait en se donnant une troisième semaine. Pendant ce temps-là, Emily déclinait à vue d'œil. À mon sens, il fallait la renvoyer chez elle et, si on voulait continuer les examens, on n'était pas obligés de la garder à l'hôpital. J'ajoutai que si Emily avait une famille, elle nous obligerait à la laisser partir et que, à la garder sous la main, on risquait de se faire accuser de s'en servir comme d'un cobaye.

À la fin de mon discours, j'étais en nage. Tout le monde avait les yeux braqués sur moi. Le chef de service ne pipait mot. Il se tourna vers Tim et demanda à quand étaient fixés les examens.

Tim répondit qu'ils s'étalaient sur toute la semaine prochaine.

– Parfait, trancha le chef de service. Poursuivez.

Ainsi fut fait.

Et l'on passa au patient suivant.

– Qu'est-ce que vous me voulez ? demanda Emily plus tard quand je me retrouvai seul avec elle. Qu'est-ce qui ne va pas ?

– On ne sait pas très bien.

– Je suis en parfaite santé, dit Emily, je me sens bien et je ne veux plus d'examens.

– Je comprends parfaitement votre sentiment.

– Eh bien alors, pourquoi est-ce que je dois en passer par là ? Il m'a fait mal, dit-elle, montrant du doigt sa hanche bandée.

J'étais maintenant sur un terrain dangereux. Je devais peser mes mots.

– Si vous souhaitez quitter l'hôpital, repris-je, personne ne peut vous en empêcher.

– Vous voulez dire que je peux sortir d'ici comme je veux ?

– Non, il vous faut une feuille de décharge. Mais si vous insistez, ils ne peuvent pas faire autrement.

– Vraiment ?

– Ils essaieront de vous dissuader de partir, mais ils ne peuvent pas vous retenir de force.

– Bien, dit Emily. J'en ai ras le bol de vous, médecins de merde, et de vos foutus examens.

– Devine qui s'est pointé à la sortie ? demanda Tim ce soir-là à la cafétéria. Emily.

– Ah bon ?

– Ouais. Partie d'elle-même contre l'avis des médecins.

– Quand ?

– Ce soir. En hurlant et en jurant, personne n'a pu la raisonner. Ils ont dû la laisser filer. Quelqu'un a dû lui mettre cette idée-là dans la tête.

– Tu crois vraiment ?
– Ouais. Quelqu'un lui a parlé.
– Je me demande bien qui.
– Quelqu'un de la compta, je crois. Ils sont pas sûrs qu'elle est prise en charge par l'aide sociale. Ils ont commencé à s'inquiéter des frais et ont décidé de la faire sortir.

Gros soupir.

– Mais attends un peu. Dans quinze jours, elle va se repointer, tout aussi pouilleuse qu'avant, cette pétasse de vioque.

Deux mois plus tard. Je traversais le hall des consultations extérieures quand je ressentis une douleur dans les côtes. Quelqu'un m'avait donné un coup. Je grognai et poursuivis mon chemin.

– Hé ! Docteur !

Je m'arrêtai pour me retourner. J'aperçus une dame assez élégante, avec une cape verte et un béret sur l'oreille, tenant un long fume-cigarette d'ivoire d'une main, une canne de l'autre. Elle me regardait de l'air d'attendre quelque chose.

– On ne dit plus bonjour, docteur ?

Les patients ne comprennent jamais la quantité de gens que vous voyez, la foule des visages qui défilent devant vous, surtout au service des consultations extérieures.

– Désolé, dis-je, on se connaît ?

Elle pencha la tête, l'air amusé.

– Mlle Vincent.

Ça ne me disait rien.

– Mlle Vincent ?
– Emily.

J'ouvris de grands yeux, toujours incapable de la remettre. Je me creusai la cervelle pour me souvenir d'une Emily Vincent. Et soudain tout se remit en place. Emily ! La dame qui était pouilleuse à l'admission.

En la voyant maintenant, son port, son accoutrement, ses façons, toutes les pièces du puzzle se remirent à leur place. Emily avait toujours mené une vie de bohème. Dans les années 1920, elle avait été de ces femmes artistes, rebelles, indépendantes. Bien sûr, elle savait tout des artistes et des écrivains. Bien sûr, elle ne s'était jamais mariée. Bien sûr, elle jurait et fumait, elle tenait farouchement à son indépendance et affichait des idées avancées. Et, naturellement, elle méprisait les médecins qui s'affairaient autour d'elle. Naturellement, elle aimait à tenir des propos choquants et révoltants. Au fil des ans, la gamine qui avait été riveuse pendant la guerre était maintenant devenue une beatnik vieillissante. Naturellement, elle employait des mots comme « pépère ». Emily était de la *beat generation.*

– Emily ! Comment allez-vous ?

– Très bien, *dottore*. Vous pouvez m'appeler Mlle Vincent.

– Vous venez au dispensaire ?

– Ils disent que j'ai un petit problème de thyroïde et je prends des cachets, dit-elle en tirant sur sa cigarette. Franchement, je pense que c'est de la foutaise, mais mon médecin est tellement beau. Je le laisse faire.

– Vous êtes resplendissante, mademoiselle Vincent, dis-je en essayant de m'adapter à ce que je voyais.

– Vous aussi, dit-elle. Eh bien, il faut que j'y aille. *Ciao*.

Et dans un mouvement théâtral elle tourna les talons en faisant voler sa cape et disparut.

Crise cardiaque !

Une grande catastrophe s'était abattue sur les services de médecine générale du Beth Israel Hospital. Tous les internes, jeunes diplômés ou déjà vieux routiers, tournaient en rond en secouant la tête. Par quelque caprice du sort ou des statistiques, les deux tiers des patients du service souffraient de la même maladie. Crise cardiaque.

Les internes se conduisaient comme si tous les cinémas de la ville donnaient le même film et qu'ils l'avaient déjà vu. Qui plus est, la plupart de ces patients étaient là pour quinze jours, le film n'allait donc pas changer de sitôt. L'équipe médicale était sinistre et lasse parce que, d'un point de vue médical, les crises cardiaques ne sont pas terriblement intéressantes. Elles sont dangereuses et les patients y risquent leur vie, parce qu'ils peuvent mourir subitement. Mais les méthodes diagnostiques étaient bien éprouvées et il existait des moyens bien clairs de suivre la progression du rétablissement.

J'étais maintenant en dernière année de médecine et j'avais décidé de tourner la page en fin d'année. Mon savoir en médecine interne se résumerait donc aux trois mois que je devais passer au Beth Israel. Je devais employer mon temps au mieux.

Je me mis dans la tête d'apprendre quelque chose des sentiments que leur maladie inspirait aux patients. Parce que, si les médecins étaient fatigués des infarctus du myocarde, les patients ne l'étaient certainement pas. Il s'agissait, pour la plupart, d'hommes de quarante ou cinquante ans passés, et le sens de leur maladie ne pouvait leur échapper : ils se faisaient vieux. C'était un rappel de leur mortalité imminente et un signe qu'ils devaient changer de vie : leurs habitudes de travail, leurs régimes, voire leur type de relations sexuelles.

Pour moi, ces patients ne manquaient donc pas d'intérêt, mais comment les aborder ?

Un peu plus tôt, j'avais lu le récit des expériences d'un médecin suisse qui, dans les années 1930, avait accepté un poste dans les Alpes parce que cela lui permettait de se livrer à sa grande passion : le ski. Naturellement, il finit par traiter de nombreux accidents de ski. La cause de ces accidents l'intéressait, vu qu'il était lui-même skieur. Il demandait à ses patients la raison de leur chute, s'attendant à entendre qu'ils avaient pris un virage trop rapidement, heurté un rocher, ou quelque autre explication technique. À sa grande surprise, tout le monde lui donnait une explication *psychologique.* Quelque chose les avait bouleversés, ils étaient distraits, etc. Ainsi apprit-il que la simple question « Comment vous êtes-vous cassé la jambe ? » suscitait des réponses intéressantes.

Je décidai d'essayer et allai voir les patients en leur demandant pourquoi ils avaient fait une crise cardiaque.

D'un point de vue médical, la question était loin d'être aussi absurde qu'elle le semblait. Au cours de la guerre de Corée, les autopsies pratiquées sur des jeunes gens avaient montré que le régime alimentaire des Américains engendrait une artériosclérose avancée à l'âge de dix-sept ans. Force était d'en déduire que tous ces patients se promenaient avec des artères passablement obstruées depuis l'adolescence. Une crise cardiaque pouvait survenir à tout moment. Pourquoi avaient-ils attendu vingt ou trente ans pour en arriver là ? Pourquoi l'accident était-il survenu cette année-ci, plutôt que la suivante, cette semaine-ci plutôt que la semaine dernière ?

Mais ma question, « Pourquoi avez-vous fait une crise cardiaque ? », impliquait également que les patients avaient leur mot à dire et qu'ils avaient donc un certain contrôle de leur maladie. Je redoutais une réaction de colère. Je commençai donc par le patient le plus facile du service, un homme d'une quarantaine d'année qui avait fait une attaque légère.

Pourquoi avez-vous fait une crise cardiaque ?

– Vous tenez réellement à le savoir ?

– Oui, j'y tiens.

– J'ai eu une promotion. Ma boîte veut m'envoyer à Cincinnati. Mais ma femme ne veut pas partir. Elle a toute sa famille ici, à Boston, et elle n'a pas envie de partir avec moi. Voilà pourquoi.

Il me répondit de manière on ne peut plus directe, sans une once de mauvaise humeur. Encouragé, j'interrogeai d'autres patients.

– Ma femme parle de me quitter.

– Ma fille veut épouser un Noir.

– Mon fils ne fera pas son droit.

– Je n'ai pas eu d'augmentation.

– Je veux demander le divorce mais je me sens coupable.

– Ma femme désire un autre bébé et je ne pense pas que nous en ayons les moyens.

Personne ne m'en voulut jamais d'avoir posé la question. Au contraire, la plupart opinèrent du chef en disant : « Vous savez, j'y ai beaucoup réfléchi... » Et jamais personne ne mentionna les causes médicales classiques de l'artériosclérose : tabac, surcharge pondérale ou manque d'exercice.

J'hésitais maintenant à sauter aux conclusions. Tous les patients, je le savais, avaient tendance à passer en revue le film de leur vie quand ils étaient réellement malades et à en tirer des conclusions sur le pourquoi de leur maladie. Parfois, les explications semblaient tout à fait à côté de la plaque. Ainsi avais-je vu une cancéreuse qui expliquait sa maladie par son faible de toujours pour la tarte à la crème de Boston, et un arthritique qui incriminait sa belle-mère.

Par ailleurs, on acceptait vaguement qu'il y avait un lien entre les processus mentaux et la maladie. Le calendrier de certaines maladies donnait un indice. Par exemple, la saison traditionnelle des ulcères duodénaux était la mi-janvier, juste après les vacances de Noël. Personne ne savait pourquoi, même si l'on croyait au rôle probable d'un facteur psychologique.

Un autre indice venait de l'association de certaines maladies physiques avec une personnalité caractéristique. Par exemple, on trouvait un pourcentage significatif de maladies intestinales ulcératives chez les personnalités particulièrement irascibles. Comme la maladie elle-même était difficile à vivre, certains médecins se demandaient si la maladie était la cause de la personnalité. Mais beaucoup soupçonnaient une causalité inverse : autrement dit, la personnalité était à l'origine de la maladie. Ou, tout au moins, la maladie intestinale et le mauvais caractère avaient une cause commune.

Mais il y avait aussi un petit groupe de maladies physiques dont une psychothérapie pouvait venir à bout. Les verrues, les goitres et les maladies parathyroïdes étaient sensibles aussi bien à la chirurgie qu'à la psychothérapie, ce qui donnait à penser que ces maladies pouvaient avoir des causes mentales directes.

Pour finir, tout le monde en a fait l'expérience, les petites maladies de la vie – rhumes, maux de gorge – survenaient en périodes de tension, dans les moments où l'on se sentait généralement faible. Ce qui laissait penser que la capacité du corps à résister aux infections variait avec l'attitude mentale.

Toutes ces indications m'intéressaient au plus haut point, mais à Boston, dans les années 1960, tout cela était jugé accessoire. Curieux, oui. Digne de considération, en effet. Mais aucune piste sérieuse à creuser. La grande marche en avant de la médecine suivait un tout autre cours.

Pour l'heure, je rassemblais des données sur les victimes d'infarctus. Et ce que je voyais, c'était que leurs explications avaient un sens du point de vue de l'organisme dans sa totalité, comme si l'on avait affaire à quelque actualisation physique. Ces patients me faisaient le récit des événements qui leur avaient brisé le cœur. Ils me racontaient des histoires d'amour. Des histoires tristes qui leur avaient fait mal au cœur. Leur femme, leur famille, leur patron ne s'intéressaient pas à eux. C'est leur cœur qui prenait.

Et bientôt, c'était *littéralement* la crise cardiaque, avec ce qu'elle supposait de douleur physique. Et cette douleur, cette attaque allait imposer un changement dans leur vie et, partant, dans celle de leur entourage. Tous étaient des hommes d'âge mûr, tous subissaient une transformation dont cette maladie était le signal.

Ça marchait presque trop bien.

Je finis par aborder la question avec Herman Gardner. Le Dr Gardner, chef de clinique, était un homme remarquable et extrêmement réfléchi. Et, en fait, il nous accompagnait tous les jours dans nos tournées. Je lui expliquai que j'avais parlé avec les patients et lui répétai ce qu'ils m'avaient raconté.

Il m'écouta attentivement.

– Oui, dit-il. Vous savez, un jour j'ai dû être hospitalisé pour hernie discale et, assis dans mon lit, j'ai commencé à me demander ce qu'il m'était arrivé. Et j'ai pris conscience que j'avais un article d'un collègue qu'il me fallait rejeter, et je n'avais pas envie d'affronter ça. Pour retarder l'instant fatidique, j'ai attrapé une hernie discale. Sur le coup, je me suis dit que c'était une bonne explication de ce qui m'était arrivé, et qu'en tout cas elle en valait bien une autre.

Voici que le chef de clinique en personne faisait part d'une expérience du même genre. Et cela ouvrait toutes sortes de possibilités. Les facteurs psychologiques étaient-ils plus importants qu'on ne voulait bien l'admettre ? Était-il même possible que les facteurs psychologiques fussent les causes les plus déterminantes de la maladie ? Si oui, jusqu'où pouvait-on pousser cette idée ? Pouvait-on assimiler l'infarctus du myocarde à une maladie cérébrale ? Dans quelle mesure la médecine changerait-elle de nature si l'on considérait que tous ces gens, dans tous ces lits, manifestaient des processus mentaux à travers leur chair ?

Parce que, pour l'heure, c'étaient les corps qu'on traitait. On faisait comme si le cœur était malade et que le cerveau n'y était pour rien. On soignait le cœur. Se tromperait-on d'organe pour tous ces patients ?

Les erreurs de ce genre étaient notoires. Par exemple, certains patients souffrant de sévères douleurs abdominales avaient en fait une maladie de l'œil, un glaucome. En leur ouvrant l'abdomen, on ne soignait pas la maladie. En revanche, si on traitait les yeux, les douleurs abdominales disparaissaient.

Mais étendre cette idée plus largement, jusqu'au cerveau, suggérait quelque chose de tout à fait alarmant. Cela suggérait une conception nouvelle de la médecine, une vision entièrement nouvelle des patients et de la maladie.

Pour prendre l'exemple le plus simple, on croyait tous implicitement à la théorie germinative de la maladie. Pasteur l'avait avancée cent ans plus tôt et elle avait résisté à l'épreuve du temps. Il y avait des germes – micro-organismes, virus, parasites – qui entraient dans le corps et provoquaient des maladies infectieuses. Voilà comment les choses se passaient.

On savait tous que les risques d'infection étaient plus grands à certaines périodes qu'à d'autres, mais personne ne remettait en question la cause profonde et l'effet : les germes étaient la cause de la maladie. Insinuer que les germes étaient toujours là, que c'était un facteur constant de l'environnement, et que la maladie était donc un reflet de notre état mental, c'était dire tout autre chose.

C'était dire que les états mentaux étaient la cause de la maladie.

Et si on acceptait cette conception de la maladie infectieuse, où tracer la limite ? Les états mentaux étaient-ils aussi la cause du cancer ? des crises cardiaques ? de l'arthrite ? des maladies du troisième âge ? de la maladie d'Alzheimer ? Et les enfants ? Les états mentaux étaient-ils la cause de la leucémie chez les petits enfants ? Et les malformations congénitales ? L'état mental était-il la cause du mongolisme ? Et, si oui, l'état mental de qui : celui de la mère ou celui de l'enfant, ou les deux ?

En suivant cette idée jusque dans ses derniers retranchements, on se rapprochait dangereusement des notions qui avaient cours au Moyen Âge : qu'une femme enceinte soit prise de frayeur, et son enfant serait difforme. Et toute prise en considération des états mentaux soulevait automatiquement l'idée de blâme. Si on était la cause de sa maladie, n'était-on pas le premier à blâmer ? La médecine a beaucoup œuvré pour débarrasser le malade de toute idée de culpabilité. Celle-ci n'est plus associée qu'à un tout petit nombre de maladies comme l'alcoolisme et d'autres formes de dépendance.

Cette idée de processus mentaux à l'origine des maladies semblait avoir des aspects rétrogrades. Que les médecins se montrent hésitants n'avait rien pour surprendre. Moi-même, je la fuyais depuis de longues années.

Pour le Dr Gardner, les aspects physiques et les aspects mentaux avaient tous leur importance. Même si on imaginait que la crise cardiaque avait une origine psychologique, il fallait s'occuper du muscle cardiaque du moment qu'il y avait eu un accident. Les soins que nous prodiguions étaient donc appropriés.

Je n'en étais pas bien sûr. Parce que si on imaginait que le processus mental avait blessé le cœur, le processus mental ne pouvait-il aussi le soigner ? Ne fallait-il pas encourager les gens à mobiliser leurs ressources intérieures pour se rétablir ? Ce n'était certainement pas ce qu'on faisait. Au contraire : on passait son temps à dire aux gens de s'allonger, de ne pas se faire de mauvais sang, de nous laisser faire. On accréditait l'idée qu'ils étaient impuissants et faibles, qu'ils ne pouvaient rien faire et qu'ils seraient bien avisés d'être prudents, même en allant à la salle de bains, parce qu'à la moindre tension – pfuitt – on y passait. C'est dire à quel point on était faibles.

De la part d'une figure de l'autorité, ce n'était guère une bonne instruction à l'adresse des processus mentaux inconscients du patient. Tout se passait en fait comme si nous prenions le risque de retarder la guérison par notre conduite. Mais, par ailleurs, il y avait des patients qui refusaient d'écouter leurs médecins, qui sautaient du lit et mouraient subitement en allant à la selle. Et qui voulait en assumer la responsabilité ?

Les années passèrent. J'avais depuis longtemps quitté la médecine quand j'en arrivai enfin à une vision de la maladie qui avait un sens dans mon esprit. Cette vision, la voici :

Nous sommes la cause de nos maladies. Nous sommes directement responsables de toutes les maladies qui nous arrivent.

Dans certains cas, c'est une chose que nous comprenons parfaitement. Nous savons que si on n'était pas allés au bout de nos forces, on n'aurait pas attrapé froid. Dans le cas de maladies plus catastrophiques, le mécanisme est loin d'être aussi clair à nos yeux. Mais que nous voyions un mécanisme ou non – qu'il y ait ou non un mécanisme –, il est plus sain d'assumer la responsabilité de sa vie et de tout ce qui nous arrive.

Naturellement, il ne sert à rien de s'accabler de reproches quand on tombe malade. C'est très clair. (De toute façon, il est rarement utile d'accabler qui que ce soit de reproches.) Mais cela ne veut pas dire qu'il faille du même coup abdiquer toute responsabilité. Il n'est pas sain de renoncer à la responsabilité de notre vie.

Autrement dit, nous avons le choix. Ou l'on se dit : « Je suis malade, mais je n'y suis pour rien », ou l'on se dit : « Je suis malade parce que je suis la cause de la maladie. » Mais mieux vaut penser et agir comme si on était directement concernés. Je crois qu'on a plus de chances de se rétablir si on assume cette responsabilité.

Car lorsqu'on assume la responsabilité d'une situation, on en prend aussi le contrôle. On est moins effarouchés et on a plus d'esprit pratique. On est mieux à même de se concentrer sur ce qu'on peut faire pour se rétablir et accélérer la guérison.

Ce qui est aussi une façon de mettre le rôle du médecin dans une meilleure perspective. Le médecin n'est pas un faiseur de miracles qui peut nous sauver comme par magie, mais plutôt un expert qui peut nous aider à nous remettre d'aplomb. Nous sommes mieux armés quand cette distinction est bien claire dans notre esprit.

Quand je suis malade, je fais comme tout le monde : je vais consulter mon médecin. Un médecin dispose de puissants instruments qui peuvent m'aider. Ces instruments peuvent aussi me faire mal, aggraver mon état. C'est à moi de décider. C'est ma vie. C'est ma responsabilité.

Drs W, X, Y et Z

M. Erwin, cinquante-deux ans, fut hospitalisé parce qu'on avait repéré une tache sur une radio des poumons que son médecin traitant lui avait prescrite par routine. Sitôt à l'hôpital, on refit des radios. La tache était bien là, aucun doute, dans le lobe supérieur du poumon gauche.

On expliqua à M. Erwin qu'une intervention chirurgicale s'imposait et il l'accepta. Mais lorsque vint le moment de signer les formulaires, il demanda le temps de la réflexion. Le lendemain, on lui conseilla de nouveau une intervention, et de nouveau il accepta, à seule fin de se rétracter à la dernière minute. Une semaine passa ainsi.

M. Erwin ne demanda jamais ce qui, dans son poumon, justifiait une intervention. Il ne fit jamais rien de tel. Et personne ne prit la peine de le lui dire. D'un côté, la radio présentait une anomalie : on aurait dit une sorte de tumeur, mais elle n'avait pas la forme classique. M. Erwin était sur des charbons ardents, et l'équipe choisit d'attendre.

D'un autre côté, une semaine était une semaine. Garder quelqu'un dans un lit coûteux devenait difficilement justifiable, mais l'équipe médicale ne voulait pas signer de décharge tant les médecins étaient certains qu'il ne regarderait jamais sa maladie en face une fois qu'il serait sorti de l'hôpital. C'était donc l'impasse. M. Erwin ne demandait toujours pas l'opération. Et personne ne lui disait rien.

En fin de semaine, le Dr W, chirurgien d'un hôpital voisin, vint faire la tournée des malades. Ancien athlète, le Dr W était un gros homme à poigne qui pratiquait la chirurgie avec verve et panache. L'équipe médicale lui exposa le cas du réticent M. Erwin. Révolté par la manière dont on avait dorloté cet homme, il demanda à le voir sur-le-champ.

Le Dr W entra en trombe dans la chambre.

– M. Erwin, je suis le Dr W. Vous avez un cancer et je vais vous le retirer !

M. Erwin éclata en sanglots et consentit à l'opération.

L'intervention eut lieu le lendemain et se solda par l'ablation d'une lésion granulomateuse. Au centre de la lésion, on trouva une matière fibreuse que les pathologistes identifièrent comme du bœuf. Apparemment, M. Erwin avait inhalé un bout de bœuf en mangeant, lequel était venu se loger dans son poumon avant d'être recouvert par des tissus protecteurs.

À son réveil, M. Erwin apprit la bonne nouvelle d'une équipe médicale ravie. Mais M. Erwin demeura renfrogné. Il continuait à pleurer souvent. Les jours passants, il protesta qu'on lui mentait, il savait bien qu'il avait un cancer. C'est le Dr W qui le lui avait dit. Les internes lui confirmèrent que le Dr W s'était trompé, qu'il n'y avait pas de cancer. Ils lui montrèrent les résultats des examens pathologiques. Ils lui proposèrent de jeter un coup d'œil à sa feuille de température. Rien ne put convaincre M. Erwin.

Deux jours plus tard, M. Erwin se faufila à travers l'étroite fenêtre de sa chambre et sauta dans le vide.

Le Dr X accomplit une intervention chirurgicale sur la jambe d'une femme de trente-cinq ans. L'objet en était de ligaturer la veine fémorale. Sitôt après l'opération, la femme se plaignit d'une vive douleur à la jambe, devenue bleue et froide, avec des pulsations très faibles. Vingt-quatre heures après l'intervention, comme il n'y avait toujours aucun mieux, on comprit que le Dr X avait ligaturé l'artère fémorale, non la veine. Il fallait maintenant amputer la patiente de la jambe, à hauteur de la hanche.

Le Dr X était un vieux réfugié juif qui avait fui l'Allemagne nazie. Il avait déjà commis des erreurs de ce genre, tout le monde le savait, au point qu'un hôpital de banlieue lui avait supprimé ses privilèges de chirurgien. Toute la question était de savoir si le Dr X allait maintenant perdre ses privilèges dans cet hôpital-ci.

Deux choses m'intéressaient. La première, c'était que personne ne prît la peine de dire à la jeune femme que quelque chose clochait. En ce temps-là, avant l'avalanche des poursuites pour erreurs médicales, les autres médecins respectaient la loi du silence : il n'était pas question de révéler à une patiente l'erreur grossière de son médecin. La femme était relativement jeune et avait deux enfants : avec une jambe en moins, sa vie allait changer du tout au tout.

La seconde chose était qu'une discussion s'ouvrît pour savoir si le Dr X allait perdre ses privilèges chirurgicaux, comme si la question était douteuse. (En fait, l'hôpital ne révoqua pas totalement ses privilèges mais se contenta de lui interdire, désormais, d'opérer seul.)

Le Dr Y discutait du cas d'un commis voyageur qui devait être opéré de la vésicule biliaire. L'homme était un alcoolique chronique et l'équipe médicale avait peur qu'il fît un delirium tremens à l'hôpital, ce qui compliquerait son traitement et risquait même d'entraîner la mort. La décision fut prise de le laisser consommer de la bière à l'hôpital. Tous les jours, le commis se faisait livrer une caisse de bière à son chevet.

Je demandai au Dr Y s'il était troublé par le fait que ce patient alcoolique fût aussi voyageur de commerce. Sitôt son problème réglé, il reprendrait vraisemblablement la route, continuant à boire et conduire. Sachant que l'homme était alcoolique, l'hôpital avait-il une responsabilité un tant soit peu plus grande envers l'homme, ses employeurs et la société plus large des usagers de la route ?

– Eh bien, c'est un problème très difficile, expliqua le Dr Y. Par exemple, j'ai eu dernièrement à examiner un pilote de ligne pour le compte d'une maison d'assurances. Le pilote était un alcoolique chronique.

– Et qu'avez-vous fait ?

Le Dr Y haussa les épaules.

– J'ai signé son certificat d'aptitude. Que pouvais-je faire d'autre ? Je ne pouvais pas le priver de son gagne-pain.

Le Dr Z était un médecin de soixante-dix-huit ans. Il était au bord du coma en entrant à l'hôpital, sur le point d'être lâché par son cœur et ses reins. Son fils était également médecin, mais pas dans cet établissement : il devait donc s'en tenir aux horaires de visite de tout le monde et n'avait pas son mot à dire sur les soins prodigués à son père. Il fit cependant part de son vœu qu'on laissât son père mourir en paix.

Le vieil homme était sur la liste critique depuis près d'une semaine. Une nuit, il eut une crise cardiaque, mais on réussit à le ramener à la vie. Son fils vint le lendemain et, avec une certaine délicatesse, demanda pourquoi les médecins avaient ranimé le vieil homme. Personne ne lui répondit.

Plus tard, ce même jour, le vieux Dr Z fut victime d'une soudaine insuffisance cardiaque. L'équipe médicale effectuait sa tournée ; tout le monde se précipita à son chevet. En un instant, il se retrouva entouré d'internes et de médecins en blouse blanche : tous s'acharnaient sur le vieil homme, criblant son corps d'aiguilles et de tubes de toutes sortes.

Au beau milieu de ce remue-ménage, il sortit tant bien que mal de son coma, se redressa dans son lit et cria d'une voix claire et distincte :

– Je refuse cette thérapie ! Je refuse cette thérapie !

Les internes l'obligèrent à se recoucher et le soumirent quand même à cette thérapie. Je me tournai vers le médecin traitant pour lui demander comment une chose pareille était possible. Après tout, cet homme était médecin, et sa mort était inéluctable – sinon aujourd'hui, du moins demain, ou après-demain. Pourquoi l'équipe médicale avait-elle passé outre à ses désirs et à ceux de sa famille ? Pourquoi ne le laissait-on pas mourir ?

Il n'y avait pas de réponse satisfaisante.

Le Dr Z mourut finalement pendant le week-end, alors que l'équipe médicale était réduite.

Les incidents de ce genre me troublèrent tout au long de mes années de stage clinique. Autour de moi, tout le monde semblait les évacuer d'un haussement d'épaules pour continuer à vaquer à ses occupations – ce dont je ne fus jamais capable. Mes interrogations en ce domaine finirent par devenir l'une de mes raisons majeures d'abandonner la médecine.

Adieux à la médecine

Dès la première année, peu après avoir découpé un crâne à la scie, je décidai de quitter la fac de médecine. J'allai voir le Dr Lorenzo, le doyen des étudiants, et lui expliquai que je voulais m'en aller, que je n'étais pas fait pour la médecine.

– OK. Allez voir Tom Corman. Si vous êtes encore dans les mêmes dispositions après cela, vous pourrez renoncer.

Telle était en ce temps-là la politique de la fac de médecine de Harvard. Il fallait aller voir un psy avant de renoncer. Le psy, c'était le Dr Corman. Il était bien connu des étudiants. Nous étions nombreux à être allés le voir.

Le Dr Corman était bref, sec et direct.

– Quel est votre problème ?

– Je veux quitter la fac de médecine.

– Pourquoi ?

– Je déteste ça.

– Et alors ?

Cela me laissa perplexe. J'expliquai que j'étais là depuis trois mois, que j'avais essayé pour de bon, mais que ça ne me plaisait pas. Je n'aimais pas ce que j'étudiais. Je n'aimais pas l'expérience. Je n'aimais pas mes condisciples. Je n'aimais rien de tout cela.

– Et alors ?

Je lui demandai de s'expliquer.

– Pourquoi avoir choisi la médecine ?

– Je veux être médecin.

– Ce qui veut dire ?

– Aider les gens.

– Et combien de patients avez-vous vus jusqu'ici ?

– Pour ainsi dire aucun.

– Vous ne faites donc pas ce que vous êtes venu faire ici. Vous êtes venu ici pour aider les gens et vous passez la journée assis dans les salles de cours, exact ?

– Exact.

– Je comprends que vous détestiez ça, reprit-il. La plupart de vos camarades détestent ça. Ça ne veut strictement rien dire.

Je pensais que ça voulait dire quelque chose. Ça voulait dire que j'avais horreur de ça.

– Les deux premières années d'études n'ont rien à voir avec la vocation de médecin qui est la vôtre. Je pense que vous vous devez d'attendre l'année prochaine, lorsque vous commencerez à voir des patients dans un cadre clinique.

Je répondis que c'était trop long. Je voulais partir maintenant.

– Très bien, mais pensez aux contraintes de la vie universitaire. Il n'est pas conseillé de s'en aller en milieu d'année. Ça la fiche mal dans votre dossier, quand vous voulez vous inscrire dans une autre fac. Vous feriez mieux de finir cette année puis de vous en aller.

C'était assez vrai. Le Dr Corman finit donc par me dissuader d'arrêter. Et après la première année, j'étais un peu réconcilié avec la médecine. Je pensais que je devrais essayer une seconde année.

La deuxième année fut encore pire. Je retournai voir le Dr Corman.

– Je veux partir.

– Ça ne vous plaît toujours pas ?

– Je déteste ça.

– Qu'est-ce que vous détestez ?

– Les cours.

En effet, j'avais les cours en horreur. Pour une fac de médecine aussi prestigieuse, la qualité de l'enseignement était une calamité. Elle était si mauvaise que les étudiants s'étaient dernièrement rebellés et avaient exigé le droit d'enregistrer les cours, chaque étudiant étant chargé à tour de rôle de les retranscrire et de distribuer ses notes à ses condisciples. Ce fut une levée de boucliers générale dans la faculté, mais les étudiants furent intraitables et finirent par avoir gain de cause.

Il suffisait de passer et de repasser les cassettes pour essayer de dégager un ordre logique, de consulter les manuels afin d'expliquer ce que le professeur avait omis d'expliquer, et on avait une démonstration saisissante de la franche médiocrité des cours.

J'avais été chargé de cours à Cambridge University et avais donc eu moi-même l'occasion de préparer et de donner des cours. Je savais le temps que ça prenait : dans mon cas, de dix à vingt heures de préparation pour une petite heure de cours. Je savais ce que ça faisait de donner un cours que l'on avait parfaitement préparé ; ce que ça faisait d'être presque préparé ou mal préparé, et ce que ça faisait de rater son cours.

À Harvard, la plupart des cours battaient de l'aile. Les profs se succédaient sur l'estrade, leurs notes de cours de l'année précédente à la main, avec quelques modifications griffonnées en marge, et se mettaient à parler. L'excellence de quelques enseignants comme Don Fawcett et Bernard Davis ne faisait que mettre en relief l'ineptie de la majorité.

– Et vous voyez des patients ?

– Oui.

Nous avions une petite initiation au travail clinique.

– Comment ça se passe ?

– J'aime ça.

– Eh bien, les cours qui vous déplaisent s'arrêteront dans quelques mois, et ensuite vous ne verrez plus que des patients. Alors, est-il bien raisonnable d'arrêter maintenant ?

Il parvint à m'en dissuader.

L'année fut bientôt finie. J'étais en troisième année, les stages cliniques plus ou moins vivants à l'hôpital m'occupant à temps plein. J'en étais alors arrivé à la conclusion que je voulais être chirurgien ou psychiatre. Mais quand je fis mon stage de trois mois en chirurgie, je découvris avec surprise que je m'ennuyais. J'aimais le pragmatisme des chirurgiens. J'aimais leur activisme à l'égard du monde. J'aimais les crises et les pressions, et j'aimais dire aux gens que faire. Tout cela me séduisait. Mais j'observais que les chirurgiens avaient pour chaque cas un intérêt que je ne partageais pas. Pour un bon chirurgien, chaque vésicule biliaire était en soi intéressante. Pour ma part, j'avais le sentiment que quand on en avait vu une, on les avait vues toutes.

Je soupçonnais donc que je n'étais pas fait pour la chirurgie.

Restait la psychiatrie, mais j'avais eu une expérience troublante avec une patiente. Je n'avais pas été très à l'aise dans mon rôle de thérapeute. Mais il y avait pis encore. Travaillant en clinique, je voyais un maximum de patients, et je commençai à me dire qu'il n'y avait pas grand-chose à faire en psychiatrie. Je ne pensais pas que la psychiatrie pût vraiment aider les gens. D'un côté, j'avais vu des déficitaires profonds, des gibiers d'institution atteints de maladies mentales dramatiques. Mais la psychiatrie semblait relativement impuissante à les secourir, et elle était certainement incapable de les guérir. D'un autre côté, il y avait des tas de nantis qui me paraissaient moins malades que complaisants. Pour eux, la psychiatrie semblait être une manière glorifiée de se laisser prendre par la main. Je n'avais aucune admiration pour cela et je n'étais pas du tout sûr, non plus, que cela leur fît le moindre bien.

J'étais donc doublement déçu, par la chirurgie et par la psychiatrie. Retour chez le Dr Corman.

– Eh bien, vous n'avez pas fini vos stages cliniques. Comme savez-vous que vous ne vous plairez pas en pédiatrie, en orthopédie ou en médecine interne ?

– J'en suis sûr.

– Jusqu'ici, mais n'avez-vous pas le devoir de vous en assurer ?

Il me persuada une nouvelle fois de rester.

Quand je fus finalement convaincu qu'aucune spécialité clinique ne me séduisait, j'avais déjà fait trois ans et demi des quatre années réglementaires. Il ne rimait vraiment plus à rien d'arrêter.

Je retournai voir le Dr Corman et lui déclarai que j'allais passer mon diplôme, puis que j'arrêterais. Il poussa un gros soupir.

– Je m'étais bien dit que vous finiriez par renoncer. Vos fantasmes sont trop forts.

En cela, il avait raison. Je n'arrivais à poursuivre mes études qu'en écrivant des thrillers et je débordais d'imagination. Souvent, j'écoutais mes patients et me demandais comment me servir de ça dans un bouquin. Et parfois, découvrant les symptômes de leur maladie, je me disais, pas de doute, c'est une anémie, mais ne pourrait-on imaginer une nouvelle maladie qui présenterait exactement les mêmes symptômes ?

Quand vous allez consulter un médecin, vous n'avez naturellement aucune envie qu'il vous voie comme le chapitre d'un livre ou qu'il concocte des maladies imaginaires pour expliquer votre anémie. Tout cela était clair dans mon esprit. Je compris que je ne me conduisais pas comme un médecin que j'aimerais consulter. J'en conclus donc que je devais tourner la page.

Il y avait également d'autres problèmes. Je n'étais tout bonnement pas d'accord avec une bonne partie de la médecine telle qu'on la pratiquait en ce temps-là. Je n'admettais pas que l'avortement soit hors la loi. Je n'admettais pas que les patients n'aient aucun droit et en soient réduits à la fermer quoi que leur disent les médecins. Je n'admettais pas qu'on leur refuse le droit d'être informés si une intervention présentait un risque quelconque. Je n'admettais pas que les malades en phase terminale se voient imposer un traitement même s'ils aspiraient à mourir en paix. Je n'admettais pas que les médecins se serrent les coudes pour étouffer les erreurs médicales.

Au-delà de ces grandes questions d'éthique, je n'acceptais pas le nouveau style de médecin-homme de science, si populaire à cette époque. Je ne considérais pas les gens comme un sac de réactions biochimiques qui iraient de travers. Pour moi, c'étaient des créatures complexes qui manifestaient parfois leurs problèmes en termes biochimiques. Mais je jugeais plus sage qu'on s'occupe d'abord des gens, plutôt que de biochimie. Et même si l'on feignait d'approuver ma vision des choses, en pratique tout le monde n'intervenait jamais qu'au niveau des enzymes. Combien de fois ai-je rencontré des patients qui avaient passé des semaines à l'hôpital et qui souffraient de problèmes évidents que personne n'avait remarqués – parce qu'ils n'apparaissaient pas dans les résultats des examens de labo. On finissait par penser que les médecins ne s'intéressaient pas vraiment à leurs patients. Pas comme à des êtres humains.

Et la vogue du médecin-homme de science avait drainé vers les facs de médecine un genre d'étudiants avec qui je n'avais pas grand-chose de commun. Mes condisciples avaient tendance à penser que la littérature, la musique et les arts étaient des distractions sans intérêt. À l'égard de la « culture », ils affectaient le même mépris qu'un physicien envers l'astrologie. Tout ce qui n'était pas du ressort de la médecine était pure perte de temps.

À cette époque, Harvard avait ouvert une nouvelle bibliothèque médicale. Un jour je vis fureter un homme pâle à l'air un peu perdu. Il me fallut un moment pour me rendre compte que c'était Louis Kahn en personne, l'un de mes héros ! Tout excité, je profitai du déjeuner pour le raconter à qui voulait bien m'écouter.

– Louis Kahn était à la bibliothèque aujourd'hui !

– Qui ?

– Louis Kahn.

Froncements de sourcils.

– Le nouveau prof de médecine ?

– Non, l'architecte.

– Oh...

Et la conversation tourna court. Louis Kahn n'était pas seulement un architecte célèbre : on peut dire de lui qu'il a été l'architecte *médical* le plus influent du monde, à la suite des bâtiments de l'université de Pennsylvanie construits quelques années plus tôt. Harvard multipliait les hôpitaux nouveaux à cette époque, et il était beaucoup question de leurs mérites et de leurs défauts. Comment participer aux discussions en connaissance de cause si on n'avait jamais entendu parler de Louis Kahn ?

Ces œillères donnèrent lieu à d'étranges épisodes médicaux. Un jour, j'appris qu'un groupe d'internes envisageait une intervention chirurgicale sur un homme d'affaires d'âge mûr. Le mieux pour ses problèmes intestinaux était de programmer cinq opérations. La première aurait pour objet de lui laver les entrailles. La deuxième, de lui perforer l'estomac afin qu'il puisse vider ses excréments dans un sac. La troisième, de faire encore autre chose. La quatrième, de refermer son estomac et de rattacher les intestins. Et la cinquième, de régler un ultime problème. Au bout du compte, l'homme sortirait de l'hôpital, frais et dispos, dans neuf mois.

L'autre solution était une intervention en deux temps qui n'exigeait que trois semaines d'hospitalisation et ne nécessitait pas d'anus artificiel. Mais elle était manifestement inférieure à la première solution en cinq étapes.

Je suggérai que le patient ne serait peut-être pas d'accord avec les cinq interventions. Tout le monde m'écouta d'un air interdit. Pourquoi diable ne serait-il pas d'accord ?

J'expliquai qu'il n'aurait peut-être pas envie de passer neuf mois de sa vie à l'hôpital pour y subir opération sur opération. Je suggérai qu'un cadre d'entreprise avait bien d'autres soucis en tête que sa santé. Il s'inquiétait de sa famille, de son revenu, de sa place dans sa société. Neuf mois d'absence ne pouvaient que lui créer des tas de problèmes.

J'ajoutai que vivre avec un anus artificiel était une grande altération du corps, à laquelle on ne consentait pas à la légère, même à titre temporaire.

Ils protestèrent que non. Quand nous lui expliquerons, il acceptera certainement le traitement en cinq étapes.

Naturellement, l'homme refusa. Il souhaitait le traitement le plus rapide possible et il jugeait leur plan dément. Il se récria d'horreur à l'idée d'un anus artificiel. Les internes se retirèrent d'un air piteux : que faire avec quelqu'un qui ne se soucie pas de sa santé ?

Que les patients fussent des êtres humains qui avaient une vie bien remplie en dehors de l'hôpital était une idée qui n'avait jamais pénétré la conscience des internes. Comme l'hôpital était le seul horizon de leur vie, ils imaginaient que c'était pour tout le monde pareil. Au bout du compte, ce n'est pas de connaissances médicales qu'ils manquaient, mais d'expérience de la vie courante.

L'attitude des praticiens n'était pas faite non plus pour m'encourager. Sur le plan personnel, je les trouvais bien mieux ; leur éventail de centres d'intérêt était souvent très au-dessus de la moyenne. Mais, trop souvent, les anciens n'étaient pas contents de leur travail. Même s'ils aimaient passionnément la médecine – ce qui était le cas de la plupart –, ils finissaient par prendre en grippe leur mode de vie. En ce temps-là, alors que les cabinets de groupe étaient moins fréquents et que les médecins avaient des relations plus directes avec leurs patients, la pratique clinique avait un côté débilitant qui semblait rejaillir sur les médecins après une décennie ou deux. Ces hommes avaient des familles qu'ils connaissaient à peine et des bateaux qui prenaient rarement la mer ; ils passaient leur temps à s'organiser des voyages aussitôt annulés. On aurait dit que les patients accaparaient leur vie entière. Et ils ne recevaient pas assez en retour.

J'avais imaginé qu'un médecin consacrait sa vie aux malades, mais les praticiens n'en étaient pas si sûrs. Ils voyaient quantité de patients qui apparemment se portaient très bien. Ils voyaient des maladies en phase terminale qu'ils ne pouvaient soigner. Ils ne cessaient de répéter : « Je ne suis pas sûr d'aider vraiment les gens. »

Au départ, je mis ça sur le compte d'une fatigue temporaire ou d'un scepticisme de bon ton. Puis je finis par y croire. Ils parlaient sérieusement. Beaucoup ressentaient les choses de cette façon.

Naturellement, je désirais tourner la page. Je voulais être écrivain. Telle avait été ma toute première ambition. Cela me ramenait presque au temps où j'avais appris à lire et à écrire. J'avais neuf ans quand la maîtresse d'école demanda à notre classe d'écrire un spectacle de marionnettes. La plupart des écoliers se contentèrent de quelques lignes ; pour ma part, je rédigeai une épopée de neuf pages qui comptait tant de personnages que je dus convaincre mon père de la recopier à la machine avec une multitude de carbones avant qu'on puisse la jouer. Mon père me dit qu'il n'avait jamais lu un tel tissu de clichés de sa vie (ce qui était probablement vrai) ; j'en fus blessé et sa réaction confirma une forme de conflit qui devait persister de longues années entre nous. Mais mon père a sans aucun doute encouragé mon intérêt pour l'écriture : c'était un conteur-né. Tous les soirs, au lit, on lui réclamait des histoires qu'il illustrait sur-le-champ de petits dessins tandis qu'on s'enfonçait lentement dans le sommeil.

L'adolescent que je fus eut un père journaliste et rédacteur en chef. Le soir, à table, il était toujours question d'écriture et de bon usage, avec des pauses fréquentes pour consulter le *Bon Usage de l'anglais contemporain* de Fowler. Nombre de ses maximes de rédacteur en chef sont restées gravées dans ma mémoire. « Sois prudent avec " évidemment ". Si c'est vraiment évident, quel besoin de le préciser ? et si ça ne l'est pas, il est choquant de prétendre que ça l'est. »

Mon père faisait passer la clarté et la concision avant toute chose et il pouvait être un critique implacable. Mais il ne manquait pas non plus d'humour. Les journalistes entendent plus de blagues que n'importe qui, et tous les soirs il rentrait à la maison avec une nouvelle, souvent olé olé. « Non, John », disait ma mère, tandis qu'il la racontait pour le plus grand plaisir de ses enfants.

Mon père estimait qu'il était indispensable de savoir taper à la machine et tous ses enfants apprirent de bonne heure. Pour ma part, je m'y suis mis à douze ans. Et ce n'est certainement pas un hasard si trois de ses quatre enfants ont publié des livres et que le quatrième en ait un en chantier.

Quoi qu'il en soit, j'écrivis abondamment dès mon plus jeune âge. C'était une chose que j'aimais faire. À treize ans, je commençai à proposer des nouvelles à des magazines et, à quatorze ans, je réussis à vendre un récit de voyage au *New York Times*. Cet été-là, en effet, on était allés en famille visiter le monument national de Sunset Crater, en Arizona. L'endroit me parut fascinant, mais on ne vit pas âme qui vive dans les parages de toute la journée, et je soupçonnais que la plupart des touristes passaient à côté sans voir combien c'était intéressant.

– Pourquoi n'écris-tu pas là-dessus ? demanda ma mère.

– Pour quel support ?

– Le *New York Times* publie des articles de voyage de toutes sortes de gens.

Ma mère passait son temps à découper des articles dans la presse.

– Le *New York Times* ? Je ne suis qu'un gosse.

– Personne n'a besoin de le savoir.

Je jetai un coup d'œil à mon père.

– Réunis toutes les publications disponibles au stand et va interviewer le ranger.

Ma famille attendit donc en plein soleil tandis que j'allais interviewer le ranger, me creusant la cervelle pour trouver des choses à lui demander. Mais que mes parents m'en croient capable, alors même que je n'avais que treize ans, me donnait de l'audace.

Au volant de la voiture, mon père m'interrogea.

– Combien de visiteurs chaque année ?

– J'ai pas demandé.

– C'est ouvert toute l'année ?

– J'ai pas demandé non plus.

– Comment s'appelle le ranger ?

– J'ai pas demandé.

– Bon sang, me dit mon père. Et qu'est-ce que t'as ramassé comme imprimés ?

Je lui montrai les opuscules et les brochures.

– Bon, ça suffira. Tu peux écrire ton papier à partir de ça.

À la maison, j'écrivis mon article et l'expédiai. Le *Times* l'acheta et le publia. J'étais aux anges. J'étais un auteur publié ! Des années plus tard, je découvris que le responsable des pages voyages, Paul Friedlander, habitait près de chez nous et que sa fille Becky était dans la même classe que moi, à l'école. Probablement savait-il que c'était un gosse qui avait écrit l'article et probablement cela l'avait-il amusé de le publier. Mais, en même temps, j'avais réussi à me faufiler dans le système et j'avais fait une chose d'adulte : un formidable encouragement pour continuer à écrire. Pour couronner le tout, on m'avait versé soixante dollars, ce qui, en ce temps-là, était une somme plutôt rondelette pour un gamin.

Je continuai le journalisme, couvrant les rencontres sportives du lycée pour le canard de la ville. J'étais à la fois reporter et journaliste, et je touchais dix dollars chaque semaine. À Harvard, j'écrivis pour *Crimson*, où je dirigeais la rubrique littéraire (livres gratuits !) et m'occupais parfois de critique cinématographique (entrées gratuites !). Et je couvrais les sports pour le *Bulletin des anciens élèves*, ce qui me rapportait cent dollars par mois.

Dans ces conditions, c'est tout naturellement que je pensais à l'écriture pour financer mes études de médecine. À l'époque, mon père avait trois autres enfants en fac et ne pouvait assumer les frais de scolarité. Il me fallait trouver un moyen de gagner de l'argent.

Comme les articles écrits en *free-lance* ne pouvaient suffire, je décidai d'écrire des romans. Les James Bond étaient alors à la mode et je les dévorais. Je décidai d'écrire des romans d'espionnage dans cette veine.

J'étais marié et mon beau-père connaissait quelqu'un chez Doubleday. Il envoya donc mon premier roman, que Doubleday refusa en expliquant que cela pouvait intéresser Signet. L'éditeur se déclara preneur et appela pour demander qui était mon agent afin de négocier le contrat.

Je n'avais pas d'agent, mais mon beau-père s'arrangea pour m'en faire rencontrer un. J'en rencontrai trois. Le premier représentait une multitude d'auteurs célèbres et m'intimida. Le deuxième m'expliqua comment je devais écrire et m'indisposa. Le troisième était une jeune femme qui, après avoir été la secrétaire d'un agent, venait de s'installer à son compte. Elle dit qu'elle avait envie de défendre mes intérêts. Comme c'était la seule qui m'eût dit cela, il semblait tout indiqué de signer avec elle, ce que je fis.

Jusqu'à la fin de mes études de médecine, j'écrivis donc des thrillers pour payer mes factures. Naturellement, je n'avais pas beaucoup de temps pour écrire, mais je mettais à profit les week-ends et les vacances. Et avec un peu de pratique, j'appris à boucler ces thrillers d'espionnage en un rien de temps. À la fin, il me suffisait de neuf jours pour en écrire un. Mais je n'avais pas d'intérêt particulier pour ce travail. Ce n'était qu'une façon d'acquitter les frais d'inscription.

Puis, lentement, de façon quasi imperceptible, l'écriture commença à m'intéresser davantage que la médecine. Et comme mes publications avaient de plus en plus de succès, le conflit entre l'écriture et la médecine prit un tour de plus en plus embarrassant.

Sous un pseudonyme, je sortis un livre intitulé *Un cas de force majeure.* Il y avait quantité d'allusions à peine voilées à des gens de la fac de médecine de Harvard. Quand le livre parut, tout le monde parla de son auteur, de ce Jeffery Hudson qui semblait connaître Harvard comme le fond de sa poche. Je n'hésitai pas à m'en mêler : qui pouvait bien se cacher derrière ce Hudson ? Mystère.

C'était drôle. Puis le livre fut sélectionné pour l'attribution du meilleur roman de suspense de l'année. C'était drôle aussi. Puis le livre fut couronné, ce qui voulait dire qu'il fallait bien que quelqu'un aille chercher la récompense.

Soudain, ce n'était plus drôle du tout.

Je savais que si on découvrait que j'étais l'auteur de ce livre, j'aurais quantité d'ennuis. À Harvard, dans les années de stage clinique, on était notés suivant le jugement subjectif des gens avec qui on travaillait. Si ces gens découvraient que j'écrivais des bouquins, mes notes dégringoleraient en chute libre.

Je me rendis à New York et acceptai la récompense avec appréhension. Mais je n'avais aucun souci à me faire. Il n'y eut pas beaucoup de publicité, et je fus protégé par les préjugés des médecins-scientifiques qui considéraient les choses littéraires comme une perte de temps. Personne ne sut jamais.

Mais c'est alors que les droits de ce même livre de malheur furent achetés pour le cinéma, et que la maison de production me demanda de prendre l'avion pour Hollywood afin d'en discuter avec le scénariste. Je répondis que c'était impossible, que j'étais étudiant en médecine. Je n'avais qu'à venir le week-end. Ils insistèrent lourdement. Je dus aller voir le chef de service pour obtenir mon vendredi. Le Dr Gardner était un homme très gentil. Je lui demandai mon vendredi.

– Y a-t-il un décès dans votre famille ?

Telle était l'excuse habituelle à laquelle nous recourions tous. En troisième année, chacun de nous avait fait mourir ses grands-parents trois ou quatre fois.

– Non, répondis-je.

– Une maladie ?

– Non.

J'avalai ma salive et lui lâchai la vérité : que c'était moi qui avais écrit ce bouquin, que les droits d'adaptation cinématographique venaient d'être vendus, et que les gens de Hollywood m'avaient demandé de venir discuter avec le scénariste. J'avais donc besoin de mon vendredi, mais qu'il ne s'inquiète pas, je serais de retour lundi. Aucun doute là-dessus.

Il me considéra d'un air étrange. Que n'allais-je pas inventer! Pourquoi ne pas dire comme tout le monde que ma grand-mère venait de mourir?

Mais il se contenta de dire d'accord.

J'allai donc à Hollywood où je me fis trimbaler en limousine et fus invité à dîner avec des célébrités, puis je rentrai pour retrouver l'hôpital. Je menai désormais une double vie, et avec le temps l'écart entre mes deux existences ne cessa de se creuser.

Je pris la décision d'arrêter au cours de la troisième année, pendant l'été. C'est à ce moment-là que les étudiants postulent pour un poste d'interne. Je renonçai à l'internat, ce qui voulait dire que je laisserais tomber sitôt mon diplôme en poche.

Quelques semaines après que j'eus décidé de ne pas continuer, je sentis ma main droite engourdie. Dans les jours suivants, l'engourdissement gagna le bras jusqu'à l'épaule. Je me dis que je m'étais peut-être endormi sur mon bras et que j'avais ainsi légèrement comprimé les nerfs. Mais la sensation était légère et je fis comme si de rien n'était.

J'avais toute raison d'agir ainsi. Au cours de mes divers stages cliniques, j'avais développé des symptômes convaincants de toutes les maladies que j'avais étudiées.

En dermatologie, j'étais sûr de voir grossir mes grains de beauté. Tous les soirs en rentrant, je sortais un miroir de poche pour scruter mon dos, où j'étais convaincu de voir surgir des mélanomes de la taille de grosses gouttes de sueur.

En chirurgie, je trouvai du sang dans mes selles, symptôme de l'ulcère hémorragique justifiant une intervention chirurgicale d'urgence – bien que l'un des internes m'eût déclaré d'un ton dédaigneux que c'était simplement des hémorroïdes. Bienvenue au club!

Dans le service des maladies génito-urinaires, j'éprouvai des douleurs en urinant, et tous les jours j'envoyai un flacon d'urine au labo à la recherche de micro-organismes qui ne devaient pas manquer de s'y trouver, bien que les résultats aient toujours été négatifs.

À chaque fois, le jour même de la fin de mon stage clinique, les symptômes disparaissaient comme par enchantement – pour laisser aussitôt place à de nouveaux qui se manifestaient dès que je rejoignais ma nouvelle affectation. Mais si probants que me parussent être ces nouveaux symptômes, j'avais appris, au bout d'un an, à ne pas paniquer. Je n'allais quand même pas céder à la panique pour un simple engourdissement au bras droit. Je préférai éviter d'y penser. Je refusai même de rechercher les symptômes dans mes manuels.

Puis un jour que je faisais la queue à la cafétéria, je m'aperçus, en cherchant de la monnaie dans ma poche, que je ne distinguais plus les pièces au toucher. Je dus les sortir et les prendre dans ma paume pour les reconnaître. Je savais comment ça s'appelait : l'astéréognosie.

Je savais que ce n'était pas vraiment normal.

Mais je préférai quand même oublier mes symptômes. Quinze jours durant, il n'y eut rien de nouveau, mais l'engourdissement était toujours là. Un jour, je posai la question à un condisciple qui était un excellent diagnosticien.

– Qu'est-ce qui peut provoquer un engourdissement du bras droit ?

Il s'accorda un instant de réflexion puis hocha la tête.

– La seule chose que je vois, c'est une tumeur de la moelle épinière ou la sclérose en plaques.

Qu'est-ce qu'il en sait ? me dis-je. Après tout, il n'est qu'un étudiant en médecine. Je continuai à ne rien faire. J'attendais que les symptômes disparaissent. Mais ils persistaient. De plus en plus inquiet, je consultai mes bouquins pour vérifier les symptômes de la tumeur de la moelle épinière ou de la sclérose en plaques.

Il apparut aussitôt clairement qu'une tumeur était très improbable. Si quelque chose allait de travers, ce devait donc être la sclérose en plaques.

La sclérose en plaques est une maladie progressive et dégénérative du système nerveux, qui atteint surtout les jeunes gens. C'est une maladie auto-immune, dans laquelle les défenses sont désorientées et attaquent les fibres nerveuses comme s'il s'agissait de corps étrangers. La progression de la maladie est très variable. Il n'y avait pas de cause connue, pas de traitement efficace, pas de guérison.

D'après ce que j'avais compris, la sclérose en plaques pouvait se déclarer par toutes sortes de symptômes. Cet engourdissement non douloureux à une seule extrémité, sans la moindre lésion antérieure, était hautement suspect. Mais il était impossible de diagnostiquer une sclérose en plaques à partir d'un seul et unique symptôme. Il fallait constater un cycle d'attaque neurologique et de rémission pour confirmer un diagnostic.

J'arrêtai ma lecture. J'espérais que mes symptômes disparaîtraient en commençant un nouveau stage. Ce ne fut pas le cas. Mon bras demeura engourdi. Cela durait depuis près de deux mois maintenant.

Un jour d'octobre, en me penchant sur le lit d'un patient, j'eus la sensation de décharges électriques me parcourant les deux jambes. Par les lectures que j'avais déjà faites, je savais que c'était le syndrome de Lhermitte. Techniquement, une paresthésie à la flexion du cou. Le signe de Lhermitte était pathognomonique de la sclérose en plaques. J'avais la maladie.

Je fis d'autres lectures, beaucoup d'autres. Pour un type de vingt-six ans, les nouvelles n'étaient pas très encourageantes. L'évolution de la sclérose en plaques était très variable, mais, d'après les statistiques, je pouvais m'attendre à une dégradation marquée dans les cinq ans ; à de graves handicaps qui m'empêcheraient de travailler normalement dans les dix ans ; à de très sévères limitations, dont la perte de la maîtrise de la vessie et des intestins dans les quinze ans ; et à la mort dans les vingt ans.

J'étais horrifié. La perspective de devenir grabataire et incontinent, de perdre insensiblement mes facultés mentales m'épouvantait. Mais je me souvins alors qu'aucun médecin ne m'avait encore examiné ; aucun diagnostic objectif n'avait encore été porté.

Incapable de garder plus longtemps mes inquiétudes pour moi, j'allai consulter le généraliste des Health Services. Il m'écouta, m'examina et me donna le nom d'un neurologue. Je promis d'aller le voir.

– Non, dit-il. Je vais l'appeler. Peut-être qu'il pourra vous prendre tout de suite.

Le neurologue me reçut dans la journée. C'était un homme jeune et vif. Pendant qu'il m'examinait, je suais à grosses gouttes. Quand il eut fini, il me dit de me rhabiller et de passer dans son bureau.

– Eh bien, dit-il avec entrain, vous avez fait un épisode de démyélinisation.

– Ce qui veut dire que je l'ai ou que je l'ai pas ? demandai-je, ne pouvant me résoudre à prononcer les mots.

– Vous voulez dire, est-ce que vous êtes atteint de sclérose en plaques ?

– Hum, hum.

– Eh bien oui, vous avez eu une attaque.

Je me sentis comme submergé par une déferlante, assommé, entraîné par les tourbillons. Comme si j'étais en train de me noyer dans le cabinet de cet homme, assis dans un fauteuil en face de son bureau.

Le neurologue se mit à parler très rapidement.

– Laissez-moi vous dire comment il faut considérer tout ceci. J'imagine que vous avez lu là-dessus ?

– Oui.

– Eh bien, les livres se trompent. Écoutez-moi et oubliez les livres.

Bien sûr, pensai-je. Remontez-moi le moral.

– Les livres se fondent sur des données anciennes et insuffisantes. Je vais vous expliquer comment il faut envisager cette maladie – ou, en fait, ce syndrome, parce qu'il s'agit plus d'un syndrome que d'une maladie.

Il parlait d'une voix forte, avec un débit rapide, voyant bien que je n'arrivais pas à fixer mon attention, que je me retirais en moi, pris de panique. Il déclara qu'un fort pourcentage de gens ne faisaient qu'un seul épisode comme le mien à un moment ou à un autre de leur vie. La plupart des gens n'allaient jamais consulter un médecin à ce sujet, et les médecins n'avaient donc pas idée de la fréquence de ces épisodes isolés. Pour sa part, il les croyait très courants : cela pouvait concerner jusqu'à 90 % des gens. Il me confia que plusieurs de mes condisciples étaient dans le même cas que moi. Un seul avait eu des épisodes successifs.

Dans mon cas, la question était donc de savoir si je n'aurais plus d'autres attaques, si j'aurais des attaques épisodiques se soldant par la perte d'une fonction ou d'une autre, ou si je multiplierais les attaques sévères en allant au-devant de difficultés toujours plus grandes.

– Pensez-y comme à un souffle cardiaque. C'est un avertissement, le signe d'un problème possible, mais pour l'heure il est impossible de dire si un souffle cardiaque restera asymptomatique toute votre vie, s'il vous créera des problèmes, ou si vous en mourrez. Il vous faudra simplement attendre pour voir.

– Combien de temps devrai-je attendre pour savoir de quelle catégorie je relève ?

– De deux à cinq ans. Si vous n'avez pas d'autres attaques d'ici deux ans, je pense que vous pourrez être rassuré. Et si vous n'avez aucun symptôme pendant cinq ans, je crois que vous pourrez oublier tout ça.

Puis il passa à ce que je pouvais faire en attendant. La réponse était, au fond, rien. La sclérose en plaques était une maladie dont on ignorait la cause. Il y avait des traitements qui aidaient à surmonter les épisodes aigus, mais pas de remèdes. Puisqu'il n'y avait rien à faire, il me conseilla de veiller sur mon état de santé général, d'éviter le stress et les causes de bouleversement. Sans quoi, mieux valait essayer de ne plus y penser.

Ce neurologue fut si direct, si prosaïque que je réussis à quitter son bureau pour retourner au travail. Malgré les mauvaises nouvelles, j'étais OK.

Deux jours plus tard, le généraliste me fit appeler. Il avait reçu le compte rendu du neurologue. Il me demanda comment je me sentais. Brusquement, j'éclatai en sanglots. J'étais gêné de pleurer dans son bureau, mais impossible de me retenir. Le généraliste me dit qu'il voulait un deuxième avis et m'adressa au Dr Derek Denny-Brown, le plus célèbre neurologue de Harvard à cette époque. J'avais suivi des cours avec lui. Je n'étais pas très chaud pour aller le voir comme patient.

Il me dit la même chose. Oui, j'avais probablement fait un épisode. Oui, je devais prendre mon mal en patience et voir ce qui se passerait dans mon cas. Oui, il fallait attendre de deux à cinq ans. Oui, j'avais la maladie. Oui.

Je craquai complètement. Incapable de retourner à l'hôpital, je restai terré chez moi quelques jours. Je passais mon temps à pleurer, partagé entre la terreur, la tristesse et la colère. Je venais de fêter mon vingt-sixième anniversaire, je commençais tout juste une carrière d'écrivain à succès, j'envisageais même de quitter la médecine pour me consacrer à l'écriture, et *voilà que*... Ce spectre redoutable.

Tous les matins, je me réveillais tendu, me demandant si j'étais aveugle, si une autre partie de mon corps n'était pas engourdie ou paralysée. Et j'allais devoir attendre des années avant d'en avoir le cœur net. Je pouvais à peine tenir une semaine. Comment pourrais-je tenir de deux à cinq ans. Le suspense était intolérable.

Mais comme il n'y avait rien à faire, je finis par retourner au travail, par reprendre tant bien que mal le cours normal de ma vie. Mon généraliste me conseilla d'aller voir un psychiatre. Avais-je jamais rencontré le Dr Corman.

Je répondis que oui. Je connaissais très bien le Dr Corman.

Le Dr Corman écouta mon récit et renifla.

– En fait, outre la tumeur de la moelle épinière et la sclérose en plaques, il y a une troisième possibilité.

– C'est-à-dire ?

– Hystérie de conversion.

– Allons bon !

L'hystérie de conversion était une vieille lune de la psychiatrie. Au XIXe siècle, des gens – habituellement des femmes – développaient toutes sortes de symptômes, dont des attaques d'apoplexie, des épisodes de cécité et de paralysie, qui n'avaient pas de cause organique. On y voyait donc des symptômes hystériques, à travers lesquels le patient donnait une manifestation physique à un problème psychologique.

Je savais parfaitement que de pareilles choses existaient. J'avais moi-même traité une jeune femme atteinte de cécité hystérique. Elle perdait la vue de temps à autre puis la retrouvait. Elle était visiblement foldingue. J'avais aussi eu un cas de grossesse hystérique. Cette femme présentait tous les signes de la grossesse et l'hystérie était allée jusqu'aux couches, mais elle n'avait pas eu de bébé, vu qu'elle n'était pas enceinte.

– Pas moi, dis-je, je ne suis pas hystérique.

– Vraiment ?

– Bien sûr que non.

Je lui fis observer, d'un air offensé, que la plupart des hystériques étaient des femmes.

– Nous voyons plus d'hommes hystériques, constata le Dr Corman.

J'ajoutai que dans les cas d'hystérie de conversion les patients faisaient montre d'une indifférence caractéristique envers leur maladie. Ils n'étaient pas vraiment inquiets. Ma femme aveugle par intermittence s'en plaignait, c'est vrai, mais elle n'était pas aussi bouleversée qu'on aurait pu le croire. Tandis que moi j'étais dans tous mes états.

– Vraiment ? demanda le Dr Corman.

Il m'exaspérait. Je le lui dis.

– Bon, si j'étais vous, je me dirais que, de tous vos diagnostics possibles, l'hystérie de conversion est en fait le plus favorable.

Je ne pensais pas être hystérique. Par la suite, d'autres médecins qui me suivirent évoquèrent eux aussi cette possibilité. Bien que l'engourdissement ait duré plusieurs années, je ne devais jamais développer d'autres symptômes. Et j'appris qu'il était bel et bien courant de faire un épisode neurologique isolé. Par bonheur, je n'en ai jamais fait d'autre. J'ai appris à toucher du bois et à veiller sur ma santé.

Près de dix années passèrent avant que je puisse me retourner sur mon itinéraire et me demander si la décision d'abandonner la médecine était si difficile, si traumatisante, que j'avais eu besoin de l'aiguillon supplémentaire d'une maladie grave – ou tout au moins d'une possible maladie. Parce que, dans l'immédiat, le terrifiant diagnostic eut un effet tonique, m'obligeant à me demander ce que j'avais envie de faire du reste de ma vie, comment j'avais envie de la passer.

Et une chose était parfaitement claire à mes yeux : s'il ne me restait que quelques années à vivre sans contrainte d'aucune sorte, je voulais les consacrer à l'écriture, non à exercer la médecine ou à faire ce que les collègues, les amis, les parents ou la société en général attendaient de moi. La maladie m'aura aidé à voler de mes propres ailes, à opérer une difficile transition.

En tournant la page, je suivais mon instinct. Je faisais ce que j'avais vraiment envie de faire. Mais la plupart des gens ne voulaient voir que la perte de rang. En ce temps-là, les médecins jouissaient d'un grand prestige. Dans les sondages, ils arrivaient juste après les membres de la Cour suprême. Renoncer à la médecine pour devenir écrivain, c'était, aux yeux du plus grand nombre, quitter la Cour suprême pour une vie d'esclave en liberté provisoire ! Ma détermination forçait l'admiration, mais on estimait que je n'avais vraiment pas les pieds sur terre.

Puis, alors que j'étais en dernière année, tout le monde sut que j'avais écrit un bouquin intitulé *La Variété Andromède* et que la cession des droits d'adaptation au cinéma m'avait valu un joli petit pactole. Du jour au lendemain, on me salua comme un auteur à succès et ma vie changea du tout au tout. Tous les médecins et internes qui m'avaient évité se prirent subitement d'intérêt pour moi. Moi qui avais toujours pris mes repas en solitaire, je n'étais plus jamais seul désormais : tout le monde voulait s'asseoir à ma table. J'étais une célébrité.

La fausseté flagrante des gens à mon égard me troublait énormément. Je n'avais pas encore compris que les célébrités étaient le point de fixation de tous les fantasmes. Les gens n'ont pas envie de savoir qui vous êtes vraiment, pas plus qu'à Disneyland les gosses ne veulent que Mickey Mouse retire sa tête de caoutchouc pour découvrir que ce n'est qu'un adolescent du pays. Les gosses veulent voir Mickey. Et les médecins de la cafétéria voulaient voir le jeune Dr Hollywood. Et ils ne voyaient pas autre chose.

Je restais à ma place et les regardais faire.

Les difficultés que j'eus à m'adapter à ma nouvelle situation étaient un timide aperçu des expériences qui m'attendaient. Beaucoup auront été pénibles et difficiles, mais, au fond, la plupart ont été excitantes. Je repense souvent à la médecine et à ma vie estudiantine. Je n'aurais pas été obligé de changer si j'étais resté docteur. L'adieu à la médecine était la certitude que je devrais en passer par toutes sortes de changements auxquels je me serais sans doute refusé autrement.

VOYAGES

1971-1986

Sexe et mort à Los Angeles

En 1971, j'habitais Los Angeles, et ma femme La Jolla. Nous nous étions séparés, parce que, après cinq ans de vie estudiantine commune, elle voulait créer une famille tandis que je voulais poursuivre ma carrière littéraire et cinématographique. Voilà pourquoi j'étais allé à Los Angeles, pour essayer de travailler dans le cinéma. Los Angeles était une ville étrange. Je n'y connaissais personne ; le plus clair du temps, j'y fus seul et malheureux.

Je m'installai dans un appartement de West Hollywood, dans un immeuble bien connu comme repaire de divorcés parce qu'on pouvait y louer un meublé pour six mois seulement. Le mien était équipé de canapés et de fauteuils de velours vert fatigué, qui faisaient vaguement mexicains. Le tapis était vert moucheté d'or. La cuisine était jaune. L'appartement donnait sur Sunset Strip. C'était Hollywood, parfait, et c'était excitant !

L'après-midi, je traînais autour de la piscine. On y retrouvait toujours le même groupe de locataires. Il y a avait là une star du foot de Rams et sa petite amie actrice (ils passaient leur temps à se chamailler) ; un mannequin qui avait été Miss Arizona et qui était superbe en bikini (elle était toujours farouche et mal assurée) ; un comptable avec une radio portable et un gros cigare qui lisait la presse de New York (sans jamais desserrer les lèvres) ; et, pour finir, une femme de trente ans passés qu'on prenait pour une entremetteuse (elle faisait toujours un petit tour de la piscine puis se plongeait dans le *Hollywood Reporter*).

J'avais cru que vivre en appartement à Hollywood serait un peu plus excitant. Le joueur de foot et sa petite amie formaient un couple séduisant, mais comme ils passaient leur temps à se regarder en chiens de faïence, je préférais généralement me tenir à l'écart. Et la ravissante Miss Arizona se remettait d'un mariage malheureux avec une star du rock and roll. Elle ne sortait jamais. Elle restait chez elle plantée devant sa télévision et s'inquiétait des traites de sa voiture. Il y avait aussi des vedettes de cinéma dans l'immeuble, mais elles se cachaient toujours derrière des lunettes noires et n'adressaient jamais la parole aux gens ordinaires.

Par la suite, le comptable au cigare cessa de venir à la piscine. Je demandai à Miss Arizona s'il était parti. Elle me montra une coupure de presse. On l'avait retrouvé dans le coffre d'une Cadillac, au Kennedy Airport, avec une balle dans la tête.

On ne savait jamais à quoi s'attendre. Un soir que je m'habillais pour dîner, le concierge vint frapper à ma porte.

– Docteur Crichton ?

– Oui ?

– C'est Mlle Jenkins.

– Mlle Jenkins ?

Ce nom ne me disait rien.

– De l'immeuble. Vous connaissez Mlle Jenkins ?

– Je ne pense pas.

– Eh bien, elle habite l'immeuble. Je me disais que peut-être vous l'auriez vue.

– Qu'est-ce qui lui arrive ?

– Elle est tombée de la commode.

Je ne voyais vraiment pas en quoi ça me concernait, et je le lui dis.

– Je crois que vous devriez aller la voir.

– Pourquoi ?

– Elle est tombée de la commode.

– Et alors, elle s'est blessée ?

– C'est juste au-dessus, au septième...

– Mais pourquoi je devrais aller la voir ?

– Parce qu'elle est tombée de la commode.

Cette conversation pouvait se prolonger éternellement. Je consentis finalement à le suivre. D'un air grave et digne, il ouvrit la porte de la chambre de Mlle Jenkins.

Son appartenant contenait le même mobilier de velours vert, avachi, de style mexicain. Je reconnus dans Mlle Jenkins une femme à lunettes de quarante ans, avec des cheveux blonds coupés court – la plus jeune des lesbiennes qui vivaient en couple et habitaient l'immeuble depuis au moins aussi longtemps que moi. Mlle Jenkins était allongée, tout habillée, sur le canapé de son séjour, un bras pendillant mollement jusqu'au sol, la peau bleu pâle. Apparemment, elle ne respirait plus. Sa maîtresse, l'autre femme, n'était pas là.

– Où est l'autre ? demandai-je.

– Promène le chien.

– Promène le chien ? Elle est au courant pour Mlle Jenkins ?
– Oui. C'est elle qui me l'a dit.
– Qu'est-ce qu'elle vous a dit ?
– Que Mlle Jenkins était tombée de la commode.
Un rapide examen m'avait permis de constater qu'elle avait le pouls filant, une respiration intermittente et presque imperceptible, les pupilles dilatées. À côté d'elle, traînait une cannette de bière ouverte et un flacon de somnifères à moitié vide.
– Elle est morte ? demanda le portier.
– Non, dis-je.
– Non ?
Il avait l'air surpris.
– Non, fis-je, elle a pris une overdose.
– Je me suis laissé dire qu'elle était tombée de la commode.
– Eh bien, le fond du problème, c'est une overdose.
– Vous pouvez l'aider ?
– Non.
– Vous êtes pas médecin ?
– Si, mais je peux rien faire.
Et, de fait, je n'y pouvais rien. Je n'étais pas habilité à exercer la médecine et j'étais passible de graves poursuites si je faisais quoi que ce soit dans une situation de ce genre.
– Appelez la police, dis-je.
– Je l'ai fait, mais à ce moment-là je savais pas si elle était morte.
– Elle est pas morte, fis-je. Et qu'est-ce qu'ils ont dit à la police ?
– Ils ont dit d'appeler les pompiers.
– Alors appelez les pompiers.
– Pourquoi j'appellerais les pompiers ?
Pour finir, c'est moi qui les ai appelés en leur demandant d'envoyer un véhicule de secours d'urgence.
Entre-temps, sa compagne était revenue avec un terrier tibétain glapissant au bout de sa laisse de strass.
– Qu'est-ce que vous fabriquez dans mon appartement ? dit-elle soupçonneuse.
– Ce monsieur est médecin, expliqua le concierge.
– Pourquoi ne l'aidez-vous pas ?
– Overdose de médicaments.
– Non, elle est tombée de la commode, répliqua sa compagne.
Une grande femme mince, la cinquantaine grisonnante, aux manières raides. On aurait dit une maîtresse d'école.
– Vous savez les médicaments qu'elle a pris ? demandai-je.
– Vous êtes vraiment toubib ? dit la femme. Vous avez l'air trop jeune.

Le terrier avait sauté sur la femme comateuse pour lui lécher la figure tout en aboyant après moi. Le chien laissait des traces de pattes boueuses sur le chemisier de Mlle Jenkins. Ça commençait à devenir un vrai bazar.

La femme se tourna vers moi en me tendant la cannette de bière.

– C'est vous qui avez bu cette bière ?

– Non, fis-je.

– Vous êtes *sûr* ?

Elle avait l'air très soupçonneuse.

– Je viens d'arriver.

– C'est *vous* qui avez bu cette bière ? demanda-t-elle en se tournant maintenant vers le concierge.

– Non, répondit-il. Je suis arrivé avec lui.

– Cette cannette de bière n'était pas là avant, dit-elle.

– Peut-être est-ce Mlle Jenkins qui l'a bue.

J'examinai de nouveau les pupilles de Mlle Jenkins, et le terrier tibétain me mordit la main jusqu'au sang. La femme vit le sang et se mit à crier.

– Qu'est-ce que vous avez fait à Buffy ?

Elle prit dans ses bras le chien glapissant et se mit à me frapper en poussant des cris perçants.

– Espèce de salaud ! Salaud ! Faire du mal à un pauvre chien innocent !

J'essayai d'éviter ses coups et jetai un coup d'œil au concierge.

– Vous ne pouvez rien faire ?

– Le shit, expliqua-t-il.

On entendit frapper un grand coup à la porte, mais impossible d'aller ouvrir parce que la femme gesticulait dans tous les sens en hurlant.

– Voleur ! Voleur !

On entendit alors une voix sur le haut-parleur.

– C'est bon. Éloignez-vous de la porte, là-dedans, nous entrons !

– Merde ! fit le concierge. Les flics !

– Et alors ?

– J'en ai sur moi.

– Ah ! ah ! Je le savais bien, hurla la femme en ouvrant brusquement la porte sur un pompier avec un ciré jaune et un casque à pointe, une hache à la main. Il s'apprêtait à enfoncer la porte et il avait l'air déçu qu'elle se soit ouverte toute seule.

– Bon sang, mais qu'est-ce que vous fabriquez ?

– Elle est tombée de la commode, dit la femme.

– Vous avez déjà étouffé l'incendie ? demanda le pompier.

– Je promenais le chien. Je ne sais pas ce qui s'est passé.

– Il n'y a pas de fumée, reprit le pompier d'un air soupçonneux. Qu'est-ce que vous trafiquez ?

– Cette femme a avalé un flacon de médicaments, dis-je en montrant du doigt Mlle Jenkins allongée sur le canapé.

– Bon sang, mais c'est le SAMU qu'il faut appeler, dit le pompier en sortant son talkie-walkie.

– Y a pas trace de feu par ici. Qui a signalé un incendie ?

– Personne n'a signalé d'incendie.

– Y a sûrement quelqu'un qui l'a fait, fit le pompier.

– Cet homme n'est pas médecin, dit la femme.

– Qui êtes-vous ? demanda le pompier.

– Je suis médecin.

– Alors j'aimerais bien savoir ce qu'il fiche dans mon appartement, dit la femme.

– Vous avez une carte professionnelle ?

– C'est moi qui l'ai appelé, répondit le gardien. Parce qu'il est médecin.

– Il est pas médecin.

– Tout ce que je veux savoir, c'est qui a signalé un incendie ? Parce que c'est illégal.

– Nous voilà, crièrent les ambulanciers, arrivés à la porte avec une civière.

– Pas la peine, dit le pompier. Y a déjà un médecin ici.

– Non, entrez, dis-je aux ambulanciers.

– Vous ne voulez pas la soigner ?

– J'ai pas mon diplôme.

– Il est pas médecin. Il a fait mal à Buffy.

– Vous n'avez pas quoi ?

– J'ai pas mon diplôme.

– Mais vous êtes médecin, exact ?

– Oui.

– Je l'avais encore jamais vu de ma vie.

– J'habite l'immeuble.

– *Et* il a bu ma bière.

– Vous avez bu sa bière ?

– Non, j'ai jamais bu la moindre bière.

– Je crois qu'il a aussi piqué quelque chose.

– Vous voulez dire cette bière, là ?

Pendant ce temps, les ambulanciers s'affairaient autour de Mlle Jenkins et s'apprêtaient à l'emmener à l'hôpital. Ils demandèrent quels médicaments elle avait absorbés, mais sa compagne ne voulait pas en démordre : elle était tombée de la commode ! Le pompier ne voulait pas me lâcher avec cette histoire de docteur, mais Buffy se pencha et le mordit à la main.

– Fils de pute ! cria le pompier en empoignant sa hache.
– N'approchez pas ! hurla la femme en serrant son chien dans ses bras.
Mais le pompier se contenta de prendre sa hache et de se diriger vers la porte. « Bon sang, que je déteste Hollywood ! » lâcha-t-il en claquant la porte derrière lui.
Je sortis juste après lui.
– Où allez-vous ? me demanda le pompier.
– J'ai rendez-vous, dis-je. Je suis en retard.
– Ouais, c'est bon. Mais faites gaffe, les mecs, avec le shit.

En fait, c'est le gérant qui avait fait suivre mon nom des lettres Dr – comme docteur en médecine – sur la liste des locataires dans le hall d'entrée de l'immeuble. Il s'était dit que ça donnait de la classe à l'endroit. À chaque tentative de suicide, les gardiens consultaient leur répertoire et appelaient le médecin. J'étais le seul médecin. J'avais droit à tous les appels. C'était un grand immeuble. Il y avait une tentative de suicide presque toutes les semaines.
La deuxième fois, j'ai envoyé promener le gardien.
– Je n'ai pas de licence, je n'exerce pas, je ne peux rien faire.
– Juste un coup d'œil ? J'suis sûr qu'il est mort.
– Qu'en savez-vous ?
– Il a sauté du onzième étage. Juste un coup d'œil pour vous assurer qu'il est mort ?
– OK. Où est-il ?
– Juste devant.
Je le suivis dans le hall. Il y avait une femme en pleurs. Je reconnus une fille d'Atlanta venue vendre des produits de beauté à Los Angeles, mais qui espérait se faire remarquer par des gens du cinéma. Elle était toujours maquillée comme un totem. La voilà maintenant qui sanglotait.
– Oh, Billy, Billy...
Je ne m'étais pas rendu compte que cette fille avait un petit ami. Je regardai le gardien.
– Billy s'est jeté de son balcon, dit-il en hochant la tête tristement.
– Oh !
Tout le monde sortit.
– Vous avez appelé la police ?
– Vous croyez qu'il faut ?
– Naturellement, dis-je. S'il est mort.
Sur le coup, je n'ai pas vu trace de corps. J'étais tendu, tâchant de me blinder contre l'horreur du spectacle. On fit le tour de l'immeuble. Puis le gardien montra du doigt un bosquet planté tout près de là.

– Billy est là-dedans.
– Là-dedans ?
L'espace d'un instant, pétrifié, je crus que Billy était un enfant. Je m'approchai des buissons et aperçus le corps d'un chat de gouttière.
– Billy est un *chat* ? demandai-je.
– Ouais.
– Vous m'avez fait venir ici pour un *chat* ?
– Bien sûr. Qu'est-ce que vous croyiez ?
– Je croyais que c'était quelqu'un.
– Sacré nom ! Quand quelqu'un saute, on appelle toujours la police.

Psychiatrie

Ma femme m'appelait presque tous les jours à Los Angeles. Elle pensait que nous devions nous remettre ensemble, mais je n'en étais pas sûr.

Elle me suggéra de voir un psychiatre. Je refusai. Je ne pensais pas que la psychiatrie fît le moindre bien aux gens. C'était surtout de la manipulation.

Un jour, elle m'appela pour dire qu'elle avait obtenu le nom d'un psychiatre à Los Angeles pour moi. Ce monsieur, le Dr Norton, avait eu affaire à quantité d'écrivains et d'artistes, et c'était un grand ponte, un professeur à l'UCLA. Elle me conseilla d'aller le voir. Je n'en avais pas envie.

Puis elle ajouta :

– De toute façon, il ne te prendra probablement pas, il est tellement important, tellement occupé.

Ce qui eut le don de me vexer aussitôt. Et pourquoi ne me prendrait-il pas ? Je n'étais peut-être pas quelqu'un d'intéressant ? Il ne trouverait pas mon cas intéressant ? J'appelai aussitôt son cabinet pour prendre rendez-vous.

Arthur Norton avait le teint hâlé, la soixantaine sportive. Il expliqua qu'habituellement il ne prenait pas de nouveaux patients, mais qu'il écouterait mon problème et m'adresserait à quelqu'un d'autre. Je dis d'accord.

Je me retrouvai alors dans une situation singulière. Je ne croyais pas vraiment à la psychiatrie. Je n'avais aucune envie de voir un psychiatre, et je n'avais pas l'impression que quelque chose clochait en moi, mais je devais relever le défi et me présenter au Dr Norton de manière à le fasciner. Une heure durant, je lui déballai mes secrets les plus intimes. Je plaisantai. Je jouai les provocateurs. Je suai sang et eau pour l'amener à s'intéresser à moi. Je ne cessai de le guetter du coin de l'œil, pour voir à quoi je parvenais ; il semblait amical, mais totalement impénétrable.

Au bout d'une heure, il déclara qu'à son avis j'avais quelques problèmes existentiels à résoudre et que, pendant cette période, ça pourrait me faire du bien d'en parler. Et il s'offrit à me servir d'interlocuteur.

Ah ! ah ! J'avais réussi !

Je quittai son cabinet détendu. J'avais réussi mon coup.

Mais je n'étais toujours pas persuadé que la psychiatrie fût le moins du monde bénéfique. Et ça coûtait les yeux de la tête. Soixante dollars l'heure. Un truc aussi cher ne peut être qu'un luxe coupable. Tous les riches oisifs allaient chez des psychiatres.

Je décidai de garder trace de ce qu'il m'en coûtait d'aller voir le Dr Norton et, à la fin de chaque séance, je tâchai de voir si j'en avais eu pour mes soixante dollars.

Le Dr Norton me déroutait tellement il était normal. Je lui débitais mon histoire et il me sortait des trucs du genre : « L'avenir le dira », ou : « On ne fait pas une omelette sans casser les œufs. »

Je me disais : Soixante tickets l'heure pour s'entendre dire qu'on ne fait pas une omelette sans casser les œufs, est-ce que ça en vaut vraiment la peine ?

Mais il m'était agréable d'aller chez lui et de geindre sur ma vie, de raconter comment j'avais réussi à me sortir des griffes de tous ceux qui avaient abusé de moi. Pour ce genre de pleurnicherie, j'avais de l'énergie à revendre. Et il avait l'air sympa.

Puis, au cours de la cinquième séance – déjà trois cents dollars de jetés par la fenêtre –, il lâcha :

– C'est bon. Maintenant, voyons où nous en sommes.

– OK, fis-je.

– Vous avez expliqué qu'enfant vous n'avez jamais réussi à obtenir l'approbation de vos parents, commença le Dr Norton.

– Exact.

– Si vous aviez dix-neuf sur vingt à un test, ils voulaient savoir pourquoi il vous manquait un point.

– Exact.

– Jamais ils ne vous félicitaient, jamais aucun compliment.

– Exact.

– Ils rabaissaient vos résultats.

– Exact.

– Et maintenant que vous êtes adulte et que vous écrivez des bouquins, vous avez toujours peur de ne pas être accepté, même si, apparemment, ça marche à chaque fois.

– Exact.

– Et vous avez le sentiment d'être obligé d'en passer par les quatre volontés des autres ; on vous appelle pour vous demander un discours ou n'importe quoi, et vous êtes incapable de dire non.

– Exact. On ne me fiche jamais la paix.

– En général, vous avez le sentiment que vous devez leur faire plaisir, sans quoi ils ne vous aimeront pas.

– Exact.

– OK, dit-il. Quel genre de personne êtes-vous en train de décrire ?

Je devins soudain livide.

Impossible de me rappeler de quoi nous parlions. J'étais vide, dans le brouillard le plus complet.

– Je ne comprends pas votre question...

– Eh bien, reprit-il, vous êtes médecin. Si vous aviez affaire à une personne qui n'a jamais reçu le moindre éloge ni le moindre encouragement, quels qu'aient été ses efforts, qui a toujours eu le sentiment qu'elle a beau faire, ce n'est jamais assez, et qui, devenue adulte, manque totalement de confiance en soi, et se laisse manipuler par le premier inconnu venu, à quel genre de personne penseriez-vous ?

– Sais pas.

Je n'en avais pas la moindre idée. Je voyais bien que le Dr Norton avait une idée derrière la tête – mais je ne voyais pas laquelle. J'étais toujours dans le brouillard. Apparemment, j'étais incapable d'organiser mes idées ou de garder trace des choses. J'étais désorienté, ahuri. Je le regardai fixement. Il attendait, tranquillement.

Long silence.

– Désolé, dis-je. Quelle était la question, déjà ?

Le Dr Norton revint à la charge un certain nombre de fois, mais en vain.

– Ne diriez-vous pas que cette personne manque d'assurance ?

J'en restai comme deux ronds de flan. Il avait proféré une évidence. Impossible de contester sa conclusion. Et le fait même que j'avais été incapable de le faire moi-même était significatif. Il m'expliquait que je manquais d'assurance, et de toute évidence il avait raison.

Je tombai des nues. Ébahi comme s'il m'avait montré que j'avais un troisième bras sortant de ma poitrine, un bras que je n'aurais encore jamais remarqué. Comment cela avait-il pu m'échapper jusque-là ? Jamais une seule fois je ne m'étais dit que je manquais d'assurance. Au contraire. À la limite, je me croyais plutôt d'une audace stupéfiante.

Avais-je vraiment une idée aussi fausse de moi ?

Le Dr Norton tenta d'atténuer le coup et m'expliqua qu'il y avait bien des choses nous concernant que nous ne pouvions voir sans une aide extérieure. C'était là tout le rôle du thérapeute. C'était un étranger objectif.

C'était une idée nouvelle pour moi, qu'il pût y avoir des choses me concernant que je ne pouvais voir sans aide extérieure. Mais, à l'évidence, c'était vrai.

À compter de ce jour, je cessai de calculer le montant de mes dépenses.

Il apparut clairement que mon couple était bien mort et que j'allais rester seul à Los Angeles. J'approchais de la trentaine. J'avais ma petite réputation d'écrivain. J'avais un psychiatre et une Porsche Targa. Bref, j'étais prêt à tout ce que la vie avait à m'offrir.

Mais mon passé de garçon bien rangé m'avait laissé passablement ébranlé, et j'étais irréaliste, en particulier dès que j'avais affaire à des femmes. Je ne cessais de me croire capable de choses dont j'étais absolument incapable.

Il fut un temps où je sortais avec une fille qui travaillait dans une agence littéraire. Très vite, je me mis dans l'idée que j'étais amoureux d'une autre fille de la même agence, mais je ne voulais pas que la première s'en aperçoive.

– Pensez-vous que je puisse garder le secret ? demandai-je au Dr Norton.

– Non.

– Et pourquoi non ?

– Je crois que deux filles de la même agence bavarderont, et elles se rendront compte qu'elles sortent toutes les deux avec vous.

– Mais quand même, repris-je, c'est vraiment si mal que ça ?

– Eh bien, euh, je crois qu'elles pourraient toutes les deux décider de ne plus vous voir.

Une perspective peu plaisante. L'idée de passer de deux filles à aucune ne me plaisait pas.

– Oh, je ne pense pas, dis-je.

Le Dr Norton haussa les épaules.

– L'avenir le dira.

Naturellement, c'est exactement ce qui arriva. Les filles s'en aperçurent et furent révoltées du vilain tour que j'essayais de leur jouer.

Plus tard, je m'intéressai à ma secrétaire, une jolie blonde à la poitrine plantureuse. Je n'avais encore jamais connu de fille aux gros seins.

– Je crois que j'en pince pour ma secrétaire, dis-je.

– Pas de ça, trancha le Dr Norton.

– Pourquoi pas? dis-je. Je vois vraiment pas le problème.

– Ça tend à compliquer non seulement votre travail mais aussi vos relations privées. C'est en général comme ça que ça se passe. Du moins, cela arrive assez souvent pour qu'on puisse en tirer la règle qu'il n'est pas très sage d'avoir une idylle avec sa secrétaire.

– Bon, dis-je, peut-être que c'est la règle pour la plupart des gens. Mais je crois pouvoir m'en accommoder.

– L'avenir le dira, conclut le Dr Norton.

En moins de quinze jours, ma vie devint un véritable enfer. Je compris très vite que cette jolie fille aux gros seins n'était pas pour moi. Je le savais, et elle le savait elle aussi. Soudain, plus rien ne tourna rond au bureau : les choses traînaient, les visiteurs se faisaient envoyer sur les roses, les lapins se multipliaient, les détails étaient négligés. Et ma souriante et radieuse secrétaire de Californie emplissait désormais le bureau de ses nuages maussades. Chaque fois qu'elle ouvrait la bouche, c'était pour m'accabler de reproches ou épancher sa bile.

Je n'arrivais pas à y croire. Non seulement notre liaison avait tourné court, mais j'allais devoir la virer.

– Quel gâchis!

– Aucune furie de l'enfer ne vaut une femme dédaignée, lâcha le Dr Norton.

Je voyais maintenant l'objet de ces sermons. Le Dr Norton essayait de me faire comprendre que certaines règles de vie avaient fait leurs preuves de longue date et que la vie n'allait probablement pas faire une exception pour moi. C'est précisément ce que j'avais du mal à comprendre. Je persistais à croire que les choses seraient telles que je voulais qu'elles soient. Et à chaque fois j'apprenais que je faisais fausse route.

Cela faisait plusieurs mois que je sortais avec une fille que j'aimais quand je fis la connaissance d'une célèbre actrice de cinéma. L'envie me prit soudain de sortir avec elle, mais j'imaginai que ce serait une aventure éphémère, qui resterait sans lendemain, et je ne voulais pas que ma petite amie en titre s'en aperçoive.

– Si vous donnez rendez-vous à une star de cinéma, votre petite amie le saura, m'avertit le Dr Norton.

– Comment? demandai-je. Je vais l'inviter à dîner dans un restaurant très discret.

Le soir même, un journaliste de télévision faisait état de mon dîner très discret. Ma petite amie, mais aussi sa famille et ses amis surent ce que j'avais fait. Ce fut la rupture. Et je passai pour un salopard.

Quant à moi, je ne me sentais pas très glorieux non plus. Apparemment, j'étais incapable de conduire ma vie en société. J'en accusais mes pulsions sexuelles.

– C'est plus fort que moi, expliquai-je au Dr Norton. Je vais sortir avec une fille, et puis j'en vois une autre et j'ai envie d'elle. Puis j'en vois une autre et j'ai encore envie d'elle.

– Hum, hum, fit-il sans sortir de sa réserve.

– Quand est-ce que ça va s'arrêter ? Peut-être en vieillissant. Peut-être dans deux ans. Je vais me calmer sur le plan sexuel. Ça finira bien par s'arrêter.

– Eh bien, dit-il, j'ai pas loin de soixante ans...

Il haussa les épaules.

– Ça ne s'arrête jamais ?

J'étais incapable de dire si cette perspective m'enchantait ou me consternait.

Le Dr Norton se faisait une autre idée de la nature de mon problème. Il semblait croire que tous mes problèmes venaient de ce que je ne disais pas la vérité aux femmes. Il pensait que je devrais leur dire à toutes que c'était une époque de ma vie où j'avais besoin de voir plusieurs femmes à la fois, un point c'est tout.

– De cette manière, il n'est pas nécessaire de dissimuler.

Mais je n'y arrivais pas, parce que j'avais peur qu'aucune de ces femmes ne m'aime si elles savaient que je voyais d'autres femmes.

Un an plus tard, je divorçai. J'achetai une maison à Hollywood. Je me rangeai un peu. Je réussis à écrire quelques scénarios et essayai de monter un film dont je serais le metteur en scène. Ma vie me plaisait assez, mais je m'éloignais de plus en plus des sentiers battus que j'arpentais depuis tant d'années. Bien des choses dans le cinéma me laissaient perplexe. Par exemple, tous les gens du métier mentaient. Ils passaient leur temps à mentir. Ils disaient qu'ils aimaient votre scénario alors que ce n'était pas vrai ; ils prétendaient qu'ils allaient vous embaucher alors qu'ils n'en avaient jamais eu l'intention. Je n'arrivais pas à comprendre pourquoi les gens du cinéma ne disaient pas le fond de leur pensée. C'était si déroutant. Pourquoi tout le monde mentait ?

Et cela n'avait rien à voir avec le style auquel j'étais habitué.

– Et si on donnait le rôle à Joe Mason ? suggéra le patron du studio alors que nous discutions d'un film.

– Non, vraiment, je ne crois pas.

La semaine suivante, nouvelle réunion sur la distribution, et le patron du studio revint à la charge :

– Et si on donnait le rôle à Joe Mason ?

– Non, vraiment, je ne crois pas. En plus de ça, je ne l'ai jamais aimé.

Nouvelle réunion, nouvelle question du patron du studio.

– Et si on donnait le rôle à Joe Mason ?

J'avais les nerfs à cran parce qu'on n'avait toujours pas arrêté la distribution. Je me levai et me penchai au-dessus de son bureau en hurlant :

– Je ne peux pas l'encadrer, Joe Mason ! Chaque fois que je le vois, il me fait gerber ! Je *hais* Joe Mason !

Je commençai à comprendre que le style de communication ordinaire, quotidien, à Hollywood exigeait ce qui, dans d'autres circonstances, aurait relevé de l'outrance la plus pitoyable. Il fallait crier, gueuler et se comporter comme jamais c'eût été concevable à Harvard. Mais visiblement, à Hollywood, il n'y avait pas moyen de se faire entendre sans gueuler ni taper du poing sur la table.

Et la faune de Hollywood était exotique. Il y avait des homosexuels et des gens de théâtre, des amateurs de drogue, d'orgies et autres excentricités de ce genre. Ça exerçait une certaine fascination, mais je me sentais souvent mal à l'aise.

Je finis par sortir avec un sex-symbol très connu. J'étais ravi de sortir avec un sex-symbol, même si on n'a jamais vraiment couché ensemble. Le sexe ne l'intéressait pas, elle se baignait rarement, si bien qu'elle avait des odeurs fortes qui refroidissaient mes ardeurs. Mais c'était une fille adorable et chaleureuse et j'étais ravi des moments passés avec elle.

Un jour elle appela pour dire qu'elle serait en retard parce qu'elle allait voir un médium. Je n'en fus pas surpris. À Hollywood, tout le monde était mordu par ces trucs de loufs : médiums, astrologie et régimes en tout genre. Tout le monde voulait savoir quel était votre signe. Quel est votre signe ? En règle générale, je répondais « Néon ». C'était un genre de folie.

Quand elle arriva, elle était tout excitée.

– Michael, il faut que tu voies cette femme !

– Pourquoi ? demandai-je.

Je ne croyais pas aux médiums.

– Écoute ! Cette femme m'a sorti de ces trucs que vraiment personne ne pouvait savoir !

Naturellement, pensai-je. C'est toujours ce qu'ils disent.

– Non, écoute-moi. J'avais plus un radis et il fallait que je trouve du boulot, et j'ai donc accepté de tourner dans un film à petit budget aux Philippines. J'en ai parlé à personne.

Pour ma part, je n'en avais assurément rien su.

– Et, là-bas, j'ai rencontré ce pilote de l'armée de l'air qui a pris l'habitude de m'emmener avec lui dans ses sorties en avion de chasse.

Je ne le savais pas non plus.

– Eh bien, cette femme m'a déballé tout ça. Et elle n'avait aucun moyen de le savoir !

Ça me laissait de marbre.

– Va voir toi-même.

Je n'en avais pas envie. C'était une perte de temps... et d'argent. Plus tard, dans la soirée, je parlais d'un film que j'avais envie de faire, *Mondwest.* La MGM se conduisait de façon décourageante. Un jour, ils disaient qu'ils allaient le faire. Le lendemain, ils disaient qu'il n'en était plus question. Je m'inquiétais de la manière dont tout cela allait finir.

– Va donc lui demander, Michael.

Elle prit rendez-vous pour moi et j'allai voir ainsi ma première médium.

C'était une Britannique de cinquante ans, qui se promenait en robe d'intérieur ouatinée en milieu d'après-midi. Elle habitait une petite maison de bois dans la vallée de San Fernando. Tous les stores étaient tirés, si bien que régnait une atmosphère sombre et lugubre. Elle me fit entrer dans la salle du fond, avec des barres à disques sur le sol et une bicyclette d'exercice sur un côté. La pièce sentait le talc et ne laissait pas pénétrer la lumière du jour. Elle me fit asseoir sur un lit puis vint s'installer à côté de moi.

– Détendez-vous, mon chéri, dit-elle.

Elle marqua un temps de silence. En me tenant la main.

Je décidai que, puisque j'étais allé voir une médium, autant faciliter les choses en me vidant la tête aussi complètement que possible. Assis à côté d'elle, j'essayai de ne penser à rien, de faire le vide en moi.

– Qu'est-ce que vous faites ? dit-elle au bout de quelques instants. Je n'arrive pas à lire en vous. Qu'est-ce que vous faites ?

– J'essaie de faire le vide, moi.

– Eh bien, détendez-vous et ça suffira. N'essayez pas de faire quoi que ce soit.

– OK, fis-je en tournant les yeux vers les barres et le cycle. Et c'est alors qu'elle se mit à parler.

– Je vous vois entouré de livres. Des tas et des tas de livres.

Elle ajouta que j'avais un projet dans l'air, mais que je n'avais pas de souci à me faire, qu'il était juste un peu prématuré. Le projet commencerait fin février.

Je trouvai sa compagnie très agréable, pas du tout bizarre comme je me l'étais imaginé. C'était une dame qui semblait attraper les choses au vol et parler d'elles. J'avais l'impression de l'entendre divaguer à mon sujet. Des sensations de ce genre.

Mais je savais que ce qu'elle me disait était faux. On était maintenant en novembre. La MGM devait prendre sa décision définitive le 15 décembre. Quelle que soit la décision du studio, il n'y aurait pas moyen de commencer le tournage, à la MGM ou ailleurs, en février. Elle avait faux sur toute la ligne.

Elle ajouta que j'étais attiré par les choses parapsychiques et spirituelles. Là aussi, c'était faux. J'étais un scientifique. Tous ces trucs ne m'intéressaient pas.

Elle dit encore que j'étais moi-même médium, ce qui prouvait – si besoin était – que nous ne l'étions ni l'un ni l'autre. Parce que je savais bien que je ne l'étais pas.

Elle fit quelques autres remarques sur mon passé et ma famille, mais sans jamais sortir de l'ambiguïté. Assis là à côté d'elle, je commençai à me demander comment j'allais raconter cette expérience pour divertir mes amis. Une médium ? Une bonne femme en peignoir de bain assise dans une chambre avec des barres à disques ? C'est pas à moi qu'on la fait !

Quelques semaines plus tard, le 15 décembre, la MGM annula *Mondwest.* Dans mon esprit, cette décision enfonçait le dernier clou dans le cercueil de la médium.

Deux jours plus tard, la MGM se ravisa. Tout compte fait, le studio ferait le film si le producteur et moi parvenions à nous entendre sur un calendrier absurdement serré. Mais comme nous tenions au film, l'accord se fit.

Le tournage commença le 23 février de l'année suivante. Force me fut d'admettre que, sur un point, elle avait vu juste. Mais j'avais alors bien d'autres choses en tête. Enfin je tournais un film !

En août 1973, je revenais en avion de Chicago où j'avais fait une projection de *Mondwest.* Le film promettait d'être un succès. Le producteur et moi avions survécu à un budget impossible et à un calendrier de tournage tout aussi impossible : tourner et sortir un film en six mois ! Beaucoup de gens avaient prédit qu'on n'y arriverait pas. Certains avaient même parié leur poste qu'on se casserait la figure. Des têtes allaient bientôt tomber au studio – mais pas les nôtres ! Du jour au lendemain, c'en fut fini des pressions formidables auxquelles nous avions été soumis. Tout comme le producteur, je me laissai aller à un état d'exaltation proche de l'hystérie. On avait réussi : non seulement on avait tenu les délais, mais le film à petit budget semblait marcher ! Installés dans cet avion, nous étions littéralement sur le toit du monde.

Soudain, je me mis à suer à grosses gouttes. En l'espace de quelques secondes, je me retrouvai tout trempé. J'étais pris de panique, en proie à une irrépressible crise d'angoisse. Mais pourquoi dans ce moment d'ivresse aérienne ? Il me fallut un moment pour me faire une idée.

Toute ma vie, j'avais poursuivi des objectifs clairs : au lycée, d'aller dans un bon collège ; au collège, d'aller dans une bonne fac de médecine ; en médecine, de devenir écrivain ; écrivain, de faire un film.

J'avais trente ans. J'étais diplômé de Harvard, j'avais enseigné à

Cambridge University, escaladé la Grande Pyramide, obtenu un diplôme de médecine et divorcé, travaillé au Salk Institute, publié deux romans qui avaient été sur la liste des best-sellers et enfin tourné un film. Brusquement, j'étais à court d'objectifs.

Je me retrouvai le bec dans l'eau, ne sachant que faire de ma vie. Voilà pourquoi je m'étais mis à suer à grosses gouttes : *qu'est-ce que j'allais bien pouvoir faire maintenant ?*

Je n'en avais aucune idée.

Au cours des semaines suivantes, je sombrai dans un état de léthargie, puis dans une vraie dépression. Plus rien ne valait la peine. Il va sans dire que mon état n'inspirait guère la sympathie. Être déprimé par le succès n'était pas séduisant, ni même très compréhensible. Mes amis ne se rendaient pas compte que ça pourrait bien leur arriver un jour.

Je me mis à hanter les librairies et, à chacune de mes visites, à acheter pour cinq cents dollars de bouquins à la fois que j'emportais dans des cartons. Des livres sur tous les sujets possibles et imaginables : dinosaures, aérostats, Charles II, plongée en apnée, art islamique, prévision météo, imagerie informatique, cuisine indonésienne, criminologie, Benjamin Franklin, Himalaya, villes victoriennes, physique des hautes énergies, tigres, Léonard de Vinci, l'Empire britannique, Winslow Homer. Comme rien ne m'intéressait, tout était également intéressant.

Un jour, je tombai sur un bouquin intitulé *Be Here Now* (Être ici maintenant). C'était un livre de philo orientale, ésotérique, quasi religieux, le genre de truc qu'en général je ne remarquais même pas. Mais il avait un côté artisanal et une forme étrange qui attira mon œil. L'auteur était un certain Ram Dass, alias Richard Alpert, un professeur de psycho renvoyé de Harvard. J'avais collaboré au *Crimson* de Harvard dans les années 1960, quand Alpert et son collègue Timothy Leary s'étaient fait virer de la faculté pour avoir distribué du LSD aux étudiants. Je me souvenais très bien de ces incidents. Et voici que j'avais son bouquin sous les yeux.

Je le rapportai chez moi pour le lire. Le livre se composait de trois sections : une première de prose et une deuxième de propos et d'images imprimés à la main, un genre de collage mal soigné ; quant à la troisième, il s'agissait d'un guide de méditation.

Je lus la première section. Je m'attendais à trouver les divagations d'un pauvre type à la cervelle embrumée par un excès de sucre et de voyages mystiques qui ne mènent à rien. Je découvris au contraire l'histoire lucide d'un intellectuel de la côte est à qui tout réussissait mais qui en avait eu soudain assez de sa vie, de ses maisons, de ses bagnoles, de ses maîtresses, de ses vacances et de son travail.

Je savais parfaitement de quoi il parlait.

Je ressentais exactement la même chose.

Richard Alpert, le renégat de Harvard, ce type manifestement déséquilibré qui avait pété les plombs, m'apparaissait maintenant comme un homme à qui je pouvais m'identifier totalement. Mais pour être en parfait accord avec lui, il me fallait consentir un tour de passe-passe. Après tout, Richard Alpert devait avoir quelque chose dans la cervelle.

Mais je n'étais pas au bout de mes peines. Alpert, alias Ram Dass – le nom me restait en travers de la gorge, je n'avais même pas envie de le prononcer –, Ram Dass, donc, était allé en Inde. Et il en était revenu après plusieurs années avec des réponses qui semblaient marcher pour lui. Il semblait avoir trouvé de meilleurs rapports avec les choses, une nouvelle perspective.

Il avait fait un pèlerinage en Inde.

Devrais-je en faire autant ?

L'idée même m'insupportait. Ce qu'elle supposait. Je me voyais mal en chercheur de vérité. Porter des robes blanches, contempler mon nombril. Je faisais encore mes courses chez Brooks Brothers. J'aimais toujours Brooks Brothers.

Il devait y avoir une autre solution.

La blague de l'étudiant qui cherche le saint homme en Inde résumait bien mon attitude envers les voyages mystiques. L'étudiant découvre le saint homme en pleine méditation au sommet d'une montagne et, tout essoufflé, lui demande quel est le sens de la vie.

– La vie est une fleur, répond le saint homme.

– La vie est une fleur ? se récrie l'étudiant révolté.

– Vous voulez dire que ce n'est pas vrai ? répond le saint.

Voilà quelle était mon idée : personne n'en savait plus que moi. Pas vraiment. Un professeur pouvait en savoir plus sur un sujet particulier, comme un citadin quelconque en savait sans doute plus sur sa ville, mais pour ce qui était de la *réalité*, personne n'en savait plus que moi. Je m'imaginais savoir tout ce qu'il y avait à savoir.

Ce que je savais, c'était que l'histoire de l'homme démontrait le triomphe inexorable de la raison sur la superstition, le couronnement de cette marche étant l'acceptation de la science comme la meilleure méthode pour apprendre la vérité et explorer l'univers. Que dans le passé les hommes aient cru à toutes sortes d'âneries, soit, mais, les fruits de la science aidant, nous pourrions refouler les ténèbres et vivre à la lumière de la raison.

Autrement dit, si moche que fût actuellement la vie, elle avait forcément été pire autrefois. L'histoire telle que je l'envisageais était une marche régulière vers le progrès. Rien n'était jamais perdu. Il n'y avait que des acquis. En aucune façon, les gens du Moyen Âge n'étaient mieux lotis que je ne l'étais. C'était inconcevable. Ils étaient étouffés par leurs structures sociales, réduits à la misère par leur économie, poussés par leur religion à bâtir des cathédrales belles mais ineptes.

Je vivais dans un monde scientifique qui changeait à vue d'œil, où les revues techniques disparaissaient des bibliothèques au bout de cinq ans. D'une façon générale, je préférais tourner mon regard vers l'avenir. Nous vivions une période excitante, dans laquelle nous apprenions la nature de la réalité au niveau subatomique, la nature de l'univers et la nature de la vie. Je vivais dans la période la plus éclairée, la plus riche, la plus avancée, la plus libérée de l'histoire de l'homme.

Et malgré la gloire, la fortune et les notes du psychiatre, j'étais au trente-sixième dessous.

Et, apparemment, ce n'était pas le cas de Ram Dass.

Je relus son bouquin plusieurs fois, pour essayer de trouver une autre voie, ma voie à moi, dans son histoire à lui. Chaque fois que j'ouvrais le livre, ce que disait Alpert me semblait plus lourd de sens, plus limpide. De toute évidence, c'était une meilleure ligne de conduite, une meilleure manière de considérer les choses.

Mais je n'en étais pas encore arrivé au point de tourner la page et de partir en Inde.

Je préférai dévorer des livres. Il y avait une librairie, L'Arbre de la Bodhi, spécialisée dans l'ésotérisme. J'y allai souvent et des noms comme ceux de Krishnamurti et Yogananda me furent bientôt aussi familiers que ceux de Watson et Crick, ou de Hubel et Wiesel. Et je fréquentais beaucoup Maui.

Au début des années 1970, Maui était un endroit merveilleux. On pouvait longer la côte et écouter le mystérieux chant sous-marin des mégaptères. On pouvait s'aventurer dans de luxuriantes vallées cachées sans servir de cibles aux cultivateurs de chanvre indien. Il suffisait de deux heures pour aller de la plage au sommet réfrigérant du Haleakala, à dix mille pieds au-dessus de la mer. Dans le cratère du volcan, il y avait au moins trois milieux distincts : un cône de scories désertique, des alpages et une forêt tropicale. Le silence qui régnait dans le cratère, l'apparence surnaturelle du paysage étaient particulièrement saisissants.

En ce temps-là, il n'y avait pas foule à Maui. On n'avait pas encore construit ces hôtels monstrueux qu'on dirait dessinés par Walt Disney et Albert Speer. Lahaina était une petite ville fatiguée, assoupie, grouillant de hippies. Les librairies étaient encombrées d'ouvrages de « spiritualité ». Pour la plupart, je ne les avais encore jamais vus. Je commençai par lire Seth, puis Carlos Castaneda et Ken Wilbur. J'y lus toutes sortes de livres pour la première fois.

Je fis aussi autre chose : je me remis à voyager.

Bangkok

J'avais déjà voyagé. J'avais toujours voyagé. Mes parents étaient des voyageurs invétérés et emmenaient les gosses avec eux. En juin, sitôt l'école terminée, ils nous entassaient tous dans la voiture en direction de quelque lointaine destination. Une année, le Southwest et le Mexique. Une autre, la côte pacifique, dans le Northwest. Une autre encore, les Rocheuses canadiennes.

À ma sortie du lycée, j'étais déjà allé dans quarante-huit États, au Canada, au Mexique et dans cinq pays d'Europe.

Après la fac, je reçus une bourse Henry Russell Shaw, qui me permit de voyager un an en Europe et en Afrique du Nord. C'était en 1965. Un an de voyage, quelle veine! Et, étant étudiant, j'étais consciencieux jusqu'à l'obsession. Je visitais les musées de Paris et d'Amsterdam chargé de guides et de commentaires. Si j'arrivais le jour de fermeture des musées, je restais un jour de plus. Je voyais tout, je dévorais tout, j'étais curieux de tout. En Égypte, j'escaladai la grande pyramide de Kheops, visitai l'intérieur, puis fis le tour de tous les sites archéologiques importants entre Saqqarah et Assouan. Rien n'était trop petit ni trop lointain pour échapper à ma curiosité. Rien n'était jamais trop chaud ni trop infesté de punaises; si ça avait le moindre intérêt, j'y allais. À Madrid, je partis en quête d'un obscur immeuble qui représentait le premier travail d'Antonio Gaudí; en France, je fis la tournée des constructions de Le Corbusier. À Naples, je bravai la circulation à la recherche des Caravage. En France et en Espagne, pas une seule grotte préhistorique n'échappa à ma vigilance. Je me pris d'un amour particulier pour les cloîtres romans. En Grèce, je passai deux semaines rien que dans le Péloponnèse, inspectant les sites antiques décrits dans le *Guide bleu* sur lequel j'avais jeté mon dévolu parce que c'était le plus précis que j'avais pu trouver alors même que j'avais du mal à me dépatouiller avec mon français approximatif.

Lorsque je commençai mes études de médecine, je pouvais donc dire de l'Amérique du Nord, de l'Europe et de l'Afrique du Nord : « J'y suis allé. » J'avais roulé ma bosse. J'étais à l'aise dans plusieurs langues, entre plusieurs devises. Mon passeport et mes bagages étaient passablement usés. Je pouvais aller dans une ville étrangère, trouver un hôtel, parler assez bien dans la langue du pays pour me faire comprendre et être à l'aise.

J'étais un voyageur accompli.

Les pressions financières de la fac de médecine m'empêchèrent de beaucoup voyager dans ces années-là. Puis j'en perdis l'habitude. Qui plus est, les autres pays n'excitaient guère ma curiosité. Je poursuivais ma carrière tout en tâchant de réussir ma vie. Et un beau jour, je me rendis compte que ça faisait près de dix ans que je n'avais pas entrepris un véritable voyage.

Cafardeux, je songeai que mieux valait bouger. Je me décidai pour Bangkok, où mon ami Davis Pike m'avait vivement engagé à venir le voir. Je réservai une place d'avion, câblai à Davis que j'arrivais, et m'envolai. Hong Kong fut ma première escale.

Il y a peu de spectacles aussi excitants que Hong Kong *by night* quand l'avion se pose au Kai Tak Airport. Les montagnes, l'eau, les immeubles éclairés rendent cette arrivée magique, comme si l'on volait au cœur d'un joyau étincelant. En me penchant par le hublot, j'étais terriblement excité. Puis descendre de l'avion et être assailli par les odeurs – ce mélange typiquement asiatique d'eau de mer, de poisson séché, d'humanité comprimée : mon excitation en fut décuplée. Et traverser la ville en taxi, passer devant les échoppes ouvertes et vivement éclairées, les gens accroupis sur la chaussée, au travail, toute cette vie de la rue : fantastique ! Je n'avais jamais rien vu de pareil.

J'arrivai au Peninsula Hotel : il me parut être le plus grand du monde. Il n'y avait rien de comparable en Europe. Tout était subtilement différent. À tous les étages, il y avait des hommes en livrée blanche pour vous aider. Les chambres étaient somptueuses. Et dans l'élégante salle de bains de marbre, il y avait une carafe d'eau et une petite pancarte indiquant qu'il ne fallait pas boire l'eau du robinet. Fabuleux ! Exotique ! Cette petite pancarte à côté de ce marbre hors de prix. Unique !

J'allai me coucher heureux comme un dieu.

Le lendemain, je me réveillai prêt à voir l'Asie. Mon guide à la main, je déambulai dans les rues de Kowloon, puis grimpai dans le Star Ferry à destination de Victoria. Je flânai, observant avec gourmandise l'affairement de la rue. Puis je me dirigeai vers le Marché central en me disant que les marchés sont toujours bons à voir – un bon aperçu de la vie que mènent les gens. J'avais toujours raffolé des marchés dans les campagnes françaises et en Afrique du Nord.

Le Marché central était un bâtiment de béton sur deux niveaux avec des surfaces carrelées. L'odeur faisait penser à une morgue. Dans la rue même, on y abattait des poulets et d'autres animaux de basse-cour. Je vis un homme ouvrir les tripes d'un porc sur le trottoir, puis les laver à grande eau avec un tuyau d'arrosage.

Soudain, je me sentis exténué. Il fallait que je m'allonge. J'étais rattrapé par le décalage horaire. Je regagnai mon hôtel pour dormir quelques heures.

Cet après-midi-là, je pris un taxi pour Aberdeen, de l'autre côté de Victoria. En ce temps-là, Aberdeen était un lieu spectaculaire, un gigantesque bassin de bateaux où vivaient des milliers de gens. Je louai une embarcation pour faire le tour du bassin. C'était formidable de voir les tranches de vie sur les bateaux. J'étais à nouveau tout excité. Puis je me rendis au marché d'Aberdeen, où les gens des bateaux venaient se ravitailler.

Les Chinois attachent une grande importance à la fraîcheur des aliments. Je voyais souvent une Chinoise portant un sac en plastique où nageait un poisson vivant. C'était, me dit-on, le repas familial qu'elle gardait au frais jusqu'à la dernière minute.

Le marché d'Aberdeen se déroulait à l'abri de tentes vertes, immenses et bondées. J'eus droit aux regards et aux blagues auxquels je ne coupais pas en Asie à cause de ma taille, mais les Chinois sont pleins d'entrain. Tout cela m'enchantait. J'examinai la fraîcheur et la diversité des légumes. Je regardai les habits et les autres articles en vente. C'est un peu tremblant que je m'approchai du coin de la viande. Mais j'y étais préparé : le marché d'Aberdeen ne fut pas un traumatisme. Je traversai la section des poissonniers où des hommes vantaient la fraîcheur et la qualité de leur marchandise. L'un d'eux avait découpé son poisson en filets : il en présentait une douzaine à l'étalage. Chaque poisson avait un point rouge. Le point rouge battait. Je ne voyais pas de quoi il pouvait s'agir. J'y regardai de plus près.

Il avait débité son poisson en filets avec une telle habileté qu'il avait laissé le cœur intact. Et les cœurs des poissons à l'étalage continuaient de battre, preuve visuelle que son poisson était frais. Je regardais battre le cœur d'une douzaine de poissons.

Il fallait que je m'allonge.

Mes explorations étaient ponctuées de spectacles qui me laissaient, contre toute attente, épuisé, m'obligeant à regagner ma chambre pour récupérer. Mais d'une certaine façon, c'était humiliant. J'avais roulé ma bosse. Je ne me tracassais pas outre mesure de ces péripéties. Qu'est-ce qui me mettait dans tous mes états ?

Ce ne pouvait être que le décalage horaire, j'en étais sûr. Mais qu'elle qu'en fût la raison, mes symptômes empiraient.

Des Américaines me mirent le grappin dessus et m'entraînèrent dans un grand dîner chinois : agréable, le dîner, mais pour le moins étrange. Le repas commença par des crevettes. Des petites crevettes. Comme un seul homme, on se mit à décortiquer les crevettes à la main avant de les avaler. Puis vint le deuxième plat. Tout le monde se débarrassa des reliefs sur la nappe, à côté de son assiette, pour faire place à la suite. Et les reliefs restèrent là jusqu'à la fin du repas, un petit tas devant chacun des convives.

Puis arriva le moment des toasts. Les Chinois adorent boire à la santé des uns et des autres, et les interruptions se succèdent tout au long du dîner. Mais je m'aperçus que tout le monde buvait en tenant son verre à deux mains. Je demandai pourquoi à une Australienne assise à côté de moi. Elle m'expliqua que pour porter un toast il faut tenir le verre des deux mains, mais un seul doigt suffit.

Nouveaux plats. Il ne cessa d'en arriver des heures durant. On s'habitue à avoir toujours au centre de la table quelque chose que l'on picore un instant avant de passer à la suite.

À un moment fut apporté un poisson cuisiné – un parmi tant d'autres. Je bavardais avec quelqu'un : le temps de me retourner, le poisson avait disparu ! Il n'en restait plus une miette alors qu'il n'était là que depuis quelques secondes. « Qu'est devenu ce poisson ? » demandai-je. On me répondit que c'était un mets d'une grande finesse. Que tout le monde en raffole. Ce poisson coûte quatre cents dollars !

Ayant laissé passer ce poisson, je restai vigilant. À peine un nouveau plat arrivait-il sur la table que je jouais de mes baguettes. Bientôt fut servi un autre poisson dont tout le monde raffolait. La partie supérieure disparut en un clin d'œil. Nous avions maintenant le regard braqué sur les arêtes et la chair au-dessous. Retourner le poisson ou retirer la grande arête semblait être un jeu d'enfant, mais aucun des convives ne faisait le moindre geste. Le poisson se trouvait là, à demi entamé.

N'y tenant plus, je finis par poser la question :

– Puis-je retourner le poisson ?

– Je n'en sais rien, répondit ma voisine australienne.

– Je veux dire, est-il acceptable de retourner le poisson ?

– Oui, naturellement.

– Alors pourquoi personne n'en fait rien ?

– Eh bien, à cause de la manière dont ils sont venus ici, j'imagine.
– Et comment sont-ils venus ici ?
– Comme ils retourneront chez eux, bien sûr.
Je ne comprenais pas. Quel rapport avec le poisson ?
– Je peux donc tout à fait retourner le poisson ?
– Comment allez-vous rentrer ?
– Comme je suis venu. En taxi, j'imagine.
– Mais n'avez-vous pas d'eau à traverser pour rentrer chez vous ?
– Si...

Nous avions dû prendre une petite embarcation pour nous rendre à ce restaurant.

– Alors il ne faut pas retourner ce poisson.

Et de m'expliquer que, si on devait traverser l'eau après le repas, il ne fallait pas le retourner.

– Et si je me contente de retirer la grande arête, demandai-je avec quelque espoir dans la voix.

Elle hocha la tête.

– Navrée.

Puis elle dit quelques mots rapides en chinois. Un garçon vint, qui retourna le poisson, et tout le monde se remit à manger.

– Il habite ici, expliqua la femme en faisant un signe de tête en direction du garçon.

Les choses continuèrent ainsi, tous assis à côté de nos reliefs de crevettes, portant des toasts en touchant du doigt le fond de nos verres, et personne pour retourner le poisson ! On ne savait jamais ce qui allait suivre. Pour finir, en fin de soirée, l'hôte d'honneur, un vieil homme qui était une vedette de cinéma en Chine, nous fit une démonstration d'arts martiaux, voltigeant tout autour de la pièce, vif, agile, élégant, puissant. Il avait soixante-dix-sept ans.

Je songeai qu'il y avait beaucoup de choses que j'ignorais.

À mon arrivée à Bangkok, mon ami Davis, qui vivait en Thaïlande depuis cinq ans, vint à ma rencontre.

– Qu'est-ce que tu es allé à faire à Hong Kong ? C'est tellement *ennuyeux*, totalement occidentalisé. Rien à voir avec la véritable Asie. Ce sera *beaucoup* plus intéressant ici.

En revenant de l'aéroport, Davis me fit quelques recommandations essentielles pour se débrouiller à Bangkok.

– Aussi longtemps que tu resteras en Thaïlande, il y a quatre règles qu'il ne faut jamais enfreindre. Primo, si tu es dans un temple, n'escalade jamais une statue du Bouddha.

– OK.

– Secundo, garde toujours la tête plus bas que la tête de la statue de Bouddha.

– OK.

– Tertio, ne touche jamais un Thaï à la tête.

– OK.

– Et pour finir, si tu lèves les pieds, ne les dirige jamais vers un Thaï. C'est très *insultant.*

– OK.

Au fond de moi, je me disais que cela avait bien peu de chances de se produire. Je répondis à Davis que je pensais pouvoir séjourner à Bangkok sans passer outre à aucune de ses injonctions.

– J'en doute, dit-il d'un air sombre. J'espère simplement que tu ne les enfreindras pas toutes les quatre.

Puis il m'expliqua comment donner mon adresse en thaï. Je devais habiter chez Davis. Il me fit comprendre que je devais être capable de dire au chauffeur de taxi où aller, et comme le chauffeur ne comprenait pas l'anglais et ne savait pas non plus lire l'écriture thaï, il n'y avait pas d'autre solution que de mémoriser l'adresse. Je m'en souviens encore : *Sip-jet, Sukhumvit soi yeesip.*

Davis avait une belle maison, tout en bois dur verni et élégant, donnant à l'arrière sur un adorable jardin avec piscine. Je fus présenté aux domestiques, puis il me rappela de retirer mes souliers à la porte d'entrée et m'indiqua ma chambre à coucher au premier.

– On a retiré le Bouddha de sa niche, ajouta Davis. Nous l'avons mis en haut de l'armoire, qui est le meuble le plus grand de la chambre, mais, dans ton cas, je ne sais pas si... Ah non, tu vois, tu es encore plus grand que le Bouddha quand tu te tiens droit. Ce n'est pas bien. Je vais en parler aux domestiques.

– Quel est le problème ?

– Eh bien, je crois qu'ils consentiront à faire une exception pour toi, tu es tellement grand. Mais ce serait bien si tu pouvais enfoncer la tête dans les épaules quand tu es dans ta chambre, en sorte que tu ne domines pas le Bouddha plus que nécessaire.

Je me disais, ce n'est jamais qu'une chambre à coucher. Personne ne va jamais me voir ici. Je suis tout seul ici, et Davis me demande d'enfoncer la tête dans les épaules à cause du Bouddha. Ça me paraissait un peu loufoque, mais je promis d'essayer.

Je crus que Davis me faisait marcher, mais ce n'était pas le cas. Les Thaïs sont des gens merveilleux, faciles à vivre, mais ils prennent leur religion au sérieux et, sur ce chapitre, ils ne sont pas tolérants avec les étrangers. Plus tard, je vis une version thaï, censurée, d'un film de Peter Sellers, *A Girl in My Soup.* C'était une expérience étrange : Peter Sellers se levait de table, et soudain, dans sa niche murale, la statue de Bouddha semblait exploser, phénomène qui ne cessait que lorsque Sellers se rasseyait. Le Bouddha redevenait alors parfaitement paisible. La censure thaïe avait caviardé l'image du Bouddha, plan par plan, chaque fois que Peter Sellers était plus haut que la statue.

Les Thaïs étaient donc des gens sérieux, c'était entendu. Les domestiques prévenus, je m'enfermai épaules voûtées dans l'intimité de ma chambre. Mais techniquement, l'une des quatre règles était déjà enfreinte.

Le lendemain, nous descendions une rue de Bangkok. Une bande de gamins aimables et dégourdis s'agglutinèrent autour de nous. Je tapotai la tête de l'un des gosses.

– Ah ! ah ! ah ! fit Davis.

Deux règles sur quatre.

– Les bouddhistes, expliqua Davis, croient que la tête, la partie la plus haute du corps, est sacrée et qu'il ne faut pas la toucher. Passe encore pour les gosses, mais ne t'avise pas de toucher un adulte de cette manière. Je ne plaisante pas. En fait, mieux vaut ne pas toucher du tout un Thaï adulte.

– Bien compris, dis-je dégrisé.

Ce soir-là, nous fûmes conviés à dîner. J'engageai la conversation avec un cameraman thaï qui tournait des publicités pour des sociétés australiennes et travaillait également à des films de fiction pour le marché thaï. C'était un personnage très intéressant, avec qui je pus parler équipe de tournage et méthodes de travail. Puis l'hôtesse nous pria de passer à table. On s'avança ensemble et, au moment d'arriver à la porte, je lui fis signe de passer le premier en mettant ma main sur son épaule pour l'y encourager. C'était un geste tout naturel, accompli sans y réfléchir. Le cameraman se raidit une fraction de seconde, puis avança.

Je jetai un coup d'œil par-dessus mon épaule. Davis hochait la tête.

Ainsi donc, cette deuxième règle était plus difficile que je ne l'avais imaginé. Je devais surveiller ma propension naturelle à toucher les gens.

Le dîner terminé, tout le monde prit place sur des coussins autour d'une table basse ronde. Je me retrouvai en face d'une Thaïe, assez réservée, qui discutait avec quelqu'un d'autre. Le temps passant, elle se mit à me regarder d'un sale œil. Puis elle interrompit sa conversation à plusieurs reprises en me dévisageant d'un air maussade. Je ne voyais vraiment pas où était le problème.

– Michael, dit Davis. Ah ! ah ! ah.

Je jetai un rapide coup d'œil à ma tenue. Tout semblait en ordre.

– Les pieds, insista Davis.

J'étais assis sur un coussin, légèrement renversé en arrière. Je m'appuyais sur les coudes, les jambes croisées. Aucun problème du côté des pieds. Pas de trous dans mes chaussettes.

– Michael...

Parce que j'avais les jambes croisées, l'un de mes pieds ne reposait plus sur le sol et était dirigé vers la femme thaïe. Elle me foudroyait du regard parce que je pointais mon pied vers elle.

Je décroisai les jambes pour les laisser reposer à plat sur le sol. La femme me gratifia d'un charmant sourire.

– Tâche de garder tes pieds par terre, me conseilla Davis. Il n'y a rien d'autre à faire.

Trois règles enfreintes sur quatre.

En attendant, je multipliais les bévues. J'oubliais toujours de retirer mes souliers en entrant chez les gens. Je pris également goût à la façon thaïe de se saluer : on s'incline en formant un temple avec ses doigts devant son visage. On appelle cela un *wai*. J'adorais ça, et les Thaïs s'amusaient de me voir faire. Un jour, un gamin me salua ainsi chez un tailleur. Je lui rendis la pareille.

– Jamais de *wai* avec un gosse, me dit Davis.

– Bon sang !

Je commençais à m'habituer à ma maladresse.

– Pourquoi pas ?

– Avec un adulte, c'est un signe de respect. Avec un gamin, cela abrège sa vie.

– Je ne savais pas.

– Ce n'est pas grave. Les parents n'ont pas semblé s'en offusquer.

Au moins n'ai-je pas transgressé la quatrième règle en escaladant un Bouddha dans un temple. En Thaïlande, on jette des touristes en prison pour cela. Les temples thaïs sont exquis, magnifiquement entretenus. Ce sont souvent des oasis de paix dorées, perdues au milieu du ronflement du trafic et de la grisaille du béton.

La Thaïlande était le premier pays bouddhiste que je visitais. Tout fut pour moi une surprise : le clinquant des temples, la manière dont les gens s'y conduisaient, les fleurs, l'encens, les robes jaunes des bonzes.

Mais je découvris également que je me *plaisais* dans ces temples. Je ne savais pas trop ce qui me plaisait, certainement pas l'ornementation épuisante tant elle était exagérée, mais quelque chose. J'aimais l'impression d'ensemble. J'aimais l'attitude des gens dans un temple. Je ne connaissais absolument rien au bouddhisme. Je ne savais pas ce qu'enseignait cette religion, ni quels en étaient les principes. Dans l'un des temples, un Thaï qui parlait anglais m'expliqua que les bouddhistes ne croyaient pas en Dieu. Ça paraissait un peu fort, une religion qui ne croyait pas en Dieu.

Je trouvais cela intéressant. J'aimais cette religion, moi qui depuis de longues années claironnais mon athéisme et mon hostilité à la religion. Mais ici, dans le temple, c'était tout simplement... paisible. Je me dirigeai vers une librairie et commençai à lire des livres sur le bouddhisme.

Mes aventures ne devaient pas s'arrêter là. Davis donna un dîner en l'honneur de Peter Kann, qui était alors correspondant en Asie du *Wall Street Journal.* J'avais connu Peter à Harvard, à l'époque où je collaborais à *Crimson.* Il n'avait pas changé : accommodant, drôle, malin comme un singe et très compétent, mais avec quelque chose de plus qui forçait mon admiration. Peter avait été correspondant au Viêt-nam et, la guerre terminée, il était resté en Asie. Il pouvait porter des chemises avec des épaulettes sans que personne n'y trouve rien à redire.

Au dîner, je me retrouvai assis à côté d'une coiffeuse anglaise, les cheveux teints en rouge d'un côté, en vert de l'autre. J'imaginai que ce devait être le dernier chic à Londres, mais je n'en étais pas sûr. Je ne savais même pas si je pouvais y faire allusion. Je préférai donc la boucler.

Nous bavardions de tout et de rien lorsque quelqu'un signala distraitement que Peter était allé au Hunza. Aussitôt, la tablée fut tout excitée. Au Hunza, vraiment ? Incroyable ! Fantastique ! Nick Spenser, un voisin de Davis, le pressa de questions.

– Alors vous êtes allé à Gilgit ?

– Oui, dit Peter.

– En avion ?

– Oui.

– Combien de temps ça a pris ?

– Une semaine en 'Pindi.

– Pas si mal.

– En effet, fit Peter. Tout s'est très bien passé.

– Et à Chitral aussi, vous y êtes allé ?

– Non, pas cette fois-ci.

J'essayais de m'en faire une idée. Hunza, Gilgit, 'Pindi. Hunza était manifestement un nom de pays ou de région. Mais j'étais complètement perdu et je ne comprenais pas comment toute la tablée pouvait connaître un endroit dont je n'avais jamais entendu parler. Et puis, après tout, qu'est-ce que le Hunza avait de si particulier ? Un genre de station locale ?

Je ne le sus jamais, parce que la conversation glissa sur autre chose.

– Vous avez été aussi au Bhoutan ?

– Non, jamais, dit Peter. On peut y aller ?

– Billy y a été.

– Ah bon ! Il ne m'en a jamais parlé. Comment s'est-il débrouillé ?
– Par un ami de la famille régnante. *Via* Darjeeling.
– Et Nagar ?
– Oui. Quitte à aller au Hunza, autant passer par Nagar.

La conversation se poursuivit sur ce ton, ne me donnant aucune occasion de faire la moindre déduction. J'écoutai en silence une quinzaine de minutes. N'y tenant plus, je me tournai vers la coiffeuse à la chevelure rouge et vert et demandai d'un ton très calme :

– De quoi parlent-ils ?
– De pays, dit-elle.

J'étais sur le point de m'effondrer. Ils parlaient de *pays* dont je n'avais jamais entendu parler.

– Le Bhoutan et le Hunza sont des pays ?
– Oui. Dans l'Himalaya.

Je me sentis un peu mieux. Qui savait ce que cachaient les plis de l'Himalaya ? Je trouvai mon ignorance excusable. Mais la conversation se poursuivant, je m'aperçus que le monde que j'habitais était un monde où, si je ne connaissais pas tout, j'avais au moins entendu parler de la plupart des choses. Si embarrassante par certains côtés, mon ignorance des États himalayens avait aussi quelque chose de vivifiant. J'aurais certainement des lectures à faire en rentrant.

Ed Bancroft, l'ami de Davis, dirigeait une banque d'affaires à Bangkok. C'était un bel homme doublé d'un noceur, le seul noceur que j'eusse jamais rencontré. Alors que les convives se retiraient, il nous annonça, à Peter et à moi, qu'il allait nous guider à travers la fameuse vie nocturne de Bangkok. Davis se déroba, prétextant la fatigue.

À Patpong, ancien quartier de « repos » pour les troupes du Viêtnam, il y avait des clubs aux noms évocateurs : *Le Playboy*, *Le Mayfair*. Au *Playboy*, on vit des filles thaïes, éclairées par des lumières ultraviolettes, faire des tours d'adresse avec des cigarettes et des bananes sous les cris et les hurlements de la foule. À moins d'être réellement ivre, comme l'étaient la plupart des consommateurs, le charme de ces numéros me parut assez limité.

On visita d'autres bars avant d'atterrir dans un salon de massage. Un endroit gigantesque, moderne, aux dimensions d'un hôtel. Ed Bancroft suggéra le massage intégral, bien fait pour plaire à des étrangers, où la fille se glisse autour de vous dans un bain moussant.

On nous conduisit devant un miroir sans tain où l'on pouvait regarder à loisir une pièce pleine de filles, toutes en uniforme blanc amidonné avec un matricule. Les filles regardaient toutes dans notre direction parce qu'il y avait un poste de télévision installé juste au-dessous du miroir. Le principe était le suivant : on choisissait un numéro, et le patron faisait venir la fille qui allait vous masser.

Comme il parlait thaï, c'est Ed qui discuta avec le patron et en profita pour reconsidérer nos décisions. Visiblement, certaines filles n'étaient pas très recommandables. Je n'ai jamais compris.

Toute cette histoire de miroir sans tain derrière lequel on faisait son choix était très bizarre. À mon goût, cela ressemblait un peu trop au trafic d'esclaves, aux ventes aux enchères, voire carrément à de la prostitution. Pourtant, personne ne voyait les choses de cette façon. Il n'y avait aucune odeur de soufre, rien de sordide. C'était exactement comme un salon de massage, franc et direct. Je me retirai avec une fille dans une salle entièrement carrelée, avec un genre de baignoire circulaire peu profonde creusée dans le sol. La fille prépara une bassine d'eau de savon, fit couler un peu d'eau chaude dans la baignoire et m'invita à m'y asseoir. Elle me frotta avec une brosse plutôt rêche – un brin de masochisme qui n'était pas désagréable –, puis me fit signe de m'allonger sur le ventre. Sur ce elle retira tous ses vêtements, se savonna le corps, se coucha sur mon dos et commença à se contorsionner avec le savon.

Tout cela me posait quelques problèmes. Pour commencer, la baignoire était trop petite pour moi et mes jambes dépassaient. Si bien que lorsqu'elle se coucha sur moi, cela me fit affreusement mal aux tibias. Comme en plus j'avais le dos creusé, nos corps avaient du mal à entrer en contact. Elle ne cessait de glousser en essayant de m'amener à adopter une meilleure position. Mais la baignoire était tout simplement trop exiguë. Pour finir, du savon me rentra dans le nez et je me mis à tousser.

On décida d'en rester là. Elle me rinça, je me séchai, je me rhabillai et me dirigeai vers la sortie.

– Comment c'était ? demanda Ed. Incroyable, n'est-ce pas ?

– Inoubliable !

Peter nous rejoignit et on se remit en vadrouille. Ed avait dans le regard une lueur particulière. Il avait une petite idée derrière la tête.

– Un bordel ? Qu'est-ce que vous en dites ?

– J'sais pas, fis-je. Il se fait tard.

Peter se contenta de borborygmes prudents.

– Juste un coup d'œil, dit Ed.

Il nous montrait la ville. C'était lui l'expert. Il n'avait aucune envie d'arrêter cette folle virée.

– OK. Juste un regard.

Mais dans la voiture l'entrain déclinait. J'avais encore les tibias endoloris, même s'il ne me serait jamais venu à l'idée de dire à mes partenaires que le massage avait été autre chose qu'un plaisir sans mélange. Peter ne pipait mot, se contentant de fumer en regardant par la fenêtre. Nous entrions dans ce drôle de territoire que des hommes peuvent partager dans une Ville la Nuit ou La Chasse aux Jolies Pépées. Une situation qui en dit plus long sur les hommes en bande que sur n'importe quelle fille. La vérité, c'était que, à deux heures du matin, dans la nuit chaude et humide de Bangkok, aucun de nous n'avait envie d'être le premier à déclarer forfait.

Mais Ed, notre cicérone, interpréta notre silence autrement et en conclut que nous étions las de son itinéraire. Nous croyant particulièrement harassés, il se dit que nous avions besoin d'un stimulus un peu plus corsé.

– Je sais quoi, dit-il en claquant des doigts. Un bordel d'*enfants* !

– Ed, dis-je, vous ne croyez pas qu'un bordel normal ça ferait l'affaire ?

– Non, non et non ! Un bordel d'*enfants*, absolument. Écoutez, c'est un endroit *incroyable*. Il *faut* voir ça.

Et nous voici repartis dans la moiteur de la nuit.

Je pense à Justine, dans *Le Quatuor d'Alexandrie* – des épisodes exotiques dans des pays exotiques.

Peter continue à regarder par la fenêtre. De nouveau, je remarque ses épaulettes.

– Avez-vous déjà vu un bordel d'enfants ?

– Pas personnellement, me répond-il d'un ton glacial.

Bancroft s'engage dans une ruelle obscure au milieu des bâtiments de béton gris qui se ressemblent tous. Il y a un vigile et une cour centrale. Dans la cour, des box, avec des rideaux devant chacun d'eux.

– Pour les bagnoles. On tire les rideaux pour que personne ne puisse lire les plaques minéralogiques, précise Ed. Des politiciens, des gens très importants viennent ici. Attendez-moi.

Il descend de voiture et s'éclipse pour resurgir quelques instants plus tard.

– OK, on peut y aller.

Nous grimpons une volée d'escaliers et pénétrons dans ce qui ressemble à un grand appartement. Un long couloir, avec des portes de part et d'autre.

– Bon ! On va juste voir ce qu'ils ont ici ce soir, dit Ed, tandis que nous nous laissons conduire jusqu'à la première porte.

La pièce est drapée de tissus indiens d'un rose et d'un rouge criards. Lumière crue. Assises sur des coussins, des femmes lourdement maquillées regardent la télévision. Elles ne m'ont pas l'air d'être des enfants.

– Assez vieilles, dit Peter en adressant un sourire narquois à Ed. Juste pour le titiller.

– Vieilles ? Bon sang ! Des *antiquités* !

Ed murmure quelques mots rapides en thaï à l'homme qui nous accompagne.

– Je me demande bien quel âge elles peuvent avoir ? dit Peter. – Il a maintenant sa voix de journaliste, de correspondant. – Tant de femmes, ce qui nous fait un âge moyen de...

Nous continuons et poussons une autre porte. De nouveau, les tentures à deux sous. Des femmes en négligé, soutien-gorge, culotte et porte-jarretelles. Mais l'effet bordel est gâché par le fait que certaines font de la cuisine dans un coin de la pièce. Ces filles sont un peu plus jeunes.

L'homme nous regarde d'un air interrogateur.

– Je ne sais pas à *quoi* pense ce mec, dit Ed. La dernière fois que je suis venu ici, c'était avec... – il dit le nom d'une personnalité bien connue –, et il y avait des gamines de sept-huit ans. Vraiment. Extraordinaire.

Nous continuons à avancer dans le couloir et à pousser les portes. Plus on avance, plus je me sens claustrophobe. Il y a des drôles d'odeurs ici, dissimulées par l'encens. Et plus on avance, plus le couloir est étroit, encombré de petites femmes qui s'agglutinent autour de nous et essaient de nous convaincre de les suivre plutôt que de nous laisser entraîner par les femmes des chambres. Dans leurs sous-vêtements crasseux, leur maquillage vulgaire, elles nous tirent à hue et à dia. Quand elles sourient, on ne voit plus que les dents qui manquent.

– Ah ! C'est *ici*, dit Ed.

La porte s'ouvre. Nous découvrons une poignée de filles prépubères. Elles paraissent dix ou onze ans. Elles ont les yeux noirs et barbouillés. Elle ont l'air sauvage ; elles se pavanent et lancent des œillades par-dessus l'épaule. Une fille vacille sur des talons hauts beaucoup trop grands pour elle.

– Qu'est-ce que vous en dites, les gars ? demande Ed, tout souriant d'excitation.

Je n'ai qu'une envie, c'est de ficher le camp. Qu'ils me trouvent efféminé, ça m'est bien égal. Mon seul désir, c'est de m'éloigner de ces malheureux enfants et de ces couloirs puants avec ces filles qui me tirent, qui me tripotent, ces petits doigts qui se tendent vers moi : « M'sieur... M'sieur. »

– Je crois bien que je vais y aller, dis-je. Je suis un peu fatigué.

– Hé ! Si y a pas ce qui vous plaît, on peut continuer.

– Non, je suis fatigué. Vraiment. Je vous attendrai dehors.

– OK. Comme vous voudrez.

Ed se retourne vers Peter :

– Peter ?

Autre scène classique d'une Ville la Nuit. L'un des types vient de craquer, il est lessivé ou il se sent coupable. Il pense à sa femme ou à je ne sais quoi. Reste à voir, maintenant, comment la soirée va tourner.

– Tu viens, oui ou non ?

– J'ai envie d'une cigarette, répond Peter. J'attendrai dehors, moi aussi.

– Pauvres de vous, vous ne savez pas ce que vous perdez, dit Ed en hochant la tête, visiblement déçu.

– Il faudra que je revienne voir, ajoute Peter.

Peter et moi sortons. Assis sur le pare-chocs de la voiture, nous parlons de ce qui s'est passé dans notre vie depuis dix ans que nous ne nous sommes pas revus. Soudain, nous retrouvons cette camaraderie, parce que c'est au milieu de la nuit et qu'on est fatigués, qu'on a tous les deux renoncé à se taper des gosses, et qu'on veut être sûrs que l'autre mec ne nous prend pas pour des dégonflés ou je ne sais quoi. On a vraiment une bonne conversation, puis Ed resurgit.

– Pauvres vieux ! Savez pas ce que vous avez loupé. Vous avez pas idée de la marchandise. Extra !

– Ouais, ouais.

– OK. Que dites-vous d'un petit café ? Voulez voir les filles qui sont dans les parages, hein ?

Nous prétextons l'épuisement. Ed dit qu'à son avis on n'a pas eu une assez bonne nuit. Nous protestons que si et nous débrouillons pour retourner chez Davis. J'entre dans ma chambre en enfonçant la tête dans les épaules pour ne pas faire ombrage au Bouddha et m'endors aussitôt.

Le lendemain soir, j'allai dîner chez le patron d'une agence de pub à Bangkok. C'était un Australien qui avait la réputation d'être un fin cordon-bleu. Être invité à ses repas était un privilège que tout le monde jalousait.

Avant le dîner, quelqu'un déroula un bâton de marijuana thaï et prépara un joint qu'il fit circuler. Certains convives le fumèrent, d'autres refusèrent. Je fumai un peu. Comment pouvait-on aller en Thaïlande sans toucher à l'herbe thaïe ?

Quand chacun y eut goûté, je repris le joint.

– Attention, dit Davis. C'est du costaud.

– Hé, t'inquiète pas. J'suis de Los Angeles.

Davis haussa les épaules. Je m'envoyai également deux vodkas avant le dîner. Je me sentais en pleine forme, allant de l'un à l'autre pour discuter le coup. En fait, j'étais ravi de me sentir aussi bien, parce que depuis deux jours je ne pouvais me défaire du sentiment lancinant d'être *loin de chez moi*. Autrement dit, j'avais un peu forcé la dose, un peu exagéré ; je me sentais seul, mes expériences nouvelles m'angoissant plus que je ne voulais bien l'admettre.

Au moment de passer à table, je me rendis compte que j'avais mal apprécié ma consommation. J'étais complètement parti. J'avais même un peu de mal à coordonner mes gestes. Ce n'est pas grave, me dis-je, ça ira mieux dès que je serai assis. Dès que j'aurai avalé quelque chose.

Chacun prit sa place et je me retrouvai entre l'épouse d'un diplomate, une Indienne, à ma gauche, et un directeur de budget publicitaire, à ma droite. On fit circuler les plats ; la conversation était très agréable.

Soudain, je commençai à voir gris. Le gris devint de plus en plus foncé. Puis je fus aveugle.

Bizarre ! J'entendais la conversation et le tintement de la vaisselle en argent autour de moi, mais j'étais complètement aveugle.

L'Indienne me demanda de faire passer quelque chose.

– Navré. Je sais que ça va paraître drôle, mais je suis aveugle.

Elle partit d'un rire charmant.

– Vous êtes follement amusant !

– Non, sérieusement, je suis aveugle.

– Vous voulez dire que vous ne voyez rien ?

– Absolument rien.

– Comme c'est extraordinaire ! Et comment ça se fait ?

Je me posais moi-même la question.

– Je n'en sais rien.

– Vous croyez que c'est quelque chose que vous avez mangé ?

– Je ne pense pas.

– Et maintenant, vous me voyez ?

– Non. Toujours aveugle.

– Je me demande bien ce qu'il faut faire, murmura-t-elle.

– Je n'en sais rien.

On prévint le maître de maison. On fit des projets. Tout le monde semblait prendre cela pour une chose des plus ordinaires. Je me demandais si d'autres gens avaient été aveugles avant moi dans cette maison. Puis je sentis que plusieurs personnes me portaient à l'étage et qu'on m'allongeait sur un lit dans une chambre climatisée.

Je laissai passer quelque temps. J'ouvris les yeux. Toujours rien.

Pour la première fois, je commençai à me faire du mauvais sang. C'était très bien d'être aveugle quelque temps, mais ça ne passait pas. Je me demandai quelle heure il était et posai la main sur ma montre. Cet état allait-il durer ? Devrais-je me procurer une montre en braille ? Dans quel genre de chambre étais-je installé ?

Un certain temps s'écoula avant que je ne sentisse une main sur mon épaule. Je levai les yeux et aperçus une vieille femme thaïe qui me souriait. Elle me donna un verre d'eau et gloussa en se retirant. Elle revint un peu plus tard. J'y voyais alors parfaitement, mais je me sentais affreusement mal. Et je m'enfonçai dans le sommeil. Beaucoup plus tard, Davis se pointa, fit claquer sa langue, et me ramena à la maison.

Dans la matinée, je dis à Davis que je ne ferais pas de tourisme aujourd'hui. Je préférais me la couler douce, peut-être m'installer au jardin à côté de la piscine. Lire un bouquin. Me remettre de cette étrange aventure.

– Bonne idée, dit-il. Mais ouvre l'œil. La semaine dernière, le jardinier a aperçu un cobra.

Davis annonça qu'on partait pour deux jours dans l'intérieur du pays. Il devait contrôler les ventes de l'entreprise pharmaceutique pour laquelle il travaillait. Des médicaments normalement délivrés sur ordonnance étaient en vente libre en Thaïlande, et toutes les grandes sociétés internationales considéraient donc ce pays comme un marché de première importance.

La campagne était magnifique, plate et verdoyante. On descendit dans des hôtels chinois. Ce fut merveilleux. Lorsqu'on arriva enfin à Ayutthaya, Davis dit qu'il allait contrôler ses magasins, voir comment ça marchait.

– Mais il y a un grand marché découvert au coin de la rue, me dit-il. Le grand marché de l'intérieur. Va y jeter un coup d'œil. Tu verras, c'est intéressant.

Je suivis son conseil. C'était un marché immense, de près d'un demi-hectare, entièrement couvert de draps blancs pour se protéger du soleil. Un bel espace immense à découvert, regorgeant de toutes les richesses, des denrées agricoles aux vêtements. Je me promenai, histoire de voir ce qu'on vendait. Les draps étaient si bas que je devais rentrer la tête dans les épaules, mais c'était un marché fascinant et j'étais ravi du spectacle.

À cause de ma taille, je ne passai pas inaperçu. Les gens du pays s'arrêtaient pour me dévisager. Et comme la plupart des Asiatiques, ils se marraient. Les rires commencèrent à fuser ici ou là, puis s'amplifièrent jusqu'à gagner la totalité du marché. Tout le monde riait de moi, me montrait du doigt, hilare. Je leur répondais par un sourire bienveillant. Je savais bien que ce n'était pas méchant. Juste une expression de gêne.

Les rires continuèrent, jusqu'à devenir un rugissement à mes oreilles. Comme une lame dans l'océan. Les gens filaient chercher leurs amis. La ville entière était rameutée pour me reluquer. Le rire montait. Il y avait maintenant quatre à cinq cents personnes en train de s'esclaffer. J'étais une curiosité. Partout, je ne voyais que bouches bées et franche hilarité. Je finis par baisser les yeux et découvris à mes pieds une vieille femme thaïe, carrément hystérique, qui se roulait par terre de rire en se tenant les côtes. Son corps me barrait le chemin, et il n'était pas question de passer par-dessus elle.

Je regardai autour de moi en songeant : Quelle expérience intéressante ! Voici l'occasion ou jamais de voir ce qu'on éprouve quand cinq cents personnes se moquent de vous. Comment ça fait ?

Et subitement je me dis : *J'ai horreur de ça.* Je fis demi-tour et m'éloignai à grands pas.

Je retournai à la boutique où j'avais laissé Davis. Son visage était épanoui en un large sourire comme le chat de Cheshire dans *Alice au pays des merveilles.*

– Je savais bien qu'ils allaient se foutre de ta gueule.
– Bon sang !
– Ils ne pensent pas à mal.
– Je sais, dis-je. Mais quand même !

Les Thaïs sont connus pour leur bonne humeur. On les surnomme les Danois de l'Asie à cause de leur insouciance. Une de leurs expressions favorites, *Mai pen rai*, signifie – plus ou moins – « Aucune importance ». Et on l'emploie à tout propos, histoire de tourner la page après une déception ou une déconvenue. Plus d'une fois, je me dis que les Thaïs avaient un caractère en or, si différent de ce à quoi j'étais habitué aux États-Unis.

Un jour à Bangkok, alors qu'un taxi me reconduisait chez Davis, j'aperçus une Thaïe et une Européenne qui essayaient de se doubler dans une rue étroite. Toutes deux commençaient à s'échauffer et à se traiter de noms d'oiseaux en sortant la tête de leur voiture. Personne ne disait : *« Mai pen rai. »*

Il est temps de rentrer, me dis-je. Je repartis le lendemain.

Tout compte fait, j'avais vécu ce voyage comme un traumatisme. Puis je compris que j'avais beau me considérer comme un voyageur accompli, j'étais en fait terriblement asservi par ma culture. Je n'avais visité qu'une petite partie du monde : l'Amérique du Nord et l'Europe occidentale.

Je commençai à penser à tous les endroits où je n'étais jamais allé. Je n'étais jamais allé en Afrique. Je n'étais jamais vraiment allé en Asie. Je n'avais jamais mis les pieds en Australie. Je n'étais jamais allé en Amérique du Sud ni en Amérique centrale. En vérité, la majeure partie du monde m'était encore étrangère.

Il était temps de découvrir ce que j'avais laissé passer.

Bonaire

Le soleil couchant rougeoyait au-dessus de l'océan. Avec une démarche de canard, on s'enfonça dans la mer avec nos bouteilles d'air comprimé et nos torches. Alors que l'eau nous arrivait à hauteur de taille, on s'arrêta le temps de mettre nos masques et d'ajuster les sangles. Derrière nous, à l'Hôtel Bonaire, les gens se dirigeaient vers la salle à manger pour dîner.

– Tu as faim ? demandai-je à ma sœur.

Elle hocha la tête. Ma sœur n'avait encore jamais fait de plongée de nuit, et elle avait un peu d'appréhension.

C'était en 1974. On était venus passer deux semaines de vacances à Bonaire, pour faire de la plongée. Kim terminait tout juste sa deuxième année de droit et, pour ma part, je venais d'achever le premier jet de mon prochain roman. On en attendait tous les deux un repos bien mérité et de superbes aventures sous-marines.

Bonaire est une île hollandaise à quatre-vingts kilomètres des côtes du Venezuela. Il s'agit en fait d'un pic montagneux avec des flancs escarpés ; à une vingtaine de brasses de la plage de sable, on était déjà à plus de trente mètres de fond et la mer était claire comme de l'eau de roche. On pouvait faire de la plongée de nuit une heure durant et regagner l'hôtel à temps pour dîner.

Tel était notre plan.

Ma sœur plaça l'embout entre ses dents, et j'entendis le sifflement de l'air qu'elle aspirait. Elle se prit les épaules entre les mains pour me faire comprendre qu'elle se gelait. Elle avait envie d'y aller. Je mis mon embout et on plongea.

Le paysage est d'un bleu profond, avec du menu fretin papillotant sur le sable et les bancs de corail. J'entends le glouglou des bulles d'air dans ma joue. Je jette un coup d'œil à Kim pour voir comment elle se débrouille ; elle est belle, son corps est détendu. Kim est une plongeuse aguerrie, et moi-même il y a plus de dix ans que je fais de la plongée.

Nous continuons à nous enfoncer en suivant la pente jusque dans les ténèbres.

Nous allumons nos torches et nous voyons aussitôt un monde de couleurs chatoyantes et criardes. Les coraux et les éponges sont verts, jaunes ou rouges, mais toujours éclatants.

On continue à s'enfoncer à travers l'eau noire. Notre champ de vision se limite désormais au cône de lumière de nos torches. Nous découvrons de gros poissons endormis à l'abri de bancs de corail. Nous pouvons les toucher – ce qui serait impossible en plein jour. Les animaux de nuit sont actifs. Une murène tachetée de noir et de blanc sort de son trou pour faire jouer ses puissantes mâchoires et nous fixer de ses yeux noirs en vrille. Une pieuvre traverse à la hâte mon faisceau et devient rouge vif sous l'effet de l'irritation. Dans une niche de corail, nous surprenons un minuscule crabe à raies rouges pas plus gros que mon petit doigt.

J'avais prévu de prendre des photos en plongée. J'ai donc mon appareil autour du cou. Je prends quelques clichés, puis ma sœur me donne une petite tape sur l'épaule et me fait comprendre par des gestes de lui passer l'appareil. Je retire la courroie de mon cou et le lui tends. J'évolue lentement ; avec une torche qui pendille à mon poignet, rien n'est commode. Kim retire l'appareil.

Soudain, je sens un coup sec à la mâchoire et mon embout est arraché de mes lèvres. Je n'ai plus d'air.

Je saisis tout de suite ce qui s'est produit. La courroie de l'appareil photo s'est prise dans le tuyau du détendeur. Ma sœur a entraîné l'embout avec elle.

Je n'ai plus d'air. Je suis en suspens dans une eau noire comme de l'encre, il fait nuit et je n'ai plus d'air.

Je garde mon calme.

Chaque fois qu'on perd son embout, il tombe invariablement du côté droit. On peut toujours le retrouver en tâtonnant au niveau des hanches. Je tends la main.

Pas d'embout.

Je garde mon calme.

Je continue à tâtonner. Je sais qu'il doit être là, quelque part au niveau de mes hanches. Il ne peut pas en être autrement. Je passe la main sur ma bouteille d'air comprimé, sur ma ceinture de lest, sur mon baluchon. Mes doigts glissent sur les contours de mon matériel, de plus en plus vite.

L'embout n'est pas là. J'en suis sûr maintenant : il n'est pas là. L'embout a disparu.

Je garde mon calme.

Je sais que l'embout n'a pas été arraché du détendeur, parce que j'aurais entendu un puissant effet de souffle. Alors que règne un silence absolu, surnaturel. L'embout doit donc être quelque part autour de moi. S'il n'est pas tombé à droite, il doit être dans mon cou, près du sommet de la bouteille. C'est un peu moins commode à atteindre mais, passant la main dans mon dos, je tâtonne à la recherche du tuyau du détendeur. Je reconnais le haut de la bouteille, la valve métallique verticale. Je sens un certain nombre de tuyaux. Impossible de dire lequel est celui du détendeur. Je continue.

Rien !

Je garde mon calme.

À quelle profondeur suis-je ? Je jette un coup d'œil sur mon bathymètre. Je suis à une vingtaine de mètres de la surface. C'est OK. Si je parviens à me retenir et à expirer de manière lente et régulière jusqu'à la surface. J'en suis capable, j'en suis sûr. En tout cas, presque sûr.

Mais ce serait quand même mieux de retrouver l'embout maintenant. En bas.

Ma sœur évolue dans l'eau à un mètre cinquante au-dessus de moi, agitant doucement ses palmes à proximité de mon visage. Je me glisse à côté d'elle. Elle me regarde. Je lui montre ma bouche. Regarde : il manque quelque chose. Pas d'embout, Kim.

Elle me fait signe que tout va bien de son côté. Elle s'affaire à passer l'appareil autour de son cou. Je comprends que dans l'obscurité elle ne me voit probablement pas très bien.

Je l'attrape par le bras. Je lui montre ma bouche. Pas d'embout. *Pas d'air !*

Elle hoche la tête, hausse les épaules. Elle ne pige pas. Quel est mon problème ? Qu'est-ce que je cherche à lui dire ?

Mes poumons commencent à me brûler maintenant. Je laisse échapper quelques bulles d'air dans sa direction et lui montre de nouveau ma bouche. Regarde, nom de Dieu : pas d'embout !

Kim acquiesce, d'un lent mouvement de la tête. Je ne vois pas ses yeux, parce que le verre de son masque réfléchit la lumière. Mais elle comprend. Du moins, je crois qu'elle comprend.

La sensation de brûlure est de plus en plus vive. Il va bientôt falloir que je remonte directement à la surface.

J'ai perdu mon calme.

Dans l'obscurité, elle ondule lentement derrière moi. Sa torche est juste derrière ma tête, projetant mon ombre sur un banc de corail. Elle démêle les tuyaux de mon détendeur, près de mon cou. Elle fait le tri. La voilà à ma gauche. Pas sur ma gauche, Kim ! Il doit être quelque part à droite ! Elle évolue avec lenteur, méthodiquement.

Mes poumons me brûlent.

Je sais que je vais devoir remonter tout droit à la surface. Je ne cesse de me répéter : N'oublie pas d'expirer, surtout n'oublie pas d'expirer. Si j'oublie, je vais faire exploser mes poumons. Je ne peux me permettre de céder à la panique.

Kim me prend la main. D'un geste lent et appliqué, elle me donne quelque chose. C'est bien le moment de me donner quelque chose ! Mes doigts se referment sur du caoutchouc : c'est mon embout qu'elle m'a mis dans la main ! Je le cale entre mes dents et je me vide les poumons.

L'eau glougloute, puis j'avale de l'air frais. Kim me regarde avec un brin d'appréhension. J'avale de l'air et tousse à deux reprises. En suspension dans l'eau à côté de moi, elle m'observe. Tout va bien ?

J'avale de l'air. Mon cœur bat la chamade. J'ai la tête qui tourne. Maintenant que tout est rentré dans l'ordre, je suis submergé par la panique que j'ai refoulée. Bon sang, mais j'ai failli mourir ! Kim ne me quitte pas des yeux. Tout va bien maintenant ?

Je lui fais signe que oui. Oui, tout est rentré dans l'ordre. Nous finissons notre sortie, bien que j'aie du mal à me concentrer. Vivement que ce soit terminé. Arrivé sur la plage, je m'effondre. Je tremble de toute ma carcasse.

– C'était bizarre, dit-elle.

Elle m'explique que le tuyau du détendeur s'était entortillé de telle sorte qu'il pendait derrière mon épaule gauche.

– Je ne savais pas que ça pouvait arriver, ajoute-t-elle. Il m'a fallu du temps pour le retrouver. Comment te sens-tu ?

– Je crois que ça va.

– Tu trembles.

– Je crois que c'est simplement le froid.

Je prends une douche bien chaude. Seul dans ma chambre. Je suis pris d'une terrible envie de baiser, d'un désir irrésistible. Je pense que c'est un cliché : on échappe de justesse à la mort et on n'a qu'une pensée en tête, la procréation. Mais c'est vrai. C'est ce que je ressens. Et dire que je suis ici avec ma sœur ! Bon sang !

À la fin du dîner, j'ai retrouvé mon calme. Les deux jours suivants sont plus ordinaires. Nouvelle plongée de nuit : tout se passe bien. Je dévore les romans que j'ai apportés. Je travaille mon bronzage. La semaine suivante, tout se passe pour le mieux et nous ne laissons de côté aucune des curiosités connues des amateurs de plongée à Bonaire.

Mais j'ai envie de plus.

– Je ne vous dirai pas où elle est, me dit le maître plongeur que j'interrogeais sur l'épave.

J'avais lu qu'il y avait une épave intéressante quelque part sur la côte nord de l'île.

– Pourquoi pas ?

– Si vous y allez, vous n'en ressortirez pas vivant.

– Vous y êtes allé ?

– Bien entendu.

– Vous n'en êtes pas mort.

– Je savais ce que je faisais. L'épave repose en eau profonde, la partie la plus accessible est déjà à une cinquantaine de mètres. À cette profondeur, les limites de non-décompression sont de quatre minutes.

– C'est vraiment un bateau à aubes ?

– Oui. Avec une coque de fer. Personne ne sait quand il a fait naufrage, peut-être au tournant du siècle.

J'essayai de l'amener à en parler, dans l'espoir qu'il donnerait suffisamment d'indices pour que je puisse m'y retrouver.

– Le bateau s'est enfoncé en suivant la déclivité ?

J'avais lu ça aussi. Bonaire est entouré de tous côtés d'une pente raide, qui à certains endroits peut atteindre jusqu'à sept cents mètres.

– Ouais. Visiblement, le navire est d'abord venu se briser sur la côte – on en retrouve au moins certains fragments près du rivage, à une dizaine de mètres de fond – avant de couler en suivant la déclivité. Maintenant, il repose sur le flanc, à une cinquantaine de mètres de fond.

– Doit valoir le coup d'œil.

– Ah ça ouais. Sacrément grosse, l'épave.

– Alors, comme ça, y a des débris à dix mètres de fond, près de la côte ?

– Ouais.

– Quel genre de débris ?

– Oubliez ça.

– Voilà, finis-je par dire, je sais ce que je vais faire. Cela fait plus d'une semaine que je plonge avec vous autres, alors vous savez que je suis OK. Vous n'êtes pas obligé d'approuver ce que je fais, mais ce n'est pas juste de votre part de ne pas me dire où ça se trouve.

– Ah ouais ? Parce que vous vous croyez assez fort ? demanda-t-il, maintenant agressif. C'est bon. Voici comment vous allez faire. À huit kilomètres de là, à l'est, vous trouverez un petit quai. Vous prenez votre matos et vous nagez sur une centaine de mètres, en direction du nord. Vous passerez devant une maison verte. Quand la maison sera à deux heures par rapport à vous, commencez à regarder dans l'eau. Vous apercevrez un bout de mât et des câbles à dix mètres de fond, juste au-dessous de vous. Rejoignez le mât puis longez la déclivité le plus vite possible. Quand vous serez à une trentaine de mètres, éloignez-vous et filez tout droit dans l'océan. Vous aurez l'impression d'aller droit devant, mais en fait vous continuerez à descendre jusqu'à heurter l'épave à cinquante mètres. Elle est immense. Vous ne pouvez pas la manquer. C'est bon ? Vous voulez encore y aller ?

Les conditions paraissaient difficiles, mais pas impossibles.

– Oui, fis-je. Bien sûr.

– OK. Mais rappelez-vous, s'il vous arrive quoi que ce soit, je nierai vous avoir dit où elle est.

– Parfait.

– Et n'oubliez pas. À cette profondeur, vous serez coincé, alors faites gaffe à l'heure ; rappelez-vous, vos limites de non-décompression ne vous laissent que quatre minutes en bas. L'épave est si étendue qu'il n'y a pas moyen d'en faire le tour en quatre minutes – n'essayez même pas. Veillez à observer tous les arrêts en remontant. Il n'y a pas de chambre de décompression à moins de huit heures d'avion de Bonaire, alors ne faites pas de bêtises. Si vous avez le mal des caissons, il y a de bonnes chances que vous y passiez. Pigé ?

– Cinq sur cinq.

– Autre chose. Si vous décidez d'y aller, n'oubliez pas de laisser votre appareil photo. Votre Nikon n'est garanti que jusqu'à un peu plus de quarante mètres. Ça fausserait le boîtier.

– OK. Merci de votre aide.

– Suivez mon conseil, reprit-il, n'y allez pas.

Je demandai à ma sœur ce qu'elle en pensait.

– Pourquoi pas ? répondit-elle. Ça a l'air intéressant.

Le lendemain, on se rendit sur place en voiture pour reconnaître les lieux. Il y avait un genre d'embarcadère industriel qui avançait de quelques mètres dans l'eau. Il paraissait délabré, désaffecté. Il y avait plusieurs bicoques vermoulues sur la côte, mais aucune de verte. Encore plus au nord, il y avait une raffinerie ou un complexe industriel, avec de gros bateaux amarrés. Près du quai, l'eau était ténébreuse et peu engageante.

J'étais sur le point de laisser tomber. Je demandai à ma sœur ce qu'elle en pensait.

– On y est, dit-elle avec un haussement d'épaules.

– D'accord. Allons au moins jeter un coup d'œil au mât.

Notre attirail en place, nos gilets gonflés, on se laissa dériver vers le nord. J'étais assez tendu et je ne cessai de regarder les maisons sur la côte. J'étais sur le point d'en conclure que le maître plongeur nous avait mal renseignés quand j'aperçus soudain, à deux heures, une porte verte qui n'était pas visible du quai.

Je baissai les yeux. Juste au-dessous de nous, je vis un grand mât et un mâtereau, quelques câbles métalliques reposant sur un banc de corail. Ça semblait presque neuf.

– Tu crois que c'est ça ? demandai-je à ma sœur.

Elle haussa les épaules.

– Ça ressemble à ce qu'il a décrit.

Je lui demandai ce qu'on devait faire, à son avis.

– Puisqu'on est venus jusque-là...

– C'est bon. Allons-y.

Nos embouts entre les dents, nos gilets dégonflés, on descendit le long du mâtereau.

Vu de près, c'était un gros mât – de douze mètres de long, trente centimètres de diamètre – avec très peu de végétation. On le suivit sur toute sa longueur en s'éloignant de la côte. Puis on crapahuta jusqu'au bord pour rejoindre la déclivité.

Le moment où l'on franchit une corniche sous-marine est toujours excitant, mais mon cœur battait maintenant la chamade. Le paysage était affreux, avec une pollution terrible en provenance du complexe industriel voisin. L'eau était glauque et la visibilité médiocre. On se serait crus en plein égout. Il n'y avait pas beaucoup de lumière et plus on avançait, plus l'obscurité s'épaississait. Et il nous fallait aller vite pour conserver l'air.

À une trentaine de mètres, j'examinai l'océan et en conclus que les instructions étaient fausses. En tout état de cause, il était difficile de quitter la déclivité couverte de scories pour plonger droit dans les ténèbres. Je décidai de descendre encore un peu avant de m'y risquer. À quarante mètres de fond, j'y voyais à un ou deux mètres à peine devant moi, mais sitôt que je me fus éloigné de la pente, j'eus du mal à trouver sur quoi poser mon regard. Il n'y avait rien à voir, hormis des couches de déchets laiteux en suspension dans l'océan.

Je craignais surtout qu'on loupe l'épave. À cette profondeur, il n'était pas question de se mettre en chasse. On n'avait ni le temps ni l'air pour cela.

Puis, soudain, une plaque de métal rouillé occupa tout mon champ visuel.

J'avais sous les yeux une immense paroi d'acier.

L'épave.

Sa taille me laissa pantois. Elle était beaucoup plus grosse que je ne l'avais imaginé. Au niveau de la quille, on longea le fond de la coque. On était à plus de cinquante mètres. Je consultai mon chronomètre et remontai le flanc de la coque, à quatre-cinq mètres plus haut. La surface métallique était couverte de belles éponges et de coraux tout en longueur. Ils dessinaient des motifs merveilleux, mais il n'y avait pas beaucoup de couleurs à cette profondeur : on évoluait dans un monde en noir et blanc. On passa de l'autre côté de la coque pour rejoindre le pont, presque à la verticale, avec les mâts pointés vers la déclivité. La géographie était assez démente, mais on s'y faisait. Je pris quelques photos, on jeta un rapide coup d'œil alentour. Les quatre minutes étaient écoulées. On remonta lentement à la surface.

Quand un plongeur respire de l'air comprimé, de l'azote pénètre dans le sang. Il se produit alors deux choses. La première est que l'azote a un effet anesthésiant et provoque une intoxication – la narcose à l'azote, la fameuse « ivresse des profondeurs » – qui est d'autant plus forte qu'on va plus profond. Cette narcose est dangereuse : des plongeurs intoxiqués sont morts pour avoir retiré leur embout « afin de donner de l'air aux poissons » !

L'autre chose est qu'en remontant à la surface il faut laisser ressortir lentement cet azote qui est entré dans le sang. Si le plongeur remonte trop vite, l'azote va sortir en pétillant de son sang comme d'une bouteille de soda qu'on vient de décapsuler. Ces bulles provoquent des crampes douloureuses aux articulations : c'est ce qu'on appelle le « mal des caissons ». Mais ça peut aller jusqu'à la paralysie et à la mort. La durée de décompression nécessaire est fonction du temps passé sous l'eau et de la profondeur.

Selon les tables de plongée, ma sœur et moi n'étions pas obligés de décompresser, mais la nécessité d'une décompression dépend de variables telles que la température et la forme du plongeur ce jour-là, ou encore du fait que sa combinaison lui colle ou non à la peau et empêche l'azote de sortir. Les variations sont telles qu'on décida de doubler les arrêts de décompression – deux minutes à sept mètres, six minutes à trois – par simple prudence. Quand on en eut fini avec les pauses, on regagna le quai à la nage.

On était tout émoustillés. On avait atteint l'épave, et on n'était pas morts ! Et l'épave était étonnamment belle.

On décida d'y retourner pour continuer l'exploration. Compte tenu de la limite des quatre minutes, on se dit qu'il faudrait plonger deux fois : une pour l'arrière, une pour l'avant.

Quelques jours plus tard, on évoluait autour de l'arrière, à près de soixante mètres de fond. Tout se déroula en douceur, et on eut tout le temps d'examiner les aubes d'acier. On commençait à se sentir très à l'aise dans cette épave. Notre plaisir était immense. On aurait dit des gosses qui avaient enfreint les règles et qui en étaient tout heureux. On était très contents de nous. Et on se faisait aussi à la narcose, on s'habituait à cette sensation d'ébriété qu'on éprouvait au moment d'atteindre l'épave.

Quelques jours plus tard, on effectua une troisième plongée afin d'explorer l'avant. Il reposait à soixante-dix mètres de fond, et lorsqu'on arriva à sa hauteur je ressentis vivement la narcose. Je m'agrippai à mes instruments sans quitter des yeux les cadrans, histoire de m'assurer que tout était normal du côté de l'alimentation en air. J'avais du mal à me concentrer, je le voyais bien. On partait en plongée avec mille kilos d'air et j'aimais remonter avec un reste de cinq cents, puisqu'il nous fallait près de onze minutes pour rejoindre la surface.

L'épave était incroyablement belle. Ce devait être notre dernière plongée. Il me restait plus de cinq cents kilos d'air, et on avait encore un peu de temps devant nous. Je décidai de montrer à ma sœur une minuscule gorgone sur l'un des mâts, à soixante mètres de fond. On alla donc y jeter un coup d'œil, puis il fut l'heure de repartir. Je consultai ma montre : les quatre minutes étaient écoulées, on approchait maintenant des cinq minutes. Je vérifiai l'air : il n'en restait que trois cents kilos.

Je paniquai. Trois cents ! Ça ne me suffirait pas pour remonter. Que s'était-il passé ? J'avais sans doute mal lu.

Je jetai à nouveau un coup d'œil : deux cent cinquante.

J'étais vraiment mal barré. Je ne pouvais pas remonter en quatrième vitesse. Ça ne ferait qu'augmenter le risque du mal des caissons. Je ne pouvais pas non plus retenir ma respiration ; je ne couperais pas à l'embolie. Et il n'était pas question de respirer moins souvent, car tout le problème de l'azote était qu'il fallait l'exhaler.

Je jetai un œil en direction de la surface – que je ne pouvais voir, à près de soixante mètres au-dessus de moi. Soudain, je ressentis le poids de toute cette eau au-dessus de moi, ainsi que ma précarité. Alors même que j'étais sous l'eau, cela me donna des sueurs froides. Je ne savais pas que c'était possible.

Il n'y avait pas une seconde à perdre ; plus on est profond, plus la consommation d'air est rapide. On s'empressa de remonter.

La règle, c'est de remonter d'une vingtaine de mètres par minute, ce qui nous ferait trois minutes pour regagner la surface – mais ça ne me ferait aucun bien. J'étais sous l'eau depuis trop longtemps, et la surface était maintenant dangereuse pour moi, peut-être mortelle. Il fallait que je reste sous l'eau le plus longtemps possible. Or, avec quatre-vingt-dix kilos d'air seulement, je ne pouvais pas y rester sept minutes de plus.

On s'arrêta pour la première décompression à sept mètres. Ma sœur, qui ne consommait jamais tant d'air, me montra sa jauge. Il lui restait quatre cent cinquante kilos d'air. Pour ma part, j'en étais à soixante-dix. Elle me demanda par signe si je voulais partager avec elle.

C'est quelque chose qui se fait dans les cours de plongée. J'avais eu de nombreuses occasions de le faire. Cette fois-ci, j'étais pris de panique. Je ne pensais pas être capable d'expulser l'air de ma bouche, de mettre son embout et de le lui rendre. J'avais beaucoup trop peur.

Au temps pour le cours de plongée.

Je lui fis signe que non.

On remonta à trois mètres et on resta en suspension dans l'eau, juste sous la surface, en nous retenant à des branches de corail. J'essayai de me dire que les arrêts de décompression étaient doublés et, de toute façon, pas vraiment nécessaires. En fait, on avait dépassé les limites de non-décompression, mais pas de beaucoup. Peut-être une minute, peut-être moins.

Impossible de me convaincre que tout allait bien : la seule chose qui était claire, c'est que j'avais été un foutu imbécile de jouer aussi serré et de me mettre ainsi en danger. Je pensais à tous mes amis qui avaient souffert du mal des caissons et à la manière dont ça s'était passé. Toujours la même histoire. Un peu de laisser-aller, un peu de négligence, un peu de paresse. Ils n'avaient pas fait attention.

Exactement mon histoire.

Je gardai les yeux braqués sur le manomètre, observant l'aiguille qui baissait lentement. Dans ma tête, il avait les dimensions d'une soucoupe. J'en voyais chaque éraflure, chaque imperfection. J'observai les infimes fluctuations, les infimes pulsations de l'aiguille à chaque respiration. L'aiguille indiqua vingt-cinq, puis quinze. Jamais je n'étais tombé aussi bas. Je remarquai une toute petite vis dans le manomètre, une vis d'arrêt pour empêcher l'aiguille de passer sous zéro. Je continuai à respirer en remuant les bras pour m'assurer que la combinaison ne collait pas. Je parvins tout juste au bout des six minutes de décompression. L'aiguille toucha la vis d'arrêt.

La réserve était à sec.

À la surface, ma sœur me demanda si tout allait bien. Je répondis que oui, mais j'avais la frousse. J'imaginais que tout allait bien, mais je n'en aurais pas la certitude avant quelques heures. Je regagnai ma chambre et fis une petite sieste. Dans l'après-midi, je me réveillai avec une sensation de fourmillement.

Ouah !

C'était l'un des signes du mal des caissons. Je restai au lit et attendis.

La sensation de picotement, de fourmillement ne fit qu'empirer – d'abord aux bras et aux jambes, puis également à la poitrine. Je sentais le picotement grimper le long du cou, remonter... gagner la figure...

C'était plus que je n'en pouvais supporter. Je sautai du lit et me précipitai dans la salle de bains. Je n'avais pas de médicaments, mais il fallait que je fasse quelque chose, au moins prendre un cachet d'aspirine. Quelque chose.

Je me regardai dans la glace. Mon corps s'était couvert d'étranges éruptions roses. Un genre d'eczéma de contact.

Je retournai au lit et sombrai dans le sommeil. J'échappai au mal des caissons.

À ce qu'il me semble, la cause de l'eczéma était le savon de l'hôtel.

En plus de dix ans de plongée, je n'avais jamais eu le moindre problème. Mais au cours de mes vacances à Bonaire, j'ai eu par deux fois en deux semaines de sérieux soucis.

Sur le coup, j'y vis de simples accidents. Pas de chance ! Plus d'un an passa avant que je ne commence à réfléchir sur la logique de mon comportement, sur le fait qu'à plusieurs reprises j'avais pris des risques toujours plus audacieux, jusqu'à me retrouver dans une situation critique. Lorsque, enfin, je pris conscience de ce que je faisais, j'en fus alarmé. Impossible d'échapper à la conclusion : à un certain niveau, pour une raison ou pour une autre, je cherchais à me tuer.

Pourquoi aurais-je envie de me tuer ? Je ne trouvais pas d'explication à ce qui m'arrivait à cette époque. Mon travail marchait bien. J'avais mis fin à une histoire d'amour malheureuse, mais cela remontait maintenant à plusieurs mois et je n'y pensais plus. Dans l'ensemble, j'étais plein d'entrain et optimiste.

Reste que la logique était bien celle-là. À plusieurs reprises, j'avais joué les casse-cou sans avoir une conscience claire de la logique sous-jacente.

Mais étais-je vraiment inconscient ? Parce que, en y repensant, je me souvins de quelques soucis étranges, peu caractéristiques, au cours de mon séjour à Bonaire. Pour quelqu'un en vacances, j'avais été d'humeur inhabituellement chagrine. Je craignais qu'on ne remplisse mes bouteilles d'un air avarié. Que les restaurants ne me servent de la nourriture empoisonnée. Qu'un accident d'auto ne me coûte la vie... alors que les routes étaient presque désertes, les restaurants immaculés, les magasins de matériel de plongée tenus avec le plus grand soin. À l'époque, je m'étais dit que ces peurs n'avaient strictement aucun fondement. Force m'était maintenant de reconnaître que ce n'étaient pas des peurs, mais des désirs déguisés.

En tout état de cause, je n'avais pas su rassembler les pièces du puzzle au cours de mon séjour à Bonaire, et je sortis de cet épisode avec un respect plus grand que jamais pour la force de l'esprit inconscient. Ce que j'avais démontré, à mes yeux tout au moins, c'était que je me trompais du tout au tout en me complaisant dans l'idée que d'une certaine façon, fortuite, automatique, je savais ce que je faisais.

La reconnaissance d'une motivation inconsciente m'obligea à évaluer mon comportement par des méthodes autres que l'introspection ordinaire, car ce que je crois faire à un moment donné n'est très certainement pas ce que je fais. D'une certaine façon, il me fallait prendre un peu de recul.

Une voie consacrée par le temps est de s'en remettre aux impressions d'une personne extérieure : un ami, un associé, un thérapeute. Mais on peut aussi essayer d'altérer son état de conscience, pour passer à ce qu'on appelle parfois l'« état de témoin ». Ces états méditatifs ne m'intéressaient pas à cette époque. Mais je tombai sur une autre technique utile pour des raisons entièrement différentes.

Autour de 1974, on commença à s'intéresser beaucoup aux rythmes circadiens, aux rythmes quotidiens du corps humain et de ses hormones. On avait découvert que la plupart des êtres humains ne suivent pas un rythme précis de vingt-quatre heures, mais que le cycle habituel était légèrement plus long ou plus court, ce qui voulait dire que tantôt on était synchrone avec le jour, tantôt on ne l'était pas.

De même, on se penchait avec un regard neuf sur le cycle de la menstruation. En Angleterre, le bruit courait que la notion de syndrome prémenstruel allait être consacrée par la loi. Et il était notoire que de nombreuses femmes avaient des sautes d'humeur au moment des règles, ou que leur comportement en était altéré.

Je commençai à me demander s'il n'y aurait pas aussi un cycle menstruel chez l'homme. Ou quelque chose d'équivalent. Après tout, il y a des analogies physiques entre les sexes : le scrotum et les lèvres, les testicules et les ovaires, le pénis et le clitoris, etc. Il me semblait peu probable que les femmes suivent un cycle hormonal mensuel complexe et qu'on n'ait aucune trace de cycle semblable chez les hommes.

C'était un travail d'endocrinologue. Quant à moi, ce n'étaient pas les hormones qui m'intéressaient. Ce que je voulais savoir, c'était s'il y avait dans mes humeurs des cycles dont je n'avais pas conscience. Mais comment en suivre les vicissitudes ?

Je demandai à un ami neurobiologiste, Arnold Mandell, comment tenir une chronique objective d'une humeur subjective. Parce que le danger est naturellement de faire surgir des données, sans le vouloir, une logique artificielle. Arnold m'expliqua que la meilleure façon était de prendre un agenda et de corner le haut de la page quand le moral était bon et le bas quand il était à zéro. Ce que je commençai à faire.

Utilisant un agenda, je commençai à noter également mes réflexions. J'avais toujours pensé que tenir un journal était un signe d'affectation tout juste bon pour les émules de Benjamin Franklin. Mais puisque je le faisais dans une autre intention, il n'y avait rien à redire.

Au bout de quelques semaines, je relus mes notes avec stupeur. Rien ne trouvai grâce à mes yeux ! J'enchaînais vacherie sur vacherie, à tout propos.

Je ne me croyais pas particulièrement hargneux, mais de toute évidence je l'étais. Je me mis à examiner plus attentivement mon humeur au cours de la journée. Il semblait bien que j'étais péremptoire et vindicatif, même quand je n'en avais pas l'intention. Je décidai donc de faire amende honorable et de me corriger. L'entreprise se révéla étonnamment difficile.

J'ai eu beau faire et réessayer de temps à autre, je n'ai jamais pu détecter un cycle mensuel dans mes changements d'humeur. Par la suite, j'ai même mis au point un programme informatique afin d'enregistrer mes réactions sur un écran blanc. Je soupçonne encore qu'il existe un cycle de ce genre, peut-être bimensuel, s'étalant sur sept ou huit semaines, mais je n'en ai pas fait la démonstration.

En revanche, j'ai compris tout l'intérêt qu'il y avait à tenir un journal, et j'ai continué depuis. J'ai relu l'*Autobiographie* de Benjamin Franklin et je me suis rendu compte qu'il tenait la chronique de sa vie pour les mêmes raisons que moi. Le plus observateur des hommes, le plus doué de sens pratique s'était rendu compte que tenir un journal intime au jour le jour était la seule façon de savoir ce qu'il faisait vraiment.

Pahang

Je me pris d'intérêt pour le sultan de Pahang, souverain du plus grand et du plus riche État de Malaysia. J'avais dans l'idée d'écrire sur lui et je m'étais laissé dire que les festivités organisées à l'occasion de son anniversaire valaient le coup d'œil : courses de chevaux sur les terres du palais, danses indigènes, sans oublier une cérémonie au cours de laquelle ses sujets empoisonnent rituellement les poissons du fleuve et les ramassent en vue d'un dîner spécial. Tout cela semblait exotique à souhait. Par le consulat de Malaysia à Los Angeles, j'appris que le sultan fêtait son anniversaire fin mai, et une semaine avant le jour J je m'envolai pour Singapour dans l'idée de trouver quelqu'un qui m'aiderait à assister à la réception en qualité de journaliste. À défaut, je resquillerais.

Je jubilais à l'idée de resquiller à l'occasion de l'anniversaire du sultan de Pahang. Je racontai à tout le monde ce que j'avais en tête. Ça semblait tellement excentrique, tellement audacieux.

Par malheur, sitôt arrivé à Singapour, j'appris que l'anniversaire du sultan ne tombait pas en mai. C'était celui de l'*ancien* sultan, mort depuis plusieurs années. Son fils, l'actuel sultan de Pahang, fêtait son anniversaire le 22 octobre. J'avais cinq mois d'avance.

Je me sentais un peu idiot. Toute la question était de savoir ce que j'allais faire, maintenant que j'étais à Singapour. Anniversaire ou non, je décidai d'explorer un peu la province de Pahang et j'appris qu'il y avait un parc national en pleine jungle, à Taman Negara. Je fis le nécessaire pour m'y rendre en une semaine. C'était le temps qu'il fallait aux autorités malaises pour traiter ma demande, parce qu'elles combattaient encore la guérilla communiste dans cette région.

Mon ami Don, chez qui je logeais, me parla de la guérilla. Don était un avocat international, mais il était allé au Viêt-nam pendant la guerre.

– Maintenant, en cas d'embuscade, me dit-il, tu sais quoi faire.

Je répondis que non, je n'en savais absolument rien.

– Si ton véhicule est pris dans une embuscade, tu cours dans la direction du feu.

– Ah bon ?

Ça ne paraissait pas logique.

– Oui, fit Don. Tu sors de ta bagnole et tu fonces vers le feu.

– Pourquoi ?

– Parce que voilà ce qu'ils font : ils mettent deux gars d'un côté de la route, qui ouvrent le feu. Tout le reste de la troupe est massé de l'autre côté, s'attendant à ce que tu sortes du côté opposé du véhicule. Et quand tu sors, tu es à découvert : voilà comment on se fait descendre.

J'essayai de me mettre ça dans la cervelle. Courir vers le feu.

– Probablement que ça n'arrivera pas, mais c'est le genre de choses qui sont bonnes à savoir... À propos, tu as pensé à ta boussole ?

– Non, dis-je. J'aurai un guide.

– Bon sang, ne va jamais dans la jungle sans boussole ! Et tâche de te procurer une carte digne de ce nom. Ce ne sera pas facile, mais tâche d'en dégotter une à Kuala Lumpur.

– OK. Je vais m'en occuper.

– C'est pas tout ça, tu sais comment faire avec les sangsues ?

Don en savait un rayon. Il me prodigua ses conseils jusqu'à une heure avancée de la nuit. Je me sentis de nouveau tout fringant. J'achetai une boussole et une carte et m'envolai pour Kuala Lumpur afin de faire connaissance avec mon guide. C'était un jeune biologiste chinois qui s'appelait Dennis Yong. On se mit en route le jour même.

Voici comment on va à Taman Negara.

À Kuala Lumpur, la capitale moderne de la Malaysia, on loue une jeep et on se met en route. Pendant les trois premières heures, on suit une route goudronnée à deux voies à travers la montagne de brousse. Puis les deux voies ne font plus qu'une, puis c'est un chemin de terre et pour finir un sentier de boue. Après une demi-journée de voiture, le sentier s'arrête devant un fleuve, à un endroit qui s'appelle Kuala Tembeling. Kuala veut dire « embouchure », et la plupart des villages se trouvent à des confluents.

À Kuala Tembeling, on prend un long bateau fuselé équipé d'un moteur hors bord et on remonte le Tembeling. C'est un fleuve d'une incroyable tranquillité ; on passe devant des villages parsemés de coins de brousse. Au fil des heures, les villages se font plus rares, la jungle plus envahissante. Pour finir, il n'y a plus le moindre village. Juste la brousse.

Au bout de trois heures, le bateau accoste à Kuala Tahan. J'y découvre plusieurs bâtiments de béton, assez laids : un restaurant, et quatre ou cinq pavillons. On est à Taman Negara, l'ancienne retraite privée du sultan de Pahang, désormais offerte à la nation qui en a fait un parc.

Je n'étais encore jamais allé dans la brousse. Assurément, je ne m'étais jamais autant éloigné de la civilisation. L'endroit est très confortable et Dennis n'est jamais en défaut. Et pourtant je me sens tellement *loin* de tout ce que je connais. Jamais je n'avouerais que j'ai la frousse, mais je l'ai.

On se rend aussitôt à l'affût le plus proche, non loin des pavillons. Dennis me dit qu'à Taman Negara il y a des tigres, des rhinocéros et des éléphants, mais que les bêtes sont farouches et qu'on les voit rarement. Il ne faut pas faire de bruit, sans quoi les animaux n'approcheront pas.

Sur la piste, à travers la jungle, Dennis me fait signe de me taire. À compter de maintenant, plus un mot. On grimpe une volée de marches de bois et on s'installe dans l'affût. Une cabane de bois surélevée, avec des fenêtres étroites qui donnent sur une clairière : au milieu de celle-ci, un pain de sel autour duquel on reconnaît les empreintes d'une multitude d'animaux. Pour l'instant, je n'en vois aucun.

On attend, sans parler.

Ça m'est très facile de la fermer. J'ai passé des années à écrire, sans jamais ouvrir la bouche. Le silence ne me gêne pas. On observe une clairière avec une saunière et on attend les animaux.

Bientôt arrive un couple d'Anglais. Ils s'installent dans l'affût à côté de nous, mais ils parlent. Je mets mon doigt sur les lèvres. « Oh, désolé ! » s'excusent-ils à voix basse, et ils ne disent plus un mot pendant une trentaine de secondes. Puis ils se remettent à chuchoter. Je me dis que ce doit être de la première urgence, mais ce n'est pas le cas. Pure jacasserie. Je ne suis pas du genre emmerdeur, mais je les prie de bien vouloir se tenir tranquilles. Dennis leur explique qu'aucun animal ne viendra s'il ne règne pas un silence absolu dans l'affût. Vexés, ils protestent que de toute façon il n'y a pas d'animaux. Ils gardent le silence pendant deux minutes, puis l'un d'eux tambourine des doigts sur le banc tandis que l'autre triture le chaume de l'affût. Ils se mettent ensuite à fumer et très vite à chuchoter, puis à parler à voix basse et enfin sur un ton ordinaire.

Quand ils surprennent mon regard, ils se taisent de nouveau, puis le cycle reprend. Je me rends compte qu'ils *ne savent pas* se tenir tranquilles. Ils sont *incapables* de silence. Ils veulent voir des animaux, mais ils ne sont pas fichus de la fermer assez longtemps pour les laisser approcher. Je les observe, tout ébahi : on dirait un genre d'incontinence. Ils ne sauraient plus où se mettre si on ne leur avait pas appris à ne pas faire sous eux, mais ça ne les gêne pas de ne pas savoir observer le silence plus de quelques secondes.

Ils finissent par s'en aller. Dennis et moi restons seuls à l'affût. Une heure passe, et toujours aucun animal.

On retourne à l'affût après le dîner. La nuit est un spectacle impressionnant, parce que le ciel assombri s'illumine d'éclairs de chaleur silencieux, inondant d'une lumière vacillante et bleutée le terrain qui s'étend devant nous.

Le vacarme règne dans la jungle à l'entour. Les criquets poussent un cri strident auquel font écho les borborygmes des crapauds et des grenouilles. Le hululement abrupt, cassant, d'un hibou se propage en écho à travers la vallée.

Vers dix heures, les bruits se font plus sourds. À minuit, le calme est revenu. Toujours pas d'animaux : au lit !

Je suis au pavillon n° 5. Dennis me raconte que c'était celui du sultan, quand il séjournait ici. C'est déjà ça, pensai-je. Au moins j'aurais dormi dans le pavillon du sultan.

Le lendemain, on se remet à l'affût dans la jungle. Dans la brousse, les sentiers ont plus de trois mètres de large. Dennis m'explique que c'est indispensable parce que la jungle a tôt fait de tout recouvrir. En chemin, on aperçoit des gingembres rouges, des rotangs tout en pointe et, de-ci de-là, de petites orchidées. Mais, pour l'essentiel, le paysage est d'un vert monotone, très foncé, et il règne une chaleur d'enfer.

Dennis m'a promis qu'on verrait des gibbons, et on les entend hurler de tous côtés dans la voûte de feuillage que forment les arbres au-dessus de nous, un genre de « cow-wow » très particulier. Je les entends aussi écraser les branches, mais je ne les vois pas. Avec mes jumelles, je finis par repérer au loin quatre formes noires dont la silhouette se détache sur le ciel. Les branches s'agitent et les voilà partis. J'ai vu mes gibbons. Je ne les verrai jamais mieux.

On s'est éloignés de quelques mètres de la piste pour essayer d'avoir une meilleure vue. En me retournant, je m'aperçois que je suis entouré de fougères et de plantes plus grandes que moi. Où qu'on se tourne, on n'y voit pas à plus de quelques pas. Je suis complètement perdu.

Dennis rit et me reconduit sur la piste.

En marchant, il me raconte que les *orang asli*, les aborigènes de la forêt malaise, peuvent marcher des semaines durant dans la jungle, sans jamais se perdre. Dennis a fait de longues expéditions avec eux, des marches de plusieurs centaines de kilomètres, et au retour, des semaines plus tard, les aborigènes retrouvent sans difficulté les mêmes campements.

Je demande comment ils font. Dennis hoche la tête. Il ne sait pas. Il a passé beaucoup de temps dans la jungle, mais il assure n'en avoir pas la moindre idée. Il faut avoir grandi ici, ajoute-t-il. Comme une ville où l'on a toujours vécu et qu'on connaît comme le fond de sa poche.

Il attire mon attention sur des curiosités que je ne verrais pas autrement : un petit scorpion niché dans un arbre en putréfaction et des sangsues qui gigotent comme des vers le long de la piste. Dennis lui-même marche pieds nus. Les sangsues ne s'attaquent jamais à l'éclaireur, assure-t-il. Elles réagissent à la vibration. Le premier passe sans problème, et c'est le deuxième et le troisième qui se tapent les sangsues. Je baisse les yeux et j'en vois une qui rampe dans mes lacets. Dennis me dit de ne pas m'inquiéter : si elle est encore là plus tard, il me montrera ce qu'il faut faire. Si elle est encore là plus tard !

Sous les arbres, l'air est chaud et humide. Je suis en nage. De temps à autre, au détour de la piste, on a une vision plus large de la jungle. Les arbres sont tous saupoudrés d'un mince voile de couleur : rouge et jaune, blanc et rose. Un flanc de coteau dans cette jungle ressemble à une colline du Vermont à l'automne, mais avec des couleurs plus pâles, délavées. Dennis explique que c'est la saison sèche et que les arbres sont en fleurs. D'où ce saupoudrage de couleurs. J'aperçois des milliers de fleurs minuscules.

Après une heure de marche, nous voici enfin arrivés au point de vue qu'on cherchait. Je suis épuisé, affreusement fatigué, et ravi d'une petite halte. On s'arrête, et je découvre aussitôt l'une des conséquences de tous les arbres en fleurs.

Les abeilles.

Cette immense jungle est en fleurs, et il y a des milliers et des milliers d'abeilles. Je ne les avais pas remarquées en marchant, mais maintenant que je suis arrêté, les voilà qui fondent sur moi. Pendant que je fais des photos, elles s'agglutinent sur mon appareil et sur mes mains. Je baisse les yeux : j'en ai aussi sur les bras et mon T-shirt en est couvert.

Dennis me conseille de ne pas m'affoler. C'est le sel de ma transpiration qui les attire. Si je reste calme et que je ne fais pas de gestes brusques, elles ne me piqueront pas. C'est tout ce que j'ai besoin d'entendre et je me détends aussitôt. Je n'ai pas particulièrement peur des abeilles et je ne suis pas non plus allergique. Je ne vais pas me faire du mauvais sang pour quelques malheureuses abeilles. C'est une expérience intéressante en son genre.

Il en arrive encore.

Je les sens grouiller sur mes joues et sur mon front. Je les sens dans mes oreilles et j'entends le vrombissement de leurs ailes. Je les vois qui grouillent sur la monture de mes lunettes. J'en ai les paupières qui me démangent. Elles s'agglutinent sur mes lèvres. Je suis à cran. J'ai envie de hurler.

Rien d'autre à faire pour me retenir de crier. Elles sont maintenant si nombreuses sur mes verres de lunettes que c'est à peine si je vois encore Dennis. Il est lui aussi couvert d'abeilles et il me regarde en souriant.

– C'est toi qu'elles préfèrent. Beau et salé !

J'essaie de contrôler ma respiration, d'éviter les secousses sous l'effet de la panique. Je fais ce qu'il faut, je me retiens mais, malgré tout, à tout moment je risque de me mettre à hurler.

– Ça t'embête, les abeilles ? demande Dennis.

– Un peu.

– Si ça t'embête, on peut se remettre en marche et elles déguerpiront.

Mais pour l'instant je suis trop fatigué. Je dois supporter les abeilles encore quelques minutes de plus. Et alors que je les vois grouiller sur moi, sous mon T-shirt, jusque sous les aisselles, dans ma nuque, entre mes doigts, que je les sens partout, je me rends compte que je m'attends à être piqué. Si seulement j'étais certain qu'elles ne me piqueraient pas, je pourrais me détendre.

– Elles ne te piqueront pas, me répète Dennis. Elles veulent juste te lécher. Elles sont très gentilles.

Je n'arrive pas à imaginer qu'elles ne vont pas me piquer. Elles forment maintenant une véritable croûte : elles sont tellement nombreuses que je sens leur poids.

Et je n'ai toujours pas été piqué. Baissant les yeux, je vois ma poitrine transformée en tapis d'abeilles qui montent et descendent. L'envie m'est passée de prendre des photos : de toute manière, avec toutes ces abeilles, je n'y vois pas assez bien.

– Prêt à repartir ? demande enfin Dennis.

– Oui.

On se remet en marche, lentement. Les abeilles s'éclipsent, une par une. Quelques instants plus tard, de retour sur le sentier, j'en suis débarrassé.

Je n'ai jamais été piqué.

Cet après-midi-là, je rencontrai des *orang asli* de la tribu des Semai : des hommes petits, trapus, de type négroïde, avec des cheveux bouclés, très différents d'allure des Malais et des Chinois qui constituent la majorité de la population. Ils me trouvent drôle tellement je suis grand.

Un homme semble cuisiner des ongles dans un récipient. On m'explique qu'il prépare du poison. Les Semai recueillent de la sève d'Ipoh qu'ils font bouillir avec des ongles et des têtes de serpent – mais Dennis m'assure que les têtes de serpent sont un ingrédient rituel qui n'est pas nécessaire à l'efficacité. Le poison dont on enduit la pointe des flèches produit des convulsions mortelles chez des animaux aussi gros que des singes.

Dans le voisinage, un autre homme fait mijoter du tabac chinois en le remuant. Les Semai préfèrent le fumer ainsi.

Les hommes semblent crispés. Dennis m'explique qu'ils sont toujours un peu paranos, parce que, jusqu'en plein XXe siècle, les Malais les tiraient pour le plaisir. On raconte que des sultans malais grimpaient sur le capot de leur Bentley pour tirer dans la jungle les petits hommes de la forêt.

D'après Dennis, les chamans aborigènes sont très respectés ; souvent, des Malais en vue viennent les consulter quand ils tombent malades. Les Semai donnent à leurs chamans le nom de *berhalak*, « ceux qui peuvent entrer en transe ». Jusqu'à un certain point, tout le monde est donc chaman, mais seuls les plus doués deviennent des chamans accomplis qui combattent les mauvais esprits et guérissent les gens. Une personne est généralement appelée à devenir *berhalak* par un rêve de tigre, et les chamans les plus puissants passent généralement pour des hommes-tigres.

Les Semai attachent de l'importance aux rêves : ils discuteront à fond les rêves, même ceux d'un petit enfant, suscitant et encourageant d'autres rêves. Ils sont persuadés de pouvoir les contrôler.

Cette nuit-là, on dort dans un affût à un demi-kilomètre de Kuala Tahan. Cette distance, si modeste soit-elle, de la civilisation est excitante. Cette nuit, je vais voir un tigre. J'en ai la certitude. Je le sens. Je veille des heures durant à regarder les éclairs de chaleur qui illuminent le paysage. Pas de tigre en vue.

Dans la matinée, je me réveille transi de froid. Dennis est sorti. Je regarde la saunière par la fenêtre. Il est penché, en train d'examiner les empreintes dans la boue.

– Des traces de cochons sauvages, dit-il. On les a manqués.

Un cochon sauvage, ce n'est pas très excitant. À part moi, je suis ravi de m'être endormi au lieu de passer toute la nuit à guetter un cochon !

– Pas de tigre ?

– Non, pas cette nuit.

En bateau, nous remontons les rapides jusqu'à Kuala Terengganu, où nous apercevons un varan sur la rive et un calao qui vole au-dessus de sa tête. Puis nous remarquons au bord de la rivière des traces de tigre. Tout le monde est ravi, mais pour ma part je suis, si c'est possible, encore plus frustré. Je vois des signes de tout, jamais la chose elle-même.

De Kuala Terengganu on avait prévu de remonter un cours d'eau, mais les bateliers me disent que la saison sèche est trop avancée et qu'on ne pourra pas passer.

Toujours frustré de n'avoir pas vu de tigre, je suggère d'essayer quand même.

Avec un haussement d'épaules, ils me préviennent qu'on n'ira pas bien loin.

J'insiste.

Ils haussent les épaules en souriant et on se met en route. Presque aussitôt, on tombe sur un rapide à sec. Il faut porter le bateau pour continuer. On sort, on traîne le bateau, on remonte, on racle le fond caillouteux, on avance tant bien que mal sur une centaine de mètres, jusqu'à un nouveau rapide à sec. De nouveau on sort et il faut porter le bateau. La troisième fois, je dis que ça ne rime à rien de continuer. L'eau est trop basse.

Ils haussent les épaules et sourient. Demi-tour. Personne ne pipe mot.

Sur le chemin de retour, je me prends d'un intérêt nouveau pour les empreintes de tigre et je veux m'arrêter pour les examiner. Mais les remous provoqués par notre passage en bateau ont effacé les traces.

Ce soir-là, après le dîner, je regagne mon pavillon dans l'obscurité avec Dennis. Il promène sa torche en direction des bois et dit :

– Mat est ici.

– Mat ?

Deux yeux brillants, une silhouette sombre et massive par terre.

– Oui. Avec un petit.

Je vois une seconde paire d'yeux.

Dennis avance et je le suis. Bientôt je me rends compte que Mat est une biche, tranquillement assise sur le sol. Elle est pleine. Comme on s'approche, Mat se redresse. Un mètre quatre-vingts. La belle n'est pas effarouchée de nous voir avancer.

– En malais, m'explique Dennis, « Mat » veut dire « vendredi ». C'est un vendredi, il y a des années, que cette biche s'est égarée dans les baraquements. Les villageois l'ont nourrie, elle est restée. Et quand elle a eu des petits, quelques-uns sont venus eux aussi dans le campement.

– C'est à cause de Mat qu'ils n'ont pas de chèvres ici, reprend Dennis. Dans tous les villages, les Malais aiment bien élever des chèvres pour les manger, mais quand Mat est arrivée ici, ils se sont aperçus qu'elle n'aimait pas les chèvres et qu'elle les frappait jusqu'à ce que mort s'ensuive.

– Alors qu'est-ce qu'ils ont fait ?

– Ils ont cessé d'élever des chèvres.

– Mais puisqu'ils aiment tant les chèvres...

– Je sais bien. Mais Mat est venue, et ils n'ont plus jamais eu de chèvres.

L'histoire de Mat et des villageois finit par symboliser à mes yeux le voyage. Les villageois avaient trouvé sur leur chemin une biche, et la biche était restée. Du coup, ils avaient cessé de manger leur mets favori. Voilà tout.

J'imaginais des tas d'autres solutions. J'aurais aménagé un enclos pour chèvres. J'aurais essayé d'habituer Mat aux chèvres. J'aurais élevé des chèvres dans un village voisin et je les aurais fait venir à la dernière minute. J'aurais acheté un congélo pour mettre la viande en réserve. Peut-être même que j'aurais découragé Mat de revenir.

Bref, là où je me serais battu, les villageois avaient tout simplement accepté la situation et continuaient à vivre comme si de rien n'était.

Je commençai à me rendre compte que je n'en étais pas à ma première leçon de ce genre.

Les abeilles : je ne les aimais pas, mais je devais les supporter. Il n'y avait rien d'autre à faire.

La rivière à sec : je voulais remonter le courant, mais il n'y avait rien à faire.

Les animaux absents : ça ne me plaisait pas de ne pas les voir, mais que faire ?

Je ne pouvais pas faire pleuvoir. Je ne pouvais pas remplir les rivières, ni empêcher la jungle de fleurir, ni faire surgir les bêtes sauvages.

Ce n'était pas dans mes capacités et j'étais bien obligé de l'accepter. Tout comme j'étais bien obligé de me résigner à ce couple qui n'arrêtait pas de blablater.

En fait, je commençai à me rendre compte que si eux ne pouvaient s'empêcher de parler, je souffrais quant à moi d'un problème autrement plus grave. Je ne pouvais pas me retenir de vouloir tout régenter autour de moi – y compris le couple. Je ne savais pas me contenter des choses telles qu'elles étaient. J'étais un homme de la ville et de la technologie, habitué à faire advenir les choses. Combien de fois ne m'avait-on pas dit et redit qu'il fallait se démener ? Rester les bras croisés n'était ni plus ni moins que de la passivité. Quelle honte ! J'avais toujours vécu en ville, épaule contre épaule avec d'autres gens qui se battaient. Tout le monde se battait pour quelque projet : un mariage, un boulot, une augmentation, un enfant, une nouvelle bagnole, une nouvelle vie, une nouvelle situation. Toujours autre chose !

Voilà plus de trente ans que je m'agitais dans tous les sens, et au moment où je commençai enfin à craquer, où j'essayai de tout contrôler dans ma vie, dans mon boulot et dans mon entourage, je me retrouvai une semaine durant dans la jungle malaise, allant de situations en situations sur lesquelles je n'avais strictement aucun contrôle. Et devant lesquelles je serais à jamais démuni. Les événements s'étaient chargé de me rappeler que j'avais mes limites – des limites assez grandes, dans l'ordre général des choses – et que même si je le pouvais, il ne rimait à rien d'essayer de tout régenter.

De retour chez moi, je me sentis beaucoup mieux. Pas vraiment reposé comme on peut l'être à la fin des vacances, mais fondamentalement mieux. Je mettrais du temps à comprendre pourquoi.

À Los Angeles, personne ne savait où était la Malaisie et les gens me demandaient ce que j'étais allé y faire. Je ne me lassai pas de leur parler d'une biche qui s'appelait Mat et des villageois qui avaient cessé de manger de la chèvre. Ce n'était pas très spectaculaire, comme histoire, et elle laissait tout le monde perplexe. Et moi, je me demandais bien pourquoi je ne cessais de la répéter. Qu'est-ce que peut bien cacher cette histoire de biche et de villageois ? Et, un beau jour, j'eus la réponse.

Dix ans après mon voyage à Pahang, je rédigeai ces notes à Los Angeles. Puis je me changeai pour aller prendre de l'exercice.

Au gymnase-club, je m'aperçus que j'avais le même T-shirt bleu que je portais dans la jungle dix ans plus tôt, quand je m'étais retrouvé couvert d'abeilles. J'avais toujours eu un faible pour ce T-shirt, maintenant passé de couleur. C'était l'une des fringues les plus vieilles de ma garde-robe.

En rentrant, je le balançai au vide-ordures.

Trop c'est trop ! L'une de mes façons de tout régenter, c'était de m'accrocher trop longtemps aux choses. Mon passé est trop présent dans ma vie. Je décidai en conséquence de balancer mon T-shirt. Ça me semblait être un pas dans la bonne direction.

Un éléphant attaque

En 1975, Loren et moi étions descendus à la ferme des Craig, une réserve de plus de quinze mille hectares dans le nord du Kenya. Nous nous étions connus l'année précédente et nous vivions maintenant une idylle passionnée. Un voyage en Afrique semblait être une idée magnifique. Nous avions choisi cet endroit parce que j'avais envie de me promener parmi les animaux, ce qui est illégal dans les réserves nationales de gibier.

J'avais fait des études d'anthropologie à la fac et, après de si longues années d'études théoriques, j'espérais avoir un aperçu direct, si bref fût-il, de ce que pouvait être la vie d'un chasseur primitif dans la savane africaine. Je me voyais déjà pister les bêtes sauvages, m'en approcher dangereusement, jusqu'à voir les muscles tressaillir sous la peau, pour examiner de près leur comportement. Puis, à quelque signal inconnu – peut-être une erreur de ma part, un craquement de brindille desséchée –, des têtes ombrageuses se redresseraient brusquement, aux abois ; les animaux effarouchés regarderaient à l'entour puis détaleraient bruyamment.

Eh bien, ce ne fut pas du tout comme ça.

Les animaux me voyaient à quatre cents mètres et s'éloignaient paisiblement. Si j'avançais furtivement de quelques pas, ils reculaient d'autant. Jamais je ne pus les approcher à moins de quatre cents mètres. Jamais l'occasion ne me fut donnée de les voir inquiets, encore moins apeurés. Jamais ils ne relevèrent brusquement la tête, aux aguets. Ils me jetaient plutôt un coup d'œil de temps à autre, d'un air las, remarquaient mon approche pathétique et s'en allaient.

William Craig, qui m'accompagnait, m'expliqua que chaque animal maintenait une distance caractéristique par rapport à l'homme. Un genre de périmètre invisible : si on le franchissait, l'animal s'éloignait de quelques pas de manière à rétablir la distance. Pour la plupart des animaux, c'étaient quelques dizaines ou centaines de mètres.

On passait la journée à se promener dans les plaines, au milieu des zèbres, des girafes et des antilopes, avec le sommet enneigé du mont Kenya en toile de fond. C'était très excitant, mais aussi terriblement frustrant.

De toute évidence, se glisser auprès d'une girafe, comme j'avais vu des pygmées le faire au cinéma, était infiniment plus difficile que je ne l'avais imaginé. Les girafes n'étaient pas aussi bêtes qu'elles en avaient l'air ; elles avaient une excellente vue, et elles avaient tendance à se mêler aux zèbres qui, eux, avaient un excellent odorat. Je commençai à comprendre que chasser des animaux à l'approche était toute une technique – un peu comme le saut à la perche : ça paraissait facile quand on voyait les autres à l'œuvre, mais si on s'y essayait, on allait au-devant d'une belle surprise.

Ce jour-là, rien ne se passa comme je l'avais prévu. Je découvris que les zèbres galopent comme des chevaux mais aboient comme des chiens : que l'aboiement est leur bruit caractéristique. Au demeurant, ce ne fut pas très varié comme spectacle. Ni lions ni éléphants, rien de bien excitant.

Et tous semblaient si indifférents à notre présence que ça en devenait exaspérant. Je ne les effarouchais pas, je les ennuyais. Pour tout dire, c'était un peu blessant. Je prenais tout comme si c'était lié à ma personne, alors que les animaux, dans leur cadre naturel, semblaient si impersonnels : au fond, je ne les *intéressais* pas.

C'est dans cet état d'esprit que je regagnai dans la soirée le camp de Lamu Downs, où je devais passer ma première nuit à la belle étoile sous le ciel africain. Je n'avais encore jamais campé, sauf une fois à onze ans, dans le camp de scouts du Nassau County, sur Long Island. On était à des années-lumière de l'Afrique.

Les Craig nous expliquèrent, à Loren et à moi, comment les choses se passaient : les lits de camp, les lampes à gaz qui chuintaient, la douche en plein air installée à l'arrière de la tente, et ainsi de suite. Le luxe ! Je me sentais très à l'aise.

Puis on alla dîner sous la tente-réfectoire et les Craig parlèrent de leur ranch et des animaux qu'on y trouvait. Ils étaient préoccupés parce que, bien que ce fût la saison sèche, la sécheresse avait duré longtemps et que les éléphants avaient disparu. D'habitude, il y avait toujours quelques éléphants dans le ranch. Or cela faisait des semaines qu'on ne les avait pas vus. On continua à bavarder et à manger tandis que l'obscurité tombait.

Le dîner terminé, je regagnai ma tente avec Loren. Il faisait nuit noire. D'autres questions avaient germé dans mon esprit. L'une portait sur les animaux sauvages. Ces mêmes animaux sauvages que je n'avais pas pu approcher dans la journée pouvaient bien venir me visiter dans la nuit.

Les Craig s'esclaffèrent. Non, non, dirent-ils, les animaux ne viennent jamais dans le campement la nuit. Bien sûr, un jour, à leur réveil ils avaient découvert un gros rhinocéros endormi dans les braises du feu de la veille, mais ce n'était pas courant.

Ça voulait dire quoi, pas courant ? J'aurais bien voulu savoir.

Je n'avais pas encore remarqué avec quelle facilité ces gens s'employaient à vous rassurer tout en se rétractant aussitôt.

Très peu courant, affirmèrent-ils. Les animaux ne venaient presque jamais vous embêter. Naturellement, il y avait à l'occasion un singe qui poussait des cris perçants dans un arbre et qui vous empêchait de dormir – des trucs de ce genre. Mais des animaux au sol, ça, jamais !

Déjà, j'avais la tête ailleurs. La toile de ma tente me paraissait bien fragile si un rhino venait roupiller juste à côté. Et un animal qui entrait dans la tente, ça ne s'était jamais vu ?

Oh non ! Jamais. Sauf, bien sûr, cette fois où un léopard avait déchiré la toile de ses griffes. La dame s'était réveillée terrorisée, et ses cris perçants avaient fait fuir le fauve. Mais il y avait une raison particulière. Ils ne se souvenaient pas de quoi exactement. Les gens avaient de la nourriture dans leur tente, ou la femme avait ses règles – en tout cas une raison particulière. Ce n'était pas comme si un léopard venait lacérer votre tente sans raison.

– Vraiment ?

– Vraiment, répondirent les Craig qui commençaient à se lasser de leur petit jeu. Vraiment, aucun animal ne vient rôder autour du campement la nuit. Les animaux n'aiment pas tourner autour des gens et ils ne viendront pas. De toute façon, vous voyez ces lanternes ?

Ils nous montrèrent du doigt trois lampes-tempête disposées autour des tentes. Elles étaient allumées toute la nuit, et leur lumière tenait les animaux à l'écart. On pouvait s'y fier. Jamais aucun animal ne vient rôder autour des tentes. En plus de ça, vous voyez ce cours d'eau ? On surprend parfois un animal égaré de ce côté-là. Jamais de ce côté-ci, où se trouvent les tentes, les lanternes et les gens.

– Dormez-bien, lancèrent-ils d'une voie joyeuse. Bonne nuit !

Je m'enfermai dans ma tente avec Loren et on se mit au lit. Loren avait souvent campé dans son enfance et la perspective de dormir sous une tente au milieu des bois n'était pas pour l'effrayer. Pour ma part, en revanche, j'étais beaucoup trop nerveux pour dormir. Je lus un moment, espérant ainsi m'assoupir.

Je restai parfaitement réveillé, l'oreille tendue.

Il n'y avait pas le moindre bruit. Un calme absolu. Une cigale, un léger souffle de vent à travers les acacias. À part ça, le silence. Sur son lit, en travers de la tente, Loren s'était retournée pour échapper à la lumière. Je voyais son épaule monter et descendre régulièrement. Elle ne peut quand même pas s'endormir comme ça !

– Hé ! chuchotai-je. Tu vas dormir ?

– C'est la nuit, non ?

– Tu es fatiguée ?

– Couche-toi donc, Michael.

– Je ne suis pas fatigué.

– Alors ferme les yeux et fais comme si tu l'étais.

J'entendis quelque chose à l'extérieur, un genre de bruit.

– Hé ! T'as entendu ça ?

– Ce n'est rien. Je vais dormir, Michael.

Peu de temps après, Loren ronflait. Je l'enviais de pouvoir ainsi sombrer sans effort dans l'inconscience.

Quant à moi, j'avais besoin de pisser.

Je préférai me retenir. Il n'était pas question de sortir de la tente en pleine nuit. En plus de ça, la tente qui servait de latrines était à l'autre bout du campement.

Le temps passant, mon besoin se fit de plus en plus pressant. Il fallait faire quelque chose. Je jetai un coup d'œil sous le lit pour voir s'il y avait un pot de chambre. C'étaient des Britanniques, on ne savait jamais. Pas de pot de chambre. Je fis jouer les différentes fermetures Éclair pour voir s'il y avait moyen de pisser sans quitter la tente. Rien.

Bon sang, Michael, mais reprends-toi ! entendis-je une voix me dire. De quoi as-tu peur ? Du noir ? Qu'est-ce que tu t'attends à trouver dehors ? Tu es ridicule. C'est pas plus mal que Loren se soit endormie, car elle perdrait tout respect pour toi. Un grand garçon comme toi qui a la frousse de sortir de la tente pour aller pisser !

Et une autre voix me disait : Écoute, tu n'as pas besoin d'aller bien loin. Tu t'éloignes juste de trois pas et ça suffira. Et pense un peu comme tu te sentiras mieux après !

Impossible d'attendre une seconde de plus ! J'enfilai mes espadrilles, baissai la fermeture Éclair de la tente en retenant ma respiration et pointai ma tête dehors.

Il faisait nuit noire. Les lanternes qui étaient censées rester éclairées toute la nuit avaient disparu. Et il n'était même pas minuit.

On aurait cru un personnage de dessin animé, avec ma tête qui sortait de la tente, et les muscles de mon cou qui me faisaient mal tellement j'étais tendu, guettant, écoutant, observant...

Rien. Il n'y avait absolument rien. Aucun bruit, aucun animal, aucune âme qui vive. Mes yeux se faisaient à l'obscurité et je ne voyais toujours rien. Je m'aperçus que je retenais ma respiration depuis un moment. Je sortis d'un bond et me postai juste à côté des cordes de la tente pour me soulager, puis je regagnai la tente en quatrième vitesse et tirai la fermeture Éclair derrière moi.

Sain et sauf !

Je parcourus la tente du regard. Loren dormait et respirait doucement. J'étais ébahi qu'elle y arrive. Elle dormait aussi détendue que si elle était quelque part, bien au chaud, dans une petite chambre d'hôtel.

Je l'enviais, mais, d'un autre côté, c'était important que *quelqu'un* reste en alerte, là, dans la brousse. J'éteignis la lumière et m'allongeai sur le dos, tout éveillé, attentif au moindre bruit. Toujours rien.

C'était le calme le plus absolu. Et il était près de minuit.

Bien malgré moi, je commençai à avoir sommeil quand soudain j'entendis très nettement un *craquement* sec. Le bruit d'une branche écrasée sous des pas. Puis j'entendis un bruit fracassant. Quelque chose de gros qui traversait la brousse.

On aurait dit un éléphant.

Tout près.

Loren dormait toujours paisiblement.

Je tendis l'oreille. Il y eut un temps de silence, puis le craquement reprit. Un rythme lent, exactement comme un pas d'éléphant. En tout cas, c'était sacrément gros et sacrément près !

J'écoutai encore un moment, puis, n'y tenant plus, j'appelai Loren à voix basse.

– Hé ! Tu dors ?

– Hein, fit-elle tout endormie en se retournant sur le dos.

– Hé ! Écoute ! *Y a quelque chose dehors !*

Elle se réveilla aussitôt, s'appuyant sur ses coudes, aux aguets.

– Où ça ?

– Là, dehors ! Quelque chose de gros ! On dirait un éléphant !

Elle se laissa retomber sur le dos.

– Michael ! Tu as entendu ce qu'ils ont dit. Ça fait des semaines qu'ils n'ont pas vu d'éléphants.

– Mais *écoute* !

On écouta ensemble, un bon moment.

– Je n'entends rien.

Elle était visiblement contrariée.

– Pourquoi chuchoter ? demanda-t-elle, parlant maintenant d'une voix normale.

– Je te jure ! dis-je à mon tour à voix haute. J'ai entendu quelque chose.

Il y eut alors un nouveau craquement. Très net et très fort. Loren se redressa aussitôt.

– Qu'est-ce que c'est, à ton avis ?

– Un éléphant ! dis-je dans un murmure.

– Tu l'as vu ?

– Non.

En fait, l'idée d'essayer de repérer d'où venait le bruit ne m'était pas venue à l'esprit.

– Je ne pense pas que ce soit possible. Toutes les lanternes sont éteintes. Il fait nuit noire dehors.

– Prends la torche.

On avait une torche puissante sous la tente.

– OK. Où elle est ?

– Juste à côté du lit.

– OK.

Nouveaux fracas. Ou mes oreilles me jouaient des tours, ou la source de ces bruits était maintenant tout près, à quelques pas de là.

Je rampai jusqu'à la fermeture Éclair avec la torche. Je soulevai légèrement le rabat de ventilation équipé d'une moustiquaire et braquai la torche vers l'extérieur. Mais la toile réfléchissait la lumière. Je n'y voyais rien.

– Qu'est-ce que tu vois ?

– Rien.

– T'as qu'à ouvrir la fermeture Éclair !

– Pas question.

– Qu'est-ce que t'as ? T'as peur ?

– Oui !

– OK, soupira-t-elle. C'est moi qui vais le faire.

Elle sortit du lit, me prit la torche des mains et rampa jusqu'à l'auvent. Elle baissa la fermeture Éclair d'une vingtaine de centimètres.

Nouveaux craquements dehors.

– On dirait que c'est tout près, chuchota-t-elle, hésitante.

J'attendais.

Elle ouvrit encore d'une vingtaine de centimètres, promena la torche à l'extérieur l'espace de quelques secondes puis referma la glissière et éteignit.

– Alors ?

– Je n'ai rien vu. Je crois qu'il n'y a rien.

– Mais alors, qu'est-ce qui fait ce bruit ?

Le fracas, le bruit de branches qui craquent continuait. Toujours tout près.

– Je crois que ce n'est rien, reprit Loren. C'est le vent.

– Ce n'est pas le vent!

– C'est bon, alors vas-y voir toi-même!

Je pris la torche. Je m'approchai de la glissière. J'entendis de nouveau des craquements intermittents.

– À ton avis, qu'est-ce que c'est? demanda-t-elle en tendant l'oreille.

– Je crois que c'est un éléphant.

– Mais tu as entendu ce qu'ils ont dit, ça ne peut pas être un éléphant. Ce doit être autre chose, un gros oiseau dans les arbres ou je ne sais quoi.

Je baissai la glissière d'un bon mètre et sortis la torche. Le faisceau rond perçait l'obscurité. Je le promenai à l'entour. Je vis des branches d'arbre. Puis je vis dans le faisceau une forme ronde et brune, avec des trucs velus suspendus devant la chose ronde. Je ne comprenais pas ce que c'était.

Puis je saisis : *j'avais devant moi un œil immense.* Les trucs velus, c'étaient les cils. L'éléphant était si près que son œil occupait tout le faisceau. Il était juste à trois mètres de moi. Il était énorme. Il mangeait des broussailles et de l'herbe.

– Un sacré éléphant, chuchotai-je en éteignant la torche.

Je me sentais étrangement calme.

– Tu plaisantes! Un éléphant? Tu l'as vu?

– Oui.

– Pourquoi t'as éteint?

– Je n'ai pas envie de le contrarier.

Je me disais que ça ne ferait peut-être pas plaisir à l'éléphant d'avoir un faisceau braqué dans l'œil. Je n'avais aucune envie de le voir piétiner la tente sous l'effet de la colère ou de la panique. Je ne savais rien des émotions des éléphants, mais pour l'instant celui-ci me semblait paisible, et on n'avait pas intérêt à changer ça.

Loren sauta du lit et prit la torche.

– Laisse-moi voir? Où il est?

– T'inquiète pas, tu ne peux pas le louper.

Elle sortit la torche. Son corps se raidit.

– Il est *juste ici.*

– Qu'est-ce que je t'ai dit?

C'était plus fort que moi. J'avais raison depuis le début. Il y avait bien un éléphant.

– Mais alors qu'est-ce que c'est cette histoire, qu'ils ne traversent jamais la rivière et tout ça?

– J'en sais rien. Tout ce que je sais, c'est qu'il y a un énorme éléphant dehors, juste devant notre tente.

– Qu'est-ce qu'on va faire?

– J'en sais rien.

– Tu crois qu'il peut nous faire du mal ? Moi, je ne crois pas. Loren avait l'habitude de poser les questions et d'y répondre elle-même sans laisser à quiconque le temps de donner un avis ou de formuler une objection.

– Je n'ai aucune idée de ce qu'il va faire.

– Tu crois qu'on devrait se tailler ?

– Je ne crois pas. Je ne crois pas qu'on devrait quitter la tente.

– Peut-être par l'arrière, du côté de la douche ?

– Je ne crois pas.

– On pourrait appeler à l'aide. Les autres tentes sont à deux pas de là.

– On risquerait de l'affoler. Et, de toute façon, qu'est-ce qu'on dirait ?

– On dirait y a un éléphant devant notre tente !

– Et qu'est-ce qu'ils feraient ?

– J'sais pas, mais ils doivent savoir que faire quand il y a un éléphant devant la tente des touristes.

– Je crois que crier ça risquerait de l'affoler.

– Peut-être qu'on pourrait essayer de lui faire peur.

– On fait pas vraiment le poids.

– Alors que faire ? demanda-t-elle.

Pendant qu'on discutait stratégie, l'éléphant piétinait tranquillement les broussailles devant la tente, il mangeait et se déplaçait de son pas lent et pesant. Il n'avait pas l'air effarouché. Et toutes nos solutions semblaient impraticables.

Je me remis au lit.

– Qu'est-ce que tu fais ?

– Je me mets au lit, répondis-je, très calme.

– Y a un éléphant dangereux juste à côté et, comme ça, tu te mets au pieu !

– Y a rien à faire, alors autant dormir.

Ce que je fis. Je m'endormis presque tout de suite en entendant l'éléphant écraser les broussailles.

Le lendemain matin, après le petit déjeuner.

– À propos, j'ai aperçu un éléphant devant ma tente la nuit dernière.

– Un éléphant ? Impossible ! Ça fait quelque temps qu'on n'en a pas vu à cause de la sécheresse, et de toute façon les animaux ne s'aventurent jamais de ce côté-ci de la rivière.

– Eh bien, il était juste devant ma tente.

Il y eut un silence embarrassé. Si mal informé soit-il, l'explorateur en herbe paie l'addition et il faut respecter les formes. Quelqu'un toussa, comme si j'avais pu me tromper.

– Non, dis-je. C'était vraiment un éléphant. Et un gros.

– Si on allait jeter un coup d'œil, vous voulez bien ? demanda alors mon accompagnateur, Mark Warwick, un brillant naturaliste de vingt-trois ans.

Tout le monde se leva pour aller inspecter le terrain devant ma tente. C'était plein de crottes d'éléphant, qui passent difficilement inaperçues, et il y avait des empreintes circulaires dans la terre meuble. Chacune avait la taille d'une grande écuelle !

– Vous savez quoi, dirent-ils, y a bien eu un éléphant ici la nuit dernière !

– Et sacrément balaise ! ajouta quelqu'un d'autre.

– Il est venu jusqu'à la tente. Il ne vous a pas dérangés, si ?

– Oh non, fis-je. Pas de problème.

– Vous avez bien dormi ?

– Oui, oui, comme un ange. Ça ne m'a pas du tout inquiété.

La vérité, c'est en effet que *j'avais* très bien dormi – dès que j'avais cessé de me faire du souci. J'étais impressionné par la brutalité de mon revirement : une hystérie que j'avais peine à maîtriser avait fait place au calme et au détachement sitôt que j'avais vu l'œil géant. Comment était-ce possible ?

Longtemps, je crus que c'était à cause de mon sens pratique. J'étais quelqu'un qui, voyant un éléphant devant sa tente, envisage toutes les possibilités – détaler, appeler à l'aide, faire peur à l'animal – et, les ayant toutes écartées, a le bon sens d'aller se coucher.

Mais je m'aperçus par la suite que tout le monde est comme ça. Personne n'est à l'abri. Il est facile de céder à la panique et à l'hystérie quand on ne sait pas. Et si j'ai un cancer ? Et si mon boulot est menacé ? Et si mes gosses se droguent ? Et si je perds mes cheveux ? Et si je me retrouve nez à nez avec un éléphant ? Si, si, si...

Et si je me retrouve face à un truc terrible et que je ne sais pas comment m'y prendre ?

Et cette hystérie disparaît toujours à l'instant où l'on est disposé à entendre la réponse. Même si la réponse est ce que l'on redoutait depuis le début. Oui, vous avez le cancer. Oui, vos gosses se droguent. Oui, il y a un éléphant devant votre tente. Oui...

La question est alors de savoir que faire. Les émotions qui s'ensuivent ne sont pas forcément très agréables, mais l'hystérie s'arrête. L'hystérie va de pair avec le refus de voir ce qui se passe vraiment ; elle le conforte. On croit qu'on a peur de regarder, alors qu'en fait c'est de se fermer les yeux qui nous effraie. À l'instant où l'on regarde les choses en face, on cesse d'avoir peur.

Il n'est pas facile de savoir à l'avance ce qu'on va faire dans une situation donnée. Je me souviens, c'était en 1968, je me préparais à la plongée sur un bateau dans les îles Vierges. Un homme était en train de passer son équipement. Ça m'intéressait, parce qu'il était moniteur de plongée et qu'en règle générale les moniteurs ne s'encombrent pas de matos. Pour finir, il s'attacha un couteau au mollet. J'avais toujours vu des plongeurs le faire, sans jamais comprendre pourquoi.

– Excusez-moi, mais pourquoi vous prenez un couteau ?

– Oh, vous savez ! Au cas où.

– Au cas où quoi ?

– Au cas où il se passerait quelque chose.

– Du genre ?

– Des fois qu'on se prendrait dans les cordages et qu'il faudrait se libérer.

– Ah bon ? Ce sont des choses qui arrivent ?

– Ouais, dans une épave, on plonge dans une épave, et on s'emmêle les pinceaux.

– Mais y a pas d'épaves par ici.

– Je sais, mais c'est toujours bon d'avoir un couteau sur soi. Tu vois un truc qui te plaît, un bout de corail ou je ne sais quoi, tu le coupes et tu le rapportes.

– Mais c'est un parc sous-marin protégé ici ; il est interdit de prendre quoi que ce soit.

– Je sais. Mais y a aussi d'autres raisons.

– Du genre ?

– La défense.

– La défense contre quoi ?

– Tout ce qu'on peut rencontrer au fond. Mettons, des requins.

C'était un couteau dont la lame ne dépassait pas vingt-cinq centimètres. J'essayai d'imaginer un combat sous-marin.

– Ce couteau vous servirait à quelque chose contre un requin ?

– Tout à fait !

– Vous croyez que ça lui couperait la peau ? Les requins ont la peau sacrément épaisse.

– Ouais, bien sûr. Ça lui couperait la peau.

– Vous croyez que vous pourriez le tuer avec ça ?

– Ouais, pas de problème.

– Mais pour poignarder un requin, il faut être sacrément près, n'est-ce pas ? Le requin serait vraiment tout près.

– Eh bien, c'est comme ça qu'ils font, vous savez.

– Je sais. Mais le problème c'est que, lorsqu'on voit un requin, il ne faut pas se tailler pour aller se mettre en sécurité. Il faut s'avancer et se rapprocher de lui pour l'attaquer au couteau.

– Je m'en garderais bien.

– Ah bon ?

– Ouais. Je ferais demi-tour. Certain. Le couteau, c'est juste *au cas où*, au cas où il me suivrait.

– S'il vous suit, vous essayez de le poignarder ?

– En fait, non. Probablement que je lui frapperais le museau avec le manche. Vous savez, les requins sont très sensibles du museau. En général, un petit coup, et ils déguerpissent.

– Mais pourquoi ne pas le frapper avec votre caméra ? demandai-je en montrant du doigt un gros truc à ses pieds. Vous l'aurez de toute façon à la main, et c'est beaucoup plus facile de frapper un requin avec une grosse caméra qu'avec un manche de couteau de rien de tout.

– Ouais, c'est probablement ce que je ferais.

– Alors pourquoi emporter le couteau ?

– On ne sait jamais, dit-il. Et il plongea.

Ça ne se discute pas.

Plus tard, quand la plongée fut terminée et que tout le monde fut remonté à bord, il détacha le couteau dont il ne s'était pas servi.

– Vous savez, j'ai beaucoup réfléchi à ce que vous m'avez demandé, pourquoi j'emporte un couteau. Vous savez pourquoi ?

– Pourquoi ?

– Parce que je me sens plus en sécurité.

Ça ne se discute pas non plus.

– Du moment que j'ai le couteau sur moi, je me sens prêt à n'importe quoi.

– Mince ! Tous les requins que j'ai vus m'ont paru si gros, si puissants et si rapides que je ne crois pas que je me sentirais plus en sécurité avec un petit couteau sur moi.

Il leva soudain les yeux vers moi.

– Parce que vous avez vu des requins ?

Un jour, à Bora Bora, je plongeais avec mon frère. Il y avait deux autres plongeurs à bord, un homme et son fils de dix ans. Le gamin étant trop petit, on plongeait dans la lagune plutôt que dans le récif extérieur.

Le père ne pouvait s'empêcher de parler des requins. « Et s'il y a des requins dans les parages ? » demandait-il à tout bout de champ.

« Aucun danger, il n'y a aucun souci à se faire », ne cessait-on de répéter. En fait, la lagune était infestée de requins à pointe blanche.

On les voyait tout le temps ; en plongée, à dix mètres de la plage, on ne voyait que ça.

Et le type qui disait : « Allons, fiston, t'inquiète pas des requins », il était nerveux, son débit était rapide, ses mains tremblaient. Quant au gamin, il ne se souciait pas du tout des requins. Il ne pensait qu'à une chose : il allait plonger.

Ils ont été les premiers à plonger.

– J'espère que ce mec va tenir le coup, me dit mon frère.

Parce qu'il allait très certainement apercevoir des requins au fond.

On a plongé de notre côté pour aller voir la tête des coraux. Un peu plus tard, on a vu notre bonhomme qui ramenait son fils à la surface. Le gosse avait épuisé sa réserve d'air. Puis le type a remis ça pour aller fureter au milieu des coraux et prendre des photos au flash.

Un requin passa tout à côté. Je retins ma respiration, m'attendant à voir le type paniquer. Mais il ne l'avait pas vu. Il était trop occupé par ses photos.

D'autres requins pointèrent leur museau. À sa gauche, à sa droite, au-dessus de lui, au-dessous : au total, il a bien dû en croiser une douzaine en l'espace de dix minutes.

– Belle plongée, pas vrai ? dit-il, de retour au bateau.

– Magnifique !

– Grâce à Dieu je n'ai pas vu de requins, reprit-il. Je ne sais pas ce que j'aurais fait si j'en avais vu.

Kilimandjaro

– Sept contre un, me dit le guide.

– Sept contre un que quoi ?

– Que vous ne faites pas le sommet du Kilimandjaro. J'ai sondé les gars, et ils sont sept à penser que jamais vous n'y arriverez.

C'était la fin de l'après-midi, dans notre campement du cratère de Ngorongoro, en Tanzanie. J'approchais de la fin d'un safari de quinze jours en Afrique avec mon guide, Mark Warwick. La prochaine étape devait être l'ascension du Kilimandjaro. Jusque-là, je n'y avais pas vraiment pensé.

– Curieux, dis-je à Mark. Et toi, comment as-tu voté ?

– J'ai voté non.

– Alors, comme ça, tu ne penses pas que j'y arriverai, toi non plus.

– Non.

– Tu as déjà fait le Kilimandjaro ?

Il hocha la tête.

– Je ne suis pas fou. J'ai entendu les histoires de gens qui sont revenus.

– J'ai entendu dire que c'était un enfantillage, répondis-je, une promenade de santé jusqu'au sommet.

– Eh bien, il y a beaucoup de gens qui ne la finissent pas, la promenade. Ne te fais pas d'illusions. C'est sacrément difficile de crapahuter à plus de 5 000 mètres.

Ce n'était pas l'impression que j'avais eue quelques mois auparavant, en feuilletant des guides africains pour préparer mon voyage. Les bouquins se contentaient de dire que le fameux Kilimandjaro était un volcan équatorial éteint avec un large cône de scories en pente, ce qui voulait dire que, même si c'était le plus haut sommet d'Afrique, on n'avait qu'à marcher jusqu'au sommet, sans avoir à s'encombrer d'un attirail spécial ni avoir besoin d'une connaissance particulière de l'alpinisme. Le Kilimandjaro étant sur l'équateur, le climat était plus doux que sur les sommets comparables ailleurs. L'ascension tenait de la routine ; des milliers de gens la faisaient chaque année. En règle générale, cela demandait cinq jours, et la première agence de voyages venue se faisait un plaisir de vous arranger le coup. Ça avait tout l'air d'une partie de plaisir.

Assis par terre, dans ma maison de Los Angeles, avec des guides ouverts tout autour de moi, j'avais dit à Loren :

– Hé ! Regarde-moi ça, on peut faire l'ascension du Kilimandjaro. Ça te dit ?

– Bien sûr, dit-elle. Pourquoi pas ?

J'avais donc appelé mon agence de voyages pour dire que je voulais faire le Kilimandjaro, et on m'avait répondu : Pas de problème ! On le ferait après le safari. Surtout, ne pas oublier d'emporter des chaussures de montagne et un parka.

Je n'avais encore jamais fait d'escalade, mais j'avais une paire de crampons que je m'étais procurés pour tourner un film quelques années plus tôt. Je les avais portés une semaine dans le désert et, dans mon souvenir, ils m'allaient parfaitement : pas très grands, mais OK. J'avais un vieux parka du temps de Boston. Je pris également un pull et un jean supplémentaires, l'agence m'assurant que tout le reste serait fourni sur place.

S'il s'agissait simplement de marcher, je me disais que c'était à ma portée. Je jouais au tennis toutes les semaines ou presque et je n'étais pas trop fatigué. Mais, par simple précaution, je décidai de réduire ma consommation de tabac et de bière dans les deux derniers jours du safari. Simple précaution.

À l'heure où le fond de l'air se rafraîchissait et où le soleil se couchait, une imposante procession de gnous traversait le cratère du Ngorongoro. Or voici que, troublant la quiétude du crépuscule africain, mon guide, le chasseur blanc qui nous accompagnait depuis quinze jours, Loren et moi, dans notre tour d'Afrique, venait me dire que les hommes qui tenaient le camp et lui avaient conclu que jamais je n'arriverais au sommet du Kilimandjaro.

Je le regardai d'un air étrange, comme s'il était mal informé.

– Je ne pense pas que ça pose de problème.

– T'as déjà été en altitude ?

– Bien sûr, fis-je en fouillant dans mon passé.

Quand j'étais môme, j'avais fait les glaciers du Canada. J'étais allé voir des parents à Boulder, dans le Colorado. Bien sûr que oui, j'avais été en altitude.

Je ne pensais pas que c'était toute une affaire.

– Six mille mètres, c'est quelque chose, renchérit Mark en hochant la tête. Ce genre d'altitude, ça change tout.

– Hum, hum, fis-je vaguement.

Je persistais à penser qu'il était mal renseigné, ou en tout cas qu'il y avait quelque chose qui lui échappait. Mark prit mon hésitation pour de l'inquiétude.

– Allons, t'inquiète pas, dit-il en riant et en me donnant une tape sur l'épaule. Je plaisantais.

– C'est pas vrai.

– Je t'assure que si.

– Tu paries quoi ?

– Écoute, Michael. Ce n'était qu'une plaisanterie. Tu prends tout ça beaucoup trop au sérieux.

Je persistai.

– Je parie un dîner quand je serai rentré à Nairobi, dis-je, en donnant le nom d'un restaurant français dont il avait parlé – un restaurant cher et bon.

Mark accepta le pari.

– Parfait ! Mais maintenant, comment on va vérifier que tu vas bien jusqu'en haut ?

– Tu crois que je raconterais des bobards ?

Il leva les mains.

– Je me demande simplement comment je saurai. Un pari est un pari. Comment tu le prouveras ?

– Eh bien, il y aura les photos. Je ferai des photos.

– Elles ne seront pas encore développées.

– Je les ferai développer à Nairobi pour toi.

En fait, on ne faisait pas de tirage couleur à Nairobi. Il fallait envoyer la bobine en Angleterre et bien compter deux semaines.

– Je demanderai son témoignage au guide ou à quelqu'un d'autre.

– Et les faux témoignages, tu connais ?

– Bon, alors c'est Loren qui te dira si j'y arrive ou pas.

– C'est vrai, fit-il en hochant la tête. Elle, elle me dira si tu y es allé ou pas.

Accord conclu : à mon retour à Nairobi, si Loren disait que j'avais fait le Kilimandjaro, c'est lui qui inviterait à dîner.

Une pensée me vint alors à l'esprit.

– Et si Loren n'y arrive pas ?

Mark me fit un signe de tête.

– Six contre deux qu'elle arrivera au sommet. On se fait pas de souci pour elle. C'est pour *toi* qu'on s'inquiète.

– Super !

L'hôtel Marangu se trouvait au pied de la montagne. La gérante était une vieille femme charmante, une Allemande. L'hôtel était une ancienne ferme, spartiate et fonctionnelle; apparemment, il n'avait d'autre raison d'être que de servir d'escale aux touristes qui s'apprêtaient à faire l'ascension. Je me laissai dire qu'il y avait plusieurs hôtels de ce genre dans la région.

Loren prit un bain et me fit remarquer qu'il y avait toute l'eau chaude qu'on voulait.

– Ouais, fis-je. Ils ont intérêt. Quand les gens redescendent de montagne, ils doivent avoir sacrément envie d'eau chaude, non mais sans blague!

Tandis qu'elle prenait son bain, j'allai me promener dans le jardin derrière l'hôtel. On était en début de soirée. Cela faisait deux jours qu'on s'approchait du Kilimandjaro, mais je ne l'avais pas encore vu à cause de la brume. On ne le voyait toujours pas, mais au milieu des roses du jardin une petite photo traitée à la gomme-laque, au sommet d'un piquet de bois, représentait la montagne et la route qui y conduisait. Si bien que je crus, en examinant la photo, que le Kilimandjaro était probablement juste devant moi.

Je regagnai ma chambre d'hôtel et expliquai à Loren que j'étais un peu frustré de ne pas apercevoir la montagne que j'allais escalader le lendemain. Apparemment, ça lui était bien égal. Ce côté abstrait de l'aventure ne l'intéressait pas.

Ce soir-là, dans la salle à manger avec son parquet ciré, nous étions seuls avec une famille d'Américains, installée à la table voisine : un homme et sa femme avec leur fils, un adolescent. Ils ne disaient pas grand-chose et avaient l'air un peu hébétés, mais leurs mouvements, leur façon même de se servir de leur cuiller pour avaler leur soupe trahissaient une économie de gestes peu ordinaire. À coup sûr, ils avaient traversé une épreuve.

Ils descendaient de la montagne, j'en étais sûr.

– Et alors, dit Loren, pourquoi tu ne leur demandes pas comment c'était?

La veille du départ, la question nous hantait. On était déjà tout excités, mais notre ébullition s'accordait mal avec cette torpeur proche de l'hébétude de nos Américains. J'attendis qu'ils se lèvent et passent devant notre table pour leur demander s'ils revenaient du Kilimandjaro.

– Oui, répondirent-ils. Cet après-midi.

– Vous êtes tous allés au sommet? demanda Loren.

Ils y étaient tous allés.

– Aucun membre de votre groupe n'est resté en rade?

Ils n'en étaient pas sûrs, mais ils avaient entendu parler d'un groupe d'étudiants anglais d'un autre hôtel qui était parti en même temps qu'eux. Plusieurs étudiants avaient déclaré forfait et étaient revenus sur leurs pas. Quelques-uns avaient mal supporté l'altitude.

À aucun moment, cette hébétude qu'on lisait dans leurs yeux ne les quitta. Impossible de dire s'ils étaient éreintés ou déçus, ou s'il s'était produit une chose bizarre dont ils ne parlaient pas.

– Alors, dis-je brusquement, comment c'était ? L'escalade ?

Ils marquèrent un temps de pause. Personne ne semblait avoir envie de répondre à cette question. Ils échangèrent un regard. Et, finalement, c'est la femme qui répondit que c'était bien. Une belle escalade.

– Dure ?

À certains endroits. Le quatrième jour n'avait pas été facile. Le reste du temps, ça pouvait aller.

Le ton monotone, le manque d'empressement me troublèrent. On était très curieux de ce qui leur était arrivé, mais ils n'avaient aucune curiosité à notre égard. Ils ne demandèrent pas d'où on venait, ni si on allait faire l'escalade. Ils ne nous donnèrent aucun tuyau, rien qui puisse nous rassurer. Ils se bornèrent à répondre à nos questions, sans ajouter un mot. Puis le silence retomba, ils nous souhaitèrent bonne nuit et se retirèrent.

– Hum, fit Loren en les regardant s'éloigner.

– Je me demande bien à quoi on doit s'attendre.

– Je crois qu'ils étaient simplement fatigués, conclut Loren.

J'eus un sommeil agité et me réveillai juste avant l'aube. Je sortis dans le jardin glacial. La brumasse s'était un peu dissipée et pour la première fois je vis, suspendu au-dessus des roses, le grand cône blanc du Kilimandjaro. Son profil était si ample que j'en fus un peu déçu. J'avais imaginé un panorama plus proche du cône spectaculaire du Fuji que de cet arc blanc débonnaire qui s'étendait maintenant sous mes yeux. Je ne fis pratiquement aucune photo tant il me sembla quelconque.

Par ailleurs, le Kilimandjaro semblait sans risque. Il m'évoquait plus le sein d'une matrone qu'une montagne. Et cela m'encourageait. Que pouvait-on bien redouter ?

L'Allemande nous donna quelques indications. On eut la surprise de découvrir qu'on n'était pas les seuls à y aller. Il y avait six autres personnes. On nous pria de nous partager en groupes de quatre, parce que les refuges de nuit étaient faits pour héberger quatre randonneurs. Loren et moi allions donc faire équipe avec un avocat de

Californie, Paul Myers, et un chirurgien suisse du nom de Jan Newmeyer. Tous deux étaient des alpinistes chevronnés, mais l'un et l'autre avaient une dizaine d'années de plus que moi. J'avais l'impression d'être capable de les suivre. Quant à Loren, elle ne se faisait pas de souci : elle avait vingt-deux ans et elle était en pleine forme.

L'Allemande avait toute une batterie de plans, de photos et de cartes. Elle était rompue à ce genre de conférence qu'elle avait donnée d'innombrables fois et s'exprimait d'un ton posé et avec précision. Aujourd'hui, le premier jour, on allait traverser la forêt tropicale jusqu'à 3 000 mètres. Le deuxième jour, on traverserait des prairies jusqu'à 4 000 mètres. Le troisième, on franchirait le col haut et froid, balayé par les vents, entre les deux sommets du Kilimandjaro, et on passerait la nuit dans un refuge à 5 000 mètres, juste à la base du cône de scories. Le lendemain matin, à deux heures, nos guides nous réveilleraient et on commencerait l'escalade, dans l'obscurité, afin d'atteindre le sommet en début de matinée, au moment où le temps est le plus propice, la vue la plus belle. Si on prenait notre temps, tout le monde arriverait au sommet ; il n'y a pas longtemps, expliqua-t-elle, un homme de soixante ans y était arrivé : un peu plus tard que les autres, certes, mais sans difficulté. Surtout, n'oubliez pas qu'au sommet il y a deux fois moins d'oxygène qu'au niveau de la mer. L'essentiel en altitude, c'était donc de prendre son temps. Et elle ajouta avec une insistance particulière qu'on ne devait pas se laisser pousser par les guides : ils proposaient parfois de le faire, mais ce n'était pas un service qu'ils nous rendraient. Elle nous mit en garde contre les dangers du mal des montagnes et nous invita à faire demi-tour sans délai si on avait une toux sèche.

Du sommet, on redescendrait aux refuges, à 4 000 mètres. Et le lendemain, on serait de retour à l'hôtel. Au total, on passerait cinq nuits dehors et on ferait plus de cent dix kilomètres. Les guides et les porteurs étaient des hommes très qualifiés ; si on avait besoin de vêtements supplémentaires, elle nous les porterait dans nos chambres pendant qu'on ferait nos sacs. Elle était sûre qu'on ferait une randonnée agréable et elle nous souhaita bonne chance.

Le groupe part de l'hôtel à vive allure. Des gamins des villages voisins nous accompagnent, jacassent dans un anglais haché, mendient. Le soleil brille, un parfum d'aventure et d'impatience règne dans cette chaude matinée. Je suis terriblement excité. Je n'ai encore jamais rien fait de tel dans ma vie et je suis sûr que l'expérience sera gratifiante.

En moins d'une heure, mon enthousiasme disparaît. Les petits mendiants sont là pour nous rappeler que nous ne sommes pas des pionniers mais plutôt des touristes en route vers un lieu d'attraction renommé. Leur intelligence m'irrite parce qu'ils l'ont aiguisée sur mes prédécesseurs et qu'elle me rappelle que des milliers de gens sont passés par là avant moi.

La brume atmosphérique s'est épaissie; on ne voit plus la montagne vers laquelle on avance. Nous suivons un chemin de terre à travers des villages agricoles déshérités, les vues manquent de charme, et la chaleur est devenue étouffante. Je suis en nage. Mes vêtements m'irritent à la taille, à l'entrejambes et aux aisselles. Mais le pire, c'est que j'ai déjà des ampoules aux pieds alors que ça ne fait pas une heure que je marche.

Je m'arrête au bord du chemin, retire mes souliers et examine mes pieds. Loren me dit que j'aurais dû mettre deux paires de chaussettes, des fines puis des épaisses : du folklore, que je rejette d'un geste de la main ! Aucun problème : je me banderai les pieds tous les soirs. Paul me dit en passant qu'il a de la moleskine si j'en ai besoin. Je le remercie tout en me demandant ce que peut bien être la moleskine. Je n'en avais encore jamais entendu parler.

Je continue à marcher.

Nous pénétrons dans la forêt tropicale sur les contreforts du Kilimandjaro. C'est un cadre magnifique et luxuriant, avec des ruisseaux glougloutants et des arbres immenses couverts de mousse qui nous cachent le soleil. Il fait plus froid ici, et la piste suit un cours d'eau glacé. Des singes caquettent dans les arbres. Je retrouve mon enthousiasme. Mais l'humidité, la buée prise au piège sous une voûte d'arbres, l'eau qui goutte comme s'il pleuvait ont tôt fait de me taper sur les nerfs. Je suis trempé jusqu'aux os. Je ne goûte plus la beauté, je n'apprécie plus l'eau claire qui dévale sur les rochers arrondis. Et mes pieds me font de plus en plus mal.

Si c'était un soulagement d'entrer dans la forêt tropicale, c'en est un de la quitter en début d'après-midi pour pénétrer dans une prairie où l'herbe a deux mètres de haut. Mais je suis maintenant très fatigué – étonnamment fatigué – et le sentier est raide. Je me demande si c'est encore loin. Il n'y a pas de pancartes pour me renseigner, pour nous indiquer à quelle distance sont les refuges. Incapable de prévoir, de régler mon allure, je me sens extrêmement fatigué. Ai-je encore une heure à tenir ? Deux heures ? C'est alors que sur une butte, au-dessus de l'herbe, j'aperçois la charpente géométrique et brune des refuges Mandara en forme de A. Ils sont tout près. Il n'est que quatre heures de l'après-midi. Tout compte fait, je ne suis pas tellement fatigué.

Nous prenons le thé. Paul et Jan sont ici depuis une heure. Ils sont allés beaucoup plus vite. Les refuges sont à 3 000 mètres, si bien que c'est une occasion de ressentir l'altitude. Apparemment, ça ne change pas grand-chose. Je fais le tour des refuges en examinant les lieux. J'ai retrouvé le moral.

Le seul problème, ce sont mes pieds. Ils me font terriblement mal, et quand je retire mes souliers je m'aperçois que j'ai de grosses ampoules au talon et sur le petit orteil aux deux pieds. Je mets des bandages, avale de bonne heure un dîner fait de pain et de ragoût de bœuf en conserve et vais dormir. Paul dit qu'il a toujours du mal à trouver le sommeil en altitude. Je dors mal.

J'appréhende le lendemain.

Le deuxième jour est étonnamment différent. Le premier jour, le paysage était varié – de la savane désertique à la prairie de montagne en passant par la forêt tropicale –, mais il n'y avait pas le moindre panorama. Jamais la moindre orientation : impossible de se faire une idée de l'endroit où l'on était en montagne. Il n'y avait qu'à grimper.

Le deuxième jour, le paysage est fait de pâturages alpins immuables. À une heure du refuge, on découvre soudain la cime du Kilimandjaro avec une parfaite clarté, avec les pentes de volcan zébrées de neige. Je suis tout excité. On s'arrête pour prendre des photos. Ici, au milieu de ces alpages, dans une topographie ouverte, je peux voir où je suis : j'avance sur le flanc d'un cône immense. Mais ce volcan est si large et ses pentes si douces que bientôt on ne voit plus le sommet. Il se trouve quelque part devant, caché derrière des crêtes d'une douceur trompeuse. Une fois encore, dans l'incapacité de voir ma destination, je suis découragé et demande aux guides quand on pourra voir de nouveau le Kilimandjaro.

Invariablement, ils montrent du doigt la terre sous mes pieds, en disant : « C'est Kilimandjaro. » Quand je me fais comprendre, ils haussent les épaules. Ils ne semblent pas comprendre pourquoi je suis tellement impatient de voir la montagne alors que c'est sur elle que je marche.

– Vous voyez le sommet avec la neige demain, finit par dire Julius, notre guide. Demain, toute la journée. Pas aujourd'hui, mais demain.

Je poursuis mon chemin. Il ne fait jamais vraiment chaud aujourd'hui, la marche est agréable, la terre est noire et spongieuse sous nos pieds. À certains endroits on s'enfonce jusqu'aux genoux dans la tranchée creusée par les pas de tous ceux qui sont passés avant nous. Et on aperçoit aussi plus de randonneurs sur les sentiers : apparemment, des alpinistes venus d'autres hôtels. Toutes sortes de gens, de tous les âges. La diversité m'encourage.

Au total, c'est une journée plaisante. Ma seule inquiétude, ce sont mes pieds, qui me font souffrir. Aujourd'hui, j'ai remplacé mes chaussures de montagne par des espadrilles, mais le mal est fait. Et je suis souvent essoufflé. Je m'arrête pour me reposer toutes les quinze ou vingt minutes. Loren ne semble jamais fléchir, mais il est vrai qu'elle a vingt-deux ans, et j'en ai trente-trois. Malgré tout, à mesure qu'on avance dans la journée, je remarque qu'elle apprécie mes fréquents arrêts.

Faute de cime, je cherche les lobélies, dont je me suis laissé dire qu'elles commencent à apparaître autour de 3 800 mètres. Je ne sais pas à quoi ressemblent les lobélies, mais puisque nous sommes au-dessus de la ligne des arbres, chaque espèce curieuse retient mon attention. Je presse les guides de questions : « Lobélies ? Lobélies ? », mais pour toute réponse je n'ai droit qu'à des hochements de tête.

Finalement, alors que nous nous arrêtons pour un casse-croûte tardif, nous nous retrouvons à côté d'une plante vert clair d'un bon mètre de haut avec des feuilles boursouflées, bulbeuses. Julius me confirme que ce sont bien des lobélies.

À chaque pause, les guides et les porteurs s'asseyent et fument des cigarettes. Je n'en crois pas mes yeux. Je halète, j'ai du mal à respirer et je m'arrête toutes les quinze minutes pour souffler. Les lobélies à 3 800 mètres, cela veut dire que j'ai à peine fait la moitié du chemin.

Je commence à me demander si, tout compte fait, je vais y arriver.

Tout le restant de la journée, je n'ai rien d'autre à regarder que les refuges de Horomba où nous passerons la nuit. Lorsque nous y arrivons, je suis extrêmement fatigué et mes pieds me font horriblement mal.

Les refuges en A forment un spectacle étonnant, juchés qu'ils sont sur une corniche de lave noire à 4 000 mètres d'altitude et dominant un banc de nuages. Au crépuscule, l'air est rose et pourpre. J'ai l'impression de marcher à une altitude à laquelle ne parviennent normalement que les avions. C'est grisant. Je suis aussi tout étourdi. Maintenant que je flâne autour du campement, sans être obligé de forcer l'allure comme sur la piste, je comprends à quel point je suis sensible à l'altitude. Même assis, j'ai du mal à respirer. Je me souviens d'une expression de la fac de médecine : la « dyspnée de décubitus », la gêne respiratoire qu'on éprouve en s'allongeant. Je n'avais jamais mesuré à quel point c'est paniquant de ne pas arriver à reprendre haleine.

Je m'interroge sur le mal d'altitude, qui commence à être un problème à cette hauteur. Les poumons se remplissent d'eau. La cause est inconnue, mais si on a une toux sèche ou une migraine, il faut redescendre en quatrième vitesse ou on risque la mort. Je tousse un peu, juste pour voir. Je n'ai pas le mal des montagnes.

Ce sont mes pieds qui me soucient. Je répugne à retirer mes espadrilles pour mesurer l'ampleur des dégâts. Quand, enfin, je m'y résous, c'est pour découvrir que les bandages ont bougé et ne me protègent plus guère. Les ampoules sont encore plus grosses que la veille et elles ont éclaté, laissant à découvert la peau rouge, enflammée, d'une infinie délicatesse.

C'est suffisamment grave pour que je ravale mon orgueil et demande de l'aide à Paul. Il jette un coup d'œil et appelle Jan. Après tout, il est chirurgien. Jan sort sa moleskine – il s'agit en fait d'une mince protection de coton adhésive – et en coupe des morceaux à la mesure de mes ampoules. Toute sa réserve y passe. Se reculant, il se déclare satisfait de son œuvre.

Je le remercie.

– Eh oui, dit-il tristement, mais c'est trop dommage.

– Pourquoi ?

– Eh bien, répond-il en regardant mes pieds, il vous faut faire demi-tour maintenant.

– Non !

– Je crois, reprend-il judicieusement, qu'il n'est pas conseillé de poursuivre avec des pieds dans cet état. Demain, il vous faudra redescendre.

– Non ! Il n'en est pas question. Je continue !

Je suis le premier surpris de la force de ma conviction, alors que je suis assis là avec mes pieds bandés et ma gêne respiratoire. Mais, au fond, c'est moins de la conviction que de la logique. J'ai déjà marché deux jours. Si je rentre, il me faudra deux jours. Ce qui fait quatre. Tandis que si je force un jour de plus, ça fera cinq : je serais allé au sommet et j'en serais redescendu.

Je suis allé trop loin pour rebrousser chemin, du moins dans ma tête.

Jan s'éloigne. Très vite, Loren me rejoint.

– J'ai parlé à Jan. Il est très inquiet pour tes pieds.

– Hum, hum.

– Jan dit que tu pourrais attraper un sale truc. Il dit que la poussière du sentier s'incruste dans ta peau à vif et que tu pourrais attraper une infection grave.

Je me demande où elle veut en venir.

– J'en ai déjà parlé au guide, reprend-elle. Il n'y a aucun problème. Ils le font tout le temps. Ils chargeront un porteur de te raccompagner. Il n'y a donc aucun risque que tu te perdes. Quant à moi, tu n'as pas de souci à te faire. Paul et Jan veilleront sur moi. Tout se passera bien.

Toute son attitude respire la désinvolture. Visiblement, cette randonnée ne signifie pas grand-chose pour elle. Je me demande pourquoi j'y attache tant d'importance.

– Je ne fais pas demi-tour, dis-je.

Et alors même que je prononce ces mots, je réalise que je n'ai absolument pas les pieds sur terre. On est à 4 000 mètres sur le flanc d'une montagne. J'ai les pieds en capilotade. Elle a raison. Je ferais bien de rentrer.

– Tes pieds sont dans un sale état. T'es sûr ?

– Certain.

– OK, dit-elle. J'imagine que tu sais ce que tu fais.

– Je sais.

– Ils disent que demain c'est la journée la plus dure.

– Parfait, je serai prêt.

Le troisième jour, on se lève de bonne heure. Le terrain devient brusquement vertical. Une heure durant, on joue des pieds et des mains pour avancer sur les corniches de lave. Le fond de l'air est beaucoup plus frais. On commence en pull, mais bientôt chacun sort son parka, puis ses gants, puis son passe-montagne.

Au bout de deux heures, nous quittons les étroites corniches de lave pour le col. La vue est abrupte et saisissante. Enfin, je vois la géographie.

Le Kilimandjaro est en fait formé de deux grands pics. Le Kibo est un vaste cône de scories au flanc sud couvert de neige. À quelques kilomètres plus à l'est, un autre sommet volcanique, le Mawensi, a une tout autre physionomie : haché, avec des lignes verticales abruptes et des filets de neige sur des pitons rocheux et des éboulis. Le Mawensi est à 5 000 mètres, le Kibo à 5 960. Les deux sommets sont séparés d'une dizaine de kilomètres : entre eux s'étend un plateau désertique en pente d'une altitude moyenne de 4 000 mètres, qu'on appelle le « col ».

C'est ici qu'on déboucha, à la base du Mawensi, d'où l'on voyait le col balayé par le vent et, tout au bout, le Kibo et son sommet arrondi sans nuages en ce début de matinée. Le point de vue est spectaculaire, dans le genre intimidant. Pour la première fois depuis que nous sommes partis, je mesure à quel point je suis vulnérable dans un environnement hostile. Je me trouve sur un plateau désertique à 4 000 mètres d'altitude. Il n'y a pas d'arbres, aucune plante, pas la moindre vie, rien que des rochers rouges, du sable et un vent glacial. Au-dessus de moi, à la base du Kibo, j'aperçois un point brillant, le toit de tôle du minuscule refuge du Kibo, où nous passerons la nuit avant de commencer l'ascension du cône de scories dans les ténèbres dès le lendemain.

Les vêtements qui, la veille encore, étaient trop chauds, qui collaient à la peau et irritaient paraissent maintenant fragiles comme du papier sous l'effet du vent. Je suis frigorifié. J'enfile tout ce que j'ai emporté dans mon sac, et Loren et moi entreprenons de traverser le col.

À cette altitude, même marcher sur un terrain plat est difficile, et Loren a besoin de faire une halte. La première fois qu'elle le réclame depuis le départ. À midi passé, les nuages commencent à se former autour des sommets et projettent des ombres mouvantes sur le désert. On suit un sentier en pente douce qui mène au refuge à 4 700 mètres. Les distances sont trompeuses par ici ; on croirait le refuge à une heure de marche, mais une heure après il paraît toujours aussi loin.

On marche de plus en plus lentement, et quand on arrive enfin au refuge du Kibo pour saluer Paul et Jan, qui sont là depuis un moment, on a l'impression d'évoluer au ralenti. Paradoxalement, dans un air raréfié, on se conduit comme si on était en plongée sous-marine, dans un élément dense.

Paul et Jan ont perdu leur entrain habituel. En fait, tout le monde est de mauvais poil après avoir gagné péniblement le refuge. Les gens se plaignent, du vent, des lits de camp, de la nourriture, du temps. L'humeur générale est maussade.

– Je connais ça, dit Paul. C'est l'altitude. Ça rend irritable. Et naturellement, tout le monde se demande.

– Se demande quoi ?

– S'il va arriver au sommet.

C'est certainement ce que je me demande, mais Paul est un alpiniste chevronné qui a participé à plusieurs expéditions au Népal.

– Ça vous préoccupe vraiment ?

– Pas vraiment. Mais ça vous traverse l'esprit. Ce n'est pas possible autrement.

L'aménagement du refuge fait penser à un camp de prisonniers en Sibérie. Les quatre murs de tôle sont occupés par des lits superposés à trois couchettes ; au centre de la pièce, une fosse pour manger. Le vent gémit à travers les fissures des murs. Personne ne retire le moindre vêtement. On prend le dîner à cinq heures : porridge et thé. Personne ne mange beaucoup. On pense tous à l'ascension. Il faut atteindre le sommet le lendemain matin avant dix heures, parce que après le vent est susceptible de changer, de boucher l'horizon et de rendre le sommet dangereux. Si on grimpe trop lentement, on risque d'être obligé de renoncer avant le sommet à cause du mauvais temps.

L'un des guides nous expose le programme : réveil à deux heures du matin avec du thé (pas de café à cette altitude) et début de l'ascension en pleine nuit. Une lanterne pour deux. Il ne faut pas se quitter d'une semelle, sous peine de s'égarer dans les ténèbres. On est à six heures du sommet. À trois heures de marche, on trouvera une grotte où s'arrêter et se reposer ; sans quoi, il n'y a plus de refuge avant le sommet et le retour à Kibo. Il fera très froid. On a intérêt à mettre tous les vêtements qu'on a emportés.

J'ai déjà sorti tout ce que j'ai. Je porte des caleçons longs et trois pantalons, deux T-shirts, deux chemises, un pull et un parka, sans oublier mon passe-montagne de laine. Je garde tous ces vêtements au lit, ne retirant mes souliers que pour me glisser dans mon sac de couchage. Tout le monde fait pareil. On est tous au lit à dix-neuf heures, silencieux, écoutant le vent gémir.

Impossible de dormir. À chaque fois que je sombre, je me réveille en sursaut, pris d'une peur soudaine, avec l'impression d'étouffer. Puis je réalise que ce n'est que l'altitude.

Je ne suis pas le seul à avoir ce problème. Tout au long de la nuit, dans l'obscurité du refuge, j'entends des plaintes et des jurons dans une demi-douzaine de langues. Je suis presque soulagé lorsque le guide vient me réveiller avec une tasse de thé fumant et me dit de m'habiller.

Tout autour de moi, les gens enfilent leurs chaussures et leurs gants. Personne ne parle. L'atmosphère est, si possible, encore plus lugubre que la veille. Paul prend le temps de nous souhaiter bonne chance. Il espère qu'on y arrivera. Je me demande si c'est une tradition de montagnards, cette manière de se souhaiter bonne chance à la dernière minute. Après tout, on est arrivés jusque-là, on a déjà fait le plus gros. Qui songerait à faire demi-tour ? Il faudrait avoir perdu la raison. Mais je me demande quand même ce qui nous attend.

On prend les lanternes et on quitte le minuscule refuge de tôle pour commencer l'ascension dans les ténèbres.

Très vite, ça tourne au cauchemar. La lanterne ne sert à rien tant le vent est violent. L'obscurité est totale. Je n'y vois strictement rien et ne cesse de trébucher sur des rochers et des petits obstacles. Si je sentais encore quelque chose, je suis certain que j'aurais atrocement mal, mais j'ai les pieds engourdis par le froid. J'ai beau remuer mes orteils dans mes godasses, je ne sens rien. Tandis que j'avance péniblement, le froid remonte le long de mes jambes : d'abord les tibias, puis les genoux, puis le milieu de la cuisse. L'ascension est raide et épuisante, mais le froid est si pénétrant qu'on ne s'arrête que quelques instants, juste le temps de retrouver notre souffle dans l'obscurité, puis on repart. Je sens plus que je ne vois les guides, les porteurs et les autres alpinistes. De temps à autre, j'entends un grognement ou une voix, mais le plus clair du temps tout le monde chemine péniblement en silence. Je n'entends que le vent et ma respiration pénible. Tout en avançant, j'ai tout le loisir de me demander si mes pieds engourdis ne sont pas en train de geler. Ce n'est pas ma faute : je n'étais absolument pas préparé à cette randonnée, je n'ai pas apporté le bon matériel, je n'ai pas les bonnes chaussures. Grave négligence, dont je risque maintenant d'être pénalisé. De toute façon, gelures ou pas, j'ai de sérieux problèmes. Franchement, je ne crois pas que j'y arriverai. Je peux continuer un moment, mais je doute de pouvoir tenir encore longtemps.

Quelque part autour de moi, j'entends Loren.

– C'est toi ?

– Oui, dis-je. Tu sens encore tes pieds ?

– Ça fait une heure que je ne sens plus rien... Bon sang, reprend-elle après un long silence, *mais qu'est-ce qu'on fiche ici ?*

Sa question me prend au dépourvu. Je n'ai pas vraiment de réponse.

– L'aventure ! dis-je en riant de bon cœur.

Elle ne partage pas ma bonne humeur.

– C'est débile, lâche-t-elle. Cette escalade, c'est débile.

Ses paroles m'entrent tout droit dans la conscience. Au fond de moi, je ne doute pas qu'elle ait raison. C'est débile de se lancer dans des trucs pareils. Mais je me sens protecteur à l'égard de cette décision, comme on le serait à l'égard d'un ami qu'on n'a pas envie de voir critiquer.

Je poursuis péniblement mon chemin dans l'obscurité, éreinté, engourdi, haletant, gelé jusqu'à la moelle, comme un prisonnier dans une marche forcée. Je mets un pied devant l'autre. J'essaie de trouver un rythme et de m'y tenir.

Se demander si c'est débile ou pas ne m'aide pas à trouver le bon rythme. Je fais celui qui n'a rien entendu et concentre toute mon énergie sur mon rythme. Combien de temps je vais tenir de cette façon, je n'en sais trop rien ; jeter un coup d'œil à ma montre demanderait trop d'efforts : découvrir des couches et des couches de vêtements pour scruter un cadran phosphorescent que j'aurais de toute façon du mal à lire avec mes yeux qui pleurent tellement il gèle. Au bout d'un moment, j'oublie l'heure. Je continue à marcher.

L'arrivée à la grotte, à mi-chemin, est une surprise. Elle n'est pas chaude, mais elle est à l'abri du vent et elle paraît plus chaude. Toute le monde allume sa lanterne et profite de la lumière pour échanger des regards. Tous se serrent les uns contre les autres, bavardant tranquillement. Je lis l'hébétude sur de nombreux visages. Je ne suis pas seul à trouver que cette escalade est un cauchemar.

Loren s'assied à côté de moi et me chuchote à l'oreille.

– Le couple d'Anglais fait demi-tour.

– Ah ?

– Elle est malade. L'altitude la fait vomir.

– Ah bon.

Je ne sais pas de quoi elle parle. Je ne veux pas le savoir.

– Comment tu te sens ?

– Terrible.

– Et tes pieds ?

– Des glaçons.

– Écoute, reprend-elle après un silence, rentrons.

Je reste interdit. Comment ? Cette femme qui a tant d'énergie, qui a une telle maîtrise de son corps, est prête à laisser tomber. Elle est claquée. Elle veut renoncer.

– Écoute, ça ne me gêne pas de dire qu'on est arrivés à plus de 5 000 mètres et qu'on a renoncé. On n'est pas en forme. Cinq mille mètres, c'est déjà un sacré exploit.

Je ne sais que dire. Elle a raison. Je réfléchis.

– Ça ne rime à rien, poursuit Loren. Ça n'a pas de sens. C'est complètement débile d'aller au bout de ses forces – pour se prouver quoi ? Tout le monde s'en fout ! Vraiment. Rentrons. On racontera à tout le monde qu'on y est allés. Qui saura ? Ça n'a aucune espèce d'importance. Personne ne saura jamais.

Mais la seule chose qui me vient à l'esprit, c'est *moi, je saurai.* Et des tas d'autres choses me passent par la tête. Je ne suis pas un lâcheur, et puis renoncer est contagieux. On a vite fait d'en prendre l'habitude. Il n'y a que la première fois qui compte. Et ces histoires de forme, d'entraînement, je ne suis pas sûr d'y croire.

Ce que je crois, c'est que *moi je saurai.* Je me sens piégé par une franchise intérieure que je m'ignorais.

– Je veux continuer !

– Mais pourquoi ? demande-t-elle. Pourquoi c'est si important pour toi d'aller au sommet de cette montagne de malheur ?

– Puisque je suis ici, autant le faire.

C'est une réponse de Normand, mais c'est comme ça : je n'en ai pas de meilleure. J'en ai bavé pour arriver là, je me suis battu contre mes angoisses, et me voici maintenant dans une grotte en pleine nuit, à quelques heures du sommet. Il n'est pas question que je renonce maintenant.

– Michael ! C'est débile.

Les autres sortent de la grotte pour reprendre l'ascension. Je me remets debout.

– Juste une heure de plus. Tu peux bien tenir encore une heure. Puis, si tu as toujours envie de faire demi-tour, on rentre.

Je me dis que, dans une heure, ce sera l'aube et que tout lui paraîtra plus engageant, qu'elle retrouvera le courage de continuer. J'imagine que jamais elle ne laissera tomber si elle sait que je tiens bon.

Et je continue. Je suis le premier surpris par ma force et ma conviction.

L'aube est une belle bande prismatique qui met en relief le pic dentelé du Mawensi. Je me dis que je devrais m'arrêter un instant pour en profiter. Je ne peux pas. Je me dis que je devrais m'arrêter pour faire une photo, que je puisse m'en délecter plus tard. Je ne peux même pas prendre une photo. J'ai perdu la faculté de faire tout ce qu'une partie animale de mon cerveau juge être une dépense d'énergie inutile. À quoi ça sert de prendre une photo ? Je m'en abstiens.

Quelques pensées me viennent tout de même à l'esprit. Je n'ai jamais vu un ciel d'un tel noir-indigo. On dirait le ciel vu de l'espace – et je me rends compte que c'est exactement ça, que je suis à près de 6 000 mètres au-dessus du niveau de la mer, et qu'à cette altitude le ciel bleu normal créé par l'atmosphère et la poussière en suspens a disparu.

L'autre chose, c'est que l'horizon est incurvé. Cela ne fait pas l'ombre d'un doute. Le lever du soleil est un arc qui forme un coude de part et d'autre. Je vois de mes propres yeux que je me tiens sur une planète sphérique. Mais, en fait, c'est une sensation désagréable, comme si je regardais le monde à travers un grand angulaire. Je détourne les yeux.

Je m'applique à mettre un pied devant l'autre. Je m'appuie sur mon bâton de marche et je respire en gardant le rythme. Je m'attends à ce que l'air se réchauffe ; ce qui finit par se produire, très légèrement. Au moins je vois où je marche. Mais quand je lève les yeux, le sommet paraît très loin. La plupart des autres sont déjà loin devant, et les couleurs vives de leurs parkas se détachent sur les éboulis beiges du volcan.

On continue à grimper en s'enfonçant jusqu'aux chevilles dans les éboulis. Comme sur une plage à la verticale. On fait deux pas en avant, un pas en arrière tellement ça glisse. Deux pas en avant, un pas en arrière. On a l'impression de faire du sur-place.

Deux heures après le lever du soleil, c'est le coup de barre. Je suis complètement épuisé et, en voyant les grimpeurs très loin devant sur les pentes, je me rends compte qu'ils marchent comme des alpinistes dans les films estampillés *National Geographic*. L'un de ces films où des alpinistes intrépides cheminent à travers la neige, tête baissée, avec une régularité de métronome. Un pas, deux respirations, un pas, deux respirations.

Les randonneurs, au-dessus de moi, avancent comme ça. Moi aussi. Je suis devenu un personnage de documentaire pour la télé. Je suis tout à fait en dehors de mon élément. Loren a raison : je n'avais jamais imaginé que ce serait si dur. Je ne suis pas taillé pour ça. Je n'ai pas la forme pour ça. Au fond, ça ne m'intéresse pas, ni maintenant ni jamais. De toute façon, qui ça intéresse ce genre de randonnée ? Un million de personnes ont déjà gravi le Kilimandjaro ; ça n'a rien de très particulier. Ce n'est pas vraiment un exploit. La belle affaire !

Mon guide, Julius, voit bien que je suis crevé. Il propose de me pousser. Je lui dis non. Il propose de pousser Loren. Elle accepte. Il se place derrière elle, les bras sur sa taille, et il l'aide à gravir la pente. Mais je n'ai pas l'impression que ça l'aide beaucoup. Il me semble que c'est une chose qu'il faut faire tout seul.

Très vite, Loren demande à Julius d'arrêter, et elle continue toute seule. On dirait qu'elle n'est plus consciente de ma présence alors même que quelques pas seulement nous séparent. Elle est perdue dans un monde privé d'effort et de persévérance.

J'essaie d'imaginer ce qui se passe dans ma tête. Je commence à entrevoir que grimper en altitude est un processus mental, un exercice de concentration et de volonté. Je remarque que certaines pensées minent mon énergie, tandis que d'autres me permettent de tenir cinq ou dix minutes sans m'arrêter. J'essaie de voir quelles sont les pensées qui marchent le mieux.

À ma grande surprise, les petits discours d'encouragement – « Tu peux le faire, c'est super, du bon boulot ! Tiens bon ! » – ne sont d'aucune aide. La réplique fuse aussitôt : je ne fais que me raconter des histoires et je finirai par échouer.

La concentration sur mon rythme, mon allure, qui m'amène à compter mes pas ou ma respiration et qui m'inspire un genre d'indifférence, n'est pas plus efficace. Tout est enveloppé d'une neutralité mentale, qui n'est pas mauvaise, mais qui n'est pas particulièrement bonne non plus.

Tout aussi surprenant est le fait que ma concentration sur mon épuisement n'est pas délétère. Je peux m'avouer Dieu que j'ai mal aux jambes ! Je ne crois pas pouvoir accomplir un pas de plus, et ça ne me ralentit aucunement. C'est la vérité, et je n'ai pas plus mal aux jambes parce que je me dis la vérité.

Finalement, le plus efficace semble être de penser à une bonne piscine bien chaude en Californie. Ou à une bonne bière avec un curry de je ne sais quoi quand j'aurai retrouvé la civilisation. Les palmiers d'Hawaii et le surf. La plongée sous-marine. Quelque chose qui n'a rien à voir avec mon cadre actuel. Une vision agréable ou une rêvasserie.

Tout en cheminant péniblement dans les éboulis cendreux, je pense à des piscines et à des palmiers. Autour de huit heures, Julius commence à se montrer préoccupé. Déjà, des gens descendent du sommet – je leur en veux terriblement – et Julius veut s'assurer que nous arriverons tout en haut avant que le temps ne tourne. Je lui demande à combien on est du sommet. Il répond : À quarante-cinq minutes.

Ça fait deux heures qu'il nous dit qu'on est à quarante-cinq minutes.

En un sens, ce n'est pas sa faute. Les pentes les plus hautes du Kilimandjaro offrent une perspective bizarrement ordinaire. C'est un peu la vue qu'aurait une fourmi sur un saladier retourné : la seule chose qu'on voit, c'est une surface courbe qui devient plus étroite à mesure qu'on approche du sommet. Mais à part ça, c'est toujours la même chose.

C'est très spectaculaire d'*être* là, parce que votre corps sent la raideur de l'ascension, et ça donne le tournis de regarder les alpinistes qui sont au-dessus de vous. Mais ça ne *ressemble* pas à grand-chose.

Julius commence à nous presser, il nous donne des tablettes de chocolat, nous menace avec les nuages. Il n'a pas de souci à se faire. On va aussi vite que possible et, à neuf heures, enfin, nous voilà arrivés au Gillman's Point, marqué par une petite dalle de béton à 5 703 mètres. Alors que le sommet véritable, l'Uhuru Point, est à 5 963, la plupart des grimpeurs jugent que leur honneur est sauf quand ils arrivent au Gillman's Point. C'est assurément mon cas.

Je me tiens sur le sommet, prends quelques photos, lis la plaque, regarde les drapeaux et les mémentos laissés par ceux qui nous ont précédés. Je regarde le panorama d'un air indifférent. Ni exaltation, ni autosatisfaction. Je ne ressens rien. J'y suis, un point c'est tout. Tout compte fait, j'y suis arrivé.

Loren me dit que c'est grâce à moi qu'elle est au sommet, et je lui retourne le compliment. On se prend en photo. Et pendant tout ce temps-là, je ne cesse de me répéter la même chose : J'y suis. J'y suis arrivé.

Je suis au sommet du Kilimandjaro.

Hurlant à pleins poumons, on se laisse glisser sur les éboulis. On tombe, on rit et on use nos fonds de culotte. On a mis sept heures depuis le refuge de Kibo. Il nous suffit d'une heure pour rentrer. De Kibo, on continue notre chemin : une quinzaine de kilomètres à travers le col. Le mauvais temps qui menaçait finit par arriver : il neige et il grésille par intermittence. Nous voici enfin au refuge de Horombo, où nous passons la nuit. Au total, on a parcouru une petite trentaine de kilomètres depuis deux heures du matin.

Ce soir-là, au refuge, j'examine mes pieds. Quand je retire mes souliers, je découvre que mes chaussettes sont toutes rouges. Je me rechausse aussi vite. De toute façon, mes plaies n'ont aucune importance. Demain soir, on sera de retour à l'hôtel. Loren sort un miroir de poche, s'esclaffe et me demande si j'ai envie de voir de quoi j'ai l'air. Naturellement ! Ça fait quatre jours que je ne me suis pas vu dans la glace. Je regarde fixement un visage crasseux avec une barbe hirsute, une peau rouge, des yeux injectés de sang. Dans ce miroir minuscule, c'est le visage d'un inconnu.

Au refuge de Horombo, un commerçant du pays vend de la bière, de la Tusker, à cinq dollars la bouteille, et il trouve quantité d'amateurs. Paul et Jan en prennent une, moi aussi. Je m'endors presque aussitôt, vers dix-sept heures.

Le lendemain, je me rends compte que la descente ne fait pas du tout jouer les mêmes muscles. Avant le repas, j'ai les jambes qui tremblent. Je découvre aussi que mes talons sont épargnés par la descente, tandis que les ampoules de mes orteils me font atrocement souffrir. La descente n'arrange rien de ce côté-là.

Bien qu'on suive exactement la même route qu'à l'aller, je suis surpris de voir combien le panorama change. Pour une part, c'est une expérience que font tous les randonneurs : tous les chemins semblent différents à l'aller et au retour. Mais cela tient aussi à mon sentiment d'avoir vaincu le Kilimandjaro. Je me sens différent.

À l'hôtel, l'eau du bain vire au noir opaque. On prend chacun deux bains pour essayer de se nettoyer. Assis sur mon lit, je retire mes chaussettes et la moleskine : je prends enfin le temps d'examiner mes pieds. Les ampoules se sont ouvertes : on ne voit plus qu'une plaie sanguinolente, à vif, du talon jusqu'à la cheville. Mes pieds sont dans un tel état que je demande à Loren de les prendre en photo : on dirait des clichés de manuels de médecine, et je finirai par m'en débarrasser.

Deux années durant, la peau de mes pieds est restée décolorée. Sur la plage, quand je retirais mes souliers, les gens me demandaient : « Qu'est-ce que tu as aux talons ? Ils ont une drôle de couleur », et je commençais à leur raconter l'escalade, puis je remarquais un air étrange dans leurs yeux et je cessais de parler. Finalement je ne l'ai jamais racontée à personne.

Ce que j'ai appris, c'est ceci : je me présentais volontiers comme quelqu'un qui n'aimait pas les hauteurs ni le froid, qui n'aimait pas la crasse, qui n'avait aucun goût pour l'exercice physique ou l'inconfort. Et voici que j'avais passé cinq jours dans le froid et la saleté jusqu'à épuisement. J'avais perdu dix kilos et j'avais fait une expérience merveilleuse.

Je compris alors que j'avais une image trop étriquée de moi.
L'escalade du Kilimandjaro est une expérience qui a eu un effet si profond sur moi que, longtemps après, si je me surprenais à dire : « Ce n'est pas le genre d'activité, de bouffe, de musique qui me plaît », je sortais sur-le-champ pour faire ce que j'imaginais ne pas aimer. En général, c'était pour m'apercevoir que je me trompais : tout compte fait, j'aimais ce que je croyais ne pas aimer. Et même si ce n'était pas vrai dans tous les cas, je me rendis compte que j'aimais *faire* de nouvelles expériences.

La seconde chose, c'est que, malgré ma grande taille, je m'étais toujours secrètement défini comme un homme physiquement faible et un peu souffreteux. Après avoir vaincu le Kilimandjaro, force me fut de reconnaître qu'au mental comme au physique j'étais un rude gaillard. Je fus bien obligé de réviser l'image que j'avais de moi. Physiquement, cette escalade était la plus rude expérience que j'eusse jamais faite. Or j'y étais arrivé.

Naturellement, si cela avait été une telle épreuve, c'était en partie parce que je m'étais lancé dans l'aventure comme un écervelé. Je n'étais pas en forme, je ne m'y étais pas préparé et je n'avais voulu écouter personne.

Aujourd'hui, il me paraît inconcevable de n'avoir pas eu le moindre soupçon de mes réserves, aucune idée des efforts qu'il fallait consentir pour arriver à 5 700 mètres, aucune idée de la préparation et du matériel qui s'imposaient. Tout se passait comme si je m'étais volontairement bouché les yeux, histoire de recevoir un choc, d'en voir de dures. C'était certainement cela. Et il me fallut des années pour tirer toutes les leçons de cette expérience.

En même temps, je me retrouvai complètement vidé. Après qu'on eut pris nos bains et que Loren eut photographié mes talons pour la postérité, on s'habilla pour descendre dans la salle à manger au parquet ciré. Paul et Jan étaient attablés et mangeaient en silence à côté d'autres randonneurs. Tous assis à manger, on éprouvait une certaine camaraderie. On était crevés, beaucoup plus crevés qu'affamés, mais on était aussi dans un monde à part, réservé aux athlètes épuisés, un monde où le triomphe est assourdi, où les gains sont équilibrés par les coûts.

À une autre table, une famille nous dévisageait avec curiosité. Je savais qu'ils allaient commencer l'ascension demain matin, et ils voulaient savoir à quoi s'en tenir.

Je me creusai la cervelle. Qu'est-ce que je peux bien leur dire ? Je ne vais quand même pas leur dire ce qui les attend. À quoi ça rimerait ? Je me surpris à détourner le regard, espérant qu'ils ne poseraient pas la question.

Le père :

– Vous l'avez fait ?

– Hum, hum.

– Vous y êtes arrivés ? Tous les deux ?

– Hum, hum.

Silence.

– Comment c'est, là-haut ?

– C'est bien, dis-je. Dur, mais bien. Quelques jours très difficiles, mais c'est bien. À chaque jour suffit sa peine. Ça vaut le coup.

Ils me dévisageaient. Je connaissais ce regard. Ils essayaient de comprendre pourquoi j'étais si hébété. Ça m'était bien égal. Demain, ils le découvriraient par eux-mêmes, et ils en tireraient les leçons qu'ils voudraient bien en tirer.

Lorsqu'on regagna notre chambre, après le dîner, le soleil se couchait. Le Kilimandjaro se dressait au-dessus du jardin tel un spectre pâle, rougeâtre, désincarné. Surnaturel. Irréel. Déjà irréel.

Le lendemain, on prenait l'avion de Nairobi.

La pyramide du Devin

Tandis que j'escalade la pyramide du Devin et contemple les vastes ruines mayas d'Uxmal, l'aube ressemble à une bande jaune au-dessus de la jungle du Yucatan.

Extraordinaire spectacle que de voir le lever du soleil embrasant les édifices blafards de la cité antique. Le guide à la main, je repère les lieux. Juste devant moi se dresse une cour blanche connue sous le nom de cour des Nonnes. À l'ouest, le palais du Gouverneur, sur plusieurs étages, dont on dit que c'était de loin le plus bel édifice jamais construit aux Amériques. Tout à côté, la maison des Tortues et le Pigeonnier. Et, au-delà, les monticules verts dissimulant d'autres ruines qui restent à exhumer dans la jungle environnante.

À l'aube, Uxmal est déserte. Les touristes dorment encore. De temps à autre, le cri d'un perroquet déchire le silence général. La ville qui s'étend devant moi est sereine, mais je suis angoissé.

Regarder le pied de la pyramide, avec ses escaliers presque à la verticale, donne le vertige. Mais l'expérience la plus troublante, c'est de prendre conscience de l'endroit où l'on est, car Uxmal est un grand mystère.

La pyramide sur laquelle je me tiens est une grande structure ovale de trente-huit mètres de haut. On l'appelle la pyramide du Devin ou, parfois, la pyramide du Nain, pour des raisons obscures. La cour des Nonnes et le palais du Gouverneur sont des appellations consacrées par l'usage : les ruines portaient déjà ces noms quand l'archéologue John Lloyd Stephens les étaya en 1841.

La maison des Tortues doit son nom à une rangée de tortues qu'on voit sur la façade. Quant au Pigeonnier, c'est sa toiture qui fait penser à un colombier. Mais personne ne sait quel était le vrai nom de ces bâtiments ni ce qui s'y passait. Nul n'en a la moindre idée.

L'angoisse vient facilement au sommet d'une pyramide, car je m'abîme dans la contemplation de ruines immenses que personne ne comprend. La cité d'Uxmal se trouve à quatre-vingts kilomètres de l'océan et à cent soixante de Chichen Itza. Pourquoi se dresse-t-elle ici ? Quels sont ses liens avec les autres cités mayas ? Combien d'habitants vivaient dans ce grand complexe que des documents permettent de dater de 987 avant Jésus-Christ ? À quoi servait cette cité ?

La veille, j'avais assisté à un spectacle son et lumière à Uxmal, semblable à tous les spectacles de ce genre qu'on peut voir à travers le monde, si ce n'est qu'ici le but de la manœuvre était de cacher avec art au public combien notre ignorance est grande. Uxmal n'a rien d'un château français ou d'une pyramide égyptienne. La chronologie n'est pas claire, ni la finalité bien comprise. Impossible de donner le nom d'un souverain ou de citer des édits, de raconter tel ou tel épisode de la construction. Uxmal est une ruine entièrement mystérieuse.

Assis là en train de regarder les jeux de lumière colorée sur les édifices, je sentais une sorte de conjuration, comme si tout le monde, dans le public, se donnait le mot pour ne pas reconnaître l'ampleur de notre ignorance. C'était presque intolérable de contempler ce complexe immense et de s'avouer qu'on n'en savait rien. Il *fallait* à tout prix savoir. C'était trop imposant pour qu'on n'en sache rien. Uxmal n'est pas un détail, une note en bas de page de l'histoire. C'est une grande cité, imposante.

Comment se peut-il que nous n'en sachions rien ?

Je regardai le soleil se lever au-dessus des édifices. La jungle se réchauffait. Une heure plus tard commencèrent à arriver les premiers touristes, déambulant à travers les ruines, un guide à la main. Ils lisaient, confiants, les règles des jeux de balle qu'on jouait dans les cours, la description des cérémonies diverses et des sacrifices humains. Ils lisaient la date de la fondation d'Uxmal, et que son style architectural, classique tardif, est jugé décadent. Les sources ne sont jamais indiquées. Jamais on ne rappelle aux visiteurs que les savants ne déchiffrent qu'avec peine les hiéroglyphes que les manuels résument si allégrement. On ne leur rappelle pas non plus que les chercheurs ne savent pas comment est née cette antique civilisation de bâtisseurs de temples, comment la civilisation maya a prospéré, pourquoi elle s'est éteinte. Ces rappels seraient exaspérants. En vacances, personne n'a envie de se promener dans les ruines d'une grande cité pour s'entendre dire qu'on ne sait rien de cet endroit.

Mais la vérité, c'est que nous n'en savons rien.

Plus on se penche sur l'histoire, moins elle est cohérente. De loin, à lire les têtes de chapitre des manuels, tout semble parfaitement ordonné. Mais cette image ne résiste pas à un examen plus serré. Le Moyen Âge n'était pas l'âge obscur qu'on a dit, et l'on voit mal en quoi il est moyen ; la Renaissance est autant une naissance qu'une renaissance. En tout état de cause, ces appellations ne valent que pour l'histoire européenne : un petit fragment de l'histoire universelle. Dans d'autres parties du globe, dans d'autres traditions culturelles, les choses étaient différentes.

Les constructions que nous faisons à partir de notre passé nous sont pour l'essentiel invisibles. Les interprétations elles-mêmes deviennent réalité. Ce n'est nulle part plus clair qu'avec celles que nous plaquons sur les artefacts de la préhistoire et de la protohistoire. Lorsque nous contemplons des ruines antiques, nos croyances sont fabriquées de À jusqu'à Z. À Cnossos, en Crète, Arthur Evans a découvert des ruines auxquelles il a donné le nom de palais du roi Minos. Depuis lors, des générations de touristes se sont fait un devoir de les visiter. Pourtant, rien ne prouve que Cnossos ait été un palais, ni que le roi Minos – s'il fut réellement un personnage historique – eût le moindre rapport avec sa construction ou son habitation. De même répète-t-on inlassablement l'histoire de la découverte de Troie par Heinrich Schliemann. Mais ce dernier n'a jamais découvert qu'une cité jusque-là inconnue en Asie Mineure. Rien ne prouve que Schliemann ait découvert Troie. Il n'y a pas de preuve formelle que Troie ait jamais existé, sauf dans l'imagination d'un poète.

Schliemann a ensuite fait des fouilles à Mycènes, site historique connu de la Grèce. Il a décidé qu'il avait découvert le tombeau d'Agamemnon. Rien ne prouve que tel fut le cas. Il a simplement découvert un tombeau, qu'il a baptisé tombeau d'Agamemnon. Mais rien ne prouve non plus qu'Agamemnon ait jamais existé.

Des pressions psychologiques intérieures d'une grande force nous poussent à réclamer une histoire, une explication des ruines qu'on a sous les yeux. Tel est le choc que je reçus au sommet de la pyramide du Devin, alors que j'observais le soleil levant inonder de sa lumière les vestiges de cette cité antique. Bientôt, je sortis à mon tour mon guide et déambulai à travers les ruines d'Uxmal, faisant semblant de comprendre bien plus de choses que ce n'était le cas.

La mort de mon père

Quand j'étais au lycée, je ne pouvais jamais sortir avec une petite amie sans retrouver ma mère sur le pas de la porte à mon retour. C'est, naturellement, une forme de harcèlement parental classique des adolescents. Quand je lui demandais pourquoi elle était encore debout à cette heure, elle me répondait invariablement : « J'avais peur qu'il ne t'arrive quelque chose. »

Il n'y avait pas moyen de la raisonner, de lui faire dire en quoi ça l'aurait avancée dans l'éventualité peu probable où il me serait arrivé quelque chose. Ce n'est pas bien élevé de douter de l'amour de sa mère, ni de sa logique.

Mais c'est bizarrement à cela que je pensais quand, le 27 décembre 1977, alors que je remontais dans le bateau après une plongée à une trentaine de mètres pour explorer l'épave du *Rhône*, un vapeur à aubes échoué dans les îles Vierges britanniques, le maître de plongée Bert Kilbride me lança un coup d'œil et me pria sur un ton lourd de sous-entendus d'« appeler chez moi ».

– Qu'est-ce qui se passe ?

Ma première pensée fut que ma maison avait brûlé. C'est le genre de chose qui arrive souvent en Californie. Et je connaissais Bert depuis des années. S'il savait, il me le dirait.

– Je ne sais pas, dit Bert. L'hôtel vient d'appeler par radio pour voir si tu étais à bord. Ils ont dit que tu avais un appel de chez toi.

Ça n'avait pas l'air d'un incendie.

– Est-ce que je peux appeler du bateau ?

– Non. Vaut mieux attendre que tu sois rentré.

– La radio ne peut pas me connecter à la ligne téléphonique ?

– La radio ne marche pas si bien que ça. Mieux vaut attendre que tu sois rentré.

Ça n'avait vraiment pas l'air d'un incendie.

J'essayais d'imaginer de quoi il pouvait bien retourner. C'était deux jours après Noël et je passais les vacances à Virgin Gorda, dans les îles Vierges britanniques. Ma famille se trouvait pour l'essentiel chez mes parents, dans le Connecticut.

Sitôt rentré à l'hôtel, j'appelai. C'est ma petite sœur qui décrocha le téléphone.

– Oh! Michael! Quand est-ce que tu rentres?

– Qu'est-ce qui se passe?

– On ne t'a pas dit?

– Personne ne m'a rien dit.

– Papa est mort.

Je commençais à me sentir complètement idiot. Lent, fatigué et idiot.

– Papa est mort?

Mon père avait cinquante-sept ans. Il était jeune et en bonne santé.

– Au bureau, continuait ma sœur. Il a eu une crise cardiaque ce matin. Kimmy et Dougie sont allés identifier le corps. Quand est-ce que tu rentres?

Je promis de rentrer aussi vite que le permettraient les liaisons aériennes. J'allais consulter les horaires. J'essaierais d'être là demain. Je rappellerais.

Je raccrochai le téléphone.

– Qu'est-ce qui se passe? demanda Loren.

– Mon père est mort.

– Oh, Michael, je suis désolé.

– Ouais, fis-je en promenant mon regard sur l'hôtel et les palmiers. Il m'a sacrément gâché mes vacances.

Parce que, tout d'un coup, je lui en voulais, je lui en voulais terriblement de m'avoir fait ça. De me laisser tomber de façon si intempestive.

Loren me dit qu'elle allait appeler les compagnies aériennes pour moi. Je m'assis au bar. Je ne me sentais pas triste, je ne ressentais rien. Je me contentai de regarder l'hôtel, de dévisager les gens qui revenaient de la plage, le garçon qui lavait les verres et qui disposait les coupes de noix pour l'après-midi. J'étais contrarié. Je voulais rester et j'étais obligé de partir.

Et au fond de moi, je me disais : *Fais gaffe, le chagrin est d'autant plus dur quand on n'est pas en bons termes*. Parce que entre mon père et moi, ça n'avait pas toujours été rose. Ça n'avait jamais été le garçon modèle avec son papa. Et les choses ne s'étaient pas arrangées avec les années. Ce n'était pas un hasard si j'étais descendu dans les Caraïbes, plutôt qu'à la maison avec mon frère et mes sœurs. De mon point de vue, c'était un bougre de salaud. Et maintenant qu'il avait claqué, tout était en l'air. Finies les conversations, finies les irritations, fini l'espoir de trouver des solutions. Juste un « bang ! » et il est mort. Rien trouvé d'autre à te dire, mon petit. Fini.

Sauf qu'il fallait que je rentre pour assister à l'enterrement de ce salaud et que ça fichait en l'air ces vacances dont j'avais tant besoin. Et tous ces foutus amis qui allaient se radiner et m'expliquer que c'était vraiment un chic type, un grand bonhomme...

Prudence !

J'étais vraiment en rogne. Le lendemain, je me réveillai aux aurores, à quatre heures du matin, incapable de trouver le sommeil. J'étais toujours en colère. Je ne décolérai pas aussi longtemps que dura le vol. J'arrivai dans le Connecticut à une heure avancée de la nuit, fatigué, les nerfs à cran. J'étais profondément contrarié de devoir être ici. Je n'allais pas dire ça aux autres membres de la famille, parce qu'ils étaient tous affligés. Mais j'étais vraiment fâché.

Je me réveillai de nouveau à quatre heures du matin. Impossible de dormir. Mais j'étais maintenant si fatigué que je n'avais même plus la force d'être en colère. Tout le monde était complètement épuisé. Le téléphone ne cessait de sonner : des appels de partout. Tout le monde était très gentil. Et il y avait beaucoup de choses à faire, des tas de détails à régler, les fleurs, les repas, etc., et les parents qui rappliquaient en avion. La situation avait apparemment tous les inconvénients d'une immense réception, sans en avoir les agréments.

Je décidai de ne pas rester les bras croisés et de m'occuper des courses, d'autant que j'étais le seul qui ne passait pas son temps à pleurer. Mon frère l'avait remarqué et m'avait fait la leçon.

– Écoute, je sais bien que tu ne l'aimais pas, mais il était tout de même ton père, tu sais, c'était papa, il a fait de son mieux.

– Ah ouais ? Qu'il aille se faire foutre !

Voilà qui résumait grosso modo mes sentiments. Mon frère comprenait, ce qui était pire. Mais j'ajoutai qu'au milieu de toutes ces pleurnicheries, il fallait bien que quelqu'un se souvienne que ce type s'était parfois conduit comme un bougre de salaud. Et pas seulement avec moi. Mon frère ne devait pas non plus le porter dans son cœur, pas après certains incidents que je n'avais pas oubliés. Et que dire de la fois où il avait battu ma sœur avec tant de hargne que le médecin était sur le point d'appeler les...

« Ouais, d'accord, tout ce que tu veux, dit mon frère en s'éloignant. – Puis il se retourna : – Écoute, Mike. Il est *mort*, maintenant.

Mon frère était un doux, c'était évident. Tout le monde trouvait toujours grâce à ses yeux. Il avait une gentillesse que je n'ai jamais eue. Il avait le pardon en lui, moi pas. Sur ce chapitre, en tout cas, cela faisait des années que toute trace en avait disparu.

Je fis donc les courses. C'était OK. Le seul problème, c'était cette *fatigue*. J'avais à peine la force de bouger. Quand j'allai chez le fleuriste, j'eus le plus grand mal à ouvrir la porte de la voiture, à en descendre, à la refermer, à entrer dans le magasin, à me souvenir de ce que j'étais venu chercher, à m'adresser au fleuriste autrement que par des onomatopées, et à lui répondre quand il me demanda comment je voulais payer. C'était comme sous l'eau. Ou comme si j'avais eu le cœur malade et que j'avais été incapable de reprendre haleine. J'étais lent, d'une lenteur pénible, exténuante.

Quand j'eus fini les courses, j'étais réellement épuisé. Je me retrouvai seul dans la cuisine à éplucher les légumes avec Kim, ma sœur aînée.

– Je ne vois pas pourquoi je suis le seul à tout faire ici, pourquoi je serais le seul à me retenir quand tout le monde se laisse aller, dis-je d'un ton acerbe.

– Personne ne te le demande, répondit-elle.

En l'entendant parler, je compris qu'elle avait raison. C'était moi qui m'étais imposé ce rôle. J'allai dans ma chambre et pleurai. Je pleurai avec des sentiments mêlés, parce j'étais toujours en colère, mais j'étais aussi triste. J'étais triste de ce qui nous était arrivé à mon père et à moi, triste que rien n'ait jamais été résolu, triste qu'il eût mené sa vie comme il l'avait fait, avec ce qu'il avait éprouvé – et dissimulé – de malheur.

J'éprouvais tous ces sentiments simultanément, à plusieurs niveaux. C'était très singulier, mais c'était un réel soulagement. J'étais encore en colère, sans être trop remonté. Et j'étais capable d'accepter les choses un peu mieux. Il y avait quantité d'épreuves à venir : l'arrivée des parents, l'exposition du corps demain, et les funérailles le surlendemain.

Je pris un somnifère, mais je me réveillai à quatre heures du matin, avec le sentiment d'avoir quelque chose à faire, quelque chose à résoudre. Puis je me souvins : je ne pouvais rien faire. Il était mort. Il n'y avait rien à résoudre. Je ne pouvais rien faire pour rendre la vie plus facile à ma mère ou à quiconque. Tout m'échappait.

Il n'y avait rien à faire.

Étrange sensation. Rien à faire, sinon traverser cette épreuve et se retrouver, reprendre une vie normale. Je pleurais beaucoup maintenant, chaque fois que j'y pensais, et ça me faisait le plus grand bien. Je me disais que c'était quelque chose qui était inscrit en nous, dans la faculté même que nous avons de donner la vie. Dès la naissance, nous savons ce qu'est le chagrin, le deuil. Se cabrer, c'était contrarier le cours naturel des choses.

Au fond, ce que je faisais était on ne peut plus naturel. Mais je redoutais cet affreux rituel, la visite au funérarium et l'exposition de la dépouille mortelle.

Le seul fait de prendre les dispositions avait quelque chose de lugubre. J'appelai le funérarium dans la matinée et on me fit savoir que mon père n'était pas encore prêt, qu'ils avaient quelques problèmes, qu'ils avaient pris un peu de retard. Ils étaient désolés, mais est-ce que deux heures trente ça ferait l'affaire ?

Je répondis que oui.

– Qu'est-ce qu'ils ont dit ? me demanda ma mère.

Je ne savais trop que lui répondre. Qu'ils n'avaient pas tout à fait fini de préparer le corps ?

– Euh... Ils ont dit qu'ils étaient débordés... euh... qu'ils ne seront pas prêts avant deux heures trente.

Elle hocha la tête.

– Ils ont des problèmes avec sa bouche, dit-elle, très prosaïquement.

Apparemment, mon père était mort dans son fauteuil, la bouche ouverte, et la rigidité cadavérique avait fait son œuvre. Elle semblait si calme.

À quatorze heures trente, tout le monde enfila son manteau et prit son paquet de Kleenex pour se rendre au funérarium. Je redoutais d'y aller. Je n'avais encore jamais vu de cadavre d'un membre de ma famille ou d'un proche. Je ne savais pas ce que j'éprouverais. J'aurais préféré rester à la maison, mais j'étais l'aîné et je devais accompagner ma mère. J'y allai donc.

Le funérarium était une maison de bois typique du Connecticut. Il y avait du verglas sur les marches ; il fallait être prudent. Le soleil brillait, mais il faisait froid à l'extérieur.

Ma mère retrouva sa sœur dans le vestibule, et on jeta un coup d'œil pour voir si tout était en ordre maintenant. Ils étaient prêts. Tout le monde entra pour voir le corps.

À peine entré dans la salle, je ne pus me défendre contre l'impression folle et inattendue qu'*il était ici, vivant.*

Pendant ce temps, ma mère s'était précipitée pour enlacer le corps de mon père. Tout en lui parlant et en l'embrassant, elle sanglotait. J'étais gêné, comme si je n'avais pas à assister à cette scène entre eux. À un moment donné, elle se retourna vers moi et me dit : « Il est si froid. » Mais elle était vraiment dans son univers à elle, avec sa façon de faire les choses, étonnante de vigueur et de spontanéité. Elle pleurait, lui adressait la parole, essuyait les traces de ses larmes sur sa joue à lui. Elle était à son affaire.

J'essayai de comprendre pourquoi j'avais eu l'impression qu'il était encore là. Je voulus m'en assurer : oui, c'est bien ce que je ressentais. *Il est ici. Il rôde dans cette pièce. Il est perdu.*

Je savais que d'autres avaient eu cette même impression, mais je n'étais pas de ceux qui croyaient que l'âme s'attardait autour du cadavre, surtout après une mort subite.

Alors d'où venait cette sensation ? Cette impression de chaleur qui régnait dans la pièce. Le sentiment qu'il rôdait autour du plafond, qu'il nous considérait de là-haut en se demandant ce qu'on était venus faire ici. Ou était-ce simple projection de ma part, parce qu'il m'était difficile d'accepter que mon père fût vraiment mort ? Parce que, assurément, j'avais du mal. Je fixais sa poitrine, comme s'il allait prendre sa respiration. J'étais sûr qu'il était encore en vie. Je savais qu'il était dans cette pièce. Mais je n'arrivais pas à comprendre d'où me venait cette certitude.

Puis je me remis à pleurer. Ma mère l'embrassa une dernière fois. Elle avait terminé. En sortant, elle dit au croque-mort qu'ils avaient fait du bon travail, que mon père avait fière allure. Tout le monde se retira.

L'enterrement était pour demain.

Le lendemain, ma mère déclara qu'elle voulait voir le corps une dernière fois avant l'enterrement. Personne n'était très chaud, tant la visite de la veille avait été éprouvante. Mais, désireux de confirmer ma réaction de la veille, je me proposai de l'accompagner.

On retourna dans la salle d'exposition. À peine entré, je me demandai comment j'avais jamais pu penser que mon père était encore là. Il était parti. La salle était froide et vide, hormis ce corps qui avait été autrefois celui de mon père. Ma mère lui jeta un coup d'œil, s'approcha, versa quelques larmes, l'observa à nouveau. Mais elle se garda de le serrer dans ses bras ou de l'embrasser. Elle resta sur place un moment. Puis on se retira pour aller aux obsèques.

Mon père était un homme important, et il s'était fait dans son métier de nombreux amis qui se rendirent à son enterrement. Ce furent des funérailles imposantes, un bel hommage. Pour ma part, la question de sa présence ou de son absence m'avait plongé dans un tel état de perplexité que, tout au long du service religieux, je restai assis à me creuser la cervelle. Est-il ici ? Non, il n'est pas là. L'office n'avait pas grand sens à mes yeux.

Je remarquai que j'avais beau être chahuté par mes émotions, tiré à hue et à dia par mes sentiments, je savais parfaitement ce qui avait un sens pour moi et ce qui n'en avait pas. Par exemple, les visites à la maison avaient un sens. Être obligé de faire un brin de causette avec les visiteurs donnait l'impression que la vie continuait. Bavarder de choses et d'autres avait un sens. Ça faisait du bien : parlons donc un moment de basket, de ce que fait Jimmy à l'école. Et il n'était pas nécessaire de dire un mot au sujet de mon père. Les gens disent toujours : « Je ne sais que dire. » La vérité, c'est qu'il n'y a rien à dire. Une simple visite suffit.

En revanche, les visiteurs qui versaient des larmes de crocodile et qui restaient plus d'une demi-heure, ça n'avait pas de sens. Ils étaient épuisants.

Apporter de la nourriture, ça avait aussi du sens, mais seulement si c'était facile à préparer, parce que, hormis les plats qu'il suffisait de réchauffer, toute autre tâche était au-dessus de nos forces.

Voir le corps avait du sens. Les télégrammes et les coups de fil également, même à des heures tardives, parce que de toute façon personne ne dormait.

En revanche, le service religieux à l'église n'avait pas grand sens à mes yeux. L'église elle-même semblait morte, pleine de rituels d'un autre âge, d'usages surannés qui avaient subi l'usure des siècles et n'étaient plus d'aucun réconfort, tout au moins pour moi. J'étais submergé par mes émotions qui exigeaient une réponse authentique, non cette cérémonie imposante et toute en artifices, dont les éléments les plus récents remontaient quand même au XIXe siècle. Ce n'était la faute de personne. C'est simplement comme ça que je voyais les choses. Maman était réconfortée, et le service religieux avait des fonctions sociales importantes.

L'office terminé, on se rendit au cimetière. C'était une journée ensoleillée, un temps beau mais froid. Tout le monde était fatigué. Je regardai la pierre tombale et me demandai si mon père était là. Maintenant, je le cherchais partout. Mais il n'était pas au cimetière. La pierre tombale semblait petite. Chacun reprit sa voiture et s'en alla.

Je demandai à mon frère s'il avait ressenti quelque chose d'inhabituel dans la salle d'exposition le premier jour.

– Du genre ?

– Comme si papa était dans les parages, qu'il rôdait dans la pièce.

– Ah bon, tu as senti ça ?

– Oui. Pas toi ?

– Non, dit-il. J'étais simplement triste qu'il soit mort.

Le lendemain, je rentrai en Californie.

En Irlande avec Sean Connery

Je suis le réalisateur d'un film, *La Grande Attaque du train d'or*, vaguement inspiré d'un fait réel qui avait défrayé la chronique dans l'Angleterre victorienne. Le tournage se fait en Angleterre et en Irlande. La distribution comprend Sean Connery, Donald Sutherland et Lesley-Anne Down.

Ainsi se trouve assouvi l'un de mes désirs secrets de toujours. Je suis un réalisateur de stature internationale, je tourne à l'étranger avec de grandes stars ! Quelle excitation ! Enfiler la veste de safari et se passer autour du coup l'oculaire du réalisateur !

Mais, au fond, je n'en mène pas large. Ce n'est que mon troisième film et je n'ai pas grande expérience. Je n'ai jamais tourné à l'étranger, ni fait de film historique. Je n'ai jamais travaillé avec une équipe étrangère, et même si j'ai dirigé de bons acteurs, je n'ai jamais eu d'aussi grandes stars.

Pour réaliser un film, il faut avoir de l'autorité, or je ne me sens pas très sûr de moi. Je suis au contraire isolé, soumis à de très fortes pressions. Je suis seul à Dublin. Loren est rentrée en Amérique, pour terminer son droit. Il n'y a que trois Américains sur le tournage : le producteur, John Foreman, le coordinateur des cascades, Dick Ziker, et moi. John a l'expérience des tournages à l'étranger et je m'en remets à son jugement. Mais, au bout du compte, c'est moi le réalisateur et c'est à moi de faire le boulot. Et j'ai la trouille.

Je n'ai jamais su que faire de ces peurs à la veille de nouvelles entreprises. Il semble qu'il n'y ait rien à faire qu'à les affronter et à en passer par là. La terreur des nouvelles aventures est au moins en partie justifiée ; jusqu'à un certain point, l'angoisse est bénéfique. Mais ici, à Dublin, je ne suis pas très à l'aise. J'ai du mal à m'imposer. John Foreman m'a expliqué qu'en Angleterre l'équipe de tournage donne au metteur en scène le surnom de « gouverneur » ou de « gouv ». Personne ne m'appelle « gouv ». Personne ne m'appelle « sir ». Je n'ai droit à aucune marque de respect.

J'ai beau avoir trente-cinq ans, l'équipe me trouve trop jeune pour savoir ce que je fais. On essaie de m'entourlouper, de faire les choses derrière mon dos. Je demande qu'on fasse une chose de telle ou telle façon, ils s'en vont et font autre chose. On a quantité d'accrochages.

Et puis les méthodes de tournage sont loin d'être les mêmes en Grande-Bretagne et en Amérique. Chez nous, le metteur en scène prépare les plans avec le cameraman, ici avec le chef opérateur. Les scènes sont numérotées différemment. La terminologie technique n'est pas la même. Les équipes anglaises font quatre pauses casse-croûte par jour, alors que les Américains ne s'arrêtent que pour le déjeuner. Si on veut faire des heures supplémentaires, l'équipe se réunit pour voter.

Même les signaux les plus élémentaires semblent brouillés. En Amérique, je passe pour un metteur en scène laconique, mais les Anglais me trouvent bizarrement excité. Mon assistant, dont les critiques ouvertes frisent l'insolence, finit par me demander ce que je prends. Il veut dire de la drogue, des amphétamines. Surpris, je lui demande ce qui lui fait croire ça. Il me répond que toute l'équipe en est convaincue tellement je suis *speedé*. Je lui certifie que je ne me drogue pas.

Les premiers jours de tournage se passent mal. L'équipe est coupée en deux : une moitié anglaise, une moitié irlandaise, et les deux moitiés ne s'entendent pas. C'est l'expression d'un vieil antagonisme. Chaque fois que quelque chose se passe mal, ils se rejettent la faute les uns sur les autres. On avance lentement. Personne ne m'écoute. Je place la caméra à un endroit précis, et l'équipe s'empresse de la déplacer, ne serait-ce que d'une dizaine de centimètres. C'est plus fort qu'eux. Je la remets où je veux. Il fait un temps de chien. On dirait que c'est toujours l'heure de la pause casse-croûte. On prend du retard.

Tous les soirs, je me traîne jusqu'à ma chambre d'hôtel, à Dublin. On se croirait dans l'antichambre d'un sanatorium pour tuberculeux. Le parquet est vermoulu, le papier peint indigeste. Je voudrais appeler chez moi, mais il y a une grève du téléphone. Puis une grève du courrier. Je suis totalement isolé.

Je demande à John Foreman que faire.

– Parles-en à Geoff. Il t'aime bien.

Geoffrey Unsworth est le chef de la lumière. C'est un homme très courtois et distingué. Tout le monde l'adore. Tous les jours, Geoff et moi nous rendons ensemble sur les lieux de tournage ; on a donc largement le temps de bavarder. Geoff comprend mes difficultés, mais ce n'est pas facile d'aborder les choses franchement. Il ne se départ jamais de sa réserve toute britannique et je me sens gauche. Comment lui demander pourquoi je n'arrive pas à me faire respecter ? Je me sens bête. Alors nous parlons technique : pourquoi nous ne faisons pas d'autres cadrages, comment faire en sorte que les choses se passent plus simplement ?

– J'aimerais voir l'un de vos films, ne cesse de me répéter Geoff.

Je crois que ce n'est que simple politesse. Mon dernier film, *Morts suspectes*, n'est pas encore sorti en Amérique, et il sera difficile d'en faire envoyer une copie en Irlande.

En attendant, les problèmes continuent. Une semaine passe et Geoff revient à la charge. « Vous savez, je crois que l'équipe de tournage aimerait beaucoup voir l'un de vos films. » Je lui explique une fois de plus qu'il n'est pas facile d'obtenir une copie. Mais je me débrouille pour envoyer un télex à la MGM, à Los Angeles, pour demander une copie.

Nos problèmes s'aggravent. La situation se dégrade. Entre les Anglais et les Irlandais de l'équipe de tournage, il y a parfois des discussions orageuses. Le groupe manque de cohésion, et je sais bien pourquoi : il n'y a pas de chef. Nous sommes laborieusement lents. On fait du bon travail, mais en prenant beaucoup trop de temps. On dispose de moyens limités, ce qui veut dire que, lorsqu'on aura épuisé le budget, il faudra arrêter la production, qu'on ait terminé le film ou non. Engranger un maximum de plans. Finir davantage de scènes. Accélérer le rythme.

Mais rien à faire pour gagner du temps.

– Je voudrais bien qu'on voie un de vos films, répète Geoff.

La copie finit par arriver. On organise une projection pour l'équipe, vendredi soir après le travail. La plupart des techniciens sont là.

Le lundi matin, j'arrive au travail prêt à livrer, comme d'habitude, un rude combat. Je débarque sur le plateau en me frayant un chemin à travers les câbles et les projecteurs. L'un des électriciens me sourit.

– Salut, gouv !

Ce qui s'est passé, c'est que l'équipe a décidé que *Morts suspectes* était un assez bon film. Après tout, je dois savoir ce que je fais. Grâce à Geoff, l'atmosphère a changé du tout au tout et le travail progresse bien mieux.

L'équipe étale un drap blanc au milieu d'un champ pour indiquer à l'hélicoptère où atterrir. Les gens du pays se pressent le long des clôtures, les yeux braqués sur le drap, attendant qu'il se passe quelque chose. Leur attention transforme le drap en œuvre d'art, un Christo : *Champ irlandais emmailloté, 1978.* Je trouverais ça drôle si on n'avait pas pris du retard.

Il est huit heures du matin et il fait un froid de canard. On est dans une gare de province, à la sortie de Mullingar, en Irlande, au début d'une semaine de tournage sur le toit d'un rapide. Sean Connery a consenti à faire lui-même les acrobaties sur le toit du train. La petite locomotive de 1863 siffle devant la gare, traînant derrière elle des wagons spécialement construits pour nous. Il est temps de commencer le tournage, mais l'hélicoptère de la caméra n'est pas encore arrivé d'Angleterre. Je suggère qu'on fasse une répétition sur le train. Tout le monde grimpe sur le toit des voitures et on démarre.

Bientôt, Sean Connery arbore un large sourire comme un gosse au carnaval. C'est un superbe athlète qui aurait pu être un footballeur professionnel. Le voici qui sautille d'une voiture à l'autre en y prenant un plaisir évident. Le train approche d'un pont : tout le monde doit s'aplatir, le visage fouetté par le vent. Connery éclate de rire : « Du tonnerre ! »

On retourne à la gare. Le tournage commence. L'allégresse retombe. Place au travail. Il faut faire montre d'une vigilance de tous les instants. Les chemins de fer irlandais ont mis à notre disposition trente kilomètres de voies ferrées dans la plus belle région du pays, mais comme c'est l'Irlande, les vingt ponts qui enjambent la voie sont tous de hauteur différente. Certains sont vraiment très bas. On a fait des repérages et mesuré chaque pont, mais personne ne fait confiance aux relevés. Avant chaque prise de vues, on rampe lentement sous le pont pour s'assurer qu'on a la place de passer.

Plus dangereux encore sont les lignes téléphoniques et les fils électriques qui enjambent la voie de-ci de-là : ils ne sont pas indiqués et, jusqu'au dernier moment, ils sont difficiles à voir.

Et puis notre locomotive d'époque crache un torrent de cendres incandescentes. Nous voilà couverts de suie. Partout où nous passons, nous mettons la campagne à feu. Tous les soirs, de retour dans ma chambre, je prends une douche et me lave les cheveux. La baignoire s'emplit aussitôt d'encre noire.

Connery se lance à corps perdu dans le travail. C'est l'un des hommes les plus remarquables qu'il m'ait été donné de rencontrer, allègre et grave en même temps. J'ai beaucoup appris de lui. Il est bien dans sa peau, franc et direct. « J'aime manger avec les doigts », déclare-t-il en joignant le geste à la parole dans un restaurant chic. Il se fiche du qu'en-dira-t-on. Et, surtout, qu'on ne vienne pas le déranger avec des bagatelles. L'important, c'est de manger. Des gens viennent quémander un autographe, il les rembarre : « Je *mange*, répond-il sèchement. Revenez plus tard. » Ils reviennent plus tard et il signe poliment leurs menus. Il n'est pas du genre rancunier, sauf si on le cherche. « Je me suis longtemps apitoyé sur mon sort, explique-t-il, et puis un jour je me suis dit : Je suis ici pour la journée. Je peux en profiter ou non. Alors autant en profiter ! » Sa force, c'est en effet de savoir choisir, de rester maître de lui et de ses humeurs. C'est ce qui le rend sociable et lui donne son assurance. « Voilà *un homme* ! » est la remarque qu'on entend le plus souvent à son sujet.

Un jour, en avion, une femme soupire.

– Vous êtes si *masculin* !

Connery s'esclaffe.

– Mais non, je suis très féminin ! proteste-t-il.

Ce qu'il veut dire, c'est qu'il prend plaisir à cette part de son personnage. Imitateur-né, il aime à répéter seul, jouant lui-même tous les rôles. Il imite à la perfection tous les autres acteurs de la distribution, y compris Donald et Lesley-Anne, sa principale partenaire. Il donne toujours l'impression de s'amuser. Il prend plaisir à toutes les facettes de sa personnalité, à tous ses appétits.

Je suis loin d'être aussi ouvert et il me taquine. Un jour, après une prise de vues, je trouve ses gestes de la main un peu efféminés. Je demande qu'on la refasse, mais je ne sais trop comment dire à Sean ce qu'il faut changer. Allez dire à 007 qu'il est efféminé !

– Sean, sur cette dernière prise de vues, vous avez eu un geste de la main...

– Oui, et alors ? J'ai cru bien faire.

– Eh bien, euh, ça manquait un peu d'énergie. Mollasson.

Il plisse les yeux.

– Qu'est-ce que vous essayez de me dire ?

– Eh bien, ça pourrait être un peu plus brusque. Plus énergique, vous voyez.

– Plus énergique...

– Oui. Plus énergique.

– Vous êtes en train de me dire que j'ai l'air d'une lopette ? raille-t-il avec un large sourire, s'amusant de ma gêne.

– Oui, un peu.

– Eh bien dites-le, mon poulet ! rugit-il. Dites ce que vous voulez ! On ne va pas y passer la journée !

Et il refait la scène, avec un geste différent.

Plus tard, il me prend à part.

– Vous savez, tourner autour du pot, ça ne rend service à personne. Tâchez de nous faire comprendre ce que vous voulez. Vous croyez être poli, en réalité vous êtes simplement difficile. Dites ce que vous avez à dire et suivez votre ligne.

Je promets d'essayer. Et je m'en tire mieux, sans jamais parvenir à être aussi direct que lui.

– Il faut toujours dire la vérité, m'explique-t-il, parce que si vous dites la vérité, le problème retombe sur l'autre.

Il suit sa maxime : il dit toujours la vérité. Sean semble vivre dans le temps présent, réagissant aux événements avec une spontanéité et un détachement qui font peu de cas du passé et du futur. Il est toujours sincère. Tantôt, il complimente des gens qu'il n'aime pas, je le sais. Tantôt il se met en rogne contre ses intimes. Il dit toujours la vérité telle qu'il la voit à l'instant, et si quelqu'un n'aime pas ça, ce n'est pas son problème.

Les jours de tournage sur le train continuent. L'équipe est extrêmement prudente ; personne n'est blessé. Mais il nous reste maintenant à tourner les séquences les plus risquées, celles où Sean tourne le dos aux ponts et doit se coucher au dernier moment, sa tête passant à quelques centimètres seulement de la paroi. Ces prises de vues sont réglées au millimètre près et chronométrées avec soin, mais nous sommes tous soulagés d'en avoir fini.

Arrive enfin une dernière longue séquence où Sean court sur toute la longueur du train, sautant d'une voiture à l'autre. Comme on tourne dans toutes les directions, l'opérateur de la caméra et moi sommes installés sur une plate-forme latérale tandis que tous les autres sont à l'intérieur du train. J'essaie de regarder la scène sans oublier de me courber au bon moment de manière à ne pas obstruer le champ de la caméra.

Le tournage commence. Sean remonte en courant sur toute la longueur du train. Je sens une odeur âcre et nauséabonde. Une douleur aiguë au sommet de mon crâne. Les cendres de la locomotive ont mis le feu à ma chevelure. Je me brosse frénétiquement pour essayer d'étouffer le feu, parce que je ne veux pas qu'un filet de fumée me monte de la tête quand la caméra pivotera dans ma direction.

Pendant que je fais ça, Sean saute vers la voiture la plus proche, trébuche et tombe. Bon sang, Sean, n'oublie pas que c'est dangereux ! Il porte un paquet de vêtements. Ça fait partie du scénario. Il les laisse tomber dans sa chute et je comprends que jamais Sean ne ferait une chose pareille, qu'il a dû vraiment trébucher. Pendant que j'essaie d'éteindre mon scalp en feu, Sean se remet debout, récupère son balluchon et avance en geignant sous l'effet de la douleur. La caméra tourne, nous faisons la prise de vues.

Après quoi nous arrêtons le train. Tout le monde descend. Sean s'est ouvert le menton. Quelqu'un le soigne.

– Tout va bien, Sean ?

Il me regarde.

– Vous saviez que vos cheveux étaient en feu ? Il faut être plus prudent là-haut.

Et il s'esclaffe.

Le regard neuf qu'il porte sur toute chose lui permet d'arriver à des conclusions surprenantes. Le quatrième jour du tournage, nous fourrons tout le monde dans le train, sauf Sean, parce que nous tournons avec l'hélicoptère. La caméra verra le train sur toute sa longueur. Je suis donc à l'intérieur avec un haut-de-forme et un talkie-walkie sur les genoux. Le train démarre. J'entends l'ingénieur annoncer à voix haute la vitesse : « Quarante kilomètres-heure... cinquante... cinquante-six... »

C'est la vitesse dont on était convenus. L'hélicoptère annonce par radio qu'il est en position. Je donne le signal de l'action. Le tournage commence. Assis sur ma banquette, assourdi par le fracas de l'hélicoptère qui avance au-dessus de nous, j'essaie d'imaginer la prise de vues, j'essaie de deviner au bruit ce qui se passe.

Le pilote annonce que la prise est bonne. Le train s'arrête, Sean descend du toit. Il est furieux, il trépigne et enrage.

– C'est sacrément dangereux, là-haut ! Ce train de malheur ne va certainement pas à cinquante-six kilomètres-heure !

– Si, Sean.

Après tant de jours de tournage, le contrôle de la vitesse est au point. C'est capital, parce que en tournant un film il faut adapter la vitesse au sens de la caméra. Si elle est placée sur le côté dans le sens du déplacement, la vitesse paraît plus grande, et il faut donc faire ralentir le train. À défaut de varier la vitesse de cette façon, au montage le train donnera l'impression d'aller plus vite dans certaines prises de vues que dans d'autres.

Il y a longtemps qu'on a réglé tout cela. L'un des assistants se trouve dans la cabine ouverte de la locomotive avec un talkie-walkie. À chaque nouvelle prise de vues, il indique les vitesses. Le tournage commence sitôt que le train est à la vitesse prévue. Telle a été notre façon de faire depuis le début.

Je prends le talkie-walkie.

– Chris, à quelle vitesse allait le train dans la dernière prise de vues ?

– Cinquante-six kilomètres-heure, dit la voix depuis la locomotive.

Je regarde Sean, de l'air de dire : « Vous voyez bien ! »

Sean s'empare du talkie-walkie et demande :

– Comment vous le savez qu'il roulait à cinquante-six kilomètres-heure ?

– On compte les poteaux télégraphiques, dit la voix après un long silence.

Sean me rend l'appareil.

On commence peu à peu à comprendre. C'est une locomotive de 1863 et elle ne possède pas le moindre compteur. Pour estimer la vitesse, les hommes de la cabine comptent le nombre de poteaux télégraphiques. C'est une méthode de toute évidence très approximative. Et soudain on se demande : à quelle vitesse le train roulait-il vraiment ?

L'hélicoptère volait parallèlement au train pendant la majeure partie de la prise de vues. On appelle le pilote par radio.

– À quelle vitesse roulait le train dans la dernière prise ?

– Quatre-vingt-huit kilomètres-heure. On a trouvé que M. Connery était complètement barjo de monter là-haut !

Justifié, Sean croise les bras sur la poitrine :

– Vous voyez bien !

Au bout du compte, l'épisode me fit toucher du doigt l'importance d'un regard neuf. On tournait depuis des jours et tout le monde s'était confortablement installé dans la routine. Aucun de nous n'avait pris la peine d'aller voir à quoi ressemblait la cabine de la locomotive. Depuis des jours, personne n'avait pensé à demander comment on savait la vitesse. La question attendait d'être posée. Le fait est que personne ne s'en inquiéta avant que Sean ne le fît.

– À la fin de la journée, je me tire, annonce Sean un jour, après le déjeuner.

– Quoi ?

– J'arrête avec le train, répond-il d'un ton calme. Fini ! Je rentre à Dublin, histoire de piquer un petit roupillon.

Il restait encore trois jours de tournage au programme. Je ne pense pas qu'on aura besoin des trois jours, mais je crois qu'on a encore une bonne journée de travail devant nous. Pourquoi s'en va-t-il ?

– J'en ai ras le bol de ce foutu train.

C'était tellement drôle, tellement grisant ! Je ne comprends pas ce changement d'humeur si soudain. Naturellement, il a vu les rushes et il sait qu'on a déjà engrangé assez de pellicule. J'ai déjà tourné près de six heures de film pour une séquence qui, finalement, ne fera pas plus de quinze minutes. Je suis donc extrêmement prudent, ainsi qu'ont tendance à l'être les réalisateurs. Est-ce une manière de m'inviter à abattre mon jeu ?

– Je suis vidé, explique-t-il, je suis vidé.

Il ne dira pas un mot de plus. Il part en fin de journée et rentre à Dublin.

Le lendemain matin, on tourne les dernières scènes, des points de vue, des raccords, etc. Je suis juché sur le train avec un cascadeur et un opérateur. On va très vite. À grande vitesse, le train bringuebale dans tous les sens. Ça met les nerfs à rude épreuve.

Et subitement, en un instant, j'en ai à mon tour ras le bol du train. Les tunnels ne sont plus drôles du tout, les fils suspendus ne sont plus un défi, les soubresauts et le vent frigorifiant ont cessé d'être toniques. C'est simplement dangereux et épuisant. Je veux arrêter tout de suite et descendre du train. Je comprends ce qui est arrivé la veille à Sean. Il en a eu assez et il a su à quel moment arrêter. La séquence est terminée. Il est temps de regagner le studio, de passer à autre chose.

Londres et ses voyants

Ça s'appelait l'Association britannique de spiritisme. Je l'appelais le méli-mélo métapsychique. Il y avait toutes sortes de voyants, qu'on pouvait consulter pour seulement cinquante francs l'heure.

L'association mettait ses voyants en vedette pour attirer les gens à sa religion : le spiritisme, qui ne m'intéressait pas. Ce qui m'intéressait, en revanche, c'était la possibilité des phénomènes psychiques, et la diversité des voyants tenait du prodige.

Il y en avait qui recouraient à la psychométrie, tenant un objet à la main tout en lisant ; il y en avait qui se mettaient à lire au moment même où vous franchissiez le pas de la porte ; d'aucuns lisaient les feuilles de thé, d'autres les cartes du tarot, d'autres encore les fleurs. Il y en avait un qui faisait je ne sais trop quoi avec du sable. Quelques-uns vous parlaient de votre famille, de vos parents disparus ou de vies antérieures. Les uns étaient psychologues, les autres très pragmatiques. Au total, l'association comptait quarante membres, et pour quiconque s'intéressait aux phénomènes psychiques en général, c'était presque trop beau pour être vrai.

J'y allais presque tous les jours en rentrant du travail.

On poussait la porte et on passait devant le fauteuil de sir Arthur Conan Doyle, le membre le plus célèbre et le plus influent de l'association. Ce siège avait toujours sur moi un effet dégrisant. Quiconque a un bagage scientifique et s'intéresse aux choses métaphysiques ne peut qu'être dérangé par l'exemple de sir Arthur.

Le créateur de Sherlock Holmes était un médecin écossais, catholique déchu doublé d'un athlète vigoureux et d'un gentleman victorien. Bien qu'il soit très étroitement associé à l'esprit froid, déductif, du personnage de détective qu'il a créé, Conan Doyle s'intéressa au spiritisme, au mysticisme et à la métaphysique dès la faculté de médecine. Le surnaturel occupait souvent une place de choix dans ses aventures. Dans des œuvres comme *Le Chien des Baskerville*, il y a une tension continue entre l'explication surnaturelle et l'explication prosaïque des événements.

C'est en 1893 que Conan Doyle adhéra à la Société de recherche psychique, organisation très respectable que présidait Arthur Balfour, l'homme politique. Parmi ses vice-présidents, il faut citer deux hommes de science aussi éminents que le psychologue américain William James et le naturaliste évolutionniste Alfred Russell Wallace. Ce qui n'empêchait pas la controverse, le meilleur exemple étant le scandale lié au nom du physicien William Crookes et de la médium Florrie Cook.

Au XIXe siècle, les séances étaient populaires. Le public payant prenait place dans une pièce obscure et un médium tentait d'évoquer les esprits de l'Au-Delà. Tout un attirail était nécessaire : des trompettes d'argent à travers lesquelles parlaient les morts, des cabinets dans lesquels s'enfermaient les médiums, des tambours volants et d'autres objets lumineux qui voltigeaient au-dessus de l'assistance. Dans les séances les plus spectaculaires, le médium faisait se manifester l'ectoplasme, le visage ou la silhouette d'un disparu. Telle était la spécialité de Florrie Cook.

Durant les séances, Florrie s'enfermait dans un cabinet où elle entrait en transe. Bientôt s'avançait une jeune femme des plus séduisantes, vêtue de robes phosphorescentes. Cette belle apparition, censée être une meurtrière du nom de Katie King, déambulait à travers la salle. Nue sous ses voiles diaphanes, elle faisait sensation dans l'Angleterre victorienne.

Après avoir assisté à une séance, William Crookes fut à ce point fasciné par la médiumnité qu'il fit venir Florrie Cook chez lui. Au bout de quelques mois, Crookes conclut à l'authenticité de l'expérience.

Pour la plupart des gens, cependant, il était évident que Florrie Cook et Katie King n'étaient qu'une seule et même personne. Crookes prétendit qu'à deux reprises il les avait vues simultanément, mais son objectivité était jugée compromise et, en tout état de cause, il était connu pour sa mauvaise vue.

Le fantôme controversé de Katie King cessa finalement d'apparaître et Florrie Cook matérialisa un nouveau spectre du nom de Marie. Un soir, sir George Sitwell l'empoigna : Marie s'enfuit de la pièce en hurlant. Le public ouvrit le cabinet fermé : il était vide. Les habits de Florrie Cook traînaient sur le sol. L'imposture était confirmée.

L'affaire William Crookes et Florrie Cook est apparemment un bon exemple de la jobardise des hommes de science. Tout au long de sa vie, cependant, Conan Doyle se conduisit comme Crookes, montrant toujours un empressement étonnant à accepter toutes sortes d'événements improbables. Tout en assurant que « notre devoir urgent est de démasquer les faux médiums », et bien qu'il ait lui-même percé à jour divers cas d'imposture, il faisait généralement preuve d'une extraordinaire crédulité. Le point culminant fut sans conteste l'épisode des photos de fées, qui présente toutes les caractéristiques d'une aventure inconsidérée de Conan Doyle dans le monde des esprits.

En 1920, deux enfants du Yorkshire, Elsie et Frances Wright, prétendirent avoir photographié des fées dans un jardin de campagne. Le père des fillettes était un photographe amateur qui disposait d'une chambre noire. Pour cette raison et d'autres, les photographies éveillèrent aussitôt la méfiance. Un porte-parole d'Eastman-Kodak prétendit qu'elles étaient « visiblement truquées ». Un expert du *New York Herald Tribune* assura qu'il s'agissait en fait de poupées. Beaucoup de gens se demandèrent pourquoi les fées étaient habillées à la dernière mode de Paris.

Conan Doyle demanda à un ami d'aller interroger les filles. Il ne les rencontra jamais personnellement. Puis il examina les clichés et les publia dans *La Venue des fées,* affirmant sa conviction que les photos de petits personnages ailés étaient authentiques et prouvaient la réalité des fées.

Telle était mon inquiétude : qu'un médecin devenu écrivain, par ailleurs raisonnable, puisse se convaincre, par degrés, de l'existence des fées. Dans le passé, je m'étais fortement identifié à Conan Doyle et je marchais maintenant sur ses brisées. Je résolus d'avancer avec prudence.

La première chose était apparemment de se faire une idée de la réalité des phénomènes « psychiques ». Parce que je savais d'expérience, pour avoir été médecin, qu'on pouvait tirer beaucoup de choses d'une simple observation. Et, dans le bazar d'Istanbul, j'avais passé une heure mémorable à observer deux vendeurs à la criée qui apostrophaient le chaland dans une douzaine de langues différentes, sans jamais tomber à côté. Les possibilités de l'intuition ordinaire, en dehors de tout phénomène psychique, étaient considérables. Soucieux de minimiser cette part, je me fixai les règles suivantes :

1. Ne jamais donner mon nom.

2. Ne jamais donner d'indices verbaux au cours de la lecture. Concrètement, ça voulait dire que j'essayais de ne pas dire un mot,

en sorte que le voyant ne sache même pas si j'étais ou non anglais. Si on me pressait de parler, je me contentais d'un murmure incompréhensible : « Ummm » ou « Hmmm ». Je le faisais une première fois, puis j'essayais de le refaire exactement de la même façon, sans le moindre changement d'inflexion, jusqu'à la fin de l'entretien. Si le voyant insistait, je disais « Peut-être » ou « Je ne suis pas sûr ». Jusqu'à la fin de la séance, je m'en tenais à ces mots.

3. Ne jamais donner d'indices visuels au cours de la lecture. Garder le corps parfaitement immobile, ne pas bouger sur mon siège. Adopter une position et m'y tenir.

4. Essayer de faire le vide dans ma tête, au cas où quelqu'un essaierait de lire dans mes pensées. On ne sait jamais.

5. Essayer de mémoriser tout ce qui se dit, quand ça fait mouche ou quand ça passe à côté. On a tendance à se laisser impressionner par les succès et à oublier les échecs. Je voulais conserver l'équilibre. Ne pas cesser de prendre des notes.

J'étais content de mon plan, mais je savais qu'il serait extrêmement difficile à mettre en pratique. Bien qu'il n'entrât pas dans mes intentions de donner quoi que ce fût à « lire » aux voyants par des circuits ordinaires, le fait est que nous nous donnons tous les uns aux autres une quantité d'informations considérable : les habits, l'attitude, le teint, la position du corps, son mouvement, l'odeur, la respiration, etc. Il n'y a pas moyen de l'éviter, sauf à conduire l'entretien par téléphone. Notre présence physique nous trahit inévitablement.

Et même si je comptais éviter tout mouvement du corps ou toute inflexion de la voix qui aurait un « retour d'information », je ne pensais pas suivre mon plan aussi parfaitement que je l'aurais aimé. Je comptais néanmoins m'y tenir au plus près.

Comme par un fait exprès, le premier voyant que je vis se prêtait à merveille à mes plans. C'était une femme de soixante ans passés, presque aveugle. Elle n'entendait pas bien non plus, parce qu'elle crut que j'étais de Londres. Je me gardai bien de la démentir. Je pris place et, pour faire le vide dans ma tête, je me concentrai sur ses chevilles enflées.

Elle parla de choses et d'autres, émaillant ses propos de quelques observations psychologiques, sans rien de bien précis. Au bout d'une demi-heure de propos décousus, elle demanda d'une voix alarmée : « Mais qu'est-ce que vous faites donc comme travail ? » Et aussitôt, elle reprit : « Ne dites rien, ne dites rien ! C'est juste que je n'arrive pas à rassembler mes esprits. Je n'ai encore jamais rien vu de tel. » Puis elle me dit ce qu'elle voyait.

Elle me voyait travailler dans une chambre, un genre de buanderie, avec d'immenses bassines blanches, et il y avait des serpents noirs enroulés, sauf que ce n'étaient pas des serpents. Et elle entendit un bruit terrible, qui se répéta à plusieurs reprises, un genre de *Whaaaa-whoooo, whoooo-whaaaa*, et elle vit des images qui avançaient et reculaient, avançaient et reculaient. Et une sorte de chapeau, des hauts-de-forme, ou des chapeaux à l'ancienne.

Voilà les éléments qu'elle n'arrivait pas à rassembler. Et elle trouvait cela désagréable, ces bruits, ces serpents et toutes ces choses.

– Vous êtes très singulier, fit-elle.

Naturellement, je savais exactement ce qu'elle voyait. Elle voyait l'endroit où je venais de passer quinze jours, la salle de montage où l'on associait ces bruits affreux aux images du film que je venais de tourner. C'était *La Grande Attaque du train d'or*, où tous les acteurs avaient des hauts-de-forme.

Cette petite dame aveugle aux chevilles enflées n'avait pas moyen d'être au courant.

En la quittant, je me sentais bizarre. Tous les plans que j'avais soigneusement élaborés me semblaient à côté de la plaque. Peut-être avais-je mal contrôlé mes gestes, mes verbalisations, mes grognements, peut-être avait-elle feint d'être aveugle en « lisant froidement » en moi, mais qu'importe ! Je savais pertinemment que je n'avais pas pu lui transmettre des images d'une salle de montage – des images dans lesquelles elle avait cru reconnaître une buanderie avec des serpents. C'était impossible. Au demeurant, rares sont les gens qui ont jamais mis les pieds dans une salle de montage. Ce n'est pas une expérience courante.

D'où tenait-elle donc le renseignement ?

Je ne voyais que deux possibilités. Peut-être lui avait-on donné le tuyau. J'avais pris rendez-vous par téléphone sous un nom d'emprunt, mais quelqu'un avait pu me reconnaître à la réception et s'était empressé de raconter à la dame qui j'étais, que je travaillais dans le cinéma. Je n'avais pas repéré de téléphone dans son cabinet, mais on ne savait jamais. Du coup, tout s'expliquait.

L'autre possibilité était qu'elle était vraiment voyante, et que le phénomène était réel.

Deux jours plus tard, je retournai à l'Association de spiritisme. Cette fois-ci, je vis un petit homme précis, aux gestes directs. Il tendit la main, fit claquer ses doigts et dit :

– Eh bien, donnez-moi quelque chose.

– Du genre ?

– Votre montre fera l'affaire.

Je lui donnai ma montre.

– Ne vous inquiétez pas, je vous la rendrai. Asseyez-vous là.

Il tenait la montre à la main, la faisant glisser entre ses doigts et jouant avec elle. Il prit place dans un rocking-chair. Je commençais à avoir la migraine. Je n'étais pas très à l'aise en sa présence.

– Croyez-vous au spiritisme ? me demanda-t-il.

– Je ne sais pas.

– Votre grand-père a été soldat ?

– Je ne sais pas.

– Je vois, vous êtes du genre à répéter tout le temps la même chose, n'est-ce pas ? Vous ne voulez pas m'aider, c'est cela ?

– Je ne sais pas.

Je m'en tenais à mon plan, mais ça semblait idiot.

– Peu importe, conclut-il. Comme vous voudrez. Je vois votre grand-père à cheval, il a l'air d'un soldat. Je vois votre grand-père qui travaille la pierre. Je vois des éclats de pierre par terre.

Mon grand-père avait taillé des pierres tombales. J'en avais vu des photos.

– Votre père est mort, dit le voyant. Il est décédé récemment ?

Mon père était mort huit mois plus tôt.

– Oui, fis-je.

– Il va très bien. Votre mère a trop de chagrin. Vous devriez lui dire que votre père va très bien et qu'il voudrait qu'elle arrête de pleurer comme ça. Vous allez le dire à votre mère ?

– Oui.

Et au fond de moi, je me disais, bien sûr, mon vieux, je vais appeler ma mère et lui raconter qu'un petit charlatan antipathique a pris ma montre et m'a dit que papa était dans l'autre monde et que tout allait bien pour lui, maman. Il pouvait y compter.

Je me disais aussi que c'était une situation classique. Dès que ce type avait deviné que mon père était mort récemment, il pouvait dire, sans grande crainte d'être contredit, que ma mère avait trop de chagrin et que je devrais lui dire que papa se portait bien. C'était une situation classique et ça ne signifiait pas grand-chose.

L'homme prit la montre entre ses mains.

– Votre père a fait des bonnes choses et d'autres qui l'étaient moins.

Encore un commentaire classique. Applicable à n'importe quel disparu. Ça ne m'impressionnait pas.

– Votre père regrette ce qu'il vous a fait.

Je ne dis rien.

– Votre père a fait de son mieux avec vous, mais, vous comprenez, il n'a pas eu de père pour le conseiller.

C'était vrai, et pas facile à deviner.

– Votre père ne savait pas comment s'y prendre avec vous, et naturellement vous l'intimidiez. Vous avez eu des problèmes tous les deux. Mais il sait qu'il vous a blessé et il a mauvaise conscience. Il tient à ce que vous le sachiez. Il souhaite vous aider.

Je ne dis rien.

– Souvent, le soir, vous sortez en ville. Dans ces moments-là, votre père vous suit pas à pas, et il souhaite vous aider.

À Londres, j'avais vu une femme qui habitait tout près de mon hôtel. Le soir, je rentrais souvent à pied, goûtant la fraîcheur de l'air et le brouillard léger de Londres, et en chemin je pensais souvent à mon père.

– Je sais que votre sœur est avocate, dit-il soudain. Mais elle est américaine. Pourquoi se trouve-t-elle en Angleterre ?

Ma sœur et son mari passaient leurs vacances en Angleterre. Quelque part : je ne les avais pas encore vus et je ne les verrais pas avant qu'ils n'arrivent à Londres, à la fin du mois.

Les choses continuèrent ainsi jusqu'à la fin de la séance. Le petit homme pouvait bien être embêtant, mais il était étonnamment précis.

J'y retournai deux jours plus tard. Je fus reçu par une femme d'âge mûr qui portait un tailleur écossais de tweed et qui ressemblait à Miss Marple, en plus grand. D'un ton péremptoire, elle m'apprit que j'étais de Malte, que j'étais fils unique, que je travaillais dans l'alimentation ou la restauration, et que je devais me tenir sur mes gardes parce qu'on me trompait.

Je repartis abasourdi. Cette femme avait tout faux. Au moins, par le fait du hasard, elle aurait pu tomber sur quelque chose de juste. Or elle n'avait pas donné un seul détail exact.

Comme je tournais un film, j'avais droit à une voiture avec chauffeur. John King, mon chauffeur, commença à se demander pourquoi j'étais toujours fourré dans cette association.

– Qu'est-ce qu'ils font exactement, Michael ?

– Eh bien, il y a des gens qui font des lectures, des lectures psychiques.

– Ils disent l'avenir ?

– Ça arrive. Ou, parfois, ils parlent simplement de vous, ils vous disent quel genre de personne vous êtes.

– Parce que vous ne savez pas qui vous êtes ?

C'était son côté pratique.

– Eh bien, c'est toujours intéressant quand c'est quelqu'un qui ne vous connaît pas qui vous le dit.

– Et ils ont raison ?

– En général, oui.

John marqua un temps de silence puis reprit :

– Vous croyez qu'on peut lire dans l'avenir ?

– Je pense qu'il se passe vraiment quelque chose.

Voilà en tout cas où j'en étais arrivé. Il eût été absurde de prétendre que toutes mes « lectures » pouvaient s'expliquer de façon ordinaire. Un voyant m'avait donné le nom de mes amis en Californie. Un autre avait décrit ma maison et les modifications que j'y avais introduites. Un autre avait rappelé un incident qui m'avait beaucoup marqué quand j'étais petit : j'avais ouvert la cage aux oiseaux de Mlle Fromkin et son canari s'était envolé par la bouche d'aération du plafond pour ne revenir qu'au bout d'une heure.

Un réseau d'informateurs des plus diligents ne saurait l'expliquer. Je n'avais pas non plus livré des renseignements au voyant par des circuits ordinaires. Je n'avais rien laissé « filtrer » concernant le canari de Mlle Fromkin. Avant qu'il ne me le rappelle, j'avais même complètement oublié cet incident.

Là-dessus, je savais à quoi m'en tenir. Comme sur ce qui ne s'était pas produit.

C'est sur ce qui s'était produit que j'étais perplexe et que j'avais du mal à me faire une religion. De ces tableaux exacts de mon passé, je répugnais à sauter à l'idée que quelqu'un pouvait lire dans l'avenir. Voir dans l'avenir était apparemment une tout autre paire de manches.

D'un côté, tout le monde communique avec le passé. Je puis vous parler de ma vie et vous en saurez quelque chose. Il n'y a rien de mystérieux là-dedans. La capacité de faire la même chose sans parler, de « lire dans ma tête » en dehors des mots, pourrait passer pour un simple raffinement d'une faculté préexistante, de même qu'un avion à réaction est un perfectionnement du biplan. Ça ne me posait pas vraiment de problème, même si je ne comprenais pas comment ça marchait.

D'un autre côté, l'idée qu'on puisse lire l'avenir prêtait le flanc, à mes yeux, à des objections théoriques du même ordre que l'idée d'un voyage à une vitesse supérieure à celle de la lumière. Je n'arrivais pas à comprendre comment c'était *possible*, ce qui m'empêchait de tirer la moindre conclusion formelle. Après tout, le passé existait bel et bien, en ce sens que le passé est un présent antérieur, qui s'est maintenant retiré. Mais le futur n'existait pas encore. Comment pourrait-on le percevoir ?

En tout état de cause, j'aurais été bien en peine de dire la quantité exacte de renseignements que je glanais sur mon avenir. À ce que je voyais, on me disait beaucoup de choses justes sur mon passé et mon présent, mais pas grand-chose sur l'avenir.

Toutes ces réflexions me rendaient hésitant.

– Qu'est-ce que ça vous apporte d'aller voir ces gens ? demanda John.

– Juste... euh, je ne sais pas. Ça m'intéresse.

C'était la meilleure explication que je pouvais donner. D'une certaine façon, ça l'est encore. Devant son air perplexe, je continuai.

– Je sais quoi. La prochaine fois que j'y vais, je prendrai aussi rendez-vous pour vous.

Quand je sortis de ma séance, il était déjà au volant, le visage pâle et effrayé.

– Mince alors ! Ce type, vous savez ce qu'il m'a dit ?

– Non. Quoi ?

John ne répondit rien.

– Mais alors, comment ils savent toutes ces choses ?

– Quelles choses ?

– Oh, je n'arrivais pas à y croire ! Comment il savait tous ces trucs ? Ça me donne froid dans le dos.

– John ! Qu'est-ce qu'il a dit ?

– C'est bon, je peux bien vous le dire. Ça m'est bien égal, je n'y retournerai jamais.

Il ne parlait que de ses réactions, jamais de l'expérience proprement dite.

– Je ne vois vraiment pas ce que vous y trouvez, dit-il plus tard. Je ne vois vraiment pas ce que vous allez chercher là-bas.

– Je ne comprends pas ce qui vous déplaît.

Sa réaction me laissait perplexe. Je pouvais comprendre le scepticisme ou l'indifférence. Mais la peur ?

Quelques jours plus tard, il me donna un indice.

– À vrai dire, expliqua-t-il alors qu'il me conduisait au studio, je n'ai pas envie d'en savoir trop long sur mon compte. Et, surtout, je ne tiens pas à ce que quelqu'un d'*autre* sache.

C'était donc la peur. La peur d'être percé à jour. La peur d'une immixtion dans sa vie intime. La peur des secrets et des faiblesses qui seront exhumés. La peur de ce que réserve l'avenir.

Cela, j'étais capable de le comprendre. Je me souvenais de la première fois que j'avais vu un vrai psychiatre. C'était le père d'une fille que j'avais connue à la fac, et je me retrouvai assis à côté de lui à un dîner. De toute la soirée, je n'avais pas voulu desserrer les lèvres, parce que je me disais, si je dis *quoi que ce soit*, il me percera à jour, il verra combien je suis superficiel, obsédé par le sexe, en un mot comme en cent, que je suis un glandeur et un désaxé. Je préférai donc la fermer.

– Vous êtes bien calme, me dit le psychiatre au bout d'un moment.

– Hum, hum, fis-je.

Il me posa quelques questions sur mes études, histoire de me décoincer. Je répondis sèchement. Pas question de sortir de ma réserve.

– C'est moi qui vous rends nerveux ? finit-il par demander.

– Un petit peu.

Et je lui fis part de ma crainte : quelques remarques décousues lui suffiraient pour m'analyser.

– Je ne suis pas en service, répondit-il en riant. On apprend à tirer un trait sur son activité professionnelle quand la journée est finie.

Mais ce n'était pas vraiment satisfaisant. Je crois qu'il le savait.

– Vous savez, la psychiatrie est loin d'être aussi puissante que ça. Si vous ne voulez pas que je sache quelque chose, je doute de pouvoir le découvrir le temps d'une conversation de table.

Mais je me souvenais encore de cette peur irraisonnée et de ma terreur en songeant à ma psyché inexplorée. Qui sait ce qu'il y avait là ? Mieux valait se fermer les yeux. Mieux valait également que personne d'autre n'aille y jeter un œil. On risquait d'avoir un sacré choc !

Mais la peur n'était plus mon problème, et à Londres je fréquentai les voyants avec assiduité. Avec le temps, je commençai à voir comment ils s'y prenaient.

Par exemple, ils procédaient généralement par cercles concentriques. On aurait dit des aveugles qui touchaient une statue sous toutes les coutures pour essayer d'imaginer ce qu'elle représentait. Ils se saisissaient de détails. Et ils avaient tendance à se répéter. Comme s'ils tournaient autour de quelque chose pour essayer de le sentir et donnaient leurs impressions.

J'observai aussi qu'ils avaient tendance à parler comme s'ils traduisaient. Comme s'ils essayaient de passer d'une langue ou d'un système de représentation à un autre. Parfois, cela les conduisait à s'exprimer en termes très vagues. Un producteur de films était une « personne qui est responsable d'autres gens ». Un monteur était une « personne qui assemble en un tout les choses qu'on lui donne ». Une secrétaire qui fait n'importe quoi, « quelqu'un qui croit bien faire, mais qui s'énerve et commet des erreurs dont il n'a pas conscience ».

D'autres fois, en revanche, ils semblaient extrêmement concrets. Ils ne disaient pas que j'étais écrivain ; ils disaient : « Je vous vois entouré de livres. » Ils ne disaient pas que j'avais une maison moderne, mais : « Vous avez une maison très ouverte, avec beaucoup de baies vitrées et des arbres verts à l'extérieur. » Et ainsi de suite.

Je remarquai aussi qu'ils semblaient suivre une ornière ou une piste, à laquelle ils se tenaient quelque temps avant d'en changer quand, brusquement, elle n'avait plus d'intérêt ou qu'elle les égarait. Quand ils se fourvoyaient, je me rendis compte qu'il leur fallait toujours un moment avant de s'engager sur une autre piste.

J'essayai de comprendre à quoi étaient liés leurs louvoiements. Il semblait qu'ils s'égaraient lorsqu'ils prêtaient trop attention à moi. S'ils m'observaient pour de bon, ils pouvaient proférer des banalités du genre « vous avez l'air très jeune », « vous êtes très grand » ou « vous n'êtes pas anglais, n'est-ce pas ? ». Puis ils changeaient leur fusil d'épaule. Apparemment, ils devaient faire comme si je n'existais pas pour faire une bonne lecture. Ils n'étaient jamais plus précis que quand ils donnaient l'impression de se parler à eux-mêmes, de réfléchir comme si je n'étais pas là. En ce sens, leur démarche était à l'opposé de ces techniques de lecture froides qui exigent un examen attentif de la personne qui se trouve devant vous. Une attention trop soutenue était une source d'erreur.

Je remarquai aussi qu'ils donnaient leurs informations dans le désordre, étrange méli-mélo parfois irritant de choses importantes et d'insignifiances, comme si tout était sur le même plan. Comme si les lectures psychiques court-circuitaient les processus habituels par lesquels on soupèse les informations.

Enfin, j'observai que les voyants semblaient avoir des zones de confusion spécifiques, reproductibles. L'une avait trait aux similitudes. Ils confondaient le Colorado avec la Suisse, une plage avec un désert, des livres de médecine avec des livres de droit. Ils s'égaraient aussi souvent dans les dates, comme s'ils avaient plus de facilité à découvrir la saison que l'année. Souvent, ils se trompaient sur l'ordre des choses et leur importance. Tout se passe comme si on ne pouvait leur demander d'être exacts en ce qui concerne les quantités et la chronologie. Ils en étaient tout bonnement incapables.

Tous les voyants que je vis me semblèrent avoir une personnalité bien marquée. Ils n'avaient guère de points communs. En revanche, ils se ressemblaient davantage dans leur manière d'obtenir et de traiter l'information.

Tout cela me conforta dans la conviction qu'il se passait bel et bien quelque chose, que ces gens avaient accès à une source d'information fermée au commun des mortels. Je ne savais pas pourquoi eux y avaient accès et pas nous, mais apparemment il n'y avait pas de supercherie là-dedans. Au contraire, ils semblaient former un groupe d'une remarquable honnêteté. Pas de mise en scène. Pas d'ectoplasme phosphorescent. Ils se contentaient d'un « Asseyez-vous là, le temps que je vous donne mes impressions ».

Deux voyants me certifièrent que j'étais moi-même voyant. L'un deux ajouta que j'écrivais sur l'univers psychique. Naturellement !

Après trois mois de visites assidues chez les voyants, le film fut terminé. L'heure était venue pour moi de quitter Londres.

– Eh bien, me demanda John King, qu'avez-vous décidé ?

Je n'avais rien décidé. Je ne savais que penser. J'étais sûr que certaines personnes, par les hasards de la naissance ou des suites de quelque entraînement particulier, avaient accès à une source d'information qui nous était interdite, pouvaient savoir des choses que nous croyions impossibles de savoir.

Pour ce qui était de l'avenir, j'étais moins sûr qu'on puisse le prédire. Peut-être bien que oui, peut-être bien que non... J'avais en mémoire les imprudences de Conan Doyle et je me promettais de ne pas répéter son erreur.

Le retour de Londres en avion devait symboliser tout cela à mes yeux. Après que j'eus accompli les formalités d'embarquement, British Air annonça que le vol était retardé. Il fallut patienter plusieurs heures dans la salle d'attente.

Les réparations terminées, tout le monde embarqua et on nous servit à boire. Il faisait maintenant nuit noire. Assis à ma place, un verre à la main, je me plongeai dans un livre en jetant de temps à autre un coup d'œil par le hublot. J'avais l'impression que l'avion avait décollé. Puis un chariot à fourche passa devant mon hublot, détruisant mon illusion. Si je n'avais pas vu de véhicules au sol, rien n'aurait pu m'arracher à mon illusion.

Tel était un peu mon état d'esprit face aux voyants. J'avais l'impression que l'avion avait décollé, mais mieux valait attendre un peu pour être sûr que l'appareil n'était pas encore cloué au sol.

Baltistan

Notre excursion au Baltistan suivait la route du Masherbrum, qui, avec ses 8 000 mètres, est l'un des points culminants des monts Karakorum, au fin fond du Pakistan.

Il y a beaucoup de choses que j'ignorais concernant le massif du Karakorum. Sur la carte, il fait partie de cette grande chaîne fripée, de l'Afghanistan à la Birmanie, qui s'élève tandis que le continent indien dérive au nord vers la Russie et à laquelle j'ai toujours donné le nom d'Himalaya. En réalité, cependant, l'« Himalaya » ne désigne que la section orientale de cette chaîne. À l'ouest, c'est le Karakorum, et encore plus à l'ouest, l'Hindu-kush.

Je croyais aussi que l'Himalaya était la chaîne la plus haute du monde, mais ce n'est pas vrai. Certes l'Himalaya s'enorgueillit du mont Everest, la montagne la plus élevée du globe, mais le Karakorum est le massif le plus haut, avec le deuxième plus haut sommet du monde, le K2, et trois autres sommets qui dépassent les 8 000 mètres. Au total, dix des trente plus hautes montagnes du monde s'égrènent le long de la petite chaîne du Karakorum, qui s'étend sur à peine trois cent vingt kilomètres, un peu plus d'un dixième de la longueur de l'Himalaya.

Enfin, j'imaginais le Karakorum comme un massif vert et boisé à l'instar des Rocheuses, en Amérique. J'étais loin de penser que les grands sommets du Karakorum dépassaient en moyenne de 3 200 mètres ceux des Rocheuses, et qu'il s'agissait, au fond, de sommets désertiques s'élevant au-dessus d'un haut plateau désertique. Venteux, lugubres, majestueux, mais désertiques.

De tout cela je pus me rendre compte dans l'avion de la PIA qui me conduisait de Rawalpindi, l'ancienne capitale, à Skardu, dans le Nord. Ces sommets déchiquetés, pointus, n'avaient pas d'équivalent dans le Nouveau Monde. En comparaison, les Rocheuses avaient l'air de vieux contreforts fatigués, tandis que les montagnes les plus hautes, comme le Nanga Parbat, étaient réellement stupéfiantes.

Et quand l'avion se posa sur l'aéroport de Skardu, on entra dans un milieu désertique : chaleur étouffante, chatoiement des courants de convection depuis le tarmac qui, dans la cuvette où nous nous trouvions, déformaient la silhouette des pics. C'est de Skardu que nous devions partir en randonnée. On fit les ultimes provisions au bazar puis on rencontra notre agent de liaison, un commandant pathan de vingt-huit ans, bel homme, du nom de Shan Affredi. Les touristes ne pouvaient faire de la randonnée au Pakistan sans se faire accompagner d'un agent de liaison.

Le lendemain, on remonta l'Indus en jeep en suivant une route taillée dans la falaise et l'on passa la nuit à Khapulu, grand village de quatre cents maisons (c'est ainsi qu'on mesure l'importance des villages dans cette partie du monde). Notre guide, Dick Irvin, recruta des porteurs pour la suite de l'expédition. S'ensuivit une négociation difficile que se prolongea dans la soirée et se trouva compliquée par le fait que nous ne disposions pas de bonnes cartes de la région dans laquelle nous entrions. De toute manière, il est difficile de se procurer des cartes précises du Pakistan. Dick avait sur lui une photocopie des notes prises par un alpiniste deux ans plus tôt. C'était tout ce que nous avions. Ainsi ne savait-on pas très bien l'ordre des villages que nous devions traverser. Certains porteurs de Khapulu entendaient nous laisser dans tel ou tel village, ce qui donna lieu à des discussions, à de nouvelles négociations. Les porteurs ne cessaient de protester que nous ne savions pas où nous allions. Pour moi, il était clair qu'ils avaient raison.

Tout au long des tractations, le commandant Shan se cantonna dans un silence discret. Lui aussi, j'en étais sûr, était convaincu que nous ne savions pas où nous allions.

J'en parlai à Loren. Loren et moi nous étions mariés l'hiver précédent ; ce voyage était une lune de miel différée. Loren venait de terminer son droit et elle était particulièrement insouciante.

Le lendemain matin, on franchit le Shyok sur un *zak* – un radeau formé d'intestins de bique gonflés et attachés sous une plate-forme de rondins de bois, que poussaient les bateliers du pays. Le soleil matutinal inonde le canyon, et la température grimpe au-dessus de 36 °C, alors même qu'il n'est que huit heures. Nous sortons nos ombrelles et commençons à marcher. Pour la première nuit, notre point de chute est Mishoke, un petit village qui devrait se trouver entre les villages de Kande et de Micholu.

La région dans laquelle nous sommes s'appelle le Baltistan. De hauts sommets gris et rocailleux et, dans la vallée où nous avançons, des champs de blé jaunes en terrasses et des petits villages parsemés d'abricotiers. Le paysage est saisissant de beauté et fourmille de contradictions. Dans cette région, terre d'islam, les femmes doivent porter le voile et s'enfuir sitôt qu'elles aperçoivent un inconnu. Tout au long de la journée, comme je marche sur la route, je vois des femmes détaler devant moi à travers les champs dorés. Je me sens bizarre, comme si j'avais un genre de lèpre. Puis j'entends les femmes glousser, et je comprends que toute cette affaire n'est qu'un jeu culturel, une sorte de formalité comparable au serrement de main, mais inversée.

Il n'était pas question de prendre les femmes en photo et il était naturellement interdit à un homme de leur adresser la parole. Au Baltistan, les sexes sont strictement séparés. Parfois, dans la soirée, les femmes de notre groupe allaient s'asseoir parmi les villageoises. La chevelure blonde de Loren provoquait immanquablement l'étonnement. Les femmes se rassemblaient autour d'elle, passant la main dans ses cheveux. Souvent, elles la croyaient malade. À sa vue, les petits enfants se cachaient, la prenant pour un fantôme. Les femmes s'intéressaient aussi à ses vêtements, parce qu'elle portait des pantalons. Quelques-unes lui pressaient les seins à pleines mains pour s'assurer de son sexe.

Les coutumes baltis concernant la séparation des sexes engendrèrent des difficultés inattendues. Lorsqu'on arrivait dans un village, en soirée, il nous fallait patienter avant d'aller au puits, parce que si elles apercevaient des inconnus à proximité, les femmes n'osaient plus s'en approcher une bonne heure durant, de crainte qu'ils ne revinssent inopinément, ce qui ne manquait pas de retarder le repas du soir et de bouleverser la vie du village. Nous attendions donc que les villageois eussent puisé leur eau avant d'y aller à notre tour.

Après quelques jours de marche, Loren alla prendre un bain en amont, non loin d'un village. Elle y alla seule, puisque ma présence eût été reçue comme un affront aux coutumes locales. On lui conseilla de faire au plus vite : injonction superflue tant l'eau de ces ruisseaux de montagne est glacée. On la vit peu après revenir au campement en courant, ses vêtements serrés sur sa poitrine, les cheveux tout moussants de shampoing. Alors qu'elle se baignait en sous-vêtements, un groupe de villageoises avait fondu sur elle et lui avait lancé des pierres pour l'obliger à s'enfuir.

Dans un autre village, les femmes la prirent à partie parce qu'elle refusait de donner le sein à leurs petits. Le commandant Shan (qui se faisait le plus discret possible) eut beau leur expliquer que Loren n'avait pas de lait, elles continuèrent à la regarder d'un mauvais œil. Elles n'arrivaient pas à croire qu'une femme de l'âge de Loren n'ait pas d'enfant et ne puisse allaiter.

Dans la journée, les températures montaient jusqu'à 50 °C. Suant à grosses gouttes sous nos ombrelles, une nouvelle obsession s'empara de nous : l'eau. Jusque-là, je n'avais encore jamais prêté un intérêt particulier à l'eau. C'était quelque chose qui sortait du robinet, toujours disponible, toujours en abondance. L'eau n'était pas une chose à quoi on pensait. Mais ici, tous les matins avant de partir, Dick Irvin consultait ses notes et nous disait où, dans la journée, nous pouvions espérer trouver de l'eau. Il y avait toujours de l'eau dans les villages, bien sûr, mais les villages étaient à plusieurs kilomètres les uns des autres. Il nous fallait donc guetter les cours d'eau et les fossés d'irrigation. On avait chacun deux bouteilles d'un litre, qu'on remplissait à la première occasion.

L'eau étant toujours polluée, on devait la purifier avec des cristaux d'iode, qui lui donnaient une couleur brun rougeâtre et un goût de médicament. La purification prenait du temps et était fonction de la froideur de l'eau. Il fallait laisser à l'iode le temps d'agir avant de boire, parce qu'ingurgiter de l'eau polluée pouvait avoir des conséquences catastrophiques.

De ce point de vue, comme à d'autres, tout nous rappelait notre isolement et sa dure réalité. Les choses les plus anodines devenaient une source d'inquiétude.

Par exemple, il nous fallait passer à gué des rivières, non pas des torrents déchaînés, mais des rapides ordinaires, glissants et glaciaux. En temps normal, je les aurais traversés sans réfléchir, mais ici force était de tenir compte d'une réalité nouvelle. Si on glissait et qu'on se cassait la jambe, on avait de fortes chances d'y rester avant de retrouver la civilisation pour peu que la fracture soit mauvaise. Si on se foulait la cheville, il fallait deux porteurs pour vous ramener. On passait de sales moments, et c'était toute la randonnée qui était gâchée.

Ainsi était-on soumis à de fortes pressions : devant une simple rivière à traverser, surtout ne pas glisser ! Avant de boire de l'eau polluée, s'assurer qu'on l'avait traitée correctement, sous peine d'attraper une diarrhée qui vous clouait sur place. Et ainsi de suite.

Mais ce n'était là qu'un aspect de notre isolement. Un autre était la nature même des villages baltis. Parfois, ils se réduisaient à deux douzaines de cahutes serrées les unes contre les autres au bord de la route. D'un village à l'autre, il y avait en moyenne huit kilomètres, et nous faisions une vingtaine de kilomètres par jour. En général, on quittait donc le village au petit matin, on en traversait un deuxième autour de midi et on passait la nuit aux abords d'un troisième. Si proches qu'ils fussent, ces villages étaient très différents les uns des autres. Même mon oreille peu exercée repérait les différences de parler d'un village à l'autre, et j'observais les variations jusque dans l'architecture des cahutes de bois. Chaque village avait son style bien à lui. Ce degré de variation fut une surprise pour moi, mais c'étaient des villages de montagne, le plus clair de l'année isolés les uns des autres par une épaisse couche de neige – aussi isolés que s'ils avaient été séparés par plusieurs centaines de kilomètres.

Les jours passant, le bruit se répandit que des *farengi* marchaient sur la route. À chaque village, des cris annonçaient notre arrivée, et les gens sortaient pour nous voir. Les parents prenaient leurs enfants par la main et les accompagnaient jusqu'à la route pour leur montrer les étrangers. D'aucuns grimpaient sur les toits et nous regardaient passer de haut. Pour être tout amicale, cette franche curiosité n'en était pas moins bizarre.

Seule une poignée de touristes avaient jusqu'ici emprunté cette route ; le mois précédent, un groupe d'alpinistes japonais avait fait l'ascension du Masherbrum ; mais depuis, pas grand monde.

Les servitudes de l'isolement ne cessaient de se rappeler à nous. On se nourrissait de produits desséchés, mais il était difficile de faire bouillir de l'eau en altitude, et nos dîners avaient souvent le goût de soupe de papier mâché ! L'un de nous demanda à Dick Irvin de négocier des produits frais dans un village.

« Je ne crois pas que ce soit une bonne idée », répondit-il en nous expliquant que dans ces villages isolés les Baltis cultivaient du blé et des abricotiers et élevaient un peu de bétail, et qu'ils avaient besoin de toute leur production pour affronter les rigueurs de l'hiver. Ils n'avaient aucun surplus à vendre aux visiteurs.

– Même si on les paie ?

– Eh bien, c'est que l'argent ne leur servirait pas à grand-chose par ici.

– Que voulez-vous dire ? demanda quelqu'un. Comment pourrait-on se passer d'argent ?

– Le bazar et la banque les plus proches se trouvent à Skardu, et c'est à cent soixante kilomètres ! La plupart n'ont jamais été dans le village voisin, qui n'est qu'à huit kilomètres, alors à Skardu, vous pensez ! Si vous leur donnez de l'argent, ils le gardent chez eux et n'en font jamais rien. Il y a quelques années, ajouta-t-il, le gouvernement avait changé la monnaie et avait dépêché des émissaires dans tous les villages pour demander aux gens d'apporter leurs anciennes pièces avant qu'elles ne perdent toute valeur. Des années après, elles étaient toujours en circulation et les villageois enrageaient quand on leur disait qu'elles ne valaient plus rien.

Après deux jours de marche, on commença à avoir de belles vues du Masherbrum. Je marchais en tête, pour jouir du paysage à loisir. Autour de seize heures, j'arrivai dans un village baigné de lumière : sans doute Kande, où nous devions passer la nuit.

Une bande d'enfants vint en courant à ma rencontre. Ils s'attroupèrent autour de moi, posant la main sur moi, sur mon sac à dos, mon appareil photo. Ils me pressèrent de questions auxquelles je ne prêtai guère attention : ne parlant pas urdu, je n'aurais pu les comprendre.

Je montrai du doigt le village, en donnant son nom présumé, Kande, que je prononçai « Candy », espérant que c'était bien ça. Ils ne me prêtèrent aucune attention, j'imagine pour la même raison : tout ce que je pouvais dire devait leur paraître a priori inintelligible. J'essayai, sans grande réussite, de leur faire comprendre que je voulais savoir le nom de leur village. Dépité, je renonçai.

Je m'assis, ouvris mon sac et croquai quelques barres de céréales. Les enfants ne me quittaient pas des yeux et commentaient chacun de mes gestes.

Ils avaient maintenant cessé de tripoter mes habits et mes chaussures pour s'intéresser exclusivement à mon Nikon. Ils n'avaient plus d'yeux que pour l'appareil photo, disant quelques mots tout en tendant le doigt vers moi puis vers le Nikon. Ils me demandaient quelque chose. Je finis par comprendre : ce n'était pas un mot urdu.

– Nippon ? Nippon ? répétaient-ils sans cesse, en tendant le doigt vers moi puis vers l'appareil.

– Nippon ? Nippon ?

Ils voulaient savoir si j'étais japonais.

J'étais trop ébahi pour rire. Je mesure deux mètres cinq et je suis typiquement occidental. Que quelqu'un, même un enfant, puisse me prendre pour un Japonais passait mon entendement. Ne voyaient-ils pas les différences évidentes entre un Occidental et un Japonais ?

La réponse était non. Ils ne les voyaient pas.

En y réfléchissant, je compris que, à leurs yeux, les similitudes entre moi et les alpinistes japonais devaient l'emporter de beaucoup sur les différences. Nous étions tout aussi exotiques avec nos grosses chaussures, nos vêtements synthétiques aux couleurs vives, artificielles, nos sacs à dos, nos ombrelles et nos appareils photo, nos casse-croûte que nous sortions de petits sacs en plastique : de ce point de vue, entre les Japonais et moi, il n'y avait aucune différence. Nous étions très semblables, et très différents des petits villageois. Qu'importe que notre couleur de peau ne fût pas tout à fait la même et qu'on n'eût pas exactement la même taille ! Toutes ces petites différences étaient manifestement insignifiantes.

En me mettant à leur place, je leur donnai raison.

De quel droit leur aurais-je fait la leçon ? J'avais moi aussi commis des erreurs identiques. Trois ans plus tôt, en Afrique orientale, Loren et moi étions tombés sur une tribu de Samburu en mouvement. Les Samburu sont une tribu semi-nomade, et la sécheresse qui régnait alors dans le nord du Kenya les obligeait à se déplacer afin de trouver de l'herbe pour leur bétail.

Les femmes conduisaient des ânes chargés de tous leurs biens : on arrêta la Land Rover pour discuter avec deux d'entre elles, une mère et sa fille. Ces femmes avaient le crâne rasé et portaient des bijoux de perles qui leur ceignaient le front et pendillaient autour du nez. Elles avaient les oreilles percées, le lobe démesurément étiré sous le poids de leurs colifichets. Leur cou et leurs poignets disparaissaient sous une multitude de colliers et de bracelets métalliques. Les mouches bourdonnaient autour de leur visage et se promenaient sur leur peau, mais elles ne se donnaient pas la peine de les chasser.

À côté d'elles, leurs ânes, chargés d'osier tressé et de tissus, d'objets en peau : toutes leurs possessions se réduisaient à ces choses simples de fabrication artisanale et toujours à base de produits naturels.

Notre guide devisait gaiement avec elles en swahili, on leur offrit un chewing-gum et je m'évertuai à établir un semblant de contact humain avec elles. J'examinai de nouveau leur crâne rasé et leurs parures, et essayai de voir en elles des femmes, des créatures sexuées, mais je me heurtai à une difficulté inattendue. Je devais me forcer pour admirer leurs trésors ; à dire vrai, j'étais un peu paniqué en voyant les mouches grouiller sur leur visage et en pensant que dans un instant on allait regagner la Land Rover et repartir, que nous allions les laisser là, dans ce paysage chaud et désolé, menant leurs ânes chargés de leurs maigres possessions bien ordinaires ; soudain le gouffre qui me séparait d'elles me devint insupportable, et je me dis : *Ce ne sont pas des gens, ce ne sont pas des êtres humains.*

Mes pensées m'horrifiaient. N'avais-je pas fait des études d'anthropologie ? J'étais mieux préparé que la plupart à percevoir l'humanité derrière le masque des artefacts culturels. Mais j'étais sur le terrain, et j'avais le plus grand mal à voir dans ces deux femmes des êtres humains, « comme vous et moi ». Et je n'y arrivais pas. Je voyais des animaux, des créatures avec leurs maigres trésors, au fond assez pitoyables.

D'ordinaire, quand je pense des choses aussi alarmantes, je redoute que d'autres ne me prennent en défaut. Je crains qu'ils ne s'aperçoivent que je ne les aime pas, ou qu'ils pensent que je les prends pour des imbéciles ou je ne sais quoi. Mais, à cet instant, j'observais ces femmes avec une parfaite équanimité. Parce que je savais bien que *jamais elles ne devineraient ce que j'avais dans la tête.*

Je les dévisageai, je pris deux photos, on regagna la voiture et on repartit, et les femmes eurent tôt fait de disparaître derrière nous dans le nuage de poussière soulevé par la Land Rover. Très vite, j'oubliai qu'il m'avait été impossible de reconnaître dans ces femmes des êtres humains. Tout cela s'était dissipé, et je commençai à me demander ce que donneraient les photos, ce que diraient mes amis quand je leur montrerais ces portraits de femmes Samburu.

Quelques jours plus tard, on traversait le territoire des Masaïs en direction du lac Baringo. Toute la journée, on avait vu des Masaïs, des hommes au champ avec leur bétail, des enfants qui jouaient au bord de la route.

Vers midi, on croisa un petit groupe de jeunes filles qui portaient des jupes blanches plissées. Les filles avaient aussi de la peinture blanche sur le visage, et elles gloussaient et riaient de bon cœur.

– Oh, regarde ! s'exclama Loren, elles vont à la première communion.

On arrêta la voiture. Les filles s'attroupèrent autour de nous, souriant et nous saluant gaiement.

– N'est-ce pas que c'est charmant ? dit Loren. Je me souviens de ma première communion.

Notre guide se racla la gorge.

– Euh... ce n'est pas une communion.

– Ah bon ! Alors qu'est-ce que c'est ? demanda Loren.

Il expliqua que ces filles allaient subir une excision rituelle. Les jeunes femmes Masaïs subissaient l'ablation du clitoris dans l'adolescence. Loren l'écouta en silence, visiblement choquée, ne quittant pas des yeux les Masaïs qui souriaient.

– Pourquoi sont-elles si *heureuses* ?

Puis elle voulut savoir la raison d'être de cette mutilation, mais bien entendu cette raison est absurde. Les hommes Masaïs prétendaient que l'excision diminue les appétits sexuels excessifs des femmes, mais les femmes Masaïs étaient de toute manière réputées pour leur insatiable libido. Au demeurant, dès qu'elle avait eu son premier enfant, on ne demandait pas à une Masaï de rester fidèle.

– Alors pourquoi faire ça ? demanda Loren.

– C'est comme un diplôme, répondit le guide.

– Drôle de diplôme...

En début d'après-midi, comme la Land Rover chauffait, on s'arrêta un moment pour remplir le radiateur et laisser refroidir le moteur. On sortit nos casse-croûte pour prendre un sandwich. Bientôt un jeune Masaï arriva d'un champ voisin où il s'occupait du bétail. Je lui donnai un sandwich qu'il accepta d'un air grave.

Puis un autre garçon arriva en courant.

– Tu vois, ma grande, dis-je à Loren, maintenant que j'ai commencé, je vais devoir nourrir tous les gens de ce foutu pays.

Je commençai à fouiller dans ma boîte à la recherche d'un sandwich dont je n'avais pas envie. Où étaient-ils, ces sandwiches au fromage que je détestais ?

Mais lorsque l'autre arriva, le premier coupa son sandwich en deux et lui en donna un morceau. Il le fit spontanément, sans la moindre réticence à partager. Les deux enfants me dévisageaient, chacun avec sa moitié de sandwich. J'avais honte.

Bientôt, un groupe de gamins s'agglutina autour de la voiture et on leur abandonna ce qu'il nous restait de vivres. Les gosses étaient calmes et timides ; la plupart se contentaient de nous dévisager en silence. Ils observaient tout ce que nous faisions, comment on manipulait l'appareil photo, comment on le chargeait, comment on rangeait nos lunettes de soleil sur le tableau de bord, comment on buvait nos cannettes de jus de fruits.

Ils observaient tout cela avec la solennité et la réserve que j'avais appris à attendre des Africains, et au bout d'un moment on finit par s'habituer les uns aux autres. Assis sur le siège de la voiture, la porte ouverte, je regardai les gosses et ils me regardaient. On resta comme ça un moment. Quand je sortis de ma rêvasserie, je remarquai leur étrange comportement. L'un après l'autre, ils se baissaient, tournaient la tête et me regardaient de côté.

Au départ, je crus à un jeu et je souris.

Mais eux ne souriaient pas. Ils se contentaient de cet étrange regard en coin. Et ils bavardaient.

Et subitement, je compris : ils cherchaient à voir mon short. Ils avaient vu que j'étais très grand et ils voulaient voir si tout était en proportion.

Pourtant, jamais ils ne m'auraient regardé aussi effrontément s'ils ne s'étaient pas dit : *Jamais il ne devinera ce que nous sommes en train de faire.*

Et je ne savais que trop bien ce que cette pensée impliquait. Cela voulait dire qu'à leurs yeux les autres occupants de la Land Rover et moi nous n'étions pas tout à fait des gens, pas tout à fait des êtres humains. *Ce ne sont pas vraiment des hommes, ils ne pensent ni ne sentent comme nous, ils ne comprennent pas ce que nous faisons.*

La fin de notre randonnée au Baltistan approchait. On regagna Mishoke, le grand village à proximité du Shyok. Là, au crépuscule, la population célébrait un rite annuel au cours duquel les femmes plaçaient des bougies allumées sur les tombes des morts dans le cimetière du village. C'était une belle cérémonie à regarder, alors même que les hommes refusaient d'y participer, préférant s'asseoir d'un côté pour se moquer des femmes. À Mishoke, on apprit aussi que les passeurs étaient en grève : il n'y avait donc pas moyen de franchir la rivière et de rentrer chez nous.

Je me tournai vers Loren. Elle haussa les épaules en souriant. Loren refusait de s'inquiéter ; elle croyait que, tant bien que mal, tout finirait par s'arranger. Alors que moi, j'étais fou d'inquiétude. À ce que je voyais, on était dans une mauvaise passe.

Dans moins de vingt-quatre heures, les jeeps devaient venir de Skardu pour nous prendre à Khapulu. Si nous n'étions pas au rendez-vous, personne ne savait ce qui se passerait. Peut-être les jeeps attendraient, peut-être pas. Il n'y avait pas de radio à Khapulu pour les rappeler. Tout compte fait, mieux valait donc trouver le moyen de rejoindre Khapulu.

Seulement, il était impossible de franchir le fleuve.

Ne pouvait-on convaincre les bateliers de cesser leur grève ? Non, ils étaient partis. On offrit des pots-de-vin exorbitants. Non, les passeurs avaient quitté le fleuve et personne ne savait où ils étaient partis. Il n'y avait personne qui sût conduire les radeaux à la perche ? Non, ce n'était pas possible non plus. Il n'y avait vraiment aucune autre façon de franchir le fleuve ?

Il y avait bien un pont à l'ouest de Khapulu. Mais il était à quarante kilomètres de Mishoke où nous nous trouvions. De plus, le bruit courait que le pont avait souffert de l'hiver précédent. On poursuivit notre enquête. Les villageois en convenaient : le pont avait été endommagé, mais il était toujours debout et demeurait certainement utilisable.

Quoi qu'il en soit, il était exclu de faire quarante kilomètres en une seule matinée. On continua l'enquête tout en ingurgitant notre repas de carton-pâte. Il apparut qu'un habitant du village possédait un tracteur avec un genre de remorque. Peut-être qu'on pourrait le louer et traverser le pont ?

Oui, on pouvait le louer. Malheureusement, il était en panne d'essence. Après un moment d'abattement, on offrit de nouveaux pots-de-vin. Des gens finirent par arriver avec de petites bouteilles d'essence pareilles à des canettes de bière. On les leur acheta puis on examina le tracteur et on le réserva pour le lendemain matin.

On avait donc un plan ; mais dans mon esprit il subsistait beaucoup trop d'incertitudes. Toute la nuit, sous la tente, je me fis du mauvais sang. Loren était sereine. Ça m'inquiétait de la voir aussi calme. J'avais le sentiment d'une fracture entre nous, d'une cassure entre nos réalités. Je m'inquiétais et je me disais que j'avais raison d'être inquiet. Elle ne se faisait aucun souci et ne voyait aucune raison de s'en faire. Ce décalage entre nous me troublait.

Le lendemain, le tracteur prit la route, tressautant et cahotant sur un terrain accidenté et à travers de larges rivières. À la fin du voyage, on était tous épuisés, noirs de crasse. Mais on arriva au pont, qui était en parfait état. On le traversa et, sur l'autre rive, la plupart retirèrent leurs chaussures pour plonger les pieds dans l'eau froide. J'en voulais à Loren, comme si un fossé s'était creusé entre nous. J'accompagnai le commandant Shan dans les collines à la recherche des jeeps. Assis à l'ombre des rochers, j'attendis dans la chaleur ardente de midi. De notre point de vue, en hauteur, on voyait les méandres de la route sur plusieurs kilomètres à travers de beaux paysages désolés. On prit une cigarette. Shan jeta un coup d'œil de travers sur la route, qui chatoyait au soleil.

– Bon endroit pour une embuscade, finit-il par dire.

– Quoi ?

– Bon endroit pour une embuscade, répéta-t-il.

Du doigt, il me fit comprendre que de notre position, en hauteur, on dominait la route. Une poignée d'hommes pourraient arrêter un convoi. Les hommes des véhicules ne pourraient plus aller nulle part et se feraient tous tuer.

Je le regardai fixement. Il était du plus grand sérieux. Il pensait au meilleur moyen de tuer les gens. J'étais étonné que sa perception du paysage fût aussi différente de la mienne.

– Nous sommes tout près de la frontière indienne, reprit-il. Quand on est militaire, on ne peut pas se permettre de se raconter des histoires. Il faut voir les choses telles qu'elles sont.

Puis il changea de sujet et me demanda depuis combien de temps j'étais marié.

– Dix mois, dis-je.

– Ce n'est pas votre premier mariage ?

– Non, mon second.

– Vous avez des enfants ?

– Non, pas d'enfants.

– Vous aurez des enfants avec Loren ?

– Oui, on y pense.

– Elle est avocate.

– Oui, elle vient de terminer sa formation.

– Ah ! fit-il en sortant son paquet de cigarettes et en m'en offrant une.

Visiblement, la conversation était terminée. Les jeeps finirent par arriver et on regagna Skardu dans la soirée. Dans la maison de repos, Loren s'effondra sur son lit.

– Grands dieux !

– Qu'est-ce qui se passe ?

– J'étais tellement inquiète.

– Je ne l'aurais pas cru.

– Tu plaisantes ? Pas de bateau. Aucun moyen de franchir la rivière.

– Pourquoi tu ne m'as rien dit ?

– Parce que tu n'en menais pas large, et que ça ne rimait à rien qu'on soit tous les deux dans tous nos états. Ça n'aurait fait qu'empirer les choses.

– J'aurais quand même aimé que tu me le dises.

– Pourquoi ? Ça ne nous aurait fait aucun bien.

Je savais ce qu'elle disait, mais je ressentais maintenant une autre sorte d'isolement, non pas l'isolement géographique que l'on ressent quand on est dans un trou perdu, mais l'isolement qui existe entre les gens, même entre Loren et moi. Quelque chose de tacite, quelque chose d'obscur et, peut-être, d'inévitable.

Et c'est ainsi qu'on quitta le Baltistan.

Shangri-La

Cinq ans après avoir entendu mon ami Peter Kann parler de ce pays de légende, j'allai à mon tour au Hunza. Ce tout petit État montagneux, connu sous le nom de Shangri-La et traditionnellement fermé aux étrangers, avait été ouvert l'année précédente. C'était le pays des gens beaux, intelligents, épargnés par la maladie ; où l'on vivait jusqu'à cent quarante ans en se nourrissant d'abricots, où l'on était en harmonie avec un cadre montagneux exceptionnel, coupé de tout ce qui était mauvais et corrupteur dans le monde civilisé.

C'était le Hunza. J'étais tout excité d'y aller.

À Islamabad, notre groupe attendit deux jours l'avion de Gilgit, passage obligé de tous les voyageurs à destination du Hunza. Deux jours, ce n'était rien du tout. Peter avait attendu beaucoup plus longtemps, et les groupes d'alpinistes devaient parfois attendre un mois. Mais on était dans les temps, et il y avait maintenant un autre moyen de sortir d'Islamabad pour le Nord, en direction de Gilgit : la grand-route du Karakorum.

Cette extraordinaire prouesse technique était une route de trois cent vingt kilomètres de long qui traversait la chaîne montagneuse la plus accidentée du monde. Sur la majeure partie de sa longueur, elle suivait les gorges de l'Indus, l'un des plus grands canyons du monde. En fait, cette route était l'œuvre des Chinois et sa construction avait coûté la vie à plusieurs centaines de personnes.

On loua un bus, on chargea notre matériel et on prit la route. Le voyage devait durer quinze heures, peut-être plus ; personne n'avait l'air très sûr. C'était un bus pakistanais typique : à première vue, on aurait cru à une fantaisie psychédélique des années 1960 tellement il était bariolé. Chaque surface libre, à l'intérieur comme à l'extérieur, était couverte de signes, de tissus, de morceaux de miroir, d'étain martelé, le tout peint en un motif tourbillonnant aux couleurs criardes et fluo. D'une certaine façon, c'était horrible, mais ça avait le charme de l'exotisme, et il ne manquait pas de choses à voir si on était las de le regarder.

Notre chauffeur pakistanais avait été embauché précisément parce qu'il connaissait la route. Il amena avec lui un adolescent, qui s'assit à ses pieds sur les marches de la porte de sortie. Tous les chauffeurs venaient avec un gamin qui, moyennant quelques sous, leur rendait divers services, leur apportant les repas et s'occupant des bagages des passagers.

Pendant les premières heures, on traversa un pays plat : champs de blé, villages proprets, chameaux sur la route. On s'arrêta pour déjeuner à Abbottabad, une ville qui comptait de nombreux vieux édifices coloniaux britanniques et qui avait été jadis l'extrême avant-poste de l'Empire britannique dans cette partie du monde. Depuis Abbottabad, les Britanniques avaient tenté par deux fois, au XIXe siècle, de conquérir l'Afghanistan, mais par deux fois ils avaient échoué. Cette région du Pakistan, voisine de l'Afghanistan, est peuplée de Pathans et d'autres tribus. Comme les Afghans, ce sont de farouches combattants, dont toute la vie est organisée autour de leurs activités martiales. C'est là une chose que les Occidentaux ont du mal à comprendre.

À partir d'Abbottabad, le pays devient plus désolé, plus accidenté. On entra dans les gorges de l'Indus : des heures durant, on suivit les méandres du fleuve, avec des vues spectaculaires sur les torrents et, à l'est, le Nanga Parbat qui culmine à 8 114 mètres.

Toute la matinée, le chauffeur avait fumé des cigarettes avec une forte odeur de haschisch. Dans la chaleur de midi, il commença à somnoler. Chaque fois qu'il dodelinait du chef, le garçon lui donnait des coups de coude pour le réveiller, mais souvent le bus prenait les virages en épingle en faisant de grandes embardées.

On finit par interroger le chauffeur, lequel nia qu'il y eût le moindre problème. On lui demanda ce qui pourrait le rendre plus vigilant. Il répondit : de la musique. Bientôt, on eut droit à de la musique pakistanaise à pleins tubes dans ce bus psychédélique qui louvoyait sur la grand-route de Karakorum, le long des gorges de l'Indus, en direction du légendaire Hunza.

Après dix heures de route, on s'arrêta sur le bas-côté pour déguster des chapatis et s'étirer les jambes. On y rencontra un hippie britannique, qui nous expliqua que la route du nord était fermée par suite d'un glissement de terrain. Impossible d'aller au Hunza, il fallait faire demi-tour. Après dix heures de bus, on reçut la nouvelle avec incrédulité, et force commentaires sur cette pauvre petite lope, manifestement droguée, qui racontait n'importe quoi.

À l'arrêt suivant, on posa de nouveau la question. Oui, c'était vrai. Un glissement de terrain avait rendu la route impraticable. Impossible d'aller au Hunza par la route.

Je regardai le commandant Shan. Il ne semblait pas préoccupé : « Peut-être qu'elle sera dégagée », dit-il avec un haussement d'épaules.

C'était tout à fait concevable : toute la journée, nous étions passés devant des éboulis. Généralement des petits tas de pierres, qu'un bulldozer avait repoussées sur le bord de la chaussée. En apparence, ça n'avait pas posé de gros problèmes. La roche de la gorge est friable, et il semblait que la grand-route de Karakorum fût destinée à souffrir de ces petits éboulements aussi longtemps qu'elle existerait.

De toute façon, on n'avait pas passé douze heures à être cahotés dans le bus pour penser sérieusement à faire demi-tour. On insista pour continuer vers le nord, en direction du glissement de terrain.

– Quand s'est-il produit ? demandai-je.

– Il y a deux jours, répondit le commandant Shan. Peut-être trois.

Un autre passager hocha la tête.

– Voyez-moi ça ! La route est bloquée depuis deux jours et ils ne l'ont toujours pas dégagée. Quel pays !

Le paysage était plus plat, carrément désertique. La désolation absolue, avec de petites collines au loin. Sur les cartes, il était indiqué : « Territoire tribal ».

Le soleil commençant à décliner, la lumière se fit plus douce. On s'arrêta pour prendre de l'essence : une petite baraque, quelques pompes, et le désert à perte de vue. Beau et désolé.

Le commandant Shan me prit à part et on alla à l'arrière du bus. Il donna un coup de pied dans le pneu. Il semblait hésiter à parler. Avec ses lunettes noires d'aviateur, je ne pouvais pas lire dans ses yeux.

– Je n'ai pas apporté de fusil, finit-il par dire.

– Ah bon ?

– J'aurais pu. J'y ai pensé. Mais je ne voulais pas alarmer les touristes, et j'ai renoncé.

– Quel est le problème ?

– Eh bien, maintenant, je n'ai pas moyen de m'en procurer un.

– Pourquoi en auriez-vous besoin ?

– La nuit va tomber, dit-il en regardant autour de lui. On est encore à une heure de route des éboulis. Quand on y sera, il fera trop sombre pour traverser. Il faudra passer la nuit sur place. Camper.

On avait tous prévu le coup. Tout notre matériel était dans le bus :

vivres, tentes, sacs de couchage, tout le bataclan. Ce n'était pas un problème, si ?

– Cette région, reprit le commandant Shan en parcourant le pays des yeux, n'est pas sûre la nuit.

Je reçus un choc en entendant ces mots : *Cette région n'est pas sûre la nuit !*

J'essayai de maîtriser mon incrédulité croissante face à ce qu'il était en train de me dire. On aurait cru une scène de série B. Un bus chargé de touristes soudain en difficulté. J'avais du mal à ouvrir la bouche, à articuler convenablement. Quand j'y parvins enfin, ce fut d'une voix fluette que je demandai :

– Que voulez-vous dire ?

– Cette région n'est pas sûre la nuit, répéta-t-il.

– Mais qu'est-ce que ça veut dire ? Il y a des bandits ou quoi ?

– Je ne saurais dire ce qui peut arriver. Cette région n'est pas sûre. On ne peut pas camper à la belle étoile. Je regrette de ne pas avoir apporté d'arme.

Que faire ? Je scrutai le paysage, tâchant d'imaginer d'où pouvait venir la menace. Il était exactement le même à mes yeux. Je discutais à l'arrière du bus avec un militaire, et cette conversation n'avait aucun rapport avec la réalité que je pouvais voir. Il m'expliquait qu'on courait des risques. Je ne voyais pas pourquoi.

– Eh bien, repris-je, vous ne croyez pas qu'en s'écartant de la route quelque part, de quelques kilomètres, on pourrait camper sans risque ?

– On ne peut pas, dit-il d'une voix terne en montrant du doigt les voitures qui fonçaient sur la route. Quand il fera nuit, tous ces gens-là seront en sécurité.

– Que faire ?

– Je ne tiens pas à alarmer vos amis. Il y a une base militaire à quinze kilomètres en arrière, à Chilas. On peut tenter le coup là-bas.

Je commençais maintenant à comprendre. Il avait besoin de quelqu'un pour informer les autres de son plan.

– On peut *tenter* le coup là-bas ?

Il haussa les épaules.

– Ce sera plein à craquer ce soir. Peut-être qu'ils nous éconduiront, mais je ne crois pas, parce que vous êtes des étrangers.

– OK, fis-je.

Et j'allai expliquer aux autres que, d'après le commandant Shan, il serait plus confortable de passer la nuit dans une base militaire, à quinze kilomètres en arrière, que de camper en plein air.

Personne ne discuta. En fait, la base de Chilas était à cent kilomètres en arrière, et quand on y arriva, il faisait nuit noire. Comme le commandant l'avait prédit, la base était pleine ; les casernes et les dortoirs refusaient du monde. À la lueur de nos phares, on aperçut des voyageurs endormis sous les porches, dans leur voiture, partout où il y avait un abri. Lorsqu'on eut trouvé enfin le QG, on réveilla quelqu'un qui nous dirigea sur le pavillon des commandants en visite. Il était près de vingt-trois heures. Épuisé, chacun sortit son sac de couchage pour dormir par terre. Plus tard débarqua un autre bus d'étrangers qui dormirent à l'étage. Je ne me levai pas pour les voir.

On reprit la route le lendemain matin, à six heures. Sous le soleil, le paysage semblait maintenant accueillant et vide. Glissement de terrain ou non, on était certain d'atteindre le Hunza dans la journée. En reprenant la route de la veille, on passa devant la station d'essence pour retrouver ensuite les gorges de l'Indus. À la limite, on était un peu déçus que l'aventure se fût terminée ainsi. On se voyait déjà assaillis par des brigands ou des détrousseurs, et sauvés à la dernière minute. On était tout excités par cette perspective alors que, à l'évidence, le voyage ne nous réserverait plus la moindre surprise.

On arriva alors aux éboulis.

Pas une seconde je n'en avais imaginé l'ampleur. Huit cents mètres de large sur douze cents de long : un amas de sable en pente qui courait du sommet de la colline jusqu'au fleuve, en contrebas. Des millions de tonnes de sable.

– Pas étonnant qu'ils n'en soient pas venus à bout en deux jours, dit quelqu'un.

– En général, ils font merveille, expliqua le commandant Shan. Mais là, je crois qu'il leur faudra une semaine. Voyez comment font les gens : les camions et les bus du Hunza arrivent de l'autre côté, les camions d'Islamabad jusqu'ici ; les gens traversent et prennent un camion ou un bus de l'autre côté.

C'est à peine si je devinais l'autre côté, tellement il était loin. On allait devoir traverser ça !

Je vis des gens qui marchaient, de toutes petites silhouettes rabougries sur l'immense pente sablonneuse. Il y en avait dans les deux directions, sur de petits sentiers taillés dans le sable. C'était un terrain fait pour les bouquetins.

Voyant cela, je me sentis soudain défaillir. Ce devait être terriblement dangereux de traverser ces éboulis, aussi traîtres qu'un champ de glace. Ce n'est pas le danger qui m'avait attiré dans cette aventure, et j'étais simplement sorti sain et sauf d'une agréable fantaisie : des bandits, dans une région qui n'est pas sûre la nuit. Je n'étais pas prêt à affronter un véritable danger, surtout aussi terre à terre, si j'ose dire.

Mort dans un glissement de terrain au Pakistan! Quelle fin redoutable! Fâcheuse façon de finir mes jours. Et aux États-Unis, personne ne le comprendrait.

– Vous voulez dire qu'il a été emporté par un glissement de terrain?

– Non, non, vous n'y êtes pas. Le glissement s'était produit quelques jours plus tôt, et il marchait sur les éboulis quand il a glissé dans le fleuve et s'est noyé.

– Noyé?

– Eh bien oui, il a été emporté. On n'a jamais retrouvé son corps.

– Il était grand. Il n'avait pas beaucoup le sens de l'équilibre, si je me souviens bien.

– Je crois bien, en effet.

Tout cela ne me plaisait guère.

Pendant ce temps, les pentes étaient le théâtre d'une intense activité. À deux cents mètres au-dessus des marcheurs, des bulldozers, qui avaient l'air de petits jouets jaunes, s'affairaient à déblayer la route. Toutes les quelques minutes, on entendait une explosion, la terre tremblait, et un nuage de rocaille et de poussière s'élevait dans les airs. À travers ce chaos, des gens avançaient avec agilité sur cette pente escarpée, cet amas de sables mouvants. Régulièrement, un gros rocher ou un petit éboulis dévalait la pente en direction des marcheurs qui s'écartaient pour laisser les pierres continuer leur chute en direction du fleuve.

J'observai la scène. Je savais que je n'y arriverais pas.

– Laisse tomber!

– Vraiment?

– Ouais, il s'est barré au Pakistan, et il y a eu une petite avalanche de boue ou je ne sais quoi. Il a paniqué. Il a eu la trouille et il est rentré.

Je regardais l'affaissement de terrain avec le commandant Shan. Je lui offris une cigarette.

– On y arrivera? demandai-je.

– Mais oui, dit-il. Vous voyez bien tous ces gens qui traversent.

– Je sais, mais il y a des personnes âgées avec nous...

– Je leur donnerai un coup de main.

– Et il y en a certains qui risquent d'avoir peur.

– Je les aiderai, eux aussi.

– Alors, très bien... Euh...

Il me regarda d'un air interrogateur. Je n'avais d'autre solution que de lui lâcher le morceau.

– Je ne sais pas si c'est dans mes moyens.

Mes paroles semblaient comme suspendues dans les airs, tant ma confession était embarrassée.

Le commandant Shan me considéra un bon moment.

Il termina sa cigarette en silence puis l'enfonça dans la terre.

– Vous en êtes tout à fait capable.

Il avait raison. Il n'y avait rien à faire qu'à traverser. Ce que je fis. C'était à faire dresser les cheveux sur la tête, mon cœur tambourinait dans ma poitrine. J'étais terrorisé, mais j'y parvins.

Pendant que je traversais, l'un des nôtres prit des photos. Mais les photos ne donnent pas grand-chose. En photo, ça n'a pas l'air très dangereux, ni même très intéressant. Or c'est la chose la plus périlleuse que j'aie jamais faite.

Deux jours plus tard, j'approchais de Baltit, la capitale du Hunza. Alors même que je ne croyais pas un traître mot de tout ce qu'on racontait sur les Hunzakuts, ainsi qu'on appelle la population locale, maintenant que j'y étais, il était impossible de ne pas s'émerveiller tant le pays était extravagant.

Suivant la légende, le royaume montagneux du Hunza serait peuplé de descendants des soldats persans de l'armée d'Alexandre le Grand qui conquit l'Inde en 327 avant Jésus-Christ. Ce qui expliquait la beauté, la taille et la peau blanche des Hunzakuts, mais aussi leur vaillance et leur bravoure. Les Hunzakuts étaient beaucoup plus intelligents que les tribus voisines de bandits; ils jouissaient d'une santé extraordinairement robuste que l'on imputait tantôt à la vie en altitude, tantôt à leur régime alimentaire fait d'abricots et de blé, voire à leur rythme de vie ou à quelque autre raison. Leur vie sociale était aussi saine : le Mir réglait les quelques différends qui peuvent surgir dans son royaume.

Un groupe d'enfants vint en courant nous accueillir. Je fus saisi de voir combien ils étaient décharnés et dénués de charme. Ici, le mélange ethnique – Chinois, Perses, Afghans, Mongols – n'avait pas eu un résultat très heureux : il avait donné naissance à une horde de métis chétifs et difformes. Dans ce pays de légende qui se suffisait à lui-même, les gosses s'accrochèrent à nos basques pour essayer de nous revendre de la grenatite du pays. J'examinai quelques mains douteuses : les pierres étaient de médiocre qualité.

Dans les villages eux-mêmes, je partis à la recherche des fabuleux vieillards. Ce n'étaient que misère et maladie, de toutes parts les signes de la rudesse de la vie en montagne : malformations congénitales, stigmates de la consanguinité, cataractes, éruptions, ulcères.

Le cadre géographique, en revanche, était captivant : une petite principauté de champs verts en terrasse nichée dans une cuvette de montagnes hautes panachées de neige, traversée en son centre par une rivière, le Hunza. Au-dessus de la ville s'élevait une forteresse blanchie à la chaux, sur un site spectaculaire. Mais la forteresse était désaffectée, les fenêtres brisées, la façade blanche décrépie.

Le Hunza avait été jadis un État montagneux autonome, dans la multitude des nations féodales qui forment un chapelet à travers l'Himalaya et parmi lesquelles on peut citer le Swat, le Ladakh, le Nagir, le Népal, le Sikkim et le Bhoutan. Au XIXe siècle, les Britanniques vinrent en aide à ces États dans lesquels ils voyaient un tampon entre l'Inde et ses puissants voisins du nord : la Chine et la Russie. Des siècles durant, ces petites nations étaient demeurées coupées du monde, inaccessibles parmi les montagnes et interdites aux étrangers. On avait tissé autour d'elles des mythes élaborés.

En 1891, les Britanniques conquirent le Hunza afin de mettre fin aux attaques de bandits contre les caravanes qui avaient pris des proportions endémiques – même au regard des normes prévalant dans cette région du monde livrée à l'anarchie. Mais ils permirent au Hunza de conserver son indépendance. Puis le gouvernement pakistanais a voulu prendre le contrôle de ces États indépendants. La procédure a été fort simple : il a attendu la mort du Mir et l'a laissé sans successeur. Le dernier Mir du Hunza était mort deux ans auparavant ; le Pakistan avait annexé le Hunza et l'avait ouvert au tourisme.

Ainsi voyions-nous la coque d'un ancien État, qui n'était plus que l'ombre de ce qu'il avait été jadis. On resta deux nuits au Hunza. Pays paisible et beau, surtout au crépuscule, lorsque les vallées, déjà dans l'ombre, baignent dans les reflets de lumière des pics montagneux. Mais ce n'était pas le Shangri-La qu'on avait imaginé.

Du Hunza, on suivit la vallée du Hopar, dans le royaume adjacent du Nagir. Suivant la légende, les Nagyris ont été autant méprisés que les Hunzakuts ont été idéalisés. On les disait plus basanés, plus malingres, plus chétifs et plus dépravés que les Hunzakuts. Les Nagyris sont sales, sans grâce et peu amènes. On sait qu'on est au Nagir, disent les Hunzakuts, à la quantité de mouches.

Comme c'est souvent le cas avec les États voisins, les populations et les modes de vie semblent presque identiques aux yeux d'un étranger. C'est la proximité qui nourrit la rivalité, et la propension à prêter tous les défauts du monde à ceux qui habitent de l'autre côté de la vallée.

Au Nagir, on campa dans une belle vallée, le long du glacier de Bualtar. Je n'avais encore jamais vu de glacier et je trouvai ça remarquable : un fleuve de pierres gelé. À première vue, on aurait dit qu'il n'y avait pas de glace du tout. Il y avait simplement un canyon avec ses deux murs verticaux de boue séchée et, au milieu, cette masse de roche grise en forme de rivière. Le Nagir compte de nombreux glaciers, dont le Hispar : soixante-quatre kilomètres de long, le second du monde, les pôles mis à part. Mais le Bualtar était un petit glacier qui avait l'air si apprivoisé qu'on décida, Loren et moi, de l'escalader avec Dick Irvin.

Loren et moi étions tous deux ravis de l'excursion. Au cours de notre séjour dans ce pays enchanteur, une tension était apparue entre nous, qui était incongrue dans un cadre aussi magnifique. J'avais le sentiment que quelque chose travaillait Loren, mais j'hésitais à lui poser la question. Quand enfin je m'y résolus, elle secoua la tête et protesta que tout allait bien. Mais la tension subsistait.

Une journée sur le glacier ne pouvait pas nous faire de mal. Le cadre me fascinait : un peu glissant par endroits, venteux et très froid – ce qui faisait un peu bizarre après la chaleur étouffante du camp. Mais après la surprise initiale, le glacier se révéla plutôt quelconque, juste un grand fleuve gelé couvert de rochers, et au bout d'une heure, on commença à s'en lasser. Alpiniste bien plus chevronné, Dick décida de continuer tandis que Loren et moi regagnions le camp.

Nous avions escaladé le glacier en suivant une piste en pente douce, mais la route était sinueuse et nous rallongeait d'un bon kilomètre et demi. En revanche, si on était disposé à passer par les falaises de terre, on pouvait rentrer directement au camp. Il y avait des sentiers sur lesquels on avait vu des bergers conduire leurs chèvres et on en avait conclu qu'ils étaient praticables.

On commença donc à grimper. Les falaises n'étaient que de la boue sèche qui s'effritait pour un rien, mais le sentier avait un bon mètre de large, et les cent premiers mètres d'ascension ne présentèrent aucune difficulté. Je m'arrêtai souvent et me retournai pour contempler le glacier à mesure qu'on s'élevait.

Puis la pente se fit plus raide, le sentier plus étroit. Mal à l'aise, je cessai de regarder en arrière pour me concentrer sur l'escalade. Reste qu'on était déjà à mi-chemin et il semblait raisonnable de continuer.

Le sentier devenait de plus en plus périlleux : moins de trente centimètres de large, une simple piste de terre friable qui, à l'occasion, se dérobait sous le pied. Les falaises ne donnaient guère de prises et il n'y avait pas la moindre végétation à quoi se retenir, si bien que ces petits éboulis étaient un peu effrayants. À maints endroits, la terre avait cédé sous le pas de ceux qui nous avaient précédés.

Plus on montait, plus ces « trous » se firent fréquents, tantôt de soixante centimètres de large, tantôt d'un mètre. Il était difficile de passer, parce que rien ne garantissait que la terre ne s'effriterait pas sous notre poids.

On avait grimpé à soixante mètres. Plus que trente mètres avant le camp. On continua.

Le sentier était vraiment très étroit. Le plus souvent, il nous fallait serrer la paroi, se presser contre la terre chaude pour avancer. La progression devenait de plus en plus acrobatique.

Puis subitement, plus le moindre sentier.

Il s'était effondré sur au moins deux mètres. J'étais au bord du gouffre, mon corps collé contre la falaise. J'avais à peine la place de me tenir debout. J'étais cloué sur place à soixante mètres de surplomb, sur un sentier très étroit.

J'ai peur des hauteurs. J'eus envie de hurler.

– Pourquoi tu t'arrêtes ? demanda Loren dans mon dos.

Elle n'y voyait rien. Mon corps lui cachait la vue.

– Il n'y a plus de sentier.

– Comment ça, il n'y a plus de sentier ?

– La terre s'est effondrée sur deux mètres.

– Tu ne peux pas sauter ?

– Non, je ne peux pas ! fis-je, pris de panique.

– Laisse-moi voir, dit Loren. Peut-être que je peux passer, moi.

– Je ne peux pas bouger, et de toute façon, tu ne peux pas passer non plus, je t'assure.

– Bouge-toi un peu que je jette un coup d'œil.

J'écartai ma poitrine de quelques centimètres de la paroi pour lui dégager la vue. Je commençais à transpirer à grosses gouttes.

– C'est large, dit-elle. Trop large pour moi.

– On ne peut pas faire demi-tour ? demandai-je.

Je n'y voyais rien, elle me cachait la vue.

– Trop raide. C'est beaucoup plus facile de grimper que de redescendre.

– Alors on ne peut pas monter et on ne peut pas descendre.

– Ouais.

Je faisais mon possible pour ne pas céder à la panique. Une vision me traversa l'esprit comme avant un accident de la circulation. Voilà ce qui nous attend. Rien de spectaculaire, pas d'incident remarquable, rien d'aussi imposant qu'un glissement de terrain. *Juste une petite randonnée à Nagir, ils se sont trompés de route, ils ont eu peur et ils ont glissé. On a commencé à se douter de quelque chose quand on ne les as pas vus rentrer pour déjeuner.*

– D'une manière ou d'une autre, il faut passer, reprit Loren.

– Je ne peux pas. Il faut redescendre.

– Je ne peux pas redescendre, et je sais que tu ne peux pas non plus.

On était là, incapables de bouger d'un pas. On y resta quelques minutes à se geler. Je ne sais pas comment les choses auraient tourné si je n'avais entendu une voix dans mon dos.

– Un problème ?

C'était Dick qui rentrait après avoir fait le glacier. Il nous avait aperçus sur les falaises et avait décidé de nous suivre. Jamais de ma vie je n'avais été aussi content de voir quelqu'un.

– Il n'y a plus de sentier, fis-je en essayant de ne pas pleurnicher.

– Pas de problème, dit-il.

Et sans que je comprenne bien comment, il se débrouilla pour passer devant nous. Il trouva une prise et d'un bond léger sauta de l'autre côté. De là, il tendit son bâton de marche et nous fit passer, d'abord moi, puis Loren, avant de continuer l'ascension devant nous. Je tremblais de tout mon corps. J'étais trempé de sueur. J'avais la vue brouillée. Mais chaque fois que le sentier s'était effondré, Dick se débrouilla pour nous faire passer.

Arrivé au sommet, je fus pris de vertiges et il me fallut m'asseoir. Dick alla au camp chercher de quoi manger. Je m'assis par terre avec l'impression que j'allais vomir. Loren ne cessait de me demander comment je me sentais. Je dis que tout allait bien, mais ce n'était pas vrai. Impossible d'avaler quoi que ce soit. Je n'avais pas faim.

En fin d'après-midi, alors qu'il faisait plus frais, Loren suggéra qu'on aille se promener. On longea le bord de la vallée, dominant la ville et les champs en terrasses. Dans ce cadre pastoral, loin de tout, on se surprit à discuter de nos projets d'avenir, de nos espoirs. Au milieu des abricotiers, dans la vallée du Hopar, on parlait de fonder une famille, mais aussi de notre travail et de nos projets qui, c'était de plus en plus clair, n'étaient pas des projets communs, mais des projets séparés. La gravité de cette conversation nous rendit tous les deux très calmes et affables. Ni elle ni moi n'étions disposés à dire que c'en était fini de notre couple, bien que la perspective flottât dans l'air frais de cette fin d'après-midi. Puis on se mit à parler du dîner et de notre faim, et on retourna au camp.

Le lendemain, on reprit la longue route d'Islamabad en jeep. Quand on arriva à hauteur du glissement de terrain, la route avait été dégagée.

Requins

– Vous avez déjà plongé dans la passe ? demanda le patron de l'hôtel le premier soir, quand il sut qu'on était des amateurs de plongée.

– Non, pas encore.

– Ah ! Il ne faut pas manquer ça. C'est la plongée la plus excitante sur Rangiroa.

– Pourquoi ça ?

– La rapidité du courant. Et il y aussi quantité de poissons.

– Des requins ? demanda quelqu'un.

– Oui, fit-il en souriant. En général, quelques requins.

Je passais Noël en famille à Tahiti : mon frère et sa femme, ma sœur et son mari, ma fiancée et des amis. On faisait le tour des îles et on avait commencé par la plus éloignée.

Rangiroa était à plus d'une heure de Papeete, dans l'archipel des Tuamotu. Le point le plus élevé de Rangiroa culminait à environ trois mètres au-dessus du niveau de la mer. Du ciel on aurait dit un anneau de sable pâle perdu au milieu de l'océan.

Les Tuamotu étaient de vieilles îles dont les pics volcaniques avaient fini par disparaître sous l'effet de l'érosion. Il ne restait plus rien que le récif de corail qui à l'origine avait entouré l'île et qui, désormais, enfermait simplement le lagon.

À Rangiroa, le lagon était immense : quarante kilomètres de diamètre, avec juste deux brèches dans le récif par où les marées allaient et venaient deux fois par jour. Avec des passes aussi étroites, c'étaient des marées assez fortes. Le poisson s'y pressait, attiré par l'abondance de nourriture.

– C'est très excitant, reprit le patron. Il ne faut pas manquer ça.

On alla voir Michel, le maître de plongée, et on lui expliqua qu'on voulait faire la passe. Il consulta une table des marées et dit qu'il fallait plonger à dix heures le lendemain matin. (On ne peut plonger qu'à marée montante, sans quoi on risque d'être entraîné au large.)

Le lendemain matin, alors que tout le monde était fin prêt sur le quai, ma sœur interrogea Michel.

– C'est vrai qu'il y a des requins dans la passe ?

On était tous des plongeurs chevronnés. Elle était la seule qui n'ait encore jamais vu de requins.

– Oui, avoua Michel. Vous verrez des requins.

– Beaucoup ?

Il sourit.

– Ça arrive.

– Combien ?

Voyant qu'elle commençait à s'inquiéter, il se fit rassurant.

– Parfois aucun... Tout le monde est prêt ?

Tout le monde prit place dans le bateau et on s'éloigna. La passe était une brèche de quatre cents mètres de large dans l'atoll. Le calme le plus absolu régnait à l'intérieur du lagon, tandis qu'à l'extérieur une forte houle venait se briser contre le récif. Michel sortit un flotteur et une bobine de fil puis nous donna ses instructions.

– Vous devez tous rester ensemble. Prenez tous votre équipement et entrez dans l'eau en restant aussi près que possible les uns des autres. Descendez tout de suite, ne vous attardez pas à la surface. Quand vous serez en bas, tâchez de rester à portée de vue les uns des autres. Je serai devant vous avec ce flotteur – d'un geste, il montra le flotteur qu'il avait à la main – afin que le bateau puisse nous suivre. Le courant est très fort. Dans la passe, il y a une vallée dans laquelle on peut se mettre un moment à l'abri du courant. Ouvrez l'œil. De là, on continuera et on sera entraîné dans le lagon. Vous sentirez le courant lent, et vous pourrez explorer les alentours du corail à loisir jusqu'à épuisement de l'air. Dans la passe, ne descendez pas au-dessous de trente-deux mètres.

Chacun prit son équipement. On attendit que tout le monde fût prêt, tandis que le bateau était secoué par la houle. Puis tout le monde plongea dans un grand bruit de palmes.

La plongée demande toujours un moment d'adaptation : on nettoie son masque, on sent la température, on s'habitue à voir à travers l'eau, on regarde autour de soi et on descend. Ici, l'eau était claire. À ma gauche, j'aperçus la paroi rocheuse de la passe qui allait de la surface jusqu'à trente ou quarante mètres de fond.

Ce n'est qu'en approchant du fond que je m'aperçus de la vitesse à laquelle on allait. Le courant était vraiment formidable. C'était terriblement excitant – à condition de penser à garder le contrôle de la situation.

Qu'on soit de face, de dos ou de côté n'avait aucune importance : le courant vous entraînait à la même vitesse. Impossible de s'arrêter ou de s'accrocher à quoi que ce soit. Si on s'agrippait à un corail, il fallait l'arracher, sans quoi c'était votre bras qui était arraché. On était porté par le courant, sous l'influence de forces d'une telle puissance qu'il était impossible de lutter. Il n'y avait rien d'autre à faire qu'à se laisser aller et à en profiter.

Les premières minutes passées, une fois habitués à voir les autres perpendiculaires au courant, la tête relevée pour nettoyer leur masque, ou le dos tourné, mais toujours emportés au même rythme, ça devenait drôle. Un genre de promenade dans un parc, où on trouvait de l'agrément à notre impuissance.

C'est alors que j'aperçus les requins.

Au départ, ils se déplaçaient à la limite de mon champ de vision : c'est comme ça que j'avais l'habitude de voir les requins. Des ombres grises, à l'endroit où l'eau prend une couleur bleu-gris intense, loin de soi. Puis je me rapprochai, les ombres commencèrent à se préciser. Les détails apparaissaient clairement et j'en vis d'autres. Beaucoup d'autres.

Le courant nous entraînait au milieu d'un banc de requins gris, si nombreux qu'on avait l'impression d'entrer dans un nuage. Il y en avait bien une centaine.

– *Oh! mon Dieu!*

Je n'avais aucune envie de me retrouver au milieu d'eux. Je voulais rester sur le côté, mais le courant était irrésistible et se moquait de mes préférences. *On allait droit sur eux.* Dans un effort pour maîtriser ma peur panique, je décidai de prendre une photo. Je réglai l'objectif de mon Nikon accroché autour du cou tout en me sentant un peu idiot : *Tu es là au beau milieu d'une centaine de requins et tu te demandes s'il faut régler le diaphragme à huit ou à onze. La belle affaire!* Mais c'était comme ça. Je n'y pouvais rien. La seule chose à faire, c'était de penser à autre chose. Je pris la photo. (Elle se révéla très floue.)

Il y avait maintenant des requins tout autour de nous ; au-dessus, au-dessous, de tous côtés. On était portés par le courant, comme les passagers d'un train, mais ils semblaient indifférents ; ils nageaient avec aisance, remuant leur corps puissant avec ces mouvements latéraux si particuliers qui font penser à des serpents.

Les requins s'éloignaient, revenaient, tournaient en spirale autour de nous, mais je remarquai qu'ils ne s'approchaient jamais. Déjà on sortait du nuage, emportés par le courant, loin de ce banc compact de requins.

Ma respiration n'avait pas encore retrouvé son rythme normal lorsque Michel me fit signe avec son pouce qu'on allait descendre dans la crevasse dont il avait parlé. Elle était à vingt mètres devant moi. Je le vis traverser le fond puis plonger la tête la première et disparaître dans une tranchée. Comme je m'en approchais, je vis ses bulles qui en sortaient en forme de nuage. Virant de bord, j'entrevis un petit canyon peu profond, de trois mètres de fond, peut-être, et de six mètres de long.

Très soulagé d'échapper au courant, j'eus la surprise de me retrouver au milieu d'un nuage noir de poissons chirurgiens. Ces poissons de la taille d'une assiette, qui se déplacent en bancs denses et impénétrables, avaient l'air agité. Je présumai que c'était à cause de l'arrivée des plongeurs dans la tranchée.

Puis le nuage noir se dissipa, et je m'aperçus que c'était à cause des requins. Une douzaine de requins gris nageaient au fond du cul-de-sac. Des requins de deux mètres cinquante de long avec une gueule aplatie et des yeux en vrille. Ils avaient l'air énervés, à deux pas de moi et de Michel. J'avais vaguement l'impression que Michel, d'un calme parfait, me regardait pour voir comment je prenais la chose. Je me contentai de les observer.

Je n'en avais jamais vu autant à la fois, ni d'aussi près. J'étais assailli d'impressions de toutes sortes. La texture granuleuse de leur peau grise. Quelques blessures, des cicatrices blanches, des imperfections. Les ouïes bien dessinées. L'œil fixe, menaçant et stupide, comme l'œil d'une brute. C'était presque le plus terrifiant, et la courbe cinglante de la bouche. Et je vis un requin, cerné par nous, qui arquait le dos : comportement typique du requin gris, avais-je lu récemment. Une menace qui, souvent, présageait une attaque...

Les autres plongeurs entrèrent en ondoyant dans notre abri, soufflant des bulles.

Les requins s'enfuirent. Le dernier d'entre eux se faufila entre nous comme si on était des pylônes dans une course d'obstacles. Peut-être n'était-ce qu'une parade...

Tout le monde se regardait, les yeux grands ouverts derrière son masque. Michel nous laissa nous reposer quelques minutes dans la tranchée ; il vérifia nos réserves d'air. On avait tous les yeux fixés sur un poisson chirurgien tout en essayant de nous remettre dans le bon sens.

Bientôt, Michel nous fit signe de ressortir. De nouveau, on sentit le courant nous porter, nous entraîner dans le lagon. Puis le courant faiblit et l'eau se fit plus ténébreuse, les coraux plus dispersés, séparés en petites touffes par un fond brun et boueux et peuplés de menu fretin. Tout cela nous était familier. La meilleure partie de la plongée était terminée. Nos réserves d'air épuisées, on regagna le bateau.

L'un des signes d'une bonne plongée est la quantité d'adrénaline qu'on continue à sécréter et le besoin de parler quand on remonte à la surface.

– Mon Dieu ! *Vous avez vu ça ?*

– *Je me suis dit que ma fin était arrivée !*

– *Stupéfiant, n'est-ce pas ?*

– *J'étais terrifiée. Vraiment. Je n'en menais pas large*, dit ma sœur, d'un air grave, sans que personne ne s'attarde sur ses mots.

– *Quelle plongée !*

– *Fantastique !*

– Incroyable ! J'avoue que moi aussi, j'ai eu la trouille.

– Je t'ai vu trembler.

– C'était simplement le froid.

– Ah bon ?

– *Incroyable !*

Tandis que nous parlions ainsi, Michel garda le silence, le sourire aux lèvres, hochant la tête, le temps de laisser retomber la tension. Il fit signe au marin d'attendre un instant qu'on ait retrouvé notre calme avant de remettre le moteur en marche, cap sur l'hôtel.

On prit une douche et on se changea puis tout le monde se retrouva au bar. On était incapables de parler d'autre chose que de la plongée, de nos réactions, de ce qu'on avait vu, des requins tout près de nous, de la manière dont ils nous regardaient, de ce qu'on avait ressenti, de ce qu'allaient donner les photos.

Notre attitude était celle de gens qui avaient senti le souffle de la mort, qui avaient survécu à un danger mortel. C'était si dangereux que jamais on ne l'aurait fait si on avait su. On avait de la chance d'en être sortis vivants ! Bien sûr, c'était drôle, mais quelle trouille !

– Quelqu'un veut remettre ça ? demanda distraitement mon frère au dîner.

Le silence se fit. Il allait contre nos postulats implicites. Si c'était vraiment si dangereux, personne ne s'y risquerait.

– Moi, oui, dit-il.

L'un après l'autre, on admit qu'on ne dirait pas non.

Le lendemain matin, lorsque Michel nous dit que les marées n'étaient pas bonnes et qu'il fallait attendre un jour pour retourner dans la passe, tout le monde montra des signes de mauvaise humeur. Attendre demain ! On était vraiment contrariés.

La deuxième fois, pas le moindre requin en vue. Quel dommage ! Quelle perte de temps : pas de requins ! Il fallut recommencer une troisième fois : on vit enfin quantité de requins et on passa un moment délicieusement effrayant.

À mon sens, on n'exprime vraiment le fond de sa pensée que dans l'action. Ainsi, lorsque ma famille avait décidé de plonger une nouvelle fois. Quoi qu'on ait pu dire au dîner – ou plus tard –, on savait bien que les requins n'étaient pas dangereux.

En 1973, je tournais un film dans lequel un acteur devait être victime d'un serpent à sonnettes. Il fallait tourner une scène en plein désert : on verrait le serpent ramper, puis frapper et enfoncer ses crocs.

Pour les besoins du film, on avait choisi les crotales comme on choisirait des acteurs. On avait quatre « rampeurs » pour les plans sur le sable et six « frappeurs » pour l'attaque. On les avait amenés sur place dans de grosses caisses de contre-plaqué.

Tout de suite, j'eus la réponse à une question qui ne cessait de me tarabuster. Chaque fois que j'étais dans les bois, je sursautais au moindre frémissement : *Est-ce un serpent à sonnettes ?* Je craignais toujours de me faire mordre par une bête que j'aurais prise à tort pour un criquet.

Lorsque le manipulateur sortit les caisses en contre-plaqué du wagon, tout le monde, dans un rayon de cent mètres, se tourna dans la direction du bruit. Il n'y avait pas l'ombre d'un doute. On *savait.* Ce sifflement sec était reconnaissable entre tous.

Puis le type sortit les serpents. Ils avaient chacun deux mètres de long et la taille d'un avant-bras, avec un sifflement agressif. Toute l'équipe était impressionnée.

On commença les prises de vues. La caméra était placée sur un trépied avec un téléobjectif, à une dizaine de mètres de l'animal. Afin de protéger l'opérateur solitaire du redoutable serpent, on avait tendu une couverture. Tout le monde avait les yeux braqués sur le serpent de deux mètres de long qui, sitôt libéré, rampa, menaçant, en direction de la caméra.

Le serpent nous jeta un coup d'œil, fit demi-tour et fila vers les collines. Il fallut lui courir après.

On recommença. Ça n'en finissait pas.

À chaque fois, le malheureux serpent cherchait à se défiler. Finalement, on dut former deux rangées, à la limite du champ de la caméra pour repousser l'animal effrayé vers la caméra.

Puis il fallut tourner la scène où le serpent s'enroule et attaque. On eut alors recours aux « frappeurs », réputés méchants et hargneux. Leur maître expliqua qu'on ne leur avait pas retiré leur venin, ce qui les aurait rendus passifs.

Une heure durant, on essaya d'amener les frappeurs à frapper. On avait toutes sortes de bâtons, de ballons, de mains en caoutchouc et de chapeaux de cow-boy pour les exciter et les asticoter.

À l'occasion, l'un d'eux frappait. Mais il fallait les houspiller un bon moment avant qu'ils se décident. C'était facile de voir pourquoi. Une attaque de serpent à sonnettes n'a rien de bien spectaculaire. Il ne peut porter un coup qu'avec une petite partie de son corps : quarante ou cinquante centimètres pour deux mètres de long.

Ce qui veut dire que, dans un dîner, si votre voisin de table a un crotale dans son assiette, le serpent ne pourra probablement pas vous frapper. En vérité, il aurait probablement du mal à frapper celui dont il occupe l'assiette.

Et les serpents n'étaient pas agressifs. Après une frappe, ces grosses bêtes féroces s'emmêlent les crocs dans l'équivalent de leur lèvre inférieure. Ils ont l'air idiots, et ceux-là semblaient le savoir. Quoi qu'il en soit, ils préféraient généralement se retirer plutôt que de frapper.

Entre les prises, on plaçait les serpents sous un parasol à pois jaunes. Les heures passant, et désespérant d'obtenir les plans que je voulais, je m'insurgeai. Qu'est-ce que c'était que cette façon de les dorloter ? Qu'on les laisse en plein soleil ! Leur maître protesta, mais je fus intraitable. Je faillis en faire griller un en l'espace de quelques minutes. Le serpent avait sombré dans la léthargie et il fallut le remplacer. Ces redoutables reptiles sont incapables de contrôler la température de leur corps, et à découvert ils ne manqueront pas de frire comme des œufs. En vérité, les serpents à sonnettes sont des créatures assez fragiles.

Le résultat des courses, c'est qu'après avoir commencé avec des couvertures, un téléobjectif et un opérateur qui n'en menait pas large, au milieu de la journée tous les membres de l'équipe se tenaient à quelques pas de ces reptiles géants – qui leur tournant le dos, qui secouant la cendre de sa cigarette sur eux et parlant d'autre chose. Personne ne s'inquiétait plus des serpents. Sans s'en rendre compte, on s'était vite adapté à la réalité de ce qu'on avait vu.

Les serpents à sonnettes ne pouvaient pas nous faire de mal.

Dans la plupart des situations, il nous est si rarement donné de rencontrer des animaux sauvages que mieux vaut y voir un privilège que de se ronger les sangs.

Naturellement, tout dépend de la situation, et des animaux. Les requins à pointe blanche sont relativement inoffensifs ; d'autres espèces le sont sans doute moins. Il serait absurde de prétendre que les lions d'Afrique sont apprivoisés et qu'on peut sortir sans risque de sa Land Cruiser pour aller les saluer. Mais il faut savoir que, si on descend et qu'il n'y a pas de lionceaux dans les parages, on a toutes les chances de voir les lions déguerpir.

Je ne sais pourquoi les gens ont tant de mal à trouver le juste comportement avec les animaux. Chaque année, dans les parcs nationaux américains, un certain nombre de gens sont tués ou blessés pour s'être approchés d'animaux sauvages, des bisons par exemple, sous prétexte de prendre une photo ou de leur donner à manger. Pour beaucoup de citadins, il se peut que la notion de « bête sauvage » ait perdu tout son sens. Les seuls animaux qu'ils connaissent, ce sont les animaux domestiques ou ceux des zoos : alors pourquoi ne pas faire poser votre fillette de quatre ans à côté d'un buffle à Yellowstone ? Ça fera une belle photo.

Ce genre de confiance aveugle n'est que le revers de cette peur aveugle que beaucoup éprouvent. Je me dis parfois que l'homme a besoin d'imaginer qu'il a une place à part dans la nature, ce qui le conduit à penser que les autres animaux lui vouent une haine, ou une affection, particulière.

La vérité, c'est qu'il n'est qu'un animal comme les autres sur le plancher des vaches. Un animal intelligent, mais un animal quand même.

J'ai eu du mal à me débarrasser de ma peur des animaux. Il le fallait parce que mon expérience m'obligeait à cesser de les voir comme des créatures redoutables. Je ne pouvais pas faire semblant de ne pas voir ce que je voyais. Mais ce fut difficile.

D'un côté, on y perd un certain frisson. On ne renonce pas volontiers à ses frissons. Alors que j'expliquais à mes interlocuteurs que certaines espèces de requins, de murènes ou de barracudas ne sont pas dangereuses, j'ai vu leurs visages s'affaisser et prendre un air pincé. Ils ne sont pas d'accord. Ils m'expliquent que je parle de cas particuliers. Ils me font observer que je n'ai qu'une expérience limitée. Les requins paisibles ? Les murènes pas dangereuses ? Les serpents inoffensifs ? Je vous en prie !

Ils n'aiment pas entendre ça. Donnez-leur des faits et des statistiques, vous ne faites que les irriter davantage encore ! Pourtant, les chances sont de plus en plus minces qu'un Occidental rencontre un animal dans une situation périlleuse. Chaque année, en Amérique, soixante mille personnes trouvent la mort dans un accident de la route sans que personne n'hésite à prendre le volant. Sept personnes, en tout et pour tout, meurent chaque année d'une morsure de serpent, et tout le monde a une peur bleue des serpents.

La peur des animaux fait aussi partie de la culture populaire : c'est un thème qui est abondamment exploité dans les livres comme au cinéma et à la télévision. Y renoncer procure un peu la même frustration que de louper la dernière émission de télé à la mode, de ne pas connaître la star intellectuelle de l'année ou de ne pas être au courant de l'actualité sportive. On perd un point commun avec les autres.

Mais il y a autre chose. La peur des animaux faisant partie de la culture populaire, cela vous rappelle que l'une des idées reçues les mieux enracinées est fausse. C'est un peu troublant parce qu'on est obligé de se demander ce qui pèche par ailleurs.

La peur des animaux est aussi une chose plaisamment enfantine, et y renoncer c'est troquer quelques-uns des sentiments magiques de l'enfance contre ceux, plus prosaïques, de l'âge adulte. Au départ, ce n'est pas très confortable. Par la suite, on se demande pourquoi tout le monde n'en fait pas autant.

Au bout du compte, quel profit tire-t-on d'être effrayé ? Peut-être est-ce que ça étaye les valeurs de la civilisation en donnant corps au Père fouettard. Me voici pris dans un embouteillage, respirant du monoxyde de carbone et des substances toxiques, j'ai sous les yeux un paysage artificiel hideux, mais je suis vraiment verni, parce que s'il n'y avait pas tout cela, les lions et les ours attaqueraient et me mangeraient.

Si les bêtes sauvages, et la nature sauvage, étaient moins effrayantes, peut-être trouverait-on moins de goût à la civilisation. Mais la vérité, c'est que la civilisation ne nous protège pas des bêtes sauvages. Elle essaie, tant bien que mal, de nous protéger de nous-mêmes.

Gorilles

– Je n'étudierais pas les gorilles, dit Nicole.
– Pourquoi pas ? demandai-je.
– Ce sont des hommes.

Nicole était belge et parlait anglais en commettant quelques faux sens.

– Les gorilles sont des hommes ?
– Oui, parfaitement.

Mon français était mauvais, mais entre son anglais et mon français, on arrivait à se comprendre.

– *Vraiment ? Les gorilles sont des hommes ?*
– *Oui !* Exactement pareils.
– Tu en es persuadée ?

Nicole était zoologiste et s'intéressait plus particulièrement à une espèce d'antilopes, les topis. Après des années passées à les étudier, nul doute qu'à ses yeux les gorilles et les hommes se ressemblaient comme des frères. Je me tus.

– Tu ne me crois pas, reprit-elle, mais je les ai vus aux Virunga. Les gorilles ne sont pas des animaux, ce sont des hommes.

On volait vers l'ouest, en direction de Virunga. J'étais engoncé dans le cockpit du petit avion, à côté du pilote.

– Là ! Les volcans, dit-il en tendant la main.

Devant nous, émergeant des brumes du Rwanda, on devinait trois vagues cônes volcaniques. Ça n'avait rien de très spectaculaire ; ce n'est pas ainsi que je les avais imaginés.

– À gauche le Karisimbi, au milieu le Visoke, et à droite le Sabinyo, annonça le pilote. Et voilà la ville.

S'écartant de la chaîne des volcans, il décrivit un cercle autour de

Ruhengeri, un bidonville construit autour d'une rue boueuse. Ça avait l'air incroyablement romantique !

L'avion se posa et on se rendit à l'hôtel Muhrabura. Au bar, je tombai sur Don Fawcett, le professeur d'anatomie auquel j'avais eu affaire, de longues années plus tôt, le jour de la dissection des cadavres. Le Dr Fawcett avait quitté Harvard pour le Laboratoire international des maladies animales à Nairobi; il était allé voir les gorilles ce jour-là avec un groupe de scientifiques; ils avaient passé un moment formidable. Tout le monde, à l'hôtel, était excité par la visite aux gorilles. Au bar, on ne parlait que de ça.

Dans l'après-midi, je me promenai dans Ruhengeri, petite ville encerclée par cinq volcans. Une seule rue pavée, des boutiques délabrées aux couleurs vives. Un taxi plein à craquer de femmes qui chantaient des refrains africains passa en grand fracas. Des gosses essayèrent de me vendre des cigarettes – des Impala – dans des pochettes en plastique.

Nicole me parla des gorilles du Rwanda. Son mari, Alain, travaillait au Park Service et avait participé à la mise au point du programme, dont voici l'histoire.

Le parc des Volcans, à la frontière du Rwanda et du Zaïre, était une vaste région de terres fertiles pour ce tout petit pays. Les pentes verdoyantes des montagnes suscitaient de plus en plus la convoitise de la population rwandaise en pleine expansion : elle avait augmenté de cinq cents pour cent depuis la Seconde Guerre mondiale. Voilà quelques années, des suites de cette pression démographique, une bonne partie du parc avait été transformée en terres agricoles. Les appels se multipliaient pour qu'on fît pareil avec le reste, mais les partisans du statu quo, au Rwanda, avaient trois raisons de s'y opposer.

La première, c'est que, à la longue, cela ne soulagerait guère la pression démographique. Après tout, chaque année, c'est vingt-trois mille familles supplémentaires qui avaient besoin de terres agricoles. Quand bien même on abandonnerait toute la terre, on n'aurait des terres que pour trente-six semaines de croissance démographique.

La deuxième raison était que la terre de ces flancs de montagne était une zone de captation des eaux. Le sol volcanique spongieux retenait l'eau de pluie et la libérait petit à petit lors des deux saisons sèches du Rwanda. Si l'on mettait les pentes en culture, l'eau serait vite épuisée, au grand préjudice des fermes des environs.

La troisième raison était que le parc, comme celui voisin du Zaïre, était le dernier refuge des magnifiques gorilles de montagne. Leur retirer ce territoire, c'était les condamner à l'extinction.

Afin de sauver le parc des Volcans, ses défenseurs décidèrent en 1979 de le rendre autosuffisant et rentable. À cette fin, ils habituèrent trois groupes de gorilles aux contacts humains. Au fil des ans, ils réussirent à faire de ces gorilles une attraction touristique.

Des années auparavant, la chercheuse américaine Dian Fossey avait appris qu'il était possible d'approcher de près les bandes de gorilles sauvages. Après de longues années de travail patient, elle avait pu s'installer parmi eux pour étudier leur comportement et prendre des notes.

Puis Fossey a dû partir, chassée du pays par le gouvernement. (C'était quelques années avant son retour et son assassinat.) La troupe de gorilles parmi lesquels elle vivait, le groupe 5, est aujourd'hui au centre des recherches des hommes de science de la station de Karisimbi, située entre les volcans. Mais d'autres ont employé ses techniques pendant un certain nombre d'années afin d'habituer les groupes 13, 11 et 8 aux visites quotidiennes d'êtres humains.

Cela relevait désormais de la routine. Si on voulait voir des gorilles, il fallait prendre ses dispositions bien à l'avance (aujourd'hui des années à l'avance) pour faire partie de l'un des groupes de quatre ou six personnes que l'on conduisait tous les jours auprès des gorilles.

Dans la matinée, on se rendit à la station du parc, à trois cents mètres, sur les pentes du mont Sabinyo. À partir de là, on commençait à chercher les gorilles. Chaque groupe de touristes était accompagné d'un guide et d'un traqueur ; on nous conduisait d'abord à l'endroit où l'on avait vu les gorilles la veille. Le traqueur suivait la piste des gorilles sur les pentes volcaniques jusqu'à hauteur de la bande. Puis il suivait les gorilles jusqu'à leur pause de midi, heure à laquelle ils étaient calmes et laissaient généralement les gens les approcher de près.

Les touristes trouvaient parfois les gorilles en quelques minutes, mais certains jours il ne fallait pas moins de cinq heures. On nous dit de nous préparer à plusieurs heures d'escalade et de mettre des gants pour se protéger des orties brûlantes. Une fois parmi les gorilles, nous expliqua-t-on, il faudrait garder le silence et se faire discrets, et surtout veiller à n'avoir jamais la tête plus haut que celle du mâle dominant. Enfin, si les gorilles chargeaient, on devait rester sur place, se taire et *surtout ne pas bouger.*

Sur ce on se mit en route.

Une piste de gorilles est assez facile à suivre. Il n'y a pas seulement l'empreinte caractéristique à trois lobes, mais aussi la multitude des branches cassées. À certains endroits, on aurait dit qu'un convoi de jeeps venait de passer.

Cela aurait dû me donner un indice de ce qui nous attendait.

Pourtant, en voyant mon premier gorille – un mâle au dos argenté entrevu à travers les bambous – je reçus un choc. L'animal était immense. Il semblait si grand que je crus d'abord à une illusion d'optique liée au rideau de bambous. Il n'avait pas l'air d'un gorille, mais d'un hippopotame.

Les gorilles de montagne sont *gros*.

Mark, notre guide, hocha la tête.

– Eh oui, ils sont gros, dit-il à voix basse. Ceux que vous voyez dans les zoos sont des gorilles des plaines, une autre sous-espèce. Les gorilles de montagne sont autrement plus gros. Ce gaillard-là doit aller chercher dans les quatre cents livres.

Le gaillard en question s'éloignait à travers les bambous. Pour une créature de la taille d'un hippopotame, il était rapide. Bouche bée, on avait le plus grand mal à le suivre. Les gorilles se déplacent avec un balancement caractéristique en s'appuyant sur leurs avant-bras tendus, les mains recourbées de telle façon qu'ils reposent sur leurs articulations. C'est un comportement déterminé par les gènes, mais en jetant un coup d'œil autour de moi je me rendis compte que, nous autres humains, on se déplaçait exactement comme eux. La forêt de petits bambous oblige à marcher avec les genoux et les mains, et les orties brûlantes vous font fermer les paumes, trop sensibles, pour absorber la douleur avec les articulations.

Étrange spectacle ! Les gorilles se déplaçaient comme des gorilles, et leurs poursuivants, comme des gorilles aussi. À cette différence près, naturellement, qu'on était maladroits, surtout quand on allait vite. C'est dur de se déplacer avec ses mains et ses genoux.

Bientôt, on en vit d'autres. Mais à peine les entrapercevait-on qu'ils avaient disparu. Une femelle adulte, puis un jeune mâle. Cette bande, le groupe 13, était sur ses gardes. Mark, qui les étudiait, nous expliqua qu'il y avait un éléphant sur son territoire, et le mâle au dos argenté était nerveux.

Une heure durant, on les suivit au petit trot à travers les bambous. Le plus clair du temps, on ne les voyait pas, mais on les entendait traverser les broussailles à grand fracas. Parfois même, ils étaient tout près de nous, sans que jamais on puisse les observer à loisir.

Les gorilles finirent par s'arrêter pour leur pause de midi. Le gros mâle se laissa rouler sur le dos et se mit à mâchonner paresseusement des bambous. Il devait être à une dizaine de mètres. J'étais frustré : je voulais le prendre en photo, mais il était caché par les broussailles. Pendant un temps, la seule chose qu'on vit, c'était une main immense qui se levait, empoignait un bambou puis disparaissait. À l'occasion, il relevait sa tête massive, nous jetait un coup d'œil puis se laissait retomber. J'étais tout à mes appareils et à mes objectifs, prêt à sauter sur la première occasion de le filmer. Changeant d'objectif, réglant le diaphragme...

La scène qui suivit fut d'une extraordinaire rapidité. Il y eut un rugissement assourdissant, aussi fort que le bruit d'une rame de métro qui entre en trombe dans une station. Levant les yeux, je vis le mâle immense charger sur moi. Il se déplaçait avec une incroyable célérité, beuglant de rage. Il venait droit sur moi.

Gémissant, je plongeai la tête dans les broussailles et tâchai de me faire tout petit. Un bras énergique agrippa ma chemise à hauteur des épaules. *Ça y est!* Il était déjà arrivé que des gorilles s'attaquent à des touristes. Les saisissent par la peau du coup, les mordent et les balancent comme un torchon. Des mois d'hospitalisation. C'est à moi que le gorille en voulait...

Mais c'était Mark qui me retenait. Qui m'empêchait de détaler.

– *Ne bougez pas!* dit-il d'une voix basse mais ferme.

J'avais le visage enfoui dans l'herbe. Mon cœur battait la chamade. Je n'osais pas lever les yeux. Le gorille était juste devant moi. Je l'entendais renifler, je sentais la terre trembler tandis qu'il frappait du pied. Puis je compris qu'il se retirait. J'entendis un bruit de déchirement régulier, juste à droite.

– Vous pouvez vous redresser, chuchota Mark, tout doucement. Il arrache de l'herbe.

Je ne me redressai pas. Et je fis bien, parce que le gorille rugissait de nouveau. Il tambourina sur sa poitrine. Un bruit creux.

– Vous pouvez vous relever, chuchota Mark. Tout va bien.

Je ne me relevai pas. J'attendis. Enfin, j'entendis des craquements : le gorille s'éloignait, et je redressai la tête.

Je vis le gros mâle se laisser tomber dans l'herbe. Je vis la grosse main s'emparer d'un bambou pour l'arracher.

– C'était juste pour nous rappeler que c'est lui le patron, dit Mark.

C'est une chose que je comprenais. Pas de problème.

– Pourquoi a-t-il attaqué?

– Quelque chose en vous qui ne lui a pas plu, dit-il avec un haussement d'épaules. Probablement trop de mouvement avec la caméra.

Puis il me sermonna de nouveau : quand un gorille attaque, surtout ne pas bouger!

Je savais parfaitement comment me conduire en cas d'attaque de gorille. Je les avais étudiés, j'avais lu tous les livres. Mais d'une certaine façon, en lisant ces bouquins, je n'avais pas compris ce qu'une charge de gorille pouvait avoir de redoutable. Le bruit, la vitesse de la charge, la taille de l'animal – tout cela était incroyablement intimidant. Rester sur place face à une charge de gorille, c'était comme ne pas bouger d'un pouce face à un train express qui arriverait en trombe, dans l'espoir que, d'une manière ou d'une autre, il s'arrêtera avant de vous heurter. Cela demandait un courage extraordinaire.

Ou peut-être, simplement, de l'expérience. On eut droit à deux autres charges en deux jours, mais ce ne fut jamais aussi terrifiant que cette première fois.

Le deuxième jour, j'allai voir le groupe 11 avec Nicole et Rosalind Aveling, une naturaliste du parc. À notre arrivée, on trouva les gorilles dans une sorte de cul-de-sac, parmi les feuillages. Des jeunes ici ou là, des petits qui écrasaient les branches au-dessus de nos têtes, et au centre, le gros mâle.

On approcha précautionneusement. Le grand mâle nous regardait. Il se décida enfin à bouger. Aussitôt, on se figea.

Le mâle se dirigea vers le guide. Il tendit son énorme main comme pour porter un coup et la lança en direction du guide qui ne bougea pas d'un millimètre. Au dernier moment, le gorille retint son bras et le tapota légèrement sur la tête. Une petite tape amicale. Amusant, non ?

Puis il se dirigea vers le traqueur, qui portait une casquette de base-ball. Il prit la casquette, l'inspecta, la renifla et la lui remit soigneusement sur la tête avant de s'éloigner de quelques pas.

– C'est stupéfiant ! dis-je à voix basse à Rosalind.

– Oh, fit-elle, c'est toujours la même chose. C'est sa façon de saluer. Vous comprenez, il les connaît.

Rosalind expliqua que les gorilles apprenaient vite à reconnaître les gens. C'est pourquoi les responsables du parc ne laissaient pas les touristes visiter deux jours de suite la même bande. Le second jour, les gorilles reconnaissaient les visiteurs et les laissaient s'approcher plus près que la veille. Et ils ne voulaient pas que les touristes refilent leurs rhumes aux gorilles.

– Il leur suffit d'un jour pour vous reconnaître ?

– Naturellement, répondit Rosalind. Ils sont très vifs. Vous aussi, vous apprendrez à les reconnaître.

J'en doutai. À mes yeux, les gorilles étaient tous pareils et ne différaient que par leur taille. En les voyant surgir des broussailles un par un, je n'aurais pas pu dire si je les avais déjà vus ou non.

En attendant, le gros mâle et le guide se dévisageaient, nez à nez. Le mâle au dos argenté grogna. Le guide lui répondit par un grognement. Je m'étais déjà laissé dire qu'il fallait grogner de cette façon. On était tous censés pousser un *uh-huh* de ce genre de temps à autre, ou en réponse au grognement du mâle. Apparemment, ça voulait dire « je suis ici et tout va bien », ou quelque chose de ce style. En tout état de cause, on disait que ces grognements avaient un effet apaisant sur les gorilles.

J'étais tout à fait partisan de ça. Parce qu'on était vraiment tout près d'eux. Jamais de ma vie je n'avais été aussi près de grands animaux sauvages, sans barreaux entre eux et moi. Mais personne n'avait de fusil ni d'arme d'aucune sorte. Notre sécurité reposait sur l'idée que les gorilles se montreraient amicaux envers nous. Et ils semblaient en effet bien disposés.

Mais le fait est que nous étions à leur merci. Nous étions sur leur territoire, pour ainsi dire leurs hôtes. Et visiblement tout devait bien se passer.

Je me détendis et me laissai aller à un sentiment d'extraordinaire enchantement. Je n'avais jamais rien connu de tel. Être aussi près d'une créature sauvage d'une autre espèce, sans pour autant se sentir menacé. Et lentement je commençai à les reconnaître les uns des autres comme l'avait dit Rosalind. La femelle avec la grande incisive. Le jeune mâle qui se pavanait, presque viril. Les petits, à peine plus grands que des enfants, qui nous chargeaient, tambourinaient sur leur poitrine et filaient comme une flèche dans les arbres.

Je ne voulais plus partir.

Le guide ramena les autres touristes et je restai avec Nicole et Rosalind. Le temps passant, je commençai à avoir le sentiment étrange de comprendre ce qui se passait. Une femelle fit mine de s'approcher de nous, et je me dis, *Tu es trop près, ça ne va pas lui plaire.* Et en effet, le mâle intervint : il rugit et elle se recula à la hâte. Au-dessus de nos têtes, quelques jeunes gorilles jouaient bruyamment. Le dos argenté poussa un fort grognement et ils se calmèrent. Mais lorsque le mâle plus âgé vint vers nous d'un air menaçant, il le laissa faire.

Tout cela avait du sens. Il y avait une organisation spatiale, des frontières invisibles mais néanmoins distinctes, et le dos argenté veillait à ce que chacun ou chacune fût bien à sa place. Au bout d'un moment, il alla dormir. Il avait l'un de ses petits dans son immense paume ; le bébé tenait entièrement dans sa main.

J'essayai encore de voir d'où me venait ce sentiment de comprendre la bande. Nous avons tendance à anthropomorphiser les animaux, mais dans ce cas cela va de soi. Dans un cadre détendu, les gorilles semblaient très proches de nous. Nicole avait raison : on aurait dit des hommes. Je ne l'aurais pas cru. J'avais approché d'autres grands singes, mais jamais je n'avais eu une telle sensation. Un chimpanzé, par exemple, est une caricature d'être humain, mais c'est un animal très différent – à bien des égards hargneux, déplaisant. Les orangs-outangs paraissent doux et moroses, mais ils ne ressemblent guère à des humains. Alors qu'ici, au milieu des gorilles, de ces créatures qui n'ont ni l'air ni l'odeur d'êtres humains, j'avais le sentiment très net qu'on se comprenait, eux et nous. C'était irrésistible... et triste. En les quittant, j'eus l'impression de m'arracher à un rêve.

En 1958, lorsqu'il étudia les gorilles de montagne, George Schaller estima leur nombre à 525. En 1981, lorsque j'allai aux Virunga, on pensait qu'il devait y en avoir 275. Aujourd'hui, il n'y en aurait plus que 200. Personne ne sait exactement quel est le seuil de reproduction, ni si les gorilles ne sont pas déjà tombés en deçà. Quoi qu'il en soit, leur avenir paraît sombre.

– Maintenant, dis-je à Nicole au moment de partir, je comprends ce que tu veux dire quand tu dis que tu n'as pas envie d'étudier les gorilles parce qu'ils sont comme les hommes.

– Oui, conclut-elle, je ne pourrais pas... Mais aussi parce que c'est trop triste, fit-elle après un moment de pause.

Une espèce éteinte de tortues

Apparemment, ce n'était pas la grande aventure : passer devant le stand McDonald's à l'aéroport de Singapour, aller chez Hertz récupérer ma Datsun de location et filer au nord, jusqu'à l'hôtel de Kuantan, sur la côte est de Malaisie.

La traversée de Singapour ne valait guère mieux : en l'espace de dix ans, la ville avait détruit systématiquement toute trace d'exotisme. La première fois que j'y étais allé, en 1973, Singapour était magique : un centre d'affaires moderne à côté d'une colonie britannique assoupie. Tout était beau, chaud et vert. De tous côtés, on avait des aperçus de son histoire : ainsi de ces barbelés autour des balcons des maisons coloniales, souvenir de l'occupation japonaise. Chaque quartier avait sa personnalité : le quartier indien, le quartier chinois autour du fleuve, le quartier malais, chacun avec son atmosphère, ses visages, son architecture et ses odeurs.

Tout cela a aujourd'hui disparu. Même ses plaisirs innocents, ses immenses palaces sur la côte. Quelles que soient ses vertus modernes, et elle n'en manque pas, Singapour a choisi de détruire ce qui faisait sa singularité et de le remplacer par des gratte-ciel et des supermarchés, au point qu'elle ressemble aujourd'hui à toutes les autres métropoles.

Je roulai une heure en direction du nord, traversai le pont qui marque l'entrée en Malaisie puis m'engageai sur la route de la côte est... Tout cela pour me retrouver à la remorque d'une longue file de camions qui éructaient leurs vapeurs de diesel. Ce n'était guère fait non plus pour me donner le sentiment de vivre une aventure. J'attendis que le feu passe au vert : rien ne gâche tant le sentiment de vivre une aventure exotique que d'être arrêté à un feu.

Remontant la côte est de la Malaisie, j'avais la sensation de visiter un endroit qui avait jadis été reculé, mais qui ne l'était plus. Une succession de petites villes grises sur l'eau, une côte de mangroves, une grand-route un peu cabossée mais commode.

Le temps devint froid et pluvieux, l'une de ces pluies diluviennes de Malaisie qu'on imagine toujours tropicales, mais qui, en fait, sont glaciales. Je remontai les fenêtres et réglai les essuie-glace sur la vitesse maximale, me sentant isolé dans ma voiture. Lentement, je commençai à me dire que je ne savais pas où j'étais. La pluie cessa, mais je me sentais toujours perdu.

Kuantan était une grande ville affreuse : des usines de ciment et des revendeurs Honda. Un endroit peu probable pour un hôtel de villégiature. Aucun signe du Hyatt Kuantan. Je m'engageai tout de même.

La nuit approchait. La campagne commençait à disparaître dans la grisaille. La route était mal signalée et je n'avais pas envie de conduire la nuit. Je manquai l'embranchement du Hyatt, demandai ma route dans un petit restaurant, fis marche arrière et manquai de nouveau l'embranchement. Ce n'était pas vraiment la grande aventure : juste un petit agacement bassement matériel. Je finis par arriver à l'hôtel et je compris aussitôt que c'est le genre d'endroit qui fait la sale réputation du Hyatt. Si j'avais su, je ne serais pas venu...

Mais il n'est pas facile de trouver un hôtel charmant sur la côte est à la dernière minute. J'étais venu ici au printemps 1982 pour une raison particulière – afin de voir la ponte saisonnière des tortues luths géantes de Malaisie.

Des mois durant, à partir de mai, les tortues sortent de l'océan pour déposer leurs œufs sur les plages isolées de la côte est. En fait, elles le font sur des plages tellement isolées qu'on a cru l'espèce éteinte jusque dans les années cinquante, où on a pu observer la ponte.

Là s'arrêtait mon information, mais je comptais en apprendre plus sur place. J'allai à l'hôtel et interrogeai le réceptionniste.

– Je suis venu voir les tortues.

– Ah oui ? Nous n'avons pas de tortues à l'hôtel.

– Les tortues géantes qui pondent ?

– Oui. Il n'y en a pas par ici.

– Mais sur la côte ?

– Je ne sais pas. Peut-être plus au nord. Vous n'aurez qu'à demander.

– À qui ?

– Demandez à l'office du tourisme, demain matin. Mais je crois que ce n'est pas la saison.

– Elle ne commence pas en mai ?

– Je ne sais pas. Je crois qu'il n'y a pas de tortues, que ce n'est pas le bon moment.

Une personne négative, me dis-je, et par-dessus le marché mal renseignée ! L'hôtel devrait y réfléchir à deux fois avant de placer quelqu'un de ce type à la réception. Après tout, les tortues luths doivent être l'une des grandes attractions de la région ; en toute logique, le personnel de l'hôtel devrait être au courant.

Les jours suivants, je perdis courage. Apparemment, personne ne savait rien des tortues. On pouvait vous renseigner sur le surf, sur les tours dans la jungle, sur les danses indigènes. Mais personne ne savait quoi que ce soit des tortues. Je me rendis à Kuantan et trouvai l'office du tourisme. Il était fermé. On me dit que la femme qui s'en occupait était à Kuala Lumpur. Elle serait de retour dans une semaine.

Enfin, un jour que je louais une planche à voile, l'un des hommes qui travaillaient sur la plage me dit en passant :

– Ils ont vu des tortues hier.

– Qui ça ?

– Des Chinois.

– Où les ont-ils vues ?

Il donna le nom d'un hôtel.

– Où ça ?

– Plus haut, sur la côte. À cinquante kilomètres.

– Et ils ont vu des tortues la nuit dernière ?

– Vers deux heures du matin. Trois tortues, dit-il en hochant la tête. Des grosses. Deux cents kilos.

Je lui expliquai que je voulais voir ces tortues.

– Oui, pourquoi pas ? C'est la saison.

– Eh bien, c'est que je n'ai pas pu prendre mes dispositions.

– Personne ne peut vous arranger ça. Les tortues font comme il leur plaît.

– Qu'est-ce que je fais pour les voir ?

– Allez à l'hôtel. Ils ont des tortues là-bas.

– Toutes les nuits ?

– Non, pas toutes les nuits. Passez leur un coup de fil avant d'y aller.

J'appelai l'hôtel. Oui, ils avaient vu des tortues. Ils les avaient vues trois fois en quatre jours. Oui, je n'avais qu'à rappeler plus tard et ils me diraient s'ils voyaient des tortues.

Je rappelai vers dix heures du soir. La femme répondit qu'ils ne les avaient pas encore vues ; la saison n'était pas encore assez avancée.

J'appelai à minuit. Personne ne décrocha.

Je pris tout de même ma voiture.

Sur la route, il se mit à pleuvoir. Cinquante kilomètres plus au nord, je m'arrêtai dans un hôtel moderne : des bâtiments de béton gris entourés de pelouse. La pluie tombait dru. Il y avait une plage juste devant. Je sortis de la voiture et me dirigeai vers la plage. Personne, rien à voir. Il pleuvait des cordes.

Un homme surgit dans les ténèbres.

– Qu'est-ce que vous faites ici ?

– Je suis venu voir les tortues.

– Pas de tortues cette nuit.

– Mais je croyais...

– Pas de tortues.

Je regagnai mon hôtel.

Je rappelai le lendemain soir. On me dit qu'on avait vu quantité de tortues la nuit dernière, mais encore aucune ce soir.

Je rappelai à minuit. Un homme me dit qu'ils en avaient vu une. Sur la plage à côté.

– Combien de temps va-t-elle y rester ? demandai-je.

– Plusieurs heures.

Je pris ma voiture.

De nouveau, personne autour de l'hôtel. Le hall était désert. Je pressai la sonnette du veilleur de nuit. Personne. Je sortis sur la plage. C'était une belle nuit de pleine lune avec quelques nuages cotonneux. L'air était chaud. Je ne vis personne sur la plage qui s'étendait à perte de vue.

Bientôt, je vis surgir un jeune homme en scooter. Je le regardai longer l'eau. Le bruit s'éloigna. Au bout d'une dizaine de minutes, il revint.

– Tortues ? demanda-t-il à voix basse dans l'obscurité.

On aurait pu le prendre pour un dealer.

– Oui, fis-je.

– Je les cherche. Je les trouve, je vous y conduis.

– Bien, merci.

– Vous les avez vues ?

– Non, jamais.

– Vous n'avez pas vu celle qui est seule ?

– Où ça ?

– Tout près. À côté de l'arbre, me dit-il en pointant le doigt.

Il y avait des arbres au bord de la plage, dont l'ombre dansait au clair de lune. Sous un arbre, je vis une forme dans le sable. Je m'approchai en allumant ma torche.

C'était une énorme tortue, de la taille d'un bureau. Elle faisait face à l'océan. Avec ses nageoires, elle avait creusé dans le sable une fosse d'un petit mètre de profondeur. Elle était maintenant occupée à y déposer ses œufs translucides, glissants et tendres. Sa magnifique tête faisait un lent mouvement de va-et-vient. Elle avait la larme à l'œil.

Cette tortue devait bien peser trois cents livres, peut-être plus. Remonter la plage sur une centaine de mètres, creuser une fosse avec ses nageoires et pondre avait exigé d'elle un effort considérable. Elle avait l'air épuisée, hébétée. Il y eut d'autres larmes, mais apparemment c'étaient de simples excrétions, non de vraies larmes. Je l'observai avec étonnement, ébahi par l'effort, le rituel antédiluvien qui la poussait à répéter chaque année ce manège. Je me faisais une fête d'y passer la nuit.

Une agitation me tira de ma contemplation. Une douzaine de personnes, des Chinois et des Malais, avançaient sur la plage. Ils avaient entendu parler de la tortue. Ils portaient des torches puissantes, qu'ils braquaient sur l'animal. Je commençai à me sentir mal à l'aise. Une foule se pressait maintenant autour de la tortue en train de pondre.

Les autres se mirent à prendre des photos au flash. Ils se plaçaient tout près de sa tête et faisaient flash sur flash. Pour finir, un père de famille chinois dit un mot à son fils, et le gamin grimpa sur le dos de la tortue le temps que son paternel lui tire le portrait. Bientôt c'est toute la famille qui se trouva à cheval sur la carapace de la malheureuse tortue qui agitait vainement ses nageoires postérieures.

Elle finit par envoyer du sable à la tête de l'un des gamins qui se tenait tout près. L'enfant se mit à pleurer tandis que les Malais engueulaient la tortue, la traitant de tous les noms, et que les Chinois continuaient à la mitrailler de photos. L'un d'eux posa près de la tête de l'animal, tendant son verre de bière en direction de la tortue comme pour lui offrir à boire. Flash. Rires.

Le garçon en scooter arriva en trombe et rangea sa bécane. Le silence se fit. Je me demandai si c'était un officiel d'un genre ou d'un autre, mais lorsqu'il s'arrêta, je vis, à la lumière des torches, qu'il n'avait que dix ou onze ans. Il s'exprimait calmement ; apparemment, il leur parlait de la tortue. À ses gestes, on aurait dit qu'il leur expliquait ce qu'elle faisait. Il montra du doigt la trace de son passage sur la plage. La peine qu'elle avait eue à se retourner pour faire face à l'océan. Le temps qu'il lui avait fallu pour creuser sa fosse. L'effort que lui coûtait la ponte. Et quand elle aurait fini, l'épuisement. Le temps qu'il lui faudrait rester ici avant d'essayer de trouver la force de regagner l'eau pour se laisser porter par le ressac au point du jour.

Ils l'écoutaient en silence. Le petit Chinois descendit du dos de la tortue. Le gamin cessa de pleurer et s'enhardit à passer la main sur la carapace de l'animal, comme pour faire la paix avec elle. L'atmosphère se fit plus respectueuse. La foule se recula d'un pas. Je me dis qu'ils avaient juste besoin d'un petit mot d'explication. Tant qu'on ne leur disait rien, ils ne pouvaient pas imaginer, mais sitôt qu'on leur faisait la leçon ils se montraient bienveillants et compréhensifs.

Ils finirent par se retirer. Je restai assis sur place. Le garçon vint s'asseoir à côté de moi.

– Anglais ?

– Américain.

– Ah, américain. Rono Reagan.

– Oui.

Il tendit la main vers les gens qui s'en allaient.

– Ils s'en vont. Ils voient la tortue et ils s'en vont.

– Qu'est-ce que tu leur as dit ? demandai-je.

– Ils disent qu'ils veulent acheter des œufs. Je leur ai dit où, et maintenant ils partent.

– Ils vont acheter des œufs ?

– Non.

– Pourquoi ?

– Je leur parle de la tortue, des œufs. Ils écoutent.

– Ah...

– Et je leur dis le prix des œufs. La femme dit trop cher. Je crois qu'ils achèteront pas.

– Non ?

– Non, fit-il en hochant la tête.

La tortue restait dans sa fosse, agitant de loin en loin une nageoire. Au bout d'une heure, un autre groupe arriva. Nouveaux flashes, nouvelles poses. Je rentrai.

Les enseignements du cactus

Dans le courant de l'automne 1982, je participai à la conférence Brugh Joy dans le désert de Lucerne Valley, en Californie. Brugh Joy était un éminent médecin de Los Angeles qui, au terme d'une méditation intense, s'était progressivement éloigné de la médecine au profit d'approches plus personnelles comme la guérison psychique, etc. Depuis de longues années, il patronnait des conférences de quinze jours qui lui permettaient de partager ses découvertes.

Pour moi, c'était la première occasion de faire quelque chose dans un domaine qui retenait mon intérêt depuis 1973. Après tout, qui a lu un bouquin de Ram Dass ne peut manquer de s'apercevoir qu'il passe son temps à essayer de nouvelles choses : séjour dans un monastère zen, exercices de respiration, jeûne, voyage en Inde pour rejoindre son gourou. On avait l'impression qu'il cherchait à multiplier les expériences en tout genre.

Pour ma part, je m'étais contenté de lire, sans jamais faire la moindre expérience personnelle. Dix années durant, je n'avais fait que lire. Et dix ans à rester les bras croisés, sans jamais passer à l'acte, ça commence à faire long. Au point que j'en étais à me demander si mon intérêt était sincère, ou si je me cherchais des excuses.

C'est avec un certain soulagement que j'appris que Brugh Joy, médecin tout à fait classique sorti de Johns Hopkins et de la Mayo Clinic, avait accompli son propre voyage spirituel et se proposait maintenant d'aider les autres. Sa conférence semblait être pour moi un point de départ idéal.

La conférence se tenait dans l'Institut de physique mentale à Lucerne Valley. Les locaux, œuvre de Frank Lloyd Wright, avaient dû être en avance sur leur temps, mais ils semblaient désormais passablement insolites. La « physique mentale » (« la philosophie sans faille de la vie ») est une science fondée par Edwin J. Dingle au retour de son voyage au Tibet dans les années vingt. Il y avait des photos jaunies de saints tibétains et des affiches Art déco expliquant la juste voie pour éviter la constipation et autres problèmes de santé. L'Institut présentait donc toutes les caractéristiques du spiritualisme excentrique à la californienne, mais avec un inconvénient supplémentaire : il était d'un autre âge !

Brugh Joy était un homme pâle et mince de quarante ans passés. Il conduisait une vieille Cadillac, portait des jeans et, à l'occasion, une chemise de sport. C'était un homme affable qui s'exprimait posément et ne sortait jamais de sa réserve.

Le séminaire avait attiré une quarantaine de personnes. Je fus rassuré de voir bon nombre de costumes-cravate, des professions libérales, dont pas mal de médecins et de psychologues.

Au premier dîner, dimanche, Brugh annonça les règles des quinze jours suivants. Pas question de recevoir ou de passer des coups de fil. Interdit de quitter les lieux : si nous avions besoin de quelque chose, quelqu'un irait nous le chercher. Pas de sexe ni de drogue. Il y aurait des séances collectives tous les jours, mais peu lui importait qu'on fît ou non acte de présence ; de toute façon, qu'on y participe ou non, on en tirerait profit.

Il ajouta qu'on pouvait dormir dans nos chambres ou dans le désert. Il parla des crotales et affirma que jamais personne n'avait été mordu par un serpent à sonnettes au cours de ses conférences, mais que si on tenait vraiment à être le premier, voilà comment il fallait s'y prendre...

Sous-entendu, nous ne devions pas tarder à nous promener tous dans des états de conscience différents. Je ne savais trop ce qu'il voulait dire, mais ça avait l'air intéressant.

Tous les jours, c'était la même chose. Le matin, silence de six heures trente à huit heures, où l'on se retrouvait pour le petit déjeuner. La méditation était alors recommandée sans être impérative.

À neuf heures, réunion dans une grande salle de conférences. On commençait par se coucher par terre sur des oreillers. Une demi-heure durant, Brugh mettait de la musique à pleins tubes. L'intensité et la vibration rendaient l'expérience très puissante ; les gens avaient des rêves éveillés, souvent ils pleuraient. Après quoi on s'asseyait en formant un cercle, on se tenait un moment par la main puis on discutait de nos rêves. Enfin, Brugh parlait à bâtons rompus et à midi trente on s'arrêtait pour déjeuner.

Dans l'après-midi, on se retrouvait en petit comité, qui pour faire de la randonnée, qui pour s'asseoir autour de la piscine ou dormir.

Le dîner était fixé à dix-huit heures, suivi de la séance du soir, qui commençait également par de la musique et se terminait à vingt-deux heures.

Brugh passait toutes sortes de musique : du classique, de la musique électronique, de la musique pop. La Première Symphonie de Brahms, la bande-son des *Chariots de feu*, l'ouverture de *Guillaume Tell*, la musique de *West Side Story*. On ne savait jamais ce qu'on allait entendre.

Les repas étaient généralement légers, presque végétariens. À peine commençait-on à s'y faire qu'on avait droit à du poulet grillé à la louisianaise avec du maïs frais poché ou du rosbif accompagné de purée de pommes de terre.

En règle générale, Brugh prenait la parole, mais il lui arrivait de diviser le groupe pour faire des exercices. Un jour, il nous distribua des carnets et des boîtes de crayons de couleur en nous demandant de dessiner ou d'écrire – de nous livrer à l'activité dans laquelle nous étions le moins à l'aise.

Puis, au beau milieu de la conférence, il annonça qu'on allait avoir deux jours de jeûne et de silence.

Bientôt, il m'apparut que l'impression de routine était illusoire. Brugh orchestrait tout cela avec le plus grand soin de manière à nous maintenir, l'air de rien, dans un état de déséquilibre constant. On ne savait jamais ce qui nous attendait. On ne savait jamais ce que nous réservait la suite.

De bon matin, il nous demanda de marcher dans le désert jusqu'à ce qu'on trouve un rocher, un arbre ou une plante avec lequel on aurait des affinités particulières, puis de passer quelque temps auprès de notre « maître », de discuter avec lui et d'apprendre ce qu'il avait à nous enseigner.

J'avais entendu parler de pratiques de ce genre, de cette manière de prendre un objet inanimé pour en faire un maître de méditation ou un maître spirituel. Pourquoi pas ? Puisque j'étais là, autant jouer le jeu.

Je partis donc en quête de mon maître.

Brugh nous avait dit que le maître se ferait connaître ; il nous suffisait d'être réceptif. J'examinai tous les rochers, tous les arbustes, tous les arbres de Josué en me demandant si c'était le maître.

J'avais de tout cela une vision romantique. Je m'imaginais assis des heures durant dans le désert, en communion avec mon maître dans une splendide solitude. Mais rien ne semblait s'imposer à moi. J'avais plutôt le sentiment tenace que mon maître n'était pas du tout dans le désert, mais à l'intérieur même de l'institut. Et cette idée ne me plaisait pas. Je voulais un maître éloigné. Un maître proche de ces bâtiments de Frank Lloyd Wright ne me convenait pas le moins du monde.

Dans un coin du parc de l'Institut, il y avait une petite salle de méditation et, juste devant, un jardin de pierres roulées avec de nombreuses variétés de cactées. Juste au bord du dallage, à l'endroit où commençait le jardin de rocailles, un cactus attirait mon regard chaque fois que je passais.

Il ne cessait d'attirer mon regard.

Cela me rendait malheureux. C'était un jardin artificiel, de la nature domestiquée, factice. Que mon maître se trouvât sur les terres de l'Institut, passe encore, mais qu'il fût dans ce jardin artificiel, c'était redoubler la blessure d'un affront. Par-dessus le marché, ce cactus ne me disait rien qui vaille. C'était une espèce commune, un genre de forme phallique hérissée d'épines. Il était passablement amoché, avec des cicatrices d'un côté. Décidément, ce cactus n'avait rien pour plaire.

Mais je ne le quittais pas des yeux. Les jours passant, les autres finirent par trouver leur maître alors que, pour ma part, je n'arrivais pas à me résoudre. Je sentais la pression monter. J'avais l'impression d'être un élève paresseux. Je prenais du retard.

Un matin que je me dirigeais vers la salle de méditation et que je passais devant le cactus, je me dis : Très bien, si ce cactus est vraiment mon maître, il va me parler.

– Quand vas-tu cesser de tourner en rond et de parler ? dit le cactus, d'un ton irrité – comme un vieillard grincheux.

Ce n'était pas vraiment une voix, juste une impression. Comme quand on croise quelqu'un et qu'on devine ce qui lui passe par la tête. Mais venant d'un cactus, ce sentiment me laissait pantois.

C'était le petit matin. Il n'y avait personne dans les parages.

– Es-tu mon maître ? demandai-je à voix haute.

Pas de réponse.

– Vas-tu me parler ? insistai-je en jetant un coup d'œil autour de moi, histoire de m'assurer que personne ne pouvait me surprendre en train de parler à un cactus.

Le cactus ne répondit rien.

– Pourquoi ne veux-tu pas me parler ?

Aucune réponse.

Ce n'était qu'un cactus, qui se trouvait là. Naturellement qu'il ne répondait pas : c'était un cactus. J'adresse la parole à un cactus, ce qui est déjà assez moyen. Mais le pire, c'est que je suis contrarié de n'avoir aucune réponse. C'est dément. On enferme des gens pour moins que ça !

Dans le même temps, pourtant, j'avais le sentiment que le cactus boudait. Il était froissé. Ou peut-être était-ce simplement qu'il n'était pas commode.

– Je reviendrai te parler plus tard.

Pas de réponse.

Je revins donc lui parler. De nouveau, il n'y avait personne dans les parages. Je restai une heure durant assis à côté du cactus et je lui parlai. Il ne m'adressa pas même un mot de réponse. Je me sentais penaud et ridicule. La vérité, c'est qu'il eût été sacrément alarmant que le cactus se mît à parler. Mais du point de vue d'une personne engagée dans un exercice spirituel supposant qu'on projette ses pensées sur un objet inanimé, je n'arriverais à rien si j'étais incapable d'imaginer la moindre réponse de l'objet en question. Décidément, je n'étais pas très doué pour la métaphysique : incapable de me concentrer, je manquais singulièrement d'imagination. Je me fustigeai. J'avais dans l'idée que d'autres avaient engagé des échanges merveilleux et enrichissants avec leur rocher ou leur arbuste.

Et pourtant j'étais de plus en plus convaincu que ce cactus était mon maître. Un maître exaspérant, contrariant, taciturne, mais mon maître quand même.

Je décidai de dessiner le cactus, parce que dessiner quelque chose vous oblige à l'observer attentivement. Et si quelqu'un me surprenait en train de dessiner ce cactus, je ne me sentirais pas trop ridicule. Je le dessinai une douzaine de fois. Ce fut très révélateur.

Le cactus était à la lisière de la civilisation. Il était posté à l'endroit même où s'arrêtait le dallage, comme un genre de sentinelle. Il avait été transplanté, arraché à son cadre naturel pour aboutir dans ce jardin artificiel et voir, pour ainsi dire, sa vie exposée aux regards des passants. Une sorte de pièce d'exposition, malgré ses préférences personnelles. Le cactus était hérissé d'épines, ce qui lui donnait une allure martiale. Il avait eu une vie mouvementée et avait été blessé dans sa jeunesse ; il avait un côté balafré et atrophié. On voyait bien à quel endroit il avait été blessé petit et comment cet accident avait contrarié sa croissance. Les épines étaient particulièrement denses, comme pour protéger la zone blessée. La seule partie qui continuait à pousser était la pointe verte. Le reste n'était qu'un support. Ce cactus était d'une âme égale : les fourmis couraient sur lui et, apparemment, ça lui était indifférent. Il était certainement attirant avec ses épines rouges et son corps vert, car il attirait les abeilles. Il avait un côté formel : la configuration des épines dessinait presque une arête de poisson. C'était un cactus très comme il faut. Je le trouvai digne, taciturne, stoïque et déplacé.

Je le dessinai tant et plus.

Un jour que j'arrivais avec mon carnet de croquis et mes crayons, il me demanda : « Où étais-tu passé ? » De ce même ton revêche, lourd de reproches.

Ce fut une surprise. Il n'avait pas dit un mot depuis le premier jour. Et cette fois, j'avais vraiment l'impression qu'il avait parlé à voix haute.

– Qu'est-ce que ça peut bien te faire ? répondis-je au cactus. Tu ne m'as pas dit un seul mot. Pourquoi j'irais passer ma journée sous un soleil de plomb à attendre que tu dises quelque chose ?

J'étais sur la défensive, comme après avoir essuyé un reproche. Le cactus ne répondit rien.

Aussitôt je regrettai mes paroles. Et voilà le travail ! Je l'ai envoyé paître. J'attends des jours et des jours, et quand le cactus se décide enfin à parler, je dégaine sur-le-champ parce que je me sens en faute. Maintenant il ne parlera plus. J'ai raté ma chance.

– Je regrette de t'avoir attrapé.

Aucune réponse du cactus.

Je n'allais quand même pas lui demander pardon. C'était un peu fort, un adulte qui demande pardon à un cactus ! D'un autre côté, peut-être que si je le faisais il reparlerait. Je voulais vraiment savoir ce qu'il avait à me dire.

– Tu vas me pardonner ?

Pas de réponse. Il fait sa tête de mule !

Peut-être les dessins seront-ils plus parlants. Je me remis donc à le dessiner. Et ce jour-là, il me sembla que je voyais avec une acuité particulière la blessure du cactus. Je devinai que la blessure avait été causée par une personne qui avait écorché le cactus au passage : une personne soucieuse qui ne regardait pas où elle mettait les pieds. Une personne qui avait lâché un juron après avoir payé sa distraction de quelques épines. Mais la blessure du cactus était autrement plus grave.

Je remarquai que, des années durant, après cette blessure, le cactus avait vu sa croissance contrariée, mais qu'ensuite il avait poussé tout droit, peut-être même avec d'autant plus de vigueur qu'il avait connu des épreuves. Je me dis que la blessure l'avait endurci. Elle en avait fait un meilleur cactus.

Je songeai également que même si le cactus s'était rétabli physiquement, d'un point de vue psychologique il était toujours sur ses gardes. J'étais enclin à lui prêter un certain jugement. Qu'il m'attirât tout en refusant de dire un traître mot me laissait soupçonner qu'il était peut-être un peu hystérique. Son développement mental n'avait pas suivi son développement physique.

Un coucou terrestre de Californie tournait autour de moi pendant que je dessinais le cactus. Un oiseau comique, dont la présence me mit de joyeuse humeur. Je me sentais bien – même si le cactus refusait toujours de parler.

À compter de ce jour, j'affectai à l'égard du cactus une attitude étrangement dissociée. D'un côté, je ne pouvais me défendre de l'impression de faire des projections sur lui. Un cactus de la haute ! De qui est-ce que je me fichais ? Mais, de l'autre, je trouvais un réel intérêt à considérer ce cactus comme un être séparé de moi. Et le fait est qu'il m'attirait et que j'y revenais sans cesse.

Brugh nous avait prévenus : il y aurait pas mal de projections entre les membres du groupe, puisque nous ne nous connaissions pas. Il fallait être attentif aux sentiments que nous inspiraient les autres, à ce que nous aimions et ce que nous n'aimions pas, parce qu'il pouvait s'agir de projections de notre part et il nous fallait les « posséder ».

Souvent, dans l'après-midi, on se promenait en groupe dans le désert.

– Vous êtes fâché ? me demanda une femme le premier jour.

– Non.

– J'ai l'impression que vous êtes en colère.

– Eh bien non.

En fait, j'étais très bien et d'excellente humeur. Et je pensai : projection. Intéressant. De toute évidence, c'est cette femme qui est en colère. Il faudra que je la tienne à l'œil.

Brugh s'intéressait surtout à ce qu'il appelait le « travail de l'énergie ». Il avait découvert, par la méditation et l'expérience médicale, qu'il y avait dans le corps humain une espèce d'énergie inconnue de la médecine scientifique. Cette énergie avait tendance à se concentrer en certains points du corps. Il en avait dressé un relevé, puis il avait découvert qu'ils correspondaient grosso modo aux chakras des yogis indiens.

Je connaissais un peu les chakras. Dans le yoga tantrique, par exemple, on pense que le souffle vital, ou prana, est distribué à travers le corps le long de sept points de jonction, ou chakra. Ces chakras se situent le long d'une ligne médiane : les deux premiers à l'aine, le troisième au plexus solaire, sous les côtes ; le quatrième, au-dessus du cœur ; le cinquième, sur la gorge ; le sixième, sur le front ; et le septième au sommet du crâne.

Ces chakras forment un pont entre le corps physique, quotidien, et le corps astral des émotions et des sentiments. Chacun d'eux a une couleur et une fonction caractéristiques. Les deux premiers concernent la survie primitive et la sexualité ; le troisième, qui est celui du moi terrestre, est extrêmement développé en Occident. Le quatrième, ou chakra du cœur, est la source de l'amour inconditionnel. Le cinquième, ou chakra de la gorge, a trait à la créativité ; le sixième, ou « troisième œil », est celui des sécrétions corporelles, de l'intelligence et du moi supérieur ; le septième, la couronne, est celui de la conscience cosmique.

On dit que les gens sensibles sont capables de voir ces chakras, qu'ils les perçoivent généralement sous la forme de petits tourbillons de lumière colorée. Chacun de ces chakras peut être « éveillé ». L'énergie qui circule entre eux peut être « équilibrée ». Et il existe une forme d'énergie très spectaculaire, la kundalini, qui, parfois, excite et alarme les gens quand ils éveillent leurs chakras.

On disait cela des chakras, et bien d'autres choses encore.

Naturellement, cette idée, chère au yoga, d'énergie qui suit un trajet spécifique à travers le corps n'est pas très différente de l'idée chinoise de *ki*, cette énergie répartie le long des méridiens de l'acupuncture. Et je savais bien que l'acupuncture, ça marchait. Mais sous prétexte qu'elle obtenait des résultats, je n'en concluais pas pour autant que son armature théorique était solide.

Et j'avais toujours considéré les chakras comme un genre d'illusion métaphysique. Naturellement, ça pouvait être utile de penser que le souffle puisait dans la force vitale, laquelle était ensuite distribuée à travers le corps le long d'une série de points d'énergie. Sans doute cela avait-il un sens métaphorique qui facilitait la méditation : une manière de visualiser ce qui se passait. Mais je ne croyais pas à la réalité des chakras au sens où l'on peut dire que le cœur et les artères sont réels.

Or voilà que le médecin que j'avais devant moi prétendait que les chakras étaient bien réels, et qu'il y avait aussi bien d'autres points d'énergie dans le corps : sur la rate, les mamelons, les genoux et les orteils, etc. Que tout le monde pouvait sentir cette énergie, que c'était un jeu d'enfant. Qu'on pouvait aussi la voir. Que l'énergie corporelle était une formidable force de guérison. Qu'on pouvait la transférer d'une personne à l'autre, par le toucher ou par l'imposition des mains.

Brugh y croyait.

Je n'étais pas convaincu, c'est le moins qu'on puisse dire.

Pour commencer, Brugh annonça qu'il allait faire un travail sur l'énergie avec chacun de nous. Il forma deux groupes. Appartenant à celui de l'après-midi, je pouvais observer ce qui arrivait au groupe de la matinée.

Sur fond de musique légère, ceux qui reçoivent de l'énergie s'allongent sur des tables de massage. Les assistants de Brugh, qui ont déjà suivi la conférence, les touchent d'une façon qui est censée activer leurs chakras et équilibrer leur énergie corporelle. Puis Brugh circule d'une table à l'autre, s'attardant cinq minutes auprès de chacun. Il tend les mains sur différentes parties du corps puis continue son chemin. Quand il a fini, les gens restent un moment allongés sous une couverture. Puis ils se lèvent et sortent.

C'est tout.

Incroyablement peu spectaculaire.

Je m'étais attendu à une certaine violence, à des tensions, des tremblements et des contorsions, comme avec les guérisseurs qu'on voit à la télévision. Mais Brugh passait tranquillement de l'un à l'autre. Et ceux qui recevaient l'énergie ne sursautaient ni ne haletaient. Ils restaient paisiblement allongés sur la table. Il n'y avait pas grand-chose à voir, à observer, dans ce travail.

La seule chose que je remarquai, c'est que l'atmosphère de la salle se faisait plus lourde. Assis dans la salle, j'avais l'impression de me trouver au fond d'un pot de miel. D'être plongé dans quelque chose de dense et épais. C'était tout à la fois très paisible et plaisant de se trouver là.

Personne n'étant censé parler de son expérience, je ne sus rien de ce qui était arrivé aux membres du premier groupe. Ils se promenaient, le sourire aux lèvres, et j'observai qu'ils avaient tendance à disparaître du groupe après le travail. Mais je ne voyais rien de très particulier.

Mon tour arriva dans l'après-midi.

Les assistants s'affairaient sur mon corps. Ils touchaient un membre, mettons le genou ou la cheville, et pendant un temps je ressentais exactement ce qu'on ressent quand quelqu'un pose la main sur votre genou ou votre cheville. Puis, au bout d'une minute ou deux, une sensation de chaleur se répandait soudain dans mon mollet. Aussitôt que cela se produisait, les assistants passaient à une autre partie du corps – mettons le genou et la hanche – et attendaient que la chaleur se manifeste de nouveau. Parfois, mais peu souvent, cette vague de chaleur s'accompagnait d'un petit élancement. En tout cas, les assistants semblaient capables de dire à quel moment la chaleur surgissait, parce qu'ils passaient aussitôt à une autre partie de mon corps. Et plus ils avançaient, plus je sombrais dans une relaxation profonde proche du sommeil.

J'avais vaguement conscience de la présence de Brugh à mes côtés. Il tenait les mains à quelques centimètres de mon corps et elles étaient très nettement chaudes. Comme si quelqu'un avait tenu un fer chaud au-dessus de mon corps. Je fus d'abord surpris par l'intensité de la chaleur, mais détendu comme je l'étais, j'étais incapable d'y prêter réellement attention. Comme si je rêvais. Je sombrais dans le sommeil.

Au bout d'un moment, quelqu'un me posa la main sur l'épaule et chuchota que j'en avais terminé, que je pouvais m'en aller si je le désirais. C'était l'heure du dîner. Je descendis de la table et sortis.

Il y avait des lauriers-roses en fleur sur le chemin, une véritable explosion de lauriers-roses. Le soleil se couchait sur les montagnes rouges. Tout était resplendissant, vivant, éclatant. Je m'égarai parmi les lauriers-roses et tombai sur un petit terrain de jeu. Voici près d'une semaine que j'étais à l'institut, et je n'avais encore jamais remarqué ce terrain, juste à droite du chemin. Je fis un peu de balançoire. Je me sentais incroyablement bien.

J'eus du mal à retrouver le chemin de la salle à manger. Quand j'y arrivai, je m'aperçus que je n'avais pas faim, mais c'était bon de voir la nourriture. Tout avait l'air merveilleux. Une heure durant, je pouvais regarder une fraise coupée, en examiner les figures, les couleurs. Ou du pain, une tranche de pain : fascinant ! Tout le monde paraissait également merveilleux, alors même que je n'avais aucune envie de parler. Mes sensations étaient trop immédiates, trop irrésistibles, pour souffrir d'être banalisées dans une conversation.

Je pris conscience de mes lunettes, de ces montures artificielles qui s'interposaient entre moi et le monde, et je les retirai. J'y voyais parfaitement sans elles, et j'étais tellement plus heureux d'être débarrassé de cette barrière.

Puis la vérité se fit jour dans mon esprit : *Gêné par ses lunettes. N'a pas envie de parler. Pas faim mais prend plaisir à regarder la nourriture. Se perd dans un cadre familier. Découvre de nouvelles choses sous son nez. Trouve le monde extrêmement vivant.*

Je présentais tous les symptômes d'une expérience psychédélique sans avoir pris le moindre narcotique. Ce sentiment très vif dura deux jours puis s'estompa lentement.

Quelques personnes commençaient à avoir des expériences mystiques. Le bruit s'en répandit autour de la table de la salle à manger. Un tel avait eu une vision. Un tel avait entendu des voix. Inévitablement, tout cela prit des allures de compétition. Brugh lui-même avait dit qu'on était chacun sur sa voie et qu'il ne fallait pas comparer nos expériences. Mais on le faisait quand même. En tout cas, moi.

Comment faire pour hâter les choses ? J'étais venu ici pour avoir des expériences mystiques, et tout autour de moi les gens avaient des expériences très spectaculaires – des expériences à la Jeanne d'Arc – et pas moi. Je faisais juste semblant de poursuivre de loin en loin un dialogue avec un cactus. Et ça s'arrêtait là.

J'étais jaloux. Car il faut bien regarder les choses en face : avoir une expérience mystique est un signe de faveur divine. Tout le monde le sait. Et je ne recevais pas la moindre faveur. Je l'avais vraiment mauvaise.

Un soir que nous prenions un café avec des figues à la cafétéria, Judith, une psychiatre, nous fit part de son expérience.

– Au cours de la dernière séance, j'ai vu l'aura du corps.

– C'est vrai ? fis-je en me reculant légèrement. Encore une qui avait une expérience mystique. Une psy qui voit des auras !

– Oui, dit Judith, heureuse et souriante. Vous n'avez jamais rien vu de tel ?

– Non, avouai-je d'un air piteux. À quoi ça ressemblait ?

– Toutes de couleurs différentes. Essentiellement jaune et blanc. Je les vois encore.

– Maintenant ? Ici, à la cafétéria ?

– Oui. Je vois l'aura de tout le monde. Celle de Sarah est jaune et rose, dit-elle en faisant un signe de tête vers une femme assise à côté de nous.

– Jaune et rose. Et jusqu'où elle va ?

– À une trentaine de centimètres de sa tête.

Je tendis la main au-dessus de la tête de Sarah.

– Jusque-là ?

– Non, non, pas si loin.

J'abaissai la main vers la tête de Sarah, lentement. Et soudain je sentis la chaleur. Surpris, je m'arrêtai.

– Là, dit Judith. Juste là.

Je la sentais parfaitement.

Je promenai ma main sur la tête de Sarah. Je sentais très nettement le contour d'une forme chaude. Comme une invisible coiffure à l'afro d'une trentaine de centimètres. Je passai la main dessus et sentis un renflement sur le côté gauche.

– L'aura va un peu plus loin du côté gauche, confirma Judith en hochant la tête. Un genre de bosse. Exact.

Je me promenai dans la salle pour tâter le crâne des gens. À peine ma main touchait-elle l'invisible contour que Judith m'arrêtait : « Là ! » On répéta l'opération un nombre incalculable de fois avec des personnes différentes.

J'étais terriblement excité, comme un gosse qui a reçu un nouveau jouet, qui a fait une découverte. Je n'y pensais pas, je me contentais de renouveler l'expérience.

Puis je commençai à me poser des questions : qu'est-ce que cela signifie ? Qu'est-ce que je sens quand je baisse la main ? Est-ce vraiment une aura que je sens ? Parce que j'étais convaincu que les auras étaient également des illusions métaphysiques.

J'étais un peu parano. Peut-être Judith recevait-elle de moi un indice visuel et disait « là » quand elle voyait ma main s'arrêter. La fois suivante, j'arrêtai ma main avant.

– Continue, m'encouragea Judith. Elle ne va pas jusque-là.

J'abaissai la main jusqu'à sentir la chaleur.

– Là.

Et soudain, je fus pris de panique. Je me dis que ce n'était pas possible. Je n'ai pas d'explication.

C'était impossible, mais ça se passait quand même. Je ne savais que faire de mon expérience. Je ne croyais pas être cinglé. Je sentais bien ce contour, cette chaleur, aussi nettement qu'on sent l'eau d'un bain chaud quand on y plonge la main. On sait quand la main est dans le bain et quand elle n'y est pas. Il n'y a pas d'erreur possible. C'est un phénomène physique. Que vous croyez ou non à l'eau du bain, la main devient chaude et mouillée.

Ce que je ressentais maintenant était parfaitement clair et dénué d'ambiguïté.

Mais je n'avais aucune idée de ce que c'était. Je voulais à tout prix l'expliquer. Mais je savais bien que je n'en avais pas les moyens et je finis donc par renoncer. À ma connaissance, *personne* ne pouvait l'expliquer. Et si j'avais fait un épisode psychotique après le dîner, devais-je en conclure que Judith en avait fait un elle aussi, tant et si bien qu'on s'accordait sur des phénomènes qui n'étaient pas vraiment là ?

Non, non et non. C'était réel, parfaitement réel.

Quelque chose se fêla dans ma vision des choses. Il me fallait bien accepter cette expérience, ce que je fis tout en me disant que je comprendrais peut-être plus tard. En attendant, je vivrais avec.

Alors qu'on marchait dans le désert, en plein après-midi, deux autres personnes, en deux occasions différentes, me demandèrent si j'étais fâché ou bouleversé. Je ne comprenais pas pourquoi. Personne ne me demandait jamais ailleurs si j'étais fâché. Juste quand je marchais dans le désert. Si ces gens faisaient une projection sur moi, ils le faisaient de manière bien étrange. Que se passait-il donc ?

La conférence continua. On nous donna des exercices de méditation. Il fallait adresser son amour inconditionnel et son pardon à quelqu'un à qui on n'avait pas pardonné. On devait le faire surgir devant nous, le combler de son amour et de son pardon, et le libérer.

Pour ma part, je m'aperçus que la liste était longue. Étonnant comme elle était longue. Je fus aussi dérouté de voir qui je pouvais faire surgir et pardonner sans délai, qui j'avais du mal à visualiser et à pardonner. Quand j'essayais de pardonner ces cas difficiles, mon esprit divaguait.

Il me fallut des jours pour venir au bout de ma liste. Tout le monde était passé à autre chose quand j'en étais encore à pardonner. Dieu que ma vie est encombrée ! Que de rancœurs je garde en moi ! Me défaire de ces vieilles animosités me procura un soulagement certain, mais souvent accompagné d'une profonde tristesse.

Quand j'eus découvert que je pouvais sentir les auras, je fus un peu moins obsédé par les expériences mystiques. Et puis je fis d'autres expériences, même si aucune ne tourna comme je l'aurais imaginé.

Par exemple, j'entendis des voix.

L'après-midi était chaude. J'étais assis dans la salle de méditation. Il y avait là un couple de vieux routiers de la méditation, des gens qui adoptaient immédiatement la position du lotus, qui avaient l'air paisibles et sereins. Je n'avais jamais beaucoup médité jusqu'ici, et je trouvai la position inconfortable. Je ne cessai de remuer. C'était dur.

Soudain, j'entendis une voix ronflante. On aurait dit qu'elle venait de l'intérieur de ma tête, tant elle faisait vibrer les os de mon crâne, en même temps que de la salle, d'un grand haut-parleur. La voix était pleine et sonore. Elle résonnait comme la voix de Dieu.

– Jill St. John ! fit la voix.

Je rouvris brusquement les yeux. J'étais sûr que tous les autres avaient dû l'entendre, eux aussi. Mais les autres étaient tous assis dans la position du lotus, paisibles, impassibles.

Personne d'autre que moi n'avait entendu la voix.

Que pouvait donc bien vouloir dire cette voix ? Je n'avais rencontré Jill St. John qu'une seule fois, mais je ne la connaissais pas, et son nom ne me suggérait rien de particulier. Ce n'était pas comme si la voix avait dit « Pars à l'ouest, jeune homme ! » ou « Écris à ton député ! », ou quelque chose qui était à ma portée.

Et je me suis dit : Écoute, mon garçon, tu as entendu une voix, c'est un fait, mais tu ne peux le raconter à personne, parce qu'elle a dit un truc très prosaïque. Elle a juste dit : « Jill St. John ! » Mais j'étais tellement excité d'avoir entendu une voix que je le racontai à tout le monde.

– Vous savez quoi ? Aujourd'hui, j'ai entendu une voix.

– Vraiment ?

– Parfaitement. Une grosse voix ronflante, qui semblait remplir l'univers.

– Formidable. Et qu'est-ce qu'elle a dit ?

– Euh, c'est personnel.

Je voulais une vision, moi aussi. Je veux dire : pourquoi n'aurais-je pas droit à toute cette histoire de retraite dans le désert, de voix et de visions ? J'étais avide d'expériences spirituelles. J'en voulais plus.

Un jour, à déjeuner, nous parlions du fait que Brugh, chaque fois que nous faisions ce travail sur l'énergie, insistait pour qu'on commence par imaginer un cocon protecteur ou un bouclier autour de nous, afin de nous protéger des aspects nuisibles du travail. Je commençai à me demander si cette protection rituelle était vraiment importante.

– Bien sûr que c'est important, assura Eileen, une femme d'Alaska qui avait beaucoup travaillé l'énergie.

– Ah oui ?

– Bien sûr. Tous ces trucs ont leur importance. C'est comme de faire bouffer son aura.

– C'est quoi, faire bouffer son aura ?

– Vous n'avez encore jamais fait bouffer votre aura ? demanda Eileen surprise.

– Non.

– Mais vous savez comment...

– Je n'en ai pas le plus petit commencement d'idée.

– Eh bien, vous débarrassez l'aura de tout le fatras qui s'y est accumulé et qui n'a rien à y faire. C'est une sorte de mise en plis qui lui donne du volume, qui la rend belle.

– Oh ! fis-je tout en pensant qu'on pouvait difficilement imaginer quelque chose d'aussi ridicule.

J'imaginai les salons de beauté de l'avenir, où l'on se ferait manucurer, coiffer et bouffer l'aura, tout ça pour le même prix. Maintenance New Age !

Eileen dut me tirer par la jambe.

– Ici, levez-vous. Je vais le faire pour vous.

– J'en ai besoin ?

Elle me regarda d'un œil critique.

– Eh bien, ça ne vous ferait pas de mal.

Toujours ce qu'ils disent dans les salons de beauté !

Je me levai au beau milieu de la cafétéria et, se servant de ses doigts comme de griffes, elle promena les mains le long de mon corps, toujours en restant à trente centimètres de ma peau. Comme si elle peignait une fourrure invisible. À la fin de chaque mouvement, elle secouait les mains comme pour se nettoyer et recommençait. Pour finir, elle tendit les mains, paumes vers le haut, en donnant de petites tapes, comme si j'avais été couvert d'une laine de coton qu'elle aurait voulu faire bouffer. Je regardai, fasciné. Mais déjà je sentais nettement la différence. Presque comme si j'avais pris un bain. Je me sentais tout propre, beau... pomponné.

Les autres nous regardaient en s'efforçant de retenir leurs gloussements.

– Eh bien, Michael, ça fait quoi d'avoir son aura toute bouffante ? finirent-ils par demander.

– Je n'ai pas envie de vous le dire, mais je remarque une différence.

– Non ? !

– Si.

– Bien sûr que oui, reprit Eileen. Quelqu'un fait bouffer votre aura. Vous ne pouvez pas ne pas le sentir.

Du coup, tout le monde, à la cafétéria, s'occupa de son aura. Et on finit par cesser de plaisanter sur l'énergie corporelle.

On était à mi-parcours de la conférence lorsque Brugh annonça deux jours de jeûne et de silence. Je n'avais encore jamais jeûné et j'attendais l'expérience avec impatience. Je voulais aussi rester quelque temps en plein désert et je savais bien que, s'il y avait des repas, je ne les manquerais sous aucun prétexte. J'en étais sûr.

Ainsi, les deux jours de jeûne et de silence me semblèrent libérateurs. Et tel fut le cas : je dormais dans le désert, à la belle étoile, et faisais du dessin. Ce fut un bon moment, mais aussi l'occasion de quelques découvertes.

La première, c'est que je soliloquais dans le désert. Je passai mon temps à grogner ou à jurer chaque fois que je me cognais ou m'éraflais à un caillou. Pas étonnant qu'on me trouve un air revêche ! Il suffisait de m'entendre jurer et geindre ! Je n'en avais jamais pris conscience. Et, en fait, j'eus le plus grand mal à arrêter, à marcher dans le désert en silence.

Le deuxième jour de jeûne, je me réveillai dans le désert en pleine nuit. Levant les yeux au ciel, je vis que toutes les étoiles de la Voie lactée avaient changé de position pour former un mot géant suivi d'un point d'exclamation, qui emplissait toute la voûte céleste :

« HI ! »

Enfin, j'avais une vision.

J'étais tout excité. C'est géant. Ça veut dire que l'univers entier baisse les yeux sur moi et me dit « HI ! ». Ça veut dire que je suis intégré à l'univers et que Tout est Un. Fabuleux !

J'attendis que la vision se dissipe, mais elle n'en fit rien. Je jetai un coup d'œil à mon sac de couchage puis je relevai les yeux. Le ciel continuait à me dire « HI ! ». J'étais très content de moi. Une vision stable, vraiment belle.

Puis je me dis, si le ciel m'apparaît comme ça, c'est à cause de la manière dont je dors. Si j'étais de l'autre côté, je ne verrais pas du tout la même chose. Je verrais ¡ IH, avec un point d'exclamation à l'envers, à l'espagnole. Ce ¡ IH donnait une impression d'indifférence, comme EH ? Quelle importance ? Après tout, c'était peut-être bien une vision d'indifférence cosmique.

Là-dessus, je retournai dormir.

Le lendemain matin, je quittai mon campement et m'en allai faire des croquis dans le désert. Au bout de quelques heures, je fis demi-tour. Le désert m'était devenu totalement étranger. Puis je m'aperçus que je ne retrouvais plus le chemin de l'institut. J'étais perdu.

Je ne me perds jamais. J'ai un bon sens de l'orientation. Et pourtant ici, seul dans le désert, j'étais incapable de retrouver le chemin de mon campement ou de l'institut. Il me fallut un moment avant de comprendre que si j'avais les grandes montagnes sur ma gauche, l'institut devait être sur ma droite. Je grimpai et vis l'institut.

Mais alors où étaient mes affaires ? Je passai une autre heure à les chercher. Et quand je finis par les retrouver, je vis, à mes empreintes, que cela faisait une heure que je tournais en rond sans m'en rendre compte.

Peut-être le jeûne me faisait-il plus d'effet que je n'en avais conscience.

Dans la soirée, je commençai à me sentir débordant d'énergie. C'était presque irrésistible, ce picotement, cette formidable impression d'énergie. Je ne tenais pas en place. Jusqu'à une heure avancée de la nuit, je fis des croquis en prenant des notes. Vers minuit, je finis par me mettre au lit et restai allongé un moment, parfaitement éveillé. Je me disais : C'est ridicule, jamais je ne vais réussir à m'endormir. Je me relevai et passai plusieurs heures à dessiner.

Ce que je couchai sur le papier sous l'empire de cette énergie me parut terriblement stupide. J'étais préoccupé par les cactus et je couvris les pages de mon carnet de toutes sortes de sottises. J'écrivis de la poésie en me mettant à la place d'un cactus. De la philosophie de cactus. Je me fis aussi styliste de cactus et rédigeai une histoire de la religion du cactus, je composai des BD cactus et un recueil des Propos du président Cactus. Le tout abondamment illustré. Des pages et des pages d'idioties. Jusqu'à une heure avancée de la nuit.

Le lendemain, je racontai à quelqu'un l'expérience que j'avais faite de toute cette énergie. Il me soumit à un interrogatoire serré.

– Je crois que c'était la kundalini, conclut-il.

Je connaissais cette énergie. C'était une énergie sérieuse, puissante, dont les adeptes du yoga faisaient parfois l'expérience après des années de méditation préparatoire.

– Non, non, protestai-je. Ce n'était pas la kundalini.

– Comment le savez-vous ?
– Parce que j'ai passé tout mon temps à faire des BD cactus.

Au cours des conférences, les gens faisaient toutes sortes d'expériences psychologiques. On tombait sur des gens dans le désert ou sur le chemin de la salle à manger, tantôt ils avaient l'air heureux, tantôt ils étaient chavirés et pleuraient pour je ne sais quoi.

Quelques-uns étaient toujours pareils. Un type était toujours cinglé. Je me mis à l'éviter, à changer de route si je le voyais approcher, parce qu'il était toujours le même. Il était hébété. Il ne s'intéressait pas à ce qui se passait autour de lui.

Un soir, Brugh passa de la musique que je détestais. Que je *détestais* vraiment. Je la trouvais stupide. J'enrageais de devoir écouter ça. Cette musique était ridicule et quelconque. Elle était indigne de moi. Quand la musique s'arrêta, je bouillais. J'étais hors de moi.

Je me plaignis à voix haute de ce flonflon ringard. Je n'étais pas le seul à l'avoir trouvée stupide. Comme je parlais, d'autres m'approuvèrent d'un signe de tête. J'avais raison. De la musique inepte.

Brugh me fit valoir que la musique était simplement là : une suite de sons. Libre à moi d'y trouver quelque chose d'intéressant ou d'en être contrarié, mais je devais savoir que j'avais le choix.

Et la conversation glissa sur autre chose.

Mais j'étais toujours furibard. Brugh n'avait pas répondu à mes objections. Il s'était contenté de prendre acte de ma réaction et de passer à autre chose. Me retrouvant ainsi sur la touche, je ne décolérais pas. J'étais interdit. À la pause, quand tout le monde se leva pour aller prendre un café, je restai seul dans mon coin et pleurai. J'avais mes nerfs, comme un môme.

Deux jours durant, je restai en rogne, ne cessant de me plaindre à qui voulait bien m'entendre. J'étais convaincu du bien-fondé de ma colère. Tous semblaient compatir.

Puis je remarquai que les gens m'évitaient. Dès qu'ils me voyaient, ils détalaient. Je me dis : Assez de plaisanterie. Ils m'évitent. Je suis devenu un poids.

Je dus ensuite m'attaquer à certaines idées que j'avais, l'impression d'être unique et à part, des idées sur le statut social, sur l'éducation, sur les « choses justes ». Je finis par me calmer et par retrouver ma bonne humeur. Et les gens cessèrent de m'éviter.

Mais on ne savait jamais à quel moment les tempêtes émotionnelles allaient se déchaîner. Certains se découvraient une véritable terreur du désert et ne pouvaient y faire un pas. D'aucuns ne supportaient pas la solitude, d'autres étaient incapables de prendre la parole devant l'ensemble du groupe. Les uns ne supportaient pas leurs compagnons de chambrée, les autres ne pouvaient s'empêcher de penser au monde extérieur, aux informations qu'ils n'entendaient pas. Certains ne supportaient pas d'être dans un groupe s'ils n'en étaient pas le chef. Quelques-uns passèrent les deux jours de jeûne en larmes. D'autres ne purent se faire aux deux jours de silence ; d'autres encore avaient toujours besoin de s'asseoir à côté de Brugh.

Au fond, c'était rassurant de voir toutes ces choses qui arrêtaient les gens. Du coup, on était moins rude avec soi-même. On était tous dans le même bateau. Je pleurais parce que je n'aimais pas la musique, un autre pleurait parce qu'il ne pouvait rien avaler pendant le jeûne : quelle différence ? L'un ne valait pas mieux que l'autre. Ce n'était que des exemples de comportements figés : on se rend malheureux parce qu'on est l'esclave de ses croyances et de ses opinions.

Comme si protéger ses opinions avait plus d'importance que de faire une nouvelle expérience et d'aller de l'avant.

Brugh continua son travail sur l'énergie. Il avait mis au point une série d'exercices pour nous apprendre à sentir les chakras, à identifier les diverses manifestations de cette énergie, à la transmettre à d'autres ou à la recevoir. Un jeu d'enfant.

Si vous vous tenez à côté d'une personne allongée sur le dos et que vous promenez la paume le long de la ligne médiane de son corps, à trente centimètres de sa peau, vous sentirez des points chauds très distincts. Ce sont les chakras. Parfois, les chakras ne procurent aucune sensation de chaleur, mais créent un léger souffle accompagné d'un picotement, comme si le corps était pourvu de petits éventails qui déplacent un filet d'air chaud.

Il faut être détendu pour sentir les chakras, mais cette relaxation n'a rien de spirituel ni de particulier. Ce n'est pas un état difficile d'accès. Il suffit de quelques secondes de calme avant de commencer. Pas plus que pour faire passer du fil dans une aiguille.

La plupart des gens s'aperçoivent qu'une main est plus sensible à l'énergie que l'autre. Et la plupart constatent qu'au bout d'un moment ils ne sentent plus rien. Il leur faut agiter la main un certain nombre de fois, comme on le ferait quand on a les mains trempées, avant de retrouver leur sensibilité. Et comme le métal interrompt l'énergie, il ne faut pas que votre sujet ait une grosse boucle de ceinture sur le deuxième chakra, ou un pendentif au-dessus du chakra du cœur. (De fait, c'est étrange cette façon que nous avons eue d'imaginer des parures pour chacun de nos chakras : couronnes, tiares, foulards, colliers, pendentifs et boucles de ceinture occupent tous la position d'un chakra.)

Une fois de plus, j'observai que l'air s'épaissit chaque fois qu'on fait un travail sur l'énergie. C'est une sensation très agréable, comme d'être assis à la cuisine pendant qu'on cuit le pain. Un plaisir de ce genre.

Et il se trouve que les découvertes de l'énergie sont objectives. Que deux personnes en explorent une troisième, elles arriveront aux mêmes résultats : troisième chakra chaud, quatrième déplacé, cinquième froid, etc. Si l'on veut, on peut faire le travail tout seul et en coucher les résultats par écrit avant de les comparer à ceux des autres. Il n'y a aucune espèce d'illusion. Que cette énergie corporelle soit un phénomène authentique est indubitable.

Nul n'est besoin d'être dans des dispositions particulières pour la sentir, ni d'être un saint expert en méditation. Il n'est même pas nécessaire d'y croire. Il suffit de faire le calme en soi et de tendre la main sur le corps de quelqu'un. En vérité, l'énergie corporelle est si tangible, si stable et si directe qu'on se demande bien comment ça se fait que personne ne nous en ait encore jamais parlé. Telle fut la réaction la plus commune au sein du groupe.

C'est facile de sentir l'énergie. Brugh expliqua qu'on pouvait aussi la voir. Un jour, il nous demanda de fermer les volets. On disposa sur le sol des draps bleu nuit et on tendit les mains au-dessus en louchant. On voyait l'énergie. C'était bizarre. Je compris que je l'avais déjà vue enfant, mais que j'avais pris ça pour une illusion d'optique. L'énergie se voit mieux sur une surface sombre faiblement éclairée. Le niveau de l'éclairage est critique, d'où l'utilité de loucher.

L'énergie ressemble à des filets de brume jaune en prolongement des doigts. La brume est d'autant plus dense qu'elle est proche du bout des doigts, puis elle se dissipe. Comme si l'on avait de la peluche jaune au bout des doigts.

Il faut se détendre pour voir l'énergie, comme il faut se détendre pour la sentir. Si vous paniquez, vous n'y arriverez pas. C'est délicat. Mais ensuite, comme c'est si souvent le cas dans le domaine de la perception, tout est beaucoup plus facile une fois que vous savez ce que vous cherchez. Il n'y a que la première fois qui compte.

Au départ, je croyais encore à une forme d'illusion. Mais d'autres peuvent voir votre énergie et en parler. L'illusion est donc exclue.

Après que j'eus appris à voir l'énergie, je m'amusai à fermer les mains comme pour retenir une boule d'énergie jaune, à des trucs de ce genre. Je multipliai les essais. Je m'asseyais en face de quelqu'un et je me disais : Je vais essayer de lui envoyer de l'énergie.

Aussitôt, je voyais la brume jaune s'élancer en longues bandes du bout de mes doigts jusqu'à la poitrine de mon vis-à-vis.

– Regarde ! disait un tiers. Elle lui rentre en pleine poitrine !

Je finis par me rendre à la raison : l'énergie était réelle.

Brugh nous distribua des tarots. Ces cartes médiévales dont on se sert pour dire la bonne aventure m'inspiraient la plus vive réticence. Je n'arrivais pas à croire qu'un médecin, qu'un homme qui avait une formation scientifique, perde son temps à ce genre de bêtises et de superstitions. Mais Brugh avait déjà démontré la validité de l'énergie corporelle, et je décidai de lui faire confiance avec les cartes.

– Battez-les, nous dit-il, puis piochez la carte que vous préférez et celle que vous aimez le moins.

Celle que j'aimais le moins, c'était le Trois des Épées, celle que j'aimais le plus, le Magicien. Mes choix semblaient sans détours. Certaines cartes étaient nettement plus attrayantes que d'autres, et quelques-unes étaient franchement rebutantes. Il y avait place pour un choix personnel, mais il n'était pas illimité. Il fallait être un drôle de zozo pour jeter son dévolu sur la Mort ou le Pendu, ou être un peu tordu pour ne pas aimer les Amants ou le Dix des Coupes. De mon point de vue, je n'avais pas vraiment le choix.

– Maintenant, continua Brugh, imaginez que la carte que vous aimez le moins est celle que vous aimez le plus. Dites ce qui est bien dans celle que vous aimez le moins, et ce qui est mauvais dans celle que vous aimez le mieux.

Ce renversement me paraissait impossible.

Ma première carte représentait un cœur rouge percé de trois épées sur fond de nuages d'orage et de pluie grise. Je n'y voyais que douleur, souffrance et cœur brisé. Je n'y voyais rien de positif.

Je me fis aider par mes voisins. Quelqu'un fit observer qu'il n'y avait pas de sang, que la coupure était nette. Un autre dit que c'était une carte décisive : elle allait au cœur du sujet. La pluie purifiait. Les trois épées étaient équilibrées, chacune pénétrait au centre. Elles formaient un trépied stable. La carte avait une finalité, elle donnait le sentiment d'une chose qui se terminait. L'orage passerait. On pouvait y voir l'intelligence dominant l'émotion, ce qui pouvait être bénéfique.

Et ainsi de suite.

J'avais l'impression de commencer à saisir. Je regardai maintenant le Magicien, ma carte préférée, et essayai de voir ce qu'elle pouvait avoir de mauvais. On y voyait un jeune homme en robe blanche debout devant un large éventail d'articles. D'un air assuré, il brandissait sa baguette. Le signe de l'infini formait comme un halo au-dessus de sa tête. Il me semblait bon et puissant dans sa robe blanche.

Mais je n'arrivais pas à voir la carte autrement. Je n'arrivais pas à la trouver mauvaise. De nouveau, je dus me faire aider. Le magicien avait l'air jeune et frivole. C'était un poseur, un escroc. Il ne faisait pas sérieux. Il paraissait égocentrique, m'as-tu-vu, insincère. Sa robe blanche immaculée était le signe qu'il ne faisait pas une besogne d'honnête homme. Il pratiquait juste la magie. Sa baguette n'était qu'une bougie brûlée aux deux bouts, preuve d'une vie dissolue. Le signe de l'infini pouvait être l'indice qu'il ne pourrait jamais se mettre au travail. Somme toute, le Magicien était un cas désespéré de triomphe de la forme sur le fond, des apparences sur la réalité.

En entendant cela, je me demandai bien comment j'avais jamais pu voir le Magicien comme une carte positive. Elle avait tant de signes négatifs qui sautaient aux yeux.

Brugh expliqua combien il était précieux de savoir regarder une carte, ou une situation dans la vie, sous toutes les facettes. Voir le bien et le mal, ne pas considérer la chose en soi comme intrinsèquement bonne ou mauvaise. Il nous raconta comment on se raidissait, comment on se figeait en assignant des valeurs aux choses.

Puis il suggéra que le but du tarot était de lâcher la bride à notre inconscient en examinant ces vieilles images. Comme les cartes elles-mêmes n'étaient ni bonnes ni mauvaises, la manière dont on les voyait en disait long sur l'état de notre inconscient. Voilà ce qui en faisait la valeur.

Je le comprenais parfaitement, moi qui avais déjà conclu que la plupart de nos actions sont déterminées par notre inconscient plutôt que par notre conscience. En voyant dans les cartes une fenêtre ouverte sur notre inconscient, on était bien obligé de leur donner autant de pouvoir qu'on en donnait à celui-ci. Si l'on pensait que l'inconscient pouvait voir dans l'avenir – et assurément, *certaines* personnes en étaient capables –, les cartes du tarot pouvaient aider l'inconscient à y parvenir. Si on accordait surtout au tarot une importance psychologique, le tarot était un outil précieux pour sonder le psychisme.

Étant donné les interactions entre le tarot et l'inconscient, peu importait, au fond, le jeu qu'on avait sous les yeux. Qu'on l'ait soi-même tiré n'avait pas grande importance non plus. Si vous dites : « La prochaine carte que je tire représentera mes sentiments envers l'avenir », tel sera le cas, par définition, puisque l'inconscient l'interprétera de cette façon.

J'acceptai donc le tarot et travaillai avec application sur les cartes, sans jamais les aimer vraiment. J'ai toujours eu l'impression d'avoir affaire au rêve d'un autre.

Puis Brugh nous présenta le *Yi-king*, méthode chinoise de divination dans laquelle on lance trois pièces à six reprises, on fait un calcul puis on regarde la réponse dans le texte. C'était apparemment un procédé mathématique et inutilement compliqué. Et quand on se reportait au texte, il n'était souvent pas très éclairant : « Quelqu'un le grandit, même dix tortues ne peuvent s'y opposer » ou « Il faut réparer le puits avant d'y puiser de l'eau ». Pas facile de trouver un sens à ça !

Pourtant, malgré ces inconvénients, le *Yi-king* m'attirait. Au départ, je crus que c'était à cause des aspects mathématiques qui me séduisaient plus que les autres formes de divination. Puis je me dis que c'était à cause de mon goût des mots : le *Yi-king* donnait une interprétation textuelle. Puis je pensai que c'était simplement le plaisir de lire le livre, de butiner. Et pour finir, je conclus que c'était pour toutes ces raisons à la fois.

Naturellement, le mécanisme de base du *Yi-king* doit être le même que celui du tarot : fournir un stimulus ambigu à l'esprit inconscient. Les réponses textuelles du *Yi-king* sont aussi ambiguës que les images visuelles du tarot.

En fait, le reproche scientifique traditionnellement adressé au *Yi-king* – à savoir qu'on peut « faire dire n'importe quoi » aux traits – commençait à prendre un sens à mes yeux. Bien sûr qu'on peut leur faire dire n'importe quoi ! C'est exactement le but recherché : un Rorschach neutre qu'il appartient à l'inconscient d'interpréter. S'il n'y avait aucune place pour l'ambiguïté, il n'y aurait aucune prise pour l'inconscient. L'interprétation serait entièrement consciente. Et c'est alors qu'il y *aurait* vraiment un problème de crédibilité : comment un livre chinois vieux de deux mille cinq cents ans pourrait-il fournir la réponse à une question d'Occidental moderne ? L'idée même est absurde.

Parce que, naturellement, le livre ne peut vous donner la réponse. Il n'a pas ce pouvoir. Vous si. Vous pouvez répondre à votre question. Vous savez déjà la réponse, si seulement vous pouvez y accéder. Et, au bout du compte, c'est votre esprit inconscient qui répond à votre question, et c'est pourquoi de nombreuses personnes, dont Carl Gustav Jung et le sinologue John Blofeld, ont été frappées par la précision et le caractère personnel des réponses qu'il propose.

Le dessein du *Yi-king*, mais c'est vrai également du tarot, est de vous ouvrir accès à vous-même, en vous offrant à interpréter l'ambiguïté. C'est là une qualité qu'il partage avec la quasi-totalité des autres formes de divination – dés, entrailles, formations nuageuses, ou événements divers tel que le vol des oiseaux : libre à chacun d'y voir des « augures » ou de passer son chemin.

C'est la même chose qui donne à ces techniques de divination une apparence si peu scientifique et qui les rend opératoires.

Vers la fin de la seconde semaine, je commençai à songer au départ. Je n'étais pas le seul. Nous étions plusieurs à parler de ce que nous ferions une fois rentrés chez nous.

Personnellement, je mourais d'envie d'un Big Mac. Sitôt la conférence terminée, je prendrais la route pour m'acheter un bon gros hamburger répugnant à souhait, aussi peu diététique que peu spirituel.

Je ne pouvais plus attendre.

Le dernier jour de la conférence, j'allai voir le cactus pour lui faire mes adieux. Il était là. Il ne voulait pas me parler. Je dis que j'étais sensible à ce qu'il m'avait montré et que j'avais apprécié les moments passés en sa compagnie, ce qui n'était pas l'exacte vérité, parce qu'une bonne partie de ce temps j'étais resté sur ma faim. Au total, cependant, je pensais que c'était plus ou moins vrai. Le cactus ne répondit rien.

Puis je m'aperçus que, de la place qui était la sienne dans le jardin, le cactus ne voyait jamais le coucher du soleil. Depuis des années, il était à cette même place, à jamais privé des couchers du soleil. J'éclatai en sanglots.

– C'était bien agréable de t'avoir ici à côté de moi, dit le cactus.

Sur ce je pleurai *pour de bon.*

Sur la route du retour, impossible de trouver le moindre McDonald's. Je finis par m'arrêter dans un Marie Callender. J'entrai et commandai un chili burger avec des frites, un Coca et une part de gâteau. Mais quand mon plateau arriva, la nourriture me sembla riche et lourde. Je n'arrivai pas à terminer. Tout compte fait, ce n'était pas ce dont j'avais envie.

Chez moi, je reçus un choc en voyant à quel point ma maison était belle. J'habitais sur la plage, à Malibu, mais il y a longtemps que je ne profitais plus de la vue et que je préférais me plaindre de la circulation. Voici que j'étais ébahi de vivre dans un endroit aussi magnifique. À couper le souffle !

Au bureau, j'allumai mon traitement de texte. Sur l'écran, les lettres se mirent à clignoter comme une enseigne au néon. Je crus d'abord que l'ordinateur était détraqué. Puis je compris que c'était le système de « rafraîchissement » normal. Ç'est toujours la même chose, mais en temps ordinaire on n'y fait pas attention, comme on, ne fait pas attention aux ampoules qui clignotent soixante fois par seconde. En regardant l'écran, je me dis : C'est une perception tout à fait remarquable, mais je ne sais pas si je peux travailler avec un écran qui clignote ainsi.

Plus tard, j'appris que cette perception était chose courante après la méditation. Elle disparut au bout de quelques jours.

Pendant quelque temps, après mon retour, je me sentis prodigieusement actif. Puis l'intensité émotionnelle des deux semaines s'estompa. Les choses s'effacèrent peu à peu, comme on finit toujours par oublier ses vacances. J'étais découragé. Je n'avais pas fait de réels progrès. Pas le moindre acquis tangible. Le travail sur l'énergie était réel, les méditations aussi, mais à quoi bon si on ne pouvait en tirer des profits durables et s'en servir dans la vie quotidienne ? À quoi tout cela se réduisait-il finalement ? Juste une illusion de plus. Stage d'été pour adultes. Du galimatias New Age.

En attendant, j'avais des affaires concrètes à régler. Une liaison de deux ans qui touchait à sa fin. Mon travail ne me donnait pas satisfaction. Je devais changer de bureau. Ma secrétaire demandait à être virée. Je la congédiai.

Ce n'est que bien plus tard, en me retournant sur le passé, que je m'en aperçus. Au cours des huit mois qui avaient suivi mon retour du désert, tout avait changé dans ma vie : mes relations, mon domicile, mon travail, mon régime alimentaire, mes habitudes, mes centres d'intérêt, mon exercice, mes buts. En fait, à peu près tout ce qui pouvait être changé. Ces changements étaient d'une telle ampleur que, sur le coup, je ne pouvais voir ce qui se produisait.

Il y eut aussi un autre changement. Je devins grand amateur de cactus. Où que je m'installe, j'en ai toujours autour de moi.

Jamaïque

En 1982, je mis fin à deux ans de vie commune avec Terry, spécialiste de droit financier qui travaillait pour la Commission des opérations de bourse à New York et à Los Angeles. Mais après quelques mois de séparation, on se laissa aller à un vague et timide essai de rabibochage et, comme Noël approchait, on décida d'aller ensemble en Jamaïque avec des amis.

On loua une belle maison à Ocho Rios, sur la côte nord. Une maison de rêve – juchée au sommet d'une colline, entourée de fleurs et de colibris –, mais plus les jours passaient, malgré la chaleur et le cadre idyllique, plus je sentais la distance se creuser entre Terry et moi. Terry m'en voulait de l'avoir quittée, et ici, en Jamaïque, elle était encore plus irascible parce qu'elle voyait bien que nos retrouvailles ne donnaient rien et que je finirais par tirer de nouveau ma révérence.

C'est un sujet dont on décida de ne pas parler entre nous. On occupait nos journées, on partait en excursion, on traversait des fleuves en radeau, on faisait du bateau, etc., sans évoquer ce qui se passerait une fois les vacances terminées, de retour chez nous.

On reçut la visite de mon ami Kurt et d'une amie de Terry, Ellen, ce qui fit retomber la tension quelques jours. Mais quand enfin on se retrouva seuls, les vacances touchaient à leur fin. L'inévitable séparation était à l'ordre du jour.

Avant de quitter la Jamaïque, je voulus faire un tour à Spanish Town, dans le Sud, où je m'étais laissé dire qu'il y avait un nouveau musée d'artisanat jamaïquain. Depuis de longues années, je travaillais à un livre sur la Jamaïque au XVIIe siècle, et j'avais donc envie de visiter ce musée. Terry déclara que ça lui ferait plaisir de m'accompagner.

Par une belle journée ensoleillée, on prit donc la route des montagnes Bleues, en direction du sud. La Jamaïque est l'un des plus beaux pays du monde, et le paysage était particulièrement ravissant ce matin-là. La route de montagne faisait des lacets spectaculaires et il fallait être très prudent au volant. J'étais aux anges. Bientôt, Terry dit qu'elle voulait parler de « nous » et de notre avenir commun. Moi pas. J'avais le sentiment qu'on allait immanquablement à la dispute. Mais comme je rechignais, Terry insista : pourquoi est-ce que je n'avais pas envie d'en parler ? Où était le problème ? Et très vite, ce fut la dispute qui nous mit tous les deux en rogne.

Le problème de fond, c'est que Terry ne voulait pas d'une rupture, et que moi, si.

Je n'ai jamais compris cette impasse typiquement romantique : l'un est insatisfait, l'autre prétend ne pas l'être le moins du monde. Je ne pige pas. J'ai toujours pensé que si l'un n'y trouve pas son compte, l'autre ne doit pas le trouver non plus. Il me semblait impossible que l'autre puisse se dire sincèrement satisfait.

Par exemple, le mari tourne en rond dans la maison en ronchonnant.

– Tout n'est-il pas *merveilleux* ? lui demande bobonne. Qu'est-ce que c'est bon !

Mais comment peut-elle dire une chose pareille ? Pourquoi est-ce si bon ? Qui aurait envie de partager sa vie avec un légitime qui passe son temps à rouspéter ? Et d'abord, pourquoi est-il irrité ? Pourquoi ne réagit-elle pas à sa mauvaise humeur ? Qu'est-ce qui se passe vraiment ?

Rien de bien positif, pour autant que je puisse le dire. Rien de très sain.

Je finis par me dire que les gens affrontaient la douleur de la rupture en adoptant des rôles stéréotypés. Il y avait le rôle du Partant et celui du Délaissé ; le rôle du Plaignant et le rôle du Souffre-douleur ; le rôle de l'Accusateur et celui de l'Accusé, et ainsi de suite. Ces rôles n'avaient aucun rapport particulier avec ce qui se passait vraiment. C'étaient juste des rôles sociaux familiers, acceptés, comme les rôles des feuilletons à l'eau de rose. Un genre d'équivalent psychologique des costumes de plastique à deux sous qu'on vend aux gosses à Halloween. Des rôles préfabriqués, et non taillés sur mesure, ou créés par eux pour eux-mêmes.

Ce matin-là, alors qu'on roulait à travers les montagnes en direction de Spanish Town, c'est à ce petit jeu stéréotypé qu'on se livrait, Terry et moi. Je me coulai dans le rôle de l'Homme insatisfait, et elle dans celui de la Femme conciliante en face de l'Homme insatisfait.

Il y eut de longs silences. Jusque-là luxuriant, le paysage semblait maintenant étouffant. Assise à côté de moi, Terry était maussade et renfrognée.

Après Ocho Rios, la singulière, Spanish Town avait de quoi dérouter par son extension tentaculaire et sa crasse. Bidonville situé à l'ouest de Kingston, elle était miséreuse, colorée, grosse de menaces. Il n'y avait pas le moindre touriste, en fait pas un seul Blanc. Les Noirs nous dévisageaient d'un air morne et hostile.

J'étais déjà allé en Jamaïque, en 1973, et j'avais fait la fâcheuse expérience de leur hostilité envers les touristes. Je retrouvais maintenant cette même sensation. Je m'arrêtai à la station d'essence le temps de faire le plein. Le serveur s'approcha, la mine rébarbative.

– Jolie montre, dit-il, les yeux braqués sur ma montre-bracelet.

– Merci, dis-je en fourrant aussitôt mon bras dans la voiture. C'était une vieille Casio en plastique. Je ne savais pas où il voulait en venir, ni pourquoi il avait cet air-là.

– Le plein ?

– S'il vous plaît.

Il passa le bras par la fenêtre, me fourra la main devant la figure et claqua des doigts.

– Les clés ?

Le bouchon du réservoir. Je lui remis les clés et il s'éloigna.

– Bon sang ! fis-je en essayant de garder mon calme.

– Charmant, dit Terry en hochant la tête. Un ambassadeur pour son pays.

Pendant qu'il faisait le plein, plusieurs Noirs qui rôdaient dans les parages s'approchèrent de la voiture, formant un cercle autour de nous et nous dévisageant, moi d'abord, puis Terry. Ils avaient l'air patibulaire et contrarié. Ils ne desserraient pas les lèvres, mais se contentaient de faire le tour de la voiture et d'observer.

– Qu'est-ce qu'ils regardent ? demanda Terry en proie à une agitation croissante.

– Va savoir !

L'un des hommes donna un coup de pied dans le pneu avant. Les autres regardaient pour voir ce qu'on allait faire. On ne fit rien.

– Tu ne crois pas que ça pourrait mal tourner ? dit Terry au bout d'un moment.

– Je ne pense pas, non.

Et de fait je ne le pensais pas. Ces hommes s'amusaient sans doute à nous effrayer, mais je doutais fort qu'il nous arrive quoi que ce soit.

Reste que la tension était évidente et que je fus soulagé de voir le serveur revenir. Je le réglai et on fila.

– Tu devais avoir une sacrée bonne raison de venir ici, fit Terry comme je descendais de voiture.

– Je te l'ai dit. Une recherche.

– Bon sang, mais c'est bien sûr !

Si elle le veut, Terry est parfaitement capable de se glisser dans le moule du chercheur en déplacement et de faire face à toutes les difficultés avec bonne humeur. Mais à ce moment précis, elle m'en veut. Elle reste assise sur son siège, refusant de m'aider, me laissant dans l'embarras.

À Spanish Town, les rues ont rarement des plaques, et la carte que je me suis procurée à l'office du tourisme est très schématique. Seules y sont indiquées les grandes artères. En conduisant, j'aperçois de loin en loin une pancarte verte, « Musée », avec une flèche, mais je suis la rue et je me retrouve au même point. J'aperçois une autre pancarte qui indique le musée dans la direction opposée. Partout les rues sont bondées. On roule péniblement au milieu des bus qui éructent et des gosses qui pleurent.

D'après la carte, le musée que j'essaie de trouver doit être à proximité d'un ensemble de bâtiments officiels : le tribunal, les archives, la poste.

Là, devant ce bâtiment, une foule de Noirs ! La rue est barrée. Un agent de police, une femme, règle la circulation. Je me range pour lui demander de l'aide.

– Circulez ! Circulez !

– Mais...

– Circulez ! J'ai dit !

Je range ma voiture sur le côté, je descends et je retourne vers elle.

– Excusez-moi, je suis perdu...

– Oui, ça en a tout l'air.

D'une voix traînante, exaspérante. Je grince des dents.

– Pouvez-vous m'aider ? Je cherche le musée.

– Pas de musée ici.

– Mais si, il y a un musée. Le musée de la Société historique.

– Pas encore fini.

– Mais où est-il ?

– Je ne sais pas. Pas ici. C'est clair ?

Tout cela pendant qu'elle continue à régler la circulation, sans croiser mon regard. Je suis prêt à la tuer. Voilà près d'une heure que je suis pris dans les embouteillages et que j'essaie de m'y retrouver dans cette ville, et quand enfin je tombe sur une femme flic, elle ne veut rien me dire ! Je sais qu'elle ment. Le guide indique que le musée de la Société historique a été achevé l'an dernier. Je vais devoir me débrouiller tout seul.

Peut-être consentira-t-elle tout de même à m'aider à m'y retrouver.

– Quel est ce bâtiment-là, à droite ? demandai-je en montrant du doigt un grand édifice colonial tout blanc.

– De quoi ça a l'air ? C'est le tribunal, naturellement.

– Le tribunal ? fis-je soupçonneux. Alors pourquoi la rue est barrée ?

– Ces gens sont convoqués au tribunal. Ils attendent le moment de comparaître. Mais il n'y a pas de salle d'attente à l'intérieur. Maintenant, regagnez votre voiture et circulez !

Je retourne sur mes pas. Terry m'attend. Je monte dans la voiture et claque la portière.

– Mince alors !

– Aucune importance, laisse tomber Terry. Lester peut nous aider.

Je me retourne.

Un Noir est assis sur la banquette arrière.

– Hello !

Il doit avoir dans les vingt-cinq ans. Grand, musclé, baraqué. Il me tend la main.

– Je te présente Lester, dit Terry.

Je me retourne pour serrer la main de Lester. Je suis très mal à l'aise d'avoir cet inconnu dans ma bagnole.

– Lester est guide, ajoute Terry. C'est du moins ce qu'il dit.

– C'est exact, fait Lester, je peux vous guider. Où vous voulez.

Lester n'a pas l'air d'un guide à mes yeux. Il a une grande balafre qui part de l'oreille pour se perdre dans le cou, sous le col de sa chemise. Ses habits sont crasseux. Il empeste l'alcool.

– Terry ? Où as-tu rencontré Lester ?

– Il s'est approché de la voiture quand tu es allé parler à cette femme. Je lui ai demandé où était le musée, et il a dit qu'il allait nous guider.

Je me dis : S'il passait à côté de la voiture, c'est qu'il fait partie de cette foule devant le tribunal. Il attend de comparaître. Il est bien ce dont il a l'air : un criminel !

– C'est gentil à Lester de nous aider, mais je crois qu'on peut se dépatouiller tout seuls.

– Vraiment ? Ça fait une heure que tu tournes en rond ! À moins que cette femme t'ait dit ce que tu voulais savoir ?

Je fus bien obligé d'avouer que non.

– Si nous voulons sortir un jour de cette foutue ville, reprend Terry, je crois bien que nous avons besoin d'un guide. Ou peut-être est-ce que tu comptais y passer la nuit ?

– Je vais vous guider, insiste Lester.

Il baragouine aussi d'autres choses dans un argot haché des Caraïbes auquel je ne comprends rien. Lester a l'air enjoué et serviable, mais il ne me revient pas. Je n'aime pas sa balafre dans le cou. Je n'aime pas ses manières et, surtout, je n'aime pas sa façon de s'être installé sur la banquette arrière sans m'avoir laissé aucune chance d'en discuter avec Terry.

Mais il est là, et bien là. Il attend.

– OK, Lester. Très bien. Nous voulons aller au musée.

– D'accord. Je vais vous guider.

– Où se trouve le musée ?

– Le musée ? demande-t-il, l'air de tomber des nues. Le musée ?

Il secoue la tête.

– Terry ? Terry, je ne crois que ce soit un guide de profession.

– Il dit que si.

Je me dis : *Bon sang, tu vas le regarder, ce mec que t'as laissé entrer dans notre bagnole ? Qu'est-ce qu'on va bien pouvoir faire maintenant...*

– Metomotonanmarche, baragouine Lester en mangeant ses mots.

– Quoi ?

– Metytonmotonamarche, répète-t-il.

– Il dit que tu peux mettre ton moteur en marche, traduit Terry.

– Pourquoi ?

– On peut pas se garer ici, m'sieu, explique Lester. Si rester ici, police te donner contredanse !

Dans le rétroviseur, je vois un flic qui s'approche. Lester l'a déjà repéré, c'est pour ça qu'il est nerveux. *Très bien.* Un flic qui vient. Il va nous débarrasser de ce Lester en un clin d'œil.

Je m'enfonce dans mon siège, les bras croisés.

– Nom de Dieu, Michael ! Tu vas démarrer ? s'impatiente Terry.

– Non, je...

– Qu'est-ce que tu comptes faire, rester ici les bras croisés ?

– Je crois bien.

– Pourquoi ça ? Filons.

– Terry, j'aurais un mot à te dire en particulier sur toute cette situation...

– Tu voulais aller au musée ? Voilà pourquoi on est ici. Très bien. Lester va nous conduire au musée.

– Lester n'a pas l'air de savoir où...

– ... Je sais où, je sais où, coupe Lester, subitement très agité. Mettez votre moteur en marche, et c'est la première à gauche.

– Et où est le musée ? dis-je, toujours hésitant.

– À gauche, et je vous guide. Le musée est tout près. Tout près.

Je me dis que ce doit être vrai. D'après la carte, le musée doit être tout près d'ici.

– Juste à deux pâtés de maisons, précise Lester.

Terry me jette un coup d'œil, l'air d'attendre que je me décide.

Je réfléchis. Le flic peut venir et je peux faire sortir ce vaurien de la bagnole. Mais je n'aurai pas résolu mon problème, qui est de trouver le musée... avec Terry qui ne cesse de me fusiller du regard. Et pendant ce temps, Lester semble avoir retrouvé ses esprits. Il paraît sûr de son fait. Quel enfer ! On y va.

Je démarre. On roule quelques dizaines de mètres. Il y a quantité de rues fermées dans ce quartier, mais apparemment Lester sait où il va. Il me dirige comme un chef. Chaque fois que des piétons bloquent la circulation, il baisse la fenêtre et leur gueule de dégager le passage. Ils le regardent et s'empressent de filer. Lester a l'air vraiment menaçant.

– Stop, stop ! Ici.

Je vois bien qu'on a fait une boucle et qu'on est revenu tout près du tribunal. On est dans une curieuse rue latérale, mais pas de musée en vue.

– Lester, où est le musée ? demandé-je, méfiant.

– Là, m'sieu, fait Lester en montrant l'autre côté de la rue.

– Où ça ?

– *Là.* Juste là, m'sieur, vous voyez la porte.

J'aperçois une petite pancarte où je lis « Musée » et les horaires. Sous nos yeux, une famille scandinave bien bronzée, en costume d'été, avec sandales et socquettes, sort et s'assied sur les marches. Voilà donc le musée. Parfait.

– Grâce à Dieu, soupire Terry en sortant de la voiture. Pour ma part, je trouve que Lester s'en est très bien sorti, tu n'es pas de mon avis ? dit-elle en me regardant d'un air accusateur.

Toute son attitude signifie que je suis soupçonneux, que je suis un petit con pétri de préjugés, et qu'une fois de plus je suis incapable de reconnaître que c'est grâce à *elle* qu'on a fini par trouver ce foutu musée.

La vérité, c'est que je me sens un peu morveux. Je suis soulagé d'être enfin arrivé au musée. Peut-être bien que je me suis trompé sur le compte de Lester.

Mais je ne me suis pas plus tôt levé pour le laisser sortir que je comprends, en le voyant debout devant moi, que j'avais raison. Avec son mètre quatre-vingt-quinze, Lester est un costaud. Il a aussi une cicatrice de l'autre côté de la gorge, et un étrange tatouage au dos de la main gauche, une boîte avec un X dedans. Il a beau sourire et se montrer gentil, j'ai la très nette impression que c'est un *vaurien.*

Nous nous dirigeons vers le musée. Le droit d'entrée est de deux shillings.

– Très bien, Lester, dis-je. Merci de nous avoir conduits.

Et je lui donne un billet de dix shillings.

– Non, non, proteste-t-il en levant les mains.

– Si, si. Nous sommes sensibles à votre aide, mais nous voilà au musée, et...

– Non, non, je viens avec vous. À l'intérieur.

– Non merci, Lester...

– Si, si...

– Allons ! Paye ses deux shillings, et qu'on en finisse, dit Terry.

Lester entre donc avec nous.

Une fois à l'intérieur, il est clair que Lester n'est pas un guide. La première salle présente des coches à chevaux du XIXe siècle.

– Qu'est-ce que c'est ? demandé-je à Lester.

– Des vieilles carrioles. Des carrioles de bois.

Je jette un coup d'œil à Terry. Elle hausse les épaules et s'éloigne. Elle le trouve beau. Je le vois à son visage, à ses gestes. Elle rejette mon point de vue sur lui.

Je voudrais bien la prendre à part, ne serait-ce que quelques secondes, pour lui chuchoter un mot à l'oreille, mais Lester se débrouille toujours pour se mettre entre elle et moi si bien que je ne peux jamais la prendre par le bras pour lui toucher un mot en particulier. Tout cela se fait en silence, mais très habilement. C'est un malin. Et cette partie du musée est déserte ; personne dans les parages, pas même un gardien.

On voit d'autres vitrines, et à chaque fois Lester profère des évidences ou dit des bêtises. Apparemment, Terry ne s'en est pas encore aperçue. On arrive à la salle des céramiques et de la porcelaine. Terry s'y intéresse.

– Lester, ce sont des vraies faïences anglaises ?

– Vieilles assiettes, répond Lester en pointant le doigt.

– Je vois bien, mais sont-elles anglaises ?

– Non. Pas anglaises. Jamaïquaines. Trouvées ici.

Et il lui lance un regard furieux, comme s'il commençait à perdre patience. Ce n'est pas le genre de choses à faire avec Terry. On passe dans une autre salle. Il y a des gens, d'autres touristes. Nous ne sommes plus seuls.

– Je ne pense pas que Lester soit un guide, avoue Terry.

– Vraiment ? Je vais te dire ce qu'il est, c'est un criminel.

– Mon Dieu, Michael ! Toi et ton imagination.

– Ah oui ? Tu vois un peu ses balafres ? Et qu'est-ce qu'il trafique ici, aujourd'hui, à côté du tribunal ? Tu t'es posé la question ?

– Ce n'est pas un criminel, dit Terry, mais ce n'est pas un très bon guide, et à ta place je me débarrasserais de lui.

– C'est que j'ai bien essayé...

– Ne discute pas ; débarrasse-toi de lui, OK ?

On jette un coup d'œil discret. Lester est à l'autre bout de la salle, campé devant une vitrine, mais à voir son attitude je suis certain qu'il nous a épiés.

Il se tourne avec un large sourire.

– On y va ?

– Oui, répond Terry.

Et comme on traverse les autres salles, on voit d'autres gens, d'autres touristes, et on se sent mieux. Mais pas beaucoup mieux.

– Bon sang, mais il n'y a vraiment pas de gardiens par ici ? finit par demander Terry.

– Non.

Depuis qu'on est entrés, on n'a pas vu un seul gardien.

– Pas d'argent pour les gardiens, explique Lester. Pareil qu'en prison.

– En *prison* ? s'exclame Terry, interloquée.

Lester décide de lui parler, faisant comme si je n'existais pas. Il se place juste entre elle et moi. Il ne la quitte plus des yeux.

– Oui, en prison, il n'y a pas d'argent pour les gardiens, alors il n'y a pas de gardiens. La prison est très mauvaise en Jamaïque.

– Je vois.

Terry pâlit. Elle est livide. Je décide d'intervenir.

– Lester, vous avez fait de la prison ?

– Oui.

– Longtemps ?

– Non. La dernière fois, juste six ans.

Six ans, ça me paraît bien long.

– Et pourquoi donc ?

– Pour rien.

– Vous avez fait de la prison pour rien ?

Terry me lance un coup d'œil. La professionnelle de l'interrogatoire estime que je devrais m'en tenir là. Pour ma part, je me dis qu'autant en savoir plus et savoir à qui nous avons affaire.

– Vous avez fait de la prison pour rien ?

Lester se retourne vers moi, les lèvres retroussées. Il me prend par le coude.

– Je vous dis *la vérité*, gronde-t-il en postillonnant. Je vous dis *la vérité*, m'sieur. *Moi, je ne tue personne !*

Six ans. Je pense : homicide.

Super !

Je regarde Terry. Elle écarquille les yeux. Elle saisit parfaitement tout ce que cela signifie.

Mais Lester continue à parler, à se justifier. Si c'est possible, il est encore plus excité.

– La dernière fois, oui. La dernière fois, je le tue, oui! Je le reconnais. Mais cette fois, non!

– Je vois.

Soudain, je suis très calme. Je comprends le problème, et je comprends ce que je dois faire. Je dois me débarrasser de Lester au plus vite. Pour ce faire, je dois mettre la main sur un policier ou trouver une foule. Je regarde les autres touristes dans la salle des imprimés. Des vieux, des Britanniques, des mollassons.

– Et comment vous l'avez tué ce type, Lester? demandé-je d'un ton aussi naturel que possible.

J'espère qu'il dira avec une arme à feu, puisque je vois bien qu'il n'en a pas sur lui.

– Avec un couteau, répond-il alors que nous quittons la salle.

– Un couteau?

– Oui. Comme *celui-ci.*

Il porte la main à la ceinture, juste à l'entrecuisse, et en sort un immense couteau à cran d'arrêt. Il l'ouvre et donne un coup en l'air.

– Comme *ça.*

– Rangez ça, intervient Terry.

Lester le remet dans son pantalon et lui lance un regard narquois.

Je me dis : Mon vieux, garde ton calme et débarrasse-toi de lui. Mais c'est difficile de rester calme maintenant que j'ai vu le couteau. Mon cœur bat la chamade. Et naturellement, maintenant que je sais, il n'y a plus personne nulle part! Le musée s'est vidé comme par enchantement. Nous sommes dans un jardin, avec des objets en provenance de vieilles raffineries de sucre, des grosses meules de pierre.

– Grosse meule de pierre, commente Lester.

– Je crois qu'il est temps d'y aller, Lester.

Je me souviens qu'il y a un gardien à l'entrée, celui qui nous a vendu les billets. Il est âgé, mais au moins c'est un gardien. Et il y aura probablement d'autres touristes à l'entrée.

– D'accord, on y va. C'est par là.

– L'entrée n'est pas de ce côté.

– On prend un autre chemin.

– Je préférerais le même, Lester.

– Celui-là est mieux.

– Non! Je veux sortir par où on est entrés.

Suit un moment de grande tension. Aucun de nous deux ne bouge. Une partie de bras de fer en silence. Je l'imagine mal sortir son couteau en plein musée. Je me dis que c'est le moment où jamais d'emporter la décision. Je peux me libérer de lui, ici, au jardin, en plein jour, à côté de la meule.

– Nom de Dieu, Michael ! intervient Terry. Faisons comme il dit.

Et merde !

Elle ne pige vraiment pas ce qu'elle fait ?

– Terry...

– Eh bien, il nous a conduits jusqu'ici...

– Terry, ça t'ennuie si je m'occupe de ça moi...

– J'essaie juste de rendre service...

Je n'ai aucune envie de discuter avec elle sous les yeux de Lester. Je vois bien qu'elle a la frousse, et que pour se dominer elle joue la conciliation, mais je me dis qu'on pourrait bien sortir de la poêle à frire pour se jeter dans le feu avec Lester. Je me dis que s'il se débrouille pour se retrouver seul avec nous quelque part, on risque de passer un sale moment avec lui et son gros couteau et qu'on ferait mieux de lui tenir tête. Alors qu'elle, elle est tentée de jouer le jeu.

– Quand on sera de retour à la voiture, dit-elle en se décidant à le suivre, tu n'auras qu'à lui donner un bon pourboire.

Son idée est donc de le plaquer à la voiture. Mais ça risque de ne pas être très facile.

On traverse les réserves du musée pour se retrouver dans une rue déserte. Notre voiture est garée au bout du pâté de maisons.

– Eh bien, c'était vraiment super, Lester ; merci beaucoup, dis-je en sortant mon portefeuille.

Je pense lui donner une livre. Peut-être deux.

Terry monte dans la voiture.

– Merci, Lester, merci beaucoup, lance-t-elle.

Lester jette un coup d'œil autour de lui d'un air nerveux.

– Je viens avec vous.

– Non, Lester...

– Si, je viens...

Il monte de force.

– Non, Lester...

– Si. Je vais vous guider vers d'autres choses.

– Nous rentrons chez nous, maintenant.

– Alors je vais vous montrer la route.

– Lester, on peut la trouver tout seuls. Descendez.

Et Terry, très calme :

– Michael, je crois qu'il pourrait nous aider à trouver la route...

Une fois que l'envie m'est passée de l'étrangler, je comprends qu'elle ne nous croit pas vraiment mal barrés. D'une certaine façon, dans le feu de l'action, Terry a décidé au fond d'elle-même que Lester n'est pas un type dangereux, qu'il ne peut rien nous arriver de mal, qu'on est deux touristes heureux qui prennent leurs vacances en

Jamaïque. Elle ne nous voit pas comme deux personnes en fâcheuse posture.

Je pèse mes chances. Je suis dans une rue déserte avec un criminel endurci armé d'un couteau, et ma fiancée est dans la voiture avec lui. Ça ne semble pas très recommandé de déclencher une bagarre avec lui dans ce cadre, et puisque Terry ne descendra pas de voiture, vu qu'elle cherche manifestement à l'amadouer, il ne me reste qu'à essayer un truc où je n'ai pas besoin de son aide. Prendre la route et jouer la montre, dans l'espoir de tomber sur un flic, un accident de la circulation, n'importe quoi qui nous délivre de Lester.

Je monte en voiture et je démarre.

Lester, dans mon dos, sourit d'une oreille à l'autre. Il a gagné. Il se pousse, loin de moi, histoire que je ne puisse le voir dans le rétroviseur. On roule à travers les rues bondées de Spanish Town. Un véritable cauchemar.

Terry est dans un état proche de l'hystérie. Elle papote avec Lester de notre vie à la maison, des supermarchés, des problèmes d'emballage, de tout ce qui lui passe par la tête. Ça ne lui ressemble vraiment pas.

Je conduis, toujours à l'affût d'un flic, d'un agent de la circulation, d'une diversion quelconque – n'importe quoi qui me débarrasse de Lester sur la banquette arrière. Je ne vois rien.

– Vous voulez boire un coup ? demande Lester.

– Non.

– Pas d'alcool ?

– Non. Vous voulez de l'alcool ?

– Oui, maintenant ! J'en ai envie.

Le voilà qui devient exigeant. Qui fait comme chez lui, avec de plus en plus d'assurance.

– On n'aura qu'à s'arrêter dans une boutique, dis-je.

– Il y en a une à gauche, juste devant.

Je me range le long du trottoir et descends de voiture. Je laisse le moteur en marche parce que j'ai bien l'intention de le laisser sortir, de remonter aussi sec, de claquer la porte et de filer.

Lester s'extirpe de la banquette arrière, tend la main et coupe le moteur.

– Vous avez laissé le moteur tourner, explique-t-il avec un sourire innocent.

Il se tient tout près de moi, sur la chaussée, à côté de la voiture. Je comprends qu'il n'y a qu'au cinéma que les gens sautent dans leur bagnole, claquent la porte et laissent le mec en rade. Dans la vraie vie, ça ne marcherait jamais. Malheureusement pour moi, ce n'est pas du cinéma. Jamais je ne pourrais sauter dans ma bagnole assez vite. De toute façon, il a coupé le moteur.

Maintenant que je me retrouve debout avec lui sur la chaussée, je vois le manche de son couteau qui sort au-dessus de sa ceinture.

– J'ai besoin d'argent.

Je lui donne deux livres.

– Oh, m'sieur. En Jamaïque, c'est *cher*, l'alcool.

Je lui donne cinq livres. Il hoche la tête en souriant.

Je déteste ce que je ressens. J'ai horreur de ce sentiment d'impuissance et de cette peur. Je suis à la périphérie d'un taudis en Jamaïque, avec un mec qui est peut-être un criminel, qui a peut-être tué quelqu'un et qui a peut-être dans l'idée de se servir de son couteau contre moi ou Terry. En fait, il nous tient en otage au coin d'une rue très passante, devant un magasin de spiritueux, à trois heures de l'après-midi. Je ne vois vraiment pas que faire.

– Allez-y, prenez ce que vous voulez. On vous attend ici.

Alors même que je prononce ces mots, je me sens idiot. Pas une seconde je ne parviens à me convaincre, alors Lester, n'en parlons pas.

Lester éclate de rire, d'un rire haut perché, désagréable.

– Oh, *m'sieu*. Je vais là, et vous vous partez, m'sieur.

– Non, non ! On vous attend ici.

Lester secoue la tête de l'air de compatir.

– Oh, *m'sieu*. Vous me prenez pour un idiot ? Venez avec moi à l'intérieur.

– Non, Lester.

– Si. Vous venez avec moi.

– Non.

– Pourquoi, non ?

– Je dois rester auprès de la voiture.

– Alors restez. C'est votre femme qui vient avec moi.

– Lester, non !

– Si, fait-il en plissant les yeux.

Il est en train de se mettre en boule. La tension monte. De sa place, Terry lève les yeux vers nous et suit la conversation.

Lester serre les poings. Je me demande qui je vais trouver à l'intérieur de cette boutique, si quelqu'un va me venir en aide au cas où la bagarre éclaterait. Lester me toise du regard. Je sens bien que la tension continue à monter.

– Jolie montre, fit-il soudain.

Il regarde ma montre. La Casio en plastique. Je la regarde moi aussi.

– Très chère, cette montre, pas vrai ?

– Non, pas vraiment.

– En Jamaïque, cette montre, chère. Importée.

– Je vois.

La tension se dissipe, parce qu'on est en train de parler de la montre. Ça me va parfaitement. Subitement, je me prends à mon tour d'un vif intérêt pour cette montre.

– Vous me faites voir votre montre ?

Il tend la main. Ses intentions sont claires comme le jour. En ce qui me concerne, s'il la veut, qu'il la prenne !

– Vous ne pouvez pas l'avoir, Lester.

– Non, non. Juste pour voir.

– Alors vous me la rendrez ?

– Oh ouais, m'sieu.

Pour finir, je le laisse parler un moment. Il essaie toujours de me convaincre d'y aller avec lui. Je retire ma montre et Lester la met à son poignet en essayant aussitôt de fermer le bracelet. Je saute dans la voiture, je démarre et je file.

Dans le rétroviseur, je le vois qui rit en secouant la tête. Puis il entre dans la boutique d'alcool. La route tourne. Lester est derrière nous.

Et je me dis : *De toute façon, la pile était presque morte.*

Nous retraversons les montagnes en direction d'Ocho Rios. Le choc est passé. J'ai cessé de frissonner comme si j'avais la fièvre, maintenant je suis en colère. Vraiment en colère. Terry essaie de me calmer.

– Je vais t'acheter une autre montre, Michael. De toute façon, ce n'était qu'une Casio.

– Ce n'est pas la question !

– Alors, c'est quoi, la question ? Ce n'était jamais qu'une montre.

– Terry. Tu l'as dit toi-même. Tu avais la frousse.

– Juste un petit peu effrayée, oui. Pas vraiment. Je n'ai jamais cru qu'il allait nous faire du mal.

– Ce n'est pas ce qu'on aurait dit à te voir.

– C'est que je n'étais pas très sûre. Il disait qu'il était guide.

Terry est l'une des personnes les plus malignes que j'aie jamais rencontrées, mais quand ça l'arrange, elle est capable d'être complètement bouchée.

– Terry ! C'est évident qu'il n'était pas guide. Qu'est-ce que t'es allée te fourrer dans la tête ?

– J'avais besoin d'aide. Tu avais besoin d'aide.

– Bon sang, Terry ! Mais c'était sacrément risqué de s'embringuer avec ce type.

– Tu as raison, dit-elle. J'ai été vraiment cruche. Tu as raison. Je le reconnais.

– Allons, allons. C'est toi l'avocate. Je ne cherche pas à avoir le dessus. J'essaie juste de comprendre.

– C'est bon. J'ai reconnu que tu avais raison. J'ai proposé de t'acheter une nouvelle Casio : qu'est-ce que je peux faire de plus ?

– Ne jamais refaire ce coup-là !

Elle me regarde comme si j'étais cinglé. Lentement, elle commence à piger.

– Tu crois peut-être que je l'ai fait *exprès* ?

Naturellement que je le croyais. Et on a eu de nouveau une sérieuse dispute à ce sujet, pour savoir si elle l'avait fait exprès ou non.

À mes yeux le comportement est toujours intentionnel, qu'on le reconnaisse ou non. Il n'a rien d'aléatoire, on peut toujours l'analyser du point de vue de sa fin. Et il me semblait que Terry avait délibérément invité un homme à se mettre entre nous, à seule fin de me mettre mal à l'aise, ou pire encore.

Terry ne cessait de protester que Lester ne nous aurait pas vraiment fait de mal, que tout ça n'était que paroles et esbroufe avec ce qu'elle appelait « son couteau à lui ».

Mais la menace était réelle. Le lendemain, le *Daily Gleaner* parlait de deux touristes allemands dont on avait découvert les corps quelques jours après qu'on les avait portés disparus à l'occasion d'une excursion dans la région de Spanish Town. Le quotidien ne précisait pas comment ils avaient trouvé la mort, mais l'histoire laissait penser qu'ils s'étaient aventurés dans un coin où, d'ordinaire, les touristes ne mettaient pas les pieds.

Je montrai l'article à Terry. Elle le repoussa, sans commentaire. On ne devait plus rediscuter de l'incident Lester, sauf au retour, quand elle m'a demandé si je voulais qu'elle me remplace la Casio. J'ai répondu que non.

Mais j'étais aussi partie prenante de cet épisode et, dans les semaines qui suivirent, je tâchai de comprendre mon comportement, en particulier pourquoi, la première fois que je l'avais vu dans ma voiture, je n'avais pas fait venir un flic pour le faire sortir sous ses yeux avant de retourner à mes petites affaires.

Tout bien considéré, il me semblait que j'avais été une victime passive dans cette affaire avec Lester. J'avais laissé traîner les choses, j'avais tout fait pour prolonger cette situation dangereuse. Pourquoi ? Tout ce dont je pouvais accuser Terry, je pouvais m'en accuser moi-même. Et plus j'y réfléchissais, plus j'avais l'impression que, si Terry avait provoqué cet incident pour me mettre mal à l'aise, c'est moi qui avais prolongé les choses pour prouver que Terry était perverse, qu'elle était mauvaise. On s'était tous les deux fourrés dans une situation périlleuse pour se chercher des crosses.

Cela me paraissait confirmer, si besoin était d'une confirmation, que notre relation avait une base malsaine, névrotique. Je comptais rompre dès mon retour en Californie, me débarrasser de Terry une fois pour toutes. Peut-être même à l'aéroport, juste après avoir passé la douane. Je voulais m'éloigner d'elle au plus vite.

Mais on ne s'est pas séparés. On a continué à se voir tout le printemps. On était pitoyables. Je ne cessais de me demander : Pourquoi ça continue ?

Il n'y avait pas de réponse ; cette liaison malheureuse continuait, un point c'est tout. Je n'arrivais pas à m'en dépatouiller, comme je n'arrivais pas à me débarrasser de Lester – et pour la même raison : que je le veuille ou non, j'étais moi aussi en cause. Je finis simplement par consentir à cette relation en attendant que la fin vienne. Mais elle ne vint pas.

On se décida pour un petit voyage au Mexique en avril. Terry décréta que l'hôtel ne lui plaisait pas, mon comportement non plus, et se mit à ronchonner, à se renfermer.

Puis il se passa quelque chose, juste un déclic : je me retirai psychologiquement, je me dissociai d'elle pour la laisser seule. Je décidai d'être heureux, même si elle restait ronchon et distante.

Je devins donc heureux. Mais c'était plus facile à dire qu'à faire. Je me sentais très gauche. J'étais dans la peau de quelqu'un qui avale de bon cœur son repas et se pourlèche les babines, avec en face de lui une personne affamée. Une personne accusatrice, famélique.

En voyant Terry si malheureuse, je dus bander tous mes efforts pour être heureux quand même.

On changea d'hôtel, elle resta malheureuse. Fermée, maussade au cours des repas. Quatre jours d'affilée. Tout ce temps-là, je fis de gros efforts sur moi pour rester heureux, ne pas m'énerver contre elle, ne pas me laisser contaminer par son humeur. Je m'acharnais, comme dans un contre la montre, à longueur de journée. Des efforts constants pour rester d'humeur égale, ne pas fléchir.

Tous les matins, au réveil, je faisais une petite heure de méditation afin de conserver ma paix intérieure. Le quatrième jour, j'allai méditer sur la plage au lever du soleil ; au bout d'un moment, Terry sortit du lit et descendit sur la plage à ma recherche ; quand elle me vit, elle courut vers moi. Paisible et méditatif, je me retournai et la vis se précipiter sur moi, le visage grimaçant, revêche, acariâtre, le corps tendu. Et soudain, je la *vis* pour de vrai. Non pas en fonction de ce que j'attendais d'elle, ni de l'effet qu'elle me faisait ou de ma déception. Non pas en fonction de moi. Je la vis, *elle.* Une tout autre personne, bien distincte de moi. C'était renversant.

Terry a dû voir quelque chose sur mon visage, elle aussi, parce qu'elle a cessé de courir. Elle s'est contentée de me regarder une minute, puis elle a fait demi-tour pour rentrer à l'hôtel. La voyant s'éloigner, je me suis dit : *Te raconte pas d'histoire. C'est la fin.*

Parce que ce moment-là – l'instant où l'on s'est vus l'un l'autre, où tout s'est arrêté sur le sable – a été celui de la véritable rupture. Il a marqué la fin de cette liaison. Aucune intuition foudroyante. Juste... quelque chose. Quelque chose a changé. Quelque chose s'est vu. Un mois plus tard, on se séparait pour de bon.

Une lampe humaine

– Linda, dit mon amie Kate, est très forte. Quand elle médite, elle rayonne. Tu devrais la voir. Une vraie lampe humaine.

Kate était jeune, et Kate était naïve. Linda, son amie, habitait San Diego, à deux heures de voiture. Rien ne pressait.

– Demain je vais voir Linda, finit par décider Kate un beau jour. Tu veux venir ?

J'avais ma journée libre. Ça me ferait du bien de quitter la ville.

– Bien sûr.

Sur la route, Kate expliqua que Linda était prof à San Diego. Elle avait trente ans passés. Elle n'avait commencé la méditation qu'il y a un an, mais elle était déjà très forte. Dernièrement, quelques personnes étaient venues la consulter. La malheureuse ne savait trop que faire ; elle était mal à l'aise dans son nouveau rôle de gourou, elle qui cherchait encore sa voie. Elle ne faisait pas payer ses séances, mais Kate pensait qu'elle finirait par le faire. En fait, elle était convaincue que Linda finirait par quitter son école pour s'installer comme médium à plein temps. Elle avait l'air de quelqu'un d'intéressant.

De surcroît, me redit Kate, c'était très spectaculaire de méditer avec Linda parce qu'elle rayonnait au cours de la méditation. Parfois, il se passait aussi d'autres choses. Tantôt, elle semblait changer d'âge, elle faisait très vieux ou très jeune. Tantôt, certaines parties de son corps disparaissaient. Certaines fois, on aurait dit que son corps se déplaçait ou se déformait. Les gens qui méditaient avec Linda avaient droit à toutes sortes d'effets optiques.

Je l'écoutai en gardant mes réticences pour moi. Mais j'allais bientôt pouvoir en juger par moi-même.

Linda habitait un appartement quelconque à Mission Bay Road, du côté de la plage. Les murs étaient tapissés de photos qu'elle avait prises au cours de vacances à travers le monde. Comme moi, elle raffolait de voyages. Linda était une femme souriante, timide, agréable. Elle déclara qu'elle allait nous prendre chacun séparément. Je fus le premier.

Dans une chambre voisine, Linda s'assit à côté d'un mur. Je m'assis près du lit et on commença. Depuis la conférence de Brugh Joy, je n'avais pas beaucoup médité. Je fermai les yeux pour essayer de me concentrer, me fermer au vacarme de la circulation, des klaxons ou des piétons qui criaient.

Soudain, je sentis une vague de chaleur, comme si quelqu'un, de l'autre côté de la pièce, avait ouvert la porte d'un four. Je la reconnus aussitôt : c'était la même sensation paisible, chaude, que j'avais connue au cours du travail sur l'énergie chez Brugh. Mais à ce moment-là, on était en groupe. Était-elle capable d'y arriver toute seule ?

J'ouvris les yeux.

Linda était assise en tailleur, les yeux braqués sur moi. Elle était vibrante. Je ne voyais pas de couleur, mais une grande intensité émanait d'elle, et la chaleur qui emplissait la pièce était d'une force surprenante. Elle m'entraîna aussitôt dans une méditation profonde. J'avais l'impression de me dilater, comme un ballon qu'on gonfle. C'était prodigieux, tranquille. Linda avait le regard posé sur moi. Je lui rendis son regard.

Son visage était en train de virer au gris. En l'espace de quelques secondes, il devint difficile de voir ses traits. Le nez, les yeux, la bouche avaient disparu. Comme si quelqu'un lui avait couvert la figure d'un bas gris. Elle était assise juste en face de moi, mais je ne voyais plus son visage.

Je commençai à avoir du mal à voir son épaule gauche, puis toute la moitié gauche de son corps. En revanche, le côté droit n'avait pas bougé. Je trouvais tout cela fascinant mais pas du tout effrayant. C'était comme ça, c'est tout.

Soudain, je vis de nouveau son corps en totalité. Tout aussi rapidement, commença à se produire un phénomène stroboscopique. Linda rayonnait d'une lumière vive tandis que le mur, dans son dos, virait au noir. Puis c'est elle qui fut noire, et le mur blanc. Le clignotement se poursuivit à un rythme régulier, comme la respiration.

Les pulsations s'arrêtèrent. Pendant quelque temps, tout resta normal. Puis je vis son visage vieillir, les joues mollir, le menton tomber. Elle avait les yeux vides et les cheveux gris. Quelques minutes durant, j'eus en face de moi une vieille femme triste. Puis cela passa.

Son corps parut ensuite se rider du côté gauche. Comme si elle était de l'eau et qu'une vague se formait. Le clapotis dura quelque temps. Je ne manquais pas d'occasion de me demander d'où venaient ces illusions – d'elle ou de moi ? – et quelle explication on pouvait bien en donner. Était-ce la conséquence d'un état de méditation soutenue ? Quelque chose qu'elle avait travaillé ? Une simple suggestion à laquelle je réagissais ?

– Vous n'avez pas le choix, dit tout à coup Linda.

Je m'interrompis.

– Il vous faut bien comprendre qu'il n'y a pas de drogue qui tienne, pas de voyage au bout du monde, pas de rencontre ou de nouvelle relation. Aucune de ces choses ne vous mènera où vous voulez aller. Ce que vous cherchez n'est pas *là, dehors*. Cessez donc de regarder à l'extérieur. Il faut aller dedans.

Tout cela était assez classique, mais un je-ne-sais-quoi, dans sa façon de le dire, lui donna un impact nouveau. En tout état de cause, ça faisait longtemps que j'avais appris que les mots sont toujours les mêmes ; la seule chose qui change, c'est qu'on est capable ou non de les entendre. Le tout était de trouver quelqu'un qui sache comment vous atteindre.

Quelque chose en elle, dans cette prof dont la vie était altérée comme un billard sur une table inclinée, me poussa à l'écouter. Et la sensation de méditer avec elle, cette chaleur, cette paix, ce calme, ce détachement avaient quelque chose de roboratif. C'était bon d'être dans cet état-là.

Par la suite, j'allai dîner avec Linda et quelques-uns de ses amis, des jeunes gens qui méditaient avec elle. Tous étaient impressionnés par les manifestations visuelles dont on était témoin avec Linda. Ils y revenaient sans cesse. Pour ma part, j'étais plus impressionné encore par ce qui lui arrivait, par les changements qui se produisaient, par ce qui se passait et sa façon de le prendre. Parce que, face à une personne moins expérimentée, on se rappelle qu'il y a un continuum de capacités, que les talents se cultivent, que tout le monde doit apprendre son métier. Chaque fois que je voyais Linda, je lui vouais donc une reconnaissance particulière à cause de l'occasion qu'elle me donnait de l'observer, de la voir se développer et grandir dans son nouveau travail.

Elles et ils

C'était en 1983. J'étais de nouveau seul après plus de dix ans de vie conjugale ou d'autres liaisons durables. Soudain, j'étais de nouveau dans le coup. Ce fut un choc de découvrir à quel point les choses avaient changé.

Je déjeunais avec mon agent dans un restaurant lorsqu'une femme s'approcha, lança sa carte de visite sur la table et dit : « Appelez-moi. » Sur ce, elle tourna les talons et s'éloigna. C'était une femme séduisante proche de la trentaine. Elle portait un tailleur.

– Waow! fis-je après qu'elle fut partie.

Je n'avais encore jamais vu pareille effrontée!

– C'est un monde nouveau, dit mon agent en hochant la tête.

L'incident était excitant, mais aussi un peu déconcertant. Je laissai passer quelque temps, puis je finis par céder à ma curiosité. J'appelai et on convint d'un rendez-vous.

On se retrouva à dîner dans un resto de sushis. Andrea avait vingt-huit ans. Diplômée de gestion, elle travaillait pour une société immobilière. Ambitieuse, elle avait la tête sur les épaules. Elle avait tout programmé, le temps qu'elle resterait dans sa boîte, quand elle s'en irait, ce qu'elle ferait ensuite.

Elle ne me posa pas beaucoup de questions sur moi. En fait, je ne semblais guère l'intéresser. La seule chose qu'elle voulait savoir, c'était où j'habitais, si ma maison était loin du restaurant. Elle se montra agitée, incapable de tenir en place tout le temps que dura le dîner. Je n'arrivais pas à comprendre pourquoi.

Le repas enfin terminé, je lui demandai si elle voulait du thé ou du café. Elle secoua la tête.

– On ne peut pas le prendre chez vous?

Et c'est alors que je compris son impatience, son indifférence empressée à mon égard. Je me laissai entraîner vers la chambre. Stupéfiant ! Andrea me faisait ce que les hommes sont censés faire avec les femmes. Elle me traitait en objet sexuel.

Chez moi, elle décréta qu'elle n'avait pas envie de café mais qu'elle voulait faire le tour du propriétaire ; elle vit la chambre à coucher et le jacuzzi.

– Joli jacuzzi, fit-elle tout en commençant à retirer ses vêtements. Vous venez avec moi ?

Les choses allaient décidément très vite. J'avais l'impression très étrange d'essayer de rattraper le retard et de suivre le nouveau rythme des années quatre-vingt. À peine avait-on mis les pieds dans le jacuzzi qu'on se retrouva dans la chambre ; à peine nous étions-nous mis au lit que la voilà debout en train de se rhabiller. Quant à moi, j'étais encore allongé et, à ma grand stupéfaction, je m'entendis dire : « Quand est-ce que je vous reverrai ? »

– Je vous passerai un coup de fil, dit-elle en bouclant sa ceinture.

Il me sembla qu'elle s'habillait avec une hâte indue. Avait-elle un autre rendez-vous après moi ?

– Vous êtes obligée de partir tout de suite ?

– Ouais. J'ai horreur de baiser et de filer, mais... journée chargée demain. Il faut que je me repose.

Je restai au lit, me sentant de plus en plus mal, pendant qu'elle s'habillait. Très vite, elle me dit au revoir d'un signe de la main, puis j'entendis la porte claquer et sa voiture s'éloigner dans l'allée, et je songeai : Je me sens usé.

Bon, cela faisait dix ans que j'étais rangé des voitures. Mon ami David était resté célibataire tout ce temps-là. Dès que je le retrouvai pour une partie de tennis de table, je lui fis part de mon expérience qui continuait de me troubler.

– Ouais, fit-il. J'ai connu ça, moi aussi. Quand tu te retrouves à lui demander « Quand est-ce qu'on se revoit ? », tu te sens usé une fois qu'elle est partie...

– Oui. C'est tout à fait ça. Je me suis senti usé. Séduit et abandonné. Exactement ça.

– Je sais, conclut David en hochant la tête. C'est un nouveau monde, Michael. Tout a changé.

La théorie de David, c'était que le féminisme et la révolution sexuelle avaient eu pour effet d'inverser les rôles sexuels traditionnels.

– Regarde, m'expliqua-t-il, tous mes amis veulent se marier et se ranger. Mais pas les femmes. Les hommes ont envie de bébés. Pas les femmes. Les hommes ont envie de relations dignes de ce nom. Les femmes veulent des relations sexuelles – vite fait, bien fait – pour en revenir aussitôt à leur carrière.

En accord avec cette idée de renversement des rôles, David avait forgé une expression pour désigner le comportement des femmes comme Andrea : le « machisme au féminin ». Son idée, c'est que dans les dernières années les femmes avaient vu l'occasion de se conduire comme des hommes – mais que, en faisant leurs certaines formes traditionnelles de conduite masculine, elles avaient un peu changé les formes sans en comprendre la finalité profonde.

– Tu vois, ajouta David, quand les hommes jouent les romantiques dans une aventure sans lendemain, les femmes trouvent ça hypocrite. Les femmes ne font pas comme ça. Quand une femme a envie de s'envoyer en l'air un soir, elle te le fait savoir. Bam ! Elle ne te laisse aucune illusion. Les hommes n'y voient pas de la sincérité, mais simplement de la brutalité. Parce qu'au fond, il faut bien regarder les choses en face. Les vrais romantiques, ce sont les hommes. C'est nous qui avons besoin de romanesque.

Me voici au vestiaire avec mon ami David, qui a vingt ans de vie de vieux garçon à Hollywood derrière lui, qui est sorti avec tant de top-models et d'actrices qu'il est copain avec les directeurs d'agence. Et voici que David, le suave homme du monde, m'explique que les romantiques, ce sont les hommes, pas les femmes.

– Non, David, non, non, protestai-je. Les femmes sont romantiques. Les femmes aiment les fleurs, les douceurs et tout le tralala.

– Mais non, c'est pas vrai, répliqua David. Ce que les femmes attendent d'un homme, c'est le respect et l'admiration, et elles savent que les fleurs sont une marque de respect de la part d'un homme. Mais au fond, elles s'en fichent pas mal des fleurs ; si elles rêvassent, poussent des oh et des ah et des gros soupirs, c'est uniquement à notre intention. Elles n'ont aucun de ces sentiments romantiques que leur prêtent les hommes. Les hommes, si. Les femmes sont beaucoup plus froides, plus pratiques.

Je ne voulais pas en convenir.

– OK, dit David. On est assis dans le vestiaire, exact ?

– Exact.

– T'as déjà eu une conversation de vestiaire sur les femmes – tu sais, le genre de choses que les femmes nous soupçonnent de faire, de raconter en détail tout ce qu'on a fait au pieu la veille ?

– Non, jamais.

– Moi non plus, dit David. Mais jamais une femme ne t'a accusé d'avoir des conversations de ce genre ?

– Si, bien sûr. Je ne compte plus les fois où une femme m'a dit qu'elle ne voulait pas que je parle d'elle avec mes copains.

– Et tu sais pourquoi les femmes pensent qu'on a ce genre de conversation ? Parce qu'elles, elles en ont, voilà pourquoi. Les femmes parlent de *tout.*

Je savais bien que c'était vrai. Il y avait belle lurette que j'avais découvert le franc-parler des femmes entre elles, et leur tendance à supposer que les hommes font pareil, alors que pour autant que je pouvais le dire, les hommes étaient en fait des modèles de discrétion.

– Tu vois, reprit David, chaque sexe imagine que le sexe opposé est exactement pareil. Les femmes croient donc que les hommes sont crus, et les hommes que les femmes sont romantiques. Ça finit par devenir un stéréotype que plus personne ne conteste. Mais il est tout à fait à côté de la plaque.

David ne voulait pas en démordre : les femmes étaient plus fortes, plus rudes, plus pragmatiques, plus intéressées par l'argent et la sécurité, plus focalisées sur les réalités profondes d'une situation. Les hommes étaient plus faibles, plus romantiques, plus intéressés par les symboles que par la réalité : bref, ils vivaient dans l'imagination.

– C'est moi qui te le dis, fis David.

– Et cette idée de femme nourricière ?

– C'est bon pour les enfants, pas pour les hommes, expliqua-t-il en hochant tristement la tête. T'as jamais eu envie qu'une femme t'envoie des fleurs ?

La question me prit au dépourvu. Qu'une femme m'envoie des fleurs *à moi* ?

– Bien sûr. T'envoie des fleurs, un billet doux, merci pour cette merveilleuse soirée, le grand jeu, quoi !

L'idée me paraissait un peu étrange. Mais en y réfléchissant... Tout compte fait, ce serait formidable.

– C'est moi qui te le dis, conclut David. C'est nous les romantiques. Penses-y.

Y penser semblait être la grande histoire de ma vie au milieu des années quatre-vingt. Toutes les femmes de ma vie travaillaient ; souvent, leur profession les absorbait. Au cours de cette période, il m'arriva de sortir avec une journaliste, avec une commerciale dans une boîte d'informatique, une chorégraphe et la responsable d'une agence de compositeurs. Les dîners avec ces femmes avaient tendance à tourner à la litanie de leurs problèmes professionnels. Elles imaginaient que le détail de leur boulot était aussi intéressant pour moi que pour elles.

Je me souvenais du temps où, quand j'allais dîner, je monopolisais la conversation avec mes problèmes de boulot. Et comme David l'avait bien vu, les rôles sexuels étaient maintenant renversés. Mais quelle que soit l'explication, ces dîners manquaient singulièrement de charme. Au contraire, cette nouvelle égalité avait des côtés tout à fait redoutables. J'écoutais ces femmes et je me disais : *La seule fois que tu fais vraiment attention, c'est quand tu parles.* Quand je parlais, elles jetaient un coup d'œil à leur montre. Elles avaient l'air vaguement soucieuses, pressées par le temps ; elles me jouaient toutes le numéro de la femme d'affaires importante. Ce qui était parfait, mais ce n'était pas très sexy : « Hé, il est déjà neuf heures ! Je dois prendre la route à dix. Tu crois qu'on a le temps ? »

Pratique, mais pas vraiment ce que j'appellerais un rendez-vous chaud.

Un soir que j'étais assis dans un coin de la cuisine de ma petite amie, sa compagne de chambre revint en trombe d'un rendez-vous et claqua les portes en gueulant : « Bordel ! Qu'est-ce qu'il ne faut pas faire aujourd'hui pour se faire *sauter* ! »

Quand elle me vit assis dans la cuisine, elle fut un peu gênée, mais cela permit une discussion intéressante. Et le résultat le plus marquant, ce fut que les attitudes, les frustrations, les désillusions exprimées étaient exactement les mêmes que pour les hommes. Et qu'elles étaient formulées exactement dans les mêmes termes. Il n'y avait pas l'ombre d'une différence.

Je m'étais alors rallié à la vision qu'avait David des différences naturelles entre les sexes : les hommes étaient romantiques, les femmes pragmatiques. À ses yeux, chaque sexe voyait l'autre comme une projection de lui-même. Je ne cessai de parler de cette idée, surtout avec les femmes.

J'observai que ça les mettait toujours en rogne. Elles n'avaient pas envie d'entendre ça.

Au départ, je me dis que c'était à cause des discriminations dont elles étaient victimes au travail. Elles avaient l'impression de toujours s'entendre dire qu'elles ne pouvaient pas faire ceci, qu'elles n'étaient pas vraiment faites pour cela. Ou encore qu'on trouvait toujours un moyen subtil de leur passer devant dans la hiérarchie. Toute idée de différence naturelle entre les sexes les indisposait parce qu'elles y voyaient un prétexte à discrimination.

Mais à force de prêter l'oreille à leurs doléances, je finis par entendre autre chose. Je commençai à entendre des propos du genre « c'est bien les hommes », « voilà comment les hommes se serrent les coudes », « comment ils se sentent menacés par une femme compétente ou par la sexualité ». Voilà comment *ils* sont. Voilà les problèmes qu'*ils* créent aux femmes à cause des problèmes qu'*ils* ont avec l'intimité, avec les sentiments, le pouvoir. Elles ne cessaient d'expliquer pourquoi *ils* agissent comme ci ou comme ça.

Il n'était pas question d'un homme particulier ni de tel ou tel boulot précis. Rien n'était personnalisé. Tout était abstrait, tout s'expliquait par une théorie générale : *ils* sont comme ça.

Un soir que j'étais allé dîner en ville, il y eut une conversation animée et tous azimuts, sans rapport aucun avec les sexes. Il était question de problèmes politiques et sociaux au sens large. Mais, en prêtant l'oreille, je remarquai un point commun aux propos échangés : *ils* ne protègent pas l'environnement, *ils* ne gèrent pas les affaires publiques de manière responsable, *ils* ne fabriquent pas des produits de qualité, *ils* ne rapportent jamais l'information correctement.

Le message de fond était qu'*ils* menaient le monde à la ruine, et que *nous*, *nous* n'y pouvions rien.

– Une minute ! fis-je. Qui sont ces *ils* dont vous parlez à tout bout de champ ?

On me regarda d'un air perplexe. Tout le monde, à table, savait bien qui *ils* étaient.

– Écoutez, repris-je, je ne pense pas que ça nous avance beaucoup d'imaginer un monde de méchants sans visage. Il n'y a pas de *ils*. Il n'y a que des gens comme nous. Si une entreprise pollue et qu'au journal télévisé le PDG ne paraît pas au courant, il y a toute chance que le type soit en plein divorce, que ses gosses se droguent et qu'il ait la tête occupée par tout un tas de choses, une grande société à diriger, qu'il soit harcelé par ses actionnaires ou par les conseils d'administration, que personne ne lui lâche les baskets. Bref, qu'il soit fatigué et surmené, que cette affaire de pollution ne soit qu'un problème parmi bien d'autres, que le gouvernement change si souvent les réglementations que personne n'est jamais sûr de ne pas enfreindre la loi, que ses collaborateurs ne soient pas si malins qu'il le voudrait, qu'ils ne le tiennent pas aussi bien informé qu'il le souhaiterait, ou peut-être même qu'ils lui mentent. Ce PDG n'a aucune envie de passer à la télé pour un zéro. Il n'est pas heureux de se trouver largué comme ça. Mais c'est ainsi : ce n'est qu'un mec qui essaie de faire de son mieux, et son mieux n'est pas toujours bien merveilleux. N'est-ce pas le lot de tout le monde ?

Silence général.

– Vous, je ne sais pas, continuai-je, mais j'estime que je ne suis pas plus bête qu'un autre, et je ne mène pas toujours ma barque avec beaucoup de bonheur. Il m'arrive de me planter, de louper des choses. Je fais des trucs que je regrette. Je dis des choses que j'aurais préféré ne pas dire. Beaucoup de gens qu'on voit à la télé ont des boulots impossibles. La question n'est pas : est-ce qu'ils s'en tireront bien ou mal, mais comment ils vont s'y prendre. Je ne vois là aucune grande conjuration. Je crois que les gens font de leur mieux.

Silence de plomb.

– Faire d'*eux* la source de tous les maux n'est pas sain, parce que c'est une manière d'abdiquer sa responsabilité personnelle. Une fois qu'on a dit que la faute est à ces mystérieux *ils*, on peut rester confortablement installé dans son fauteuil et se plaindre qu'*ils* fassent ça. Mais peut-être qu'*ils* ont besoin d'aide, peut-être qu'*ils* ont besoin de vos idées et de votre soutien, de vos lettres, de votre participation active... Parce que vous n'êtes pas démunis, vous êtes partie prenante. Ce monde, c'est aussi le vôtre.

Tel est le sermon que je leur fis à dîner. Gêné, je finis par la boucler. Mais au fond de moi, je continuais à ruminer. Il y a quelque chose d'autre. Sous un autre angle, c'est exact. Il y a quelque chose que vous n'avez pas pris en considération.

Au début des années soixante-dix, j'avais fini par exaspérer mon amie.

– Écoute ! Suppose un instant que les hommes et les femmes soient pareils.

– Qu'est-ce que tu veux dire ?

– Tout ce que tu penses en tant qu'homme, je le pense en tant que femme. Tout ce que tu ressens, je le ressens.

– Non, non !

– Si, si !

– Je prends un exemple, dis-je. Les hommes peuvent poser le regard sur une femme et en être tout excités. Le stimulus visuel suffit à un homme. Mais les femmes ne sont pas comme ça.

– Oh ! Vraiment ?

– Non, les femmes ont besoin de plus.

– Il m'est arrivé plus d'une fois de regarder une jolie paire de fesses dans des jeans bien moulants et de me dire : Je ne dirais pas non !

De la part d'une femme, ça me paraissait une réaction très masculine.

– Toi peut-être, mais pour les femmes en général, ça ne marche pas comme ça.

– Toutes mes copines sont pareilles. On mate toutes les fesses.

Il doit y avoir pas mal de perverses parmi ses copines, pensai-je. Et je trouvai un autre argument.

– Les femmes ne sont pas portées sur la pornographie comme le sont les hommes.

– Tu crois ça ?

On continua comme ça quelque temps. Elle persista à soutenir qu'à la base les hommes et les femmes se conduisaient exactement de la même façon et que j'étais bourré d'idées fausses sur les différences. Dans les années soixante-dix, c'était un point de vue assez extrême.

Puis cette conversation me sortit de l'esprit. Ce n'est que plus de dix ans après qu'elle me revint et qu'il me parut utile de reconsidérer toute la question.

Je croyais toujours qu'il y avait des différences entre les hommes et les femmes. C'est vrai que je ne les imaginais plus de façon aussi simpliste qu'autrefois. Mais j'y croyais toujours. Et je voulais savoir en quoi elles consistaient.

Puis, lentement, je commençai à poser une autre question. Non plus : quelles étaient les différences, mais quelle est la meilleure façon d'envisager les hommes et les femmes ?

Et j'en arrivai à une conclusion surprenante.

Mon ancienne copine avait raison.

La meilleure façon de considérer les hommes et les femmes, c'est de supposer qu'il n'y a aucune différence entre eux.

J'en étais déjà arrivé à la conclusion que la meilleure façon d'envisager la maladie, c'était d'imaginer qu'on en était la cause. Peut-être était-ce vrai littéralement, peut-être pas. L'essentiel étant que la meilleure stratégie face à la maladie, c'était de faire comme si on en avait le contrôle et qu'on pouvait en changer le cours. Cela vous permettait de rester seul maître à bord.

De la même façon, je pensais maintenant que la meilleure façon de considérer les sexes, c'était d'imaginer qu'il n'y avait pas de différences entre eux. Peut-être était-ce vrai, peut-être pas. Mais c'était la meilleure stratégie.

Parce que, tel que je le voyais, le plus gros problème entre les sexes, c'était la tendance à objectiver le sexe opposé jusqu'à devenir totalement impuissant. Les hommes et les femmes cédaient à la même tentation. *Ils* faisaient ceci ou cela. *Elles* avaient cette tendance. On ne pouvait rien changer à la manière dont *ils* se conduisaient.

En me retournant sur le passé, je compris que plus d'une fois je n'avais pas su m'y prendre avec une femme, parce que je m'imaginais démuni devant sa manière de se conduire.

Par exemple, chaque fois que je vivais avec une femme, je savais qu'elle entrait dans les détails de notre vie intime avec ses copines. Ça me déplaisait au plus haut point. L'idée de tomber sur l'une de ses copines et de me dire : Cette femme sait tout de moi, me faisait horreur. Je ressentais ça comme une terrible intrusion dans mon intimité, dans la nôtre. Mais qu'est-ce que j'y pouvais ? Entre elles, les femmes causaient. Elles avaient des relations de cette nature.

Mais aurais-je eu des relations de travail étroites avec un homme, je n'aurais pas manqué de me plaindre aussitôt si je l'avais surpris en train de parler de moi avec un autre homme.

Alors pourquoi ne pas dire à une femme : « Je déteste que tu déballes tout ce qu'on vit ensemble à ta copine. Je me sens trahi, rejeté. Pourquoi confier à un étranger les aspects les plus intimes de notre relation ? Ça me rend malade. Tu me demandes de ne rien te cacher, mais je sais bien que demain tu vas décrocher ton téléphone pour tout raconter à l'une ou à l'autre. Tu ne vois pas que ça me met dans tous mes états ? »

Rien ne m'en empêchait, bien sûr, mais jamais je ne l'avais fait parce que je me disais que les femmes étaient intrinsèquement différentes des hommes. Et en verbalisant cette différence, j'avais aussi objectivé les femmes. Elles étaient différentes. Elles ne ressentaient pas les choses de la même façon que moi. Elles étaient *elles*.

Voir les chasseurs de têtes

Je suis allé à Bornéo pour voir les Dayaks, les chasseurs de têtes qui peuplent cette île. Après des heures de vol au-dessus d'une jungle impénétrable, dans des avions de plus en plus légers, je finis par atterrir dans la petite ville insulaire de Sibu, en pleine jungle, sur les rives d'un grand fleuve boueux.

Je descendis au Paradise Hotel, dont la publicité proclamait fièrement qu'il avait l'eau courante. Eau chaude et froide! Puis je sortis en ville et pris mes dispositions pour visiter un village dayak. Je me laissai dire qu'il y avait des villages authentiques où les gens vivaient encore dans leurs traditionnelles maisons communes, tout en longueur, à deux heures de Sibu en bateau.

J'étais tout excité de savoir les Dayaks aussi près. Je voulais partir tout de suite, mais impossible de trouver un bateau avant le lendemain matin. Je fus donc obligé de passer le reste de la journée en ville.

Je fis fébrilement le tour de Sibu. L'air était humide et suffocant. La ville était petite et pas très intéressante. J'en fus vite lassé. Je n'étais pas venu voir les Dayaks pour me retrouver dans cette bourgade éteinte, avec ses commerçants chinois dont les étals encombraient les rues. Je me dirigeai vers un marché en plein air à proximité du fleuve. Une foule de Chinois et de Malais s'y pressait en shorts et en T-shirts, comme des Occidentaux. Pas le moindre Dayak en vue. J'étais contrarié de me retrouver dans une foule pareille à celle qu'on pouvait voir tous les jours à Singapour. Je voulais voir les Dayaks, nom de nom!

Une fillette en blanc me regardait en suçant son pouce. Je lui lançai un regard furieux; effrayée, elle prit la main de son père. Je regardai la main de son père, puis son bras.

Il avait le bras couvert jusqu'à l'épaule de tatouages bleu foncé.

Puis, dans le col en V de son T-shirt, j'aperçus d'autres tatouages. Je savais que les Dayaks recouraient au tatouage pour marquer l'appartenance à leur clan. Puis je vis que l'homme avait les oreilles percées et pendillantes. Elles lui tombaient presque jusqu'à l'épaule !

Un Dayak !

Je regardai la foule : presque tout le monde avait des tatouages et des oreilles pendantes. J'enrageais de ne pas voir de Dayaks alors qu'il y en avait tout plein autour de moi !

Quelques années plus tôt, au Népal, mon sherpa m'avait conduit au sommet d'une colline, à un endroit baptisé Ghorapani.

– Les gorges du Kali-Gandaki, annonça-t-il en tendant la main.

– Hum, hum, fis-je.

J'étais en nage, épuisé. Il faisait froid. J'avais mal aux pieds. C'est à peine si je pouvais prêter attention au paysage.

– Les gorges du Kali-Gandaki, reprit-il d'un air entendu.

– Hum, hum.

Ce n'était même pas une gorge que je voyais, juste une grande vallée avec de part et d'autre des cimes enneigées. Spectaculaire, mais au Népal toutes les vues de montagne sont spectaculaires. Et on était en fin de journée, j'étais fatigué.

– Les gorges du Kali-Gandaki, dit-il une troisième fois puisque je n'avais toujours pas l'air de comprendre.

– Magnifique ! fis-je. Quand est-ce qu'on mange ?

Ce n'est qu'en rentrant chez moi que je compris ce qu'étaient les gorges du Kali-Gandaki.

Le Kali-Gandaki passe entre les cimes du Dhaulagiri, à l'ouest, et de l'Annapurna, à l'est, respectivement les sixième et dixième plus hauts sommets du monde. Les deux pics s'élevaient à plus de 6 400 mètres au-dessus du fleuve en contrebas, formant un canyon si gigantesque que l'œil a du mal à comprendre de quoi il retourne. Quatre fois la profondeur du Grand Canyon, et beaucoup plus large ; entre les deux pics, il y aurait à peu près la place de vingt Grands Canyons.

Les gorges du Kali-Gandaki sont le canyon le plus profond du monde.

Voilà tout.

J'aimerais y retourner un de ces jours.

La vie sur le plan astral

Depuis des années, je m'intéressais au phénomène de la transe médiumnique. En gros, un médium est quelqu'un qui entre dans un état de conscience altéré et en retire des matériaux auxquels il ne saurait avoir accès autrement.

Chez certains médiums, la dissociation reste légère. Ils gardent leurs traits de personnalité, même s'ils prétendent que c'est un esprit, ou quelqu'un « de l'autre côté » qui s'exprime par leur bouche. D'autres médiums entrent au contraire dans une transe profonde au cours de laquelle ils semblent totalement investis par une personnalité nouvelle, avec un nom, une voix, des gestes et une élocution très différents. Dans le langage courant, on dit qu'ils « canalisent » la personnalité qui prend possession d'eux.

Il y a un siècle, les médiums prétendaient souvent canaliser des ancêtres de plus ou moins grande importance. De nos jours, ils prétendront plus volontiers canaliser des extraterrestres, des entités désincarnées du futur ou des individus qui se sont réincarnés de multiples fois au cours de l'histoire. Il semblerait donc que ce phénomène soit influencé par le contexte social plus général dans lequel il se produit ; en fait, des études historiques laissent penser que le phénomène prend de l'importance dans les périodes de bouleversement social et à la fin de chaque siècle. Comment s'étonner qu'en cette fin de siècle la « canalisation » soit une fois de plus un sujet de controverse, au centre de nombreuses discussions ?

Quoi qu'il en soit, j'étais impatient de voir ce phénomène en direct. Mais l'occasion ne se présenta qu'en 1981, lorsque j'appris que le « Dr Kilarney » était en ville. Le Dr Kilarney était un médecin irlandais du XIXe siècle canalisé par une femme de l'Utah. Je n'en avais jamais entendu parler, mais je m'empressai de prendre date pour une séance privée. Cela coûtait les yeux de la tête, et l'homme que j'eus au bout du fil me parut très préoccupé par la façon dont il serait payé. À vrai dire, il me fit une drôle d'impression. Je pris tout de même rendez-vous pour le lendemain.

Le médium était en fait une petite femme mal soignée qui portait des jeans et un sweat-shirt. Elle habitait une petite maison de Torrance, en Californie. Elle était nerveuse et ne quittait jamais d'une semelle son gros lourdaud de mari. Tous deux portaient quantité de bijoux indiens de turquoise. Je leur donnai mon argent et fus introduit dans la petite chambre à coucher du fond. La femme s'assit sur un lit défait, ferma les yeux, inspira et expira profondément, rouvrit les yeux et dit avec un vieil accent irlandais : « Begorrah. Comment vous sentez-vous par cette belle journée, mon fils ? »

J'avais passé de longs mois en Irlande à tourner un film et j'avais entendu quantité d'accents irlandais. L'accent du Dr Kilarney me parut immédiatement artificiel. Et son vocabulaire était tout à fait contemporain, même si les Irlandais emploient toujours pas mal d'argot du XIXe siècle en parlant. Au total, le Dr Kilarney avait l'air d'un habitant de l'Utah qui voudrait se faire passer pour un Irlandais.

Le personnage du Dr Kilarney n'était donc pas du tout convaincant. D'un autre côté, les transformations du médium étaient évidentes. Elle s'était redressée, ses yeux étaient vifs, ses gestes brusques et directs. Elle avait une énergie très différente, et qui ne vacillait pas. Elle était absolument constante. C'est l'information canalisée qui n'était pas très satisfaisante. On me conseillait d'être compréhensif avec mon amie, de méditer régulièrement, de m'acharner avec mon travail d'écriture et de prendre davantage de vitamine C. Mais aussi de suivre un cycle de séances de renaissance avec le mari de la femme, qui ne manqua pas de m'indiquer ses honoraires au moment où je quittais leur appartement.

Ma première expérience personnelle de transe médiumnique me laissa donc totalement sceptique. Si ce phénomène avait la moindre réalité, je ne l'avais pas vue.

En 1982, j'assistai à une séance avec Ramtha, une entité canalisée par une femme du nom de J. Z. Knight. À cette époque, Ramtha était déjà célèbre. La médium laissait tomber la tête sur sa poitrine, puis au bout de quelque temps la relevait, entièrement différente : elle avait la voix plus grave et plus forte, elle débordait d'énergie et faisait le tour de la pièce en distribuant avec assurance ses conseils à la cinquantaine de personnes qui s'y trouvaient réunies. Une fois encore, les manières puissantes et directes du médium me firent forte impression, mais cette fois l'information semblait claire et directe.

Que les lectures psychiques fussent possibles, j'en étais déjà convaincu. Aussi, l'idée qu'une personne puisse faire cinquante lectures d'affilée devant une salle comble ne me semblait pas particulièrement inconcevable. Mais l'énergie de Ramtha n'était pas de même nature que celle des spirites que j'avais vus. La plupart se montraient farouches, passifs ou timides. Ramtha se conduisait comme un chef naturel : on sentait une présence formidablement imposante. Et au bout du compte c'était une présence dont on se souvenait longtemps après qu'on avait oublié ce qu'elle avait dit exactement.

Mais il y avait autre chose : les honoraires étaient considérables, le temps strictement minuté, et le médium entrait et sortait avec un sens certain du théâtre. Des manières et un cachet de star, ce qui ne manquait pas d'inspirer quantité de questions fâcheuses sur le spiritisme et le commerce.

Je ne savais donc pas trop à quoi m'en tenir dans ces histoires de transe médiumnique. Puis en 1984 j'appris qu'un dénommé Gary faisait des lectures à Los Angeles. Je m'arrangeai pour le rencontrer.

La trentaine, Gary était un homme réservé, calme et athlétique. Il expliqua que sa méthode de travail n'avait rien à voir avec ce que les gens imaginaient habituellement quand ils pensaient aux transes médiumniques. Quand il entrait en transe, assurait-il, il avait accès aux « Dossiers akashiques ». En les consultant, il affirmait avoir accès à tout le savoir du monde, passé, présent et futur. Telle était son explication.

En pratique, Gary s'allongeait sur un canapé, respirait profondément puis entrait dans une transe apparemment légère. Quand il se mettait à parler, il s'exprimait d'une voix éteinte, mais qui autrement n'était pas très différente de sa voix normale. Il n'ouvrait pas les yeux et restait couché. Il n'endossait pas une nouvelle personnalité en faisant tout un cinéma. Il s'allongeait sur le canapé et vous parlait. Mais dans sa transe, il s'exprimait avec une mystérieuse assurance et une troublante acuité psychologique. Après une heure passée en face de moi, il était sorti de sa transe. Se frottant les yeux et cillant, il avait demandé d'une voix douce si tout s'était bien passé.

J'aimais bien Gary. Je le vis plusieurs fois et passai à autre chose.

C'est alors que, à l'automne 1985, Gary décida d'apprendre à d'autres comment canaliser par eux-mêmes. Étant intéressé, je pris mes dispositions pour apprendre sous sa direction. Et en fait, tout alla très vite.

Je m'allongeai sur le dos, les yeux clos, et Gary me parla tranquillement, guidant une méditation destinée à me relaxer toujours plus profondément. En une vingtaine de minutes peut-être, mon corps se détendit si bien que je finis par perdre réellement conscience de mes membres. Comme si j'étais au bord du sommeil. Mais plus je me relaxais, plus mon corps devenait paradoxalement rigide et tendu. Mes pieds et mes mains se figeaient.

Alors même que cette rigidité s'installait, j'eus une conscience aiguë des sons et de ce qui se passait autour de moi : dans la pièce même, mais aussi dans toute la maison et dans la rue. Cette conscience suraiguë était un peu du même ordre que l'hypersensibilité que décrivent les gens souffrant de migraine. C'était une sensation très vive, légèrement irritante.

Gary s'agitait dans la pièce. Je l'entendais bouger et j'aurais préféré qu'il s'arrête. J'éprouvai une étrange conviction intérieure, et j'entendis cette voix lointaine et éteinte qui disait : « Gary, *assis* ! »

Gary s'assit.

Je ne le voyais pas, mais je savais qu'il s'était assis. Je le *sentais*.

Puis je lui dis des choses qui le troublèrent. J'étais fermement convaincu de ce que je disais. Je *savais* que j'avais raison. Puis Gary me posa des questions sur une femme de Boston qu'il connaissait. Je donnai mes impressions. Tout ce temps, une partie de moi protestait : Comment peux-tu savoir quoi que ce soit d'une Bostonienne ? Boucle-la, tu te rends ridicule ! Mais je livrai mes impressions quand même.

Je dis « je » livrai mes impressions, bien que ce ne soit pas tout à fait exact. Je ne sais pas vraiment (moi qui écris) comment expliquer la sensation que j'éprouve au cours de la canalisation. Cette sensation, la voici :

Il y a une conscience présente à l'intérieur d'un corps raide et tendu. La conscience habituelle, « Michael » ou mon ego, peu importe le nom qu'on lui donne, je la ressens comme un mince revêtement extérieur de mon corps, pareil à une couche de peinture vaporisée. Il m'arrive d'imaginer que Michael se trouve dans mon gros orteil. Mais peu importe, apparemment, où il est, du moment qu'il se tient à l'écart.

Pendant ce temps, au centre du corps, une autre conscience parle et répond. Cette conscience n'a pas de nom ni de passé ; elle n'a pas d'incarnation, pas d'émotions, pas de centres d'intérêt. C'est juste une conscience nue. Et elle est *très sûre* de ce qu'elle dit. Elle parle de Michael comme si Michael était une autre personne, ou une toute petite parcelle de lui-même. Souvent, elle doit réfléchir à ce qu'elle veut dire en fonction de ce que l'auditeur, à son avis, peut entendre. Ça tient un peu de la traduction. Et parfois la conscience doit s'occuper du « Michael » déplacé, qui peut soudain être embarrassé par ce qui se dit, ou redouter que la conscience ne sache pas ce qu'elle dit. Le reste du temps, « Michael » est absent. Ou du moins il n'intervient pas.

Tout cela peut paraître singulier, c'est vrai, mais au cours d'une séance, la canalisation semble être une activité aussi ordinaire que de faire la cuisine, regarder la télévision ou je ne sais quoi de ce genre. Ce n'est qu'au moment de réémerger qu'on saisit à quel point l'état est profond. Il n'est pas facile de s'en arracher. Parfois, cela prend quelques minutes.

Après ma première expérience, je me souvenais de tout ce que j'avais dit dans l'état de transe. Gary avait toujours prétendu qu'il ne se souvenait jamais de ce qu'il disait au cours d'une séance. Maintenant je voyais bien qu'il n'avait pas dit la vérité. Quand je le mis au pied du mur, il reconnut qu'il avait plus de souvenirs qu'il ne voulait bien le dire. Mais il me dit aussi : « Attendez un peu ! »

Et de fait, après quelques autres séances de canalisation, je commençai à comprendre que je perdais de l'information. Elle se décomposait comme un rêve. Juste après la séance, je m'en souvenais sans difficulté. Mais aussitôt la mémoire commençait à s'estomper. Au bout d'une heure, j'avais du mal à m'en souvenir, sauf en termes généraux. Et après une semaine, j'avais pratiquement tout oublié. Il m'arrivait même d'oublier avoir canalisé pour quelqu'un !

Apparemment, il n'y avait aucune raison de retenir l'information. Elle ne m'était d'aucune utilité. Si une femme voulait savoir ce qu'il en était de la santé de son ami, à quoi ça pouvait bien me servir personnellement ? Il ne rimait à rien de le garder en mémoire, et je l'oubliais.

Et la conscience canalisatrice elle-même était fort peu curieuse. Quand il m'arrivait de canaliser des gens que je connaissais, « Michael » anticipait un léger frisson voyeuriste à l'écoute des questions. Mais le frisson ne venait jamais. Le canal n'avait que faire des cancans. Les choses étaient ainsi, point final. Le seul effort était l'effort d'explication, et la seule émotion, la compassion.

La première fois que je commençai à canaliser, je me demandai pourquoi ça m'était si facile, et je soupçonnais que ce n'était pas sans similitude avec l'état dans lequel je suis quand j'écris. Et comme j'ai passé une bonne partie de ma vie à écrire, c'est un état familier.

– Je ne suis pas du tout surprise que tu canalises, me dit Judith, une amie psychiatre, parce que tu dois canaliser quand tu écris. Mais qui ou qu'est-ce que tu canalises ? Tu t'es posé la question ?

– Qui ou quoi ?

– Mais oui, dit Judith, c'est une entité, un esprit, une partie de toi ou quoi ?

– Je ne sais pas. Cette question ne m'était jamais venue à l'esprit.

Je retournai chez Gary.

– C'est quoi, que je canalise ?

– Je vous apprends à canaliser votre moi suprême, répondit Gary.

– Qu'est-ce que c'est que ça ?

– C'est le nom que je donne à ce qui semble être une partie sage de vous-même, mais à part ça je ne sais pas ce que c'est.

Je voulais en savoir plus. J'appelai mon ami Stephen.

– Eh bien, suivant les périodes de l'histoire, on donnerait à ce que tu fais des noms différents, on en proposerait des explications différentes, mais que tu le fasses, ça ne me surprend pas.

Les quinze premiers jours, cette histoire de canalisation m'excita terriblement. Je canalisai pour Anne-Marie. Je canalisai pour les gens du bureau. Je canalisai pour d'autres amis. J'essayai de canaliser dans différentes conditions physiques : les yeux ouverts, en marchant en rond, sous la douche. Je multipliais les expériences. C'était drôle. Je n'eus qu'une seule grosse déception. Alors même que je pouvais canaliser pour les autres qui me posaient des questions, je n'arrivais pas à le faire pour moi. C'était frustrant. Comme si j'avais reçu un merveilleux héritage auquel je ne pouvais pas toucher. Puis un jour, Lisa, au bureau, trouva la solution.

– Dis-moi les questions que tu veux poser, et je les poserai pour toi.

L'idée paraissait étrange, mais elle fit mouche. Le canal parlait de Michael et apportait toutes sortes de réponses utiles. Voici la transcription partielle d'une séance :

> Q. : Pourquoi Michael ne trouve pas de maison ?
>
> R. : Il a le sentiment que ses possibilités sont limitées, il croit son cas désespéré, il a l'impression de ne pouvoir obtenir ce qu'il désire. Comme une voiture dont on aurait siphonné l'essence il épuise son énergie parce qu'il est persuadé de ne pas pouvoir faire mieux.
>
> Q. : Que devrait-il faire à ce propos ?
>
> R. : Il doit consentir un gros changement. Il se cabre jusqu'au moment où il n'a plus d'autre solution que de regarder le problème en face. Il n'a pas le choix. Il ferait mieux de l'affronter plus tôt.
>
> Q. : D'où vient qu'il ait tant de mal à réviser ce qu'il écrit ?
>
> R. : Il semble que ce soit une grande angoisse. Il craint toujours qu'une révélation soit tôt ou tard utilisée contre lui. Telle a été son expérience d'enfant, bien qu'elle ne se répète pas pour lui à l'âge adulte.
>
> Q. : A-t-il vraiment besoin de faire tant de révisions ?

> R. : Rien n'est nécessaire, mais les changements sont bénéfiques. Il devrait accomplir ce travail rapidement, sans que ça devienne une obsession, et ne pas changer les choses inutilement. Il devrait se contenter de ce qui le frappe vraiment, et passer sur les choses insignifiantes.

Voilà comment je parle de moi. La première fois que je lus ce qui était sorti de la séance, je fus surpris et légèrement contrarié. L'information canalisée me semblait juste. Mais si j'étais si malin, pourquoi est-ce que je m'en sortais aussi mal ?

Ce n'est toujours pas très clair à mes yeux.

La nouveauté de la canalisation finit par s'user. Comme une nouvelle voiture qu'on conduit un temps avec enthousiasme ; puis un beau jour, ce n'est plus qu'une voiture, un moyen de transport : en un mot, un véhicule. Je canalisai moins souvent, je cessai d'en parler.

Mais je ne comprenais toujours pas grand-chose au phénomène et je voulais en savoir plus. Qu'est-ce qui se passait ici ? Quel était cet état rigide, calme, impassible qui avait réponse à tout ?

En partie pour comprendre un peu cet état – ou ces états, bref ce que je pouvais bien être – je continuai à travailler avec Gary. Presque toutes les semaines, on essayait des choses différentes. Images dirigées. Voyage astral. Remémoration de la vie passée.

Il m'arriva d'avoir des expériences très fortes, comparables aux transes induites par la drogue. Tantôt c'était une belle méditation. Tantôt je me disais : Michael, ça fait trop longtemps que tu vis en Californie ; de médecin parfaitement dans le coup, tu es devenu un mec qui se couche sur un canapé pendant que quelqu'un lui met des cristaux dessus, et tu penses vraiment que ça *veut dire* quelque chose : allons, allons ! Tout ça n'est que foutaise et contre-foutaise de timbrés complètement allumés. Conneries New Age, abracadabra de l'ère du Verseau, balivernes karmiques. Tire-toi de là, Michael, avant qu'il ne soit trop tard. Tire-toi avant que tu sois vraiment accroc à ce fatras.

Mais le fait est que ce fut une période vraiment intéressante. Et je me disais qu'un scepticisme intermittent sous l'effet d'un vent de panique était chose toute naturelle quand on sautait de la falaise, chaque fois qu'on entrait dans un domaine d'expérience qui n'était pas modélisé, accepté, approuvé ou bien encadré par la société.

De toute façon, le doute ne m'était pas inconnu. En fait, c'est la possibilité de vies passées qui me laissait le plus sceptique.

Un jour, Gary proposa que je fasse une régression dans le passé. Je dis d'accord. Je n'avais jamais essayé. C'était dans le vent. Autant savoir. Je consentis donc à essayer de rappeler une vie passée.

Gary m'entraîna dans un état altéré à l'aide de cassettes et d'une méditation dirigée. Quand je fus profondément parti, il m'invita à laisser venir à moi les images – les images et les sensations d'une autre vie.

Une autre vie ! Ça sonnait comme le titre d'un feuilleton sentimental. Eh bien, mon vieux, me dis-je, je ne suis pas sûr de pouvoir garder mon sérieux cette fois-ci.

– Laissez venir, dit Gary.

Avec une soudaineté renversante, je vis le Colisée, à Rome. Mais pas les gradins concentriques à moitié effrités qu'on voit d'ordinaire sur les photos. J'étais *sous* le Colisée, dans le dédale de passages et de petites chambres obscures qu'habitaient les gladiateurs.

J'étais un gladiateur.

– Qu'est-ce qui se passe ? demanda Gary.

– Je suis à Rome.

Je sentais l'odeur des arènes : le sang, le sable et les excréments des fauves. Au-dessus de moi, j'entendais la clameur de la foule, le martèlement des pieds. Dans la minuscule cellule étouffante où j'attendais, je sentais la chaleur de la journée.

C'est à ce moment que j'entendis une toute petite voix dans ma tête. *Naturellement, Michael, exactement comme Kirk Douglas dans* Spartacus. *Combien de fois tu l'as vu, celui-là ? Accorde-moi un peu de répit.*

– Où ça, à Rome ? fit Gary.

– Au Colisée.

– Quelle impression ça fait ?

– Je suis très fort.

Je sentais mon corps de colosse, ma grande force physique. J'étais ébahi d'éprouver un réel plaisir d'avoir un corps d'athlète, d'en être fier, de ne pas en être encombré comme je l'étais dans la vie de tous les jours. Ici, au Colisée, j'avais besoin de ce corps, j'avais besoin de m'en remettre à lui. Mais c'était aussi un corps différent, dur, très musclé, basané. Et je sentais encore autre chose : une tension proche du vertige, l'angoisse, l'adrénaline.

– Je dois tuer. Tuer des gens avant qu'ils ne me tuent.

– Et ça vous fait quoi, comme impression ?

– Ça n'a aucune importance. Je ne peux faire autrement, ou c'est moi qui serai tué. Je dois frapper le premier. C'est mon métier.

La petite voix se fit de nouveau entendre dans ma tête. *Bien sûr, Michael ! C'est le fantasme idéal pour toi, l'explication parfaite de ta nature réservée et défensive. Rien à voir avec une vie passée. Ce n'est qu'un fantasme, et il te va comme un gant freudien.*

– Connaissez-vous les gens que vous combattez ? continua Gary.

– Je n'ai pas envie de les connaître. Il me faudra sans doute les tuer.

– Vous avez peur de mourir ?

– Non.

Je fus surpris de comprendre que c'était vrai. Je ressentais une grande tension, mais aucune peur. Quand j'envisageai la possibilité de me faire tuer, il y eut un genre de blanc. Apparemment, je n'étais pas très doué pour la visualisation.

– Combien d'hommes avez-vous tués ?

– Ça... Ça n'a aucune importance.

Il y avait aussi un blanc sur le passé. Aucun souvenir des combats passés dans les arènes. Le passé ne m'occupait pas le moins du monde. Pas de futur, pas de passé. Je suis simplement assis dans ma cellule et j'attends d'être appelé au combat. J'entends la foule. Un cri : il a dû arriver quelque chose. J'attends.

– Ça n'a pas l'air d'une vie très jolie jolie ?

Il ne peut pas la boucler, celui-là ? Je l'aurais assommé. À quoi ça rimait de jouer comme ça au psychologue ? J'avais un boulot à accomplir, clair comme le jour. Son bavardage m'affaiblissait. Je n'avais pas le choix. Tuer ou être tué. Tout le reste n'était que foutaises.

– Avez-vous des femmes ?

– Quelquefois.

Ils fournissaient des femmes aux lutteurs. Des prostituées. Des dures à cuire. Parfois des riches venues s'amuser.

– Et qu'est-ce qu'elles vous inspirent, ces femmes ?

– Je ne ressens rien.

Il n'y avait rien à ressentir. Gary ne comprenait pas : il parlait depuis un autre monde, un monde doux. Ici, à Rome, je ne sentais qu'une chose : ma taille, ma force et ma certitude de gagner. Il n'y avait rien d'autre à éprouver. Il n'y avait de place pour aucune autre chose.

– Ça ne doit pas être très agréable de ne rien ressentir.

– Pour moi, pas de problème.

– Je n'ai pas dit qu'il y en avait.

– Vous ne pouvez pas la fermer, non ?

– Depuis combien de temps êtes-vous gladiateur ? continua Gary.

– Depuis toujours.

J'étais esclave en Tunisie. On m'a envoyé à Rome où je suis devenu si baraqué qu'on m'a vendu comme gladiateur. J'avais gagné quantité de combats. J'avais dix-neuf ans. J'étais arrivé jusque-là.

La petite voix intervint : *Tu peux donner tous les détails que tu veux, Michael. Ce n'est jamais que ton fantasme. Rien à voir avec une quelconque vie passée.*

– Que va-t-il vous arriver ? reprit Gary.

– Je vais mourir.
– Comment ?
– Un lion.
– Qu'est-ce que ça vous fait de mourir ?
– Rien.

Et c'était vrai. Une lutte, la fatigue, une erreur, rien de plus. Il n'y avait pas de place pour quelque sentiment que ce soit. Ce n'était qu'un combat animal. Deux fauves face à face.

– Que pensez-vous de votre vie de gladiateur ?

Gary était lassant. Stupide, à côté de la plaque. Il ne comprenait rien à la réalité. Parfois, ces gens venaient s'asseoir avec vous avant le combat, ils vous observaient, ils voulaient savoir ce que ça faisait de passer un moment avec un homme qui allait sans doute mourir sous peu. On était censé faire la conversation. Je n'en faisais rien.

– Je ne vais plus vous adresser la parole.

Ce fut la fin de la séance.

À la sortie, Gary me demanda ce que je pensais de la séance. Je répondis que ça m'avait tout l'air du genre de scène détaillée que tout latiniste en herbe digne de ce nom servirait sans crier gare. J'avais fait quatre ans de latin.

– Ça m'a paru assez authentique, avoua Gary.

– Gary ! Je suis *écrivain*, nom de Dieu ! Mon métier, c'est d'inventer des histoires. Je fais ça à longueur de journée. Je suis doué pour ça. Ce n'était pas une vie passée.

En revanche, j'étais bien persuadé que cette histoire de gladiateur avait une valeur – comme expression de ce que je ressentais. De temps à autre, il était on ne peut plus évident que je me sentais menacé par les autres, que j'avais besoin de m'interdire toute sympathie envers eux, parce que j'avais l'impression d'être opposé à eux dans un combat et qu'il fallait que je sois capable de les tuer, tout au moins symboliquement, sans scrupules. Ce genre de blindage psychologique était un problème personnel dont j'avais conscience. Le voir prendre cette forme n'avait rien de surprenant.

Je ne croyais pas à une vie passée.

– Je ne sais pas, mais c'était assez convaincant, insista Gary. Vos manières étaient assez convaincantes. Une ou deux fois, j'ai cru que vous alliez me frapper.

– Simple caprice de l'imagination, répondis-je.

Et tel est encore mon sentiment aujourd'hui. Ce genre d'évidence que j'ai éprouvée avec la voyance extralucide ou la télépathie – et qui me fait conclure à la réalité incontestable de ces phénomènes –, je ne l'ai pas ressentie avec l'idée de vies passées. Peut-être est-elle là. Mais je ne l'ai pas expérimentée. Aucun fait de ma vie ne me convainc que j'ai eu une vie antérieure.

Ou, pour dire les choses autrement, si la faculté d'entrer dans la personnalité de quelqu'un disparu de longue date est un phénomène authentique – si des choses de ce type sont réellement possibles –, cela n'implique pas nécessairement que nous rappelions des incarnations passées. Il y a d'autres explications possibles.

Un jour, Gary me suggéra d'essayer le voyage astral.

Pourquoi pas ? J'étais prêt à tout, sauf à d'autres vies passées. Naturellement, le voyage astral était aussi à la mode, mais les « expériences de sortie du corps » m'étaient plus familières. Je m'y étais livré dès mon enfance depuis ce jour où, tout à fait par hasard, je découvris que je pouvais détacher ma conscience de mon corps et la promener autour de ma chambre. L'endroit le plus confortable était apparemment un angle du plafond, d'où je pouvais baisser les yeux sur moi. Je pouvais aussi bien envoyer ma conscience à l'extérieur, écumer la cour, ou à travers la maison, si je n'avais pas été arrêté par le sentiment de m'immiscer dans ce qui ne me regardait pas.

Gamin, je ne devais pas beaucoup y réfléchir. C'était juste une façon de passer le temps avant de m'endormir. J'imaginais que tout le monde pouvait le faire. Parfois, au musée, si je m'ennuyais, je m'amusais à essayer de deviner ce qu'il y avait dans la salle à côté. Mais tout cela semblait également très ordinaire.

Un été, après les cours, j'avais travaillé à la fac de médecine de Columbia. J'avais une chambre dans le pavillon des médecins et des chirurgiens. La chambre était dépouillée, le mobilier réduit au strict minimum. Je pris l'habitude de me coucher, de grimper au plafond et de me regarder allongé au lit. J'étais alors assez âgé pour trouver ça bizarre. J'avais des étiquettes péjoratives à y appliquer : « état de dissociation », « schizophrénie ». Je décidai donc d'arrêter.

Quoi qu'il en soit, l'idée de voyage astral ne me semblait pas trop alarmante. J'essayai avec Gary. Après tout, ce n'était qu'une forme de méditation dirigée de plus dans un état altéré. Je visualisai mes chakras rayonnant d'une lumière vive, tournoyant comme des spirales blanches. Puis je me visualisai sortant par mon troisième chakra pour me hisser jusqu'au plan astral – qui m'apparut comme un lieu jaune embrumé.

Jusque-là, pas de problème. Je commençai à comprendre pourquoi les gens imaginaient si souvent le ciel comme un espace embrumé ou nuageux. Je me plaisais dans ce plan astral brumeux. C'était apaisant de se retrouver au milieu de ce brouillard jaune. Je me sentais très bien.

– Voyez-vous quelqu'un ? demanda Gary.

Je regardai autour de moi. Personne.

– Non.

– Attendez une minute et voyons si quelqu'un se manifeste.

C'est alors que j'aperçus ma grand-mère, qui était morte du temps que j'étais à la fac de médecine. Elle me salua d'un geste de la main, et je lui rendis son salut. Ce ne fut pas une surprise de la voir là. Je n'éprouvais aucun besoin particulier de lui parler.

Je décidai donc d'attendre. Ce plan astral était plutôt quelconque. Pas de palmiers ni de chaises longues ou d'endroit pour s'asseoir. Ce n'était qu'un endroit quelconque. Un brouillard jaune.

– Avez-vous vu quelqu'un d'autre ?

Je n'avais encore vu personne.

– Si. Mon père ! criai-je, soudain inquiet.

Ça n'avait pas toujours été rose avec mon père. Et le voici qui surgissait à un moment où j'étais vulnérable, dans un état de conscience altéré. Je me demandai ce qu'il allait faire, ce qui allait se passer. Il s'approcha de moi. Il n'avait pas changé, sauf qu'il était translucide et brumeux, comme tout ce qui peuplait cet endroit. Je ne tenais pas à avoir une longue discussion avec lui. J'étais très nerveux.

Soudain, il m'embrassa.

Et au moment même où il m'embrassait, je vis et je ressentis tous les aspects de ma relation avec mon père, tout ce qu'il avait éprouvé et pourquoi il m'avait trouvé difficile, tous mes sentiments à moi et pourquoi je l'avais mal compris, tout l'amour qu'il y avait entre nous, toute la confusion et tous les malentendus qui l'avaient contrarié. Je vis tout ce qu'il avait fait pour moi, comment il avait cherché à m'aider. Je vis d'un seul coup toutes les facettes de nos relations comme on peut embrasser d'un seul regard quelque menu objet qu'on a dans la main. Ce fut un grand moment de reconnaissance, de compassion et de tendresse.

J'éclatai en sanglots.

– Qu'est-ce qui se passe ?

– Il m'embrasse.

– Qu'est-ce que vous éprouvez ?

– C'est... c'est terminé.

Ce que je voulais dire, c'est que cette expérience incroyablement forte appartenait déjà au passé. Elle s'était produite, complète, totale, en une fraction de seconde. Quand Gary m'avait posé la question, au moment où je m'étais mis à pleurer, elle était finie. Mon père était parti. On n'avait pas échangé un mot. Ça n'aurait rien ajouté. Tout était parfait comme cela.

– Je suis vidé, fis-je en rouvrant les yeux. D'un bond, je m'étais arraché à l'état de transe.

Impossible de l'expliquer vraiment à Gary, ou à qui que ce soit, mais mon étonnement tenait en partie à la rapidité avec laquelle l'expérience s'était produite. Comme la plupart des gens qui ont suivi une thérapie, j'avais mon idée du rythme des intuitions psychologiques. On bataille. Les choses arrivent lentement. Des années passent sans grand changement. On se demande si cela fait la moindre différence. On se demande s'il faut raccrocher ou persister. On travaille, on se bat et on ne progresse qu'au prix de gros efforts sur soi.

Mais qu'en est-il de cette expérience ? En moins de temps qu'il n'en faut pour le dire, il m'était arrivé une chose extraordinaire et profonde. Et je savais qu'elle aurait des effets durables. En un éclair, mes relations avec mon père avaient trouvé leur solution. Je n'avais même pas eu le temps de pleurer. Les larmes que je versais maintenant étaient une réaction à retardement. En fait, je n'avais pas envie de pleurer. L'expérience était déjà terminée.

Cette expérience m'amena à me demander si l'idée que je me faisais du rythme normal des changements psychologiques n'était pas fausse. Peut-être pouvait-on accomplir des changements massifs en quelques secondes. Peut-être paraissaient-ils si longs parce qu'on s'y prenait mal. Ou qu'on s'attendait à ce que ce soit très long.

Nouvelle-Guinée

Je loge dans une maison de chaume à Tari, province reculée des terres hautes de Nouvelle-Guinée. Tout autour du brasier, une demi-douzaine d'hommes musclés, entièrement nus, hormis leur pagne, leur calao autour du cou, leur bâton en travers du nez et leur visage peinturluré. Dehors, j'entends le battement d'ailes caractéristique des chauves-souris dans la nuit. Un bruit de cuir. Je suis là pour quatre jours, et mon amie Anne-Marie cherche à en savoir plus sur Rose, chez qui nous sommes.

À la lueur du feu, tandis que nous mangeons, Rose ramasse un moignon de doigt sanguinolent. Anne-Marie demande si Rose s'est blessée.

– Non, explique Nemo, notre guide australien. Elle s'est tranché l'index.

– Elle s'est tranché l'index ! s'exclame Anne-Marie, horrifiée.

– Ouais, elle était en colère.

– À quel propos ?

– La nouvelle épouse de Hebrew. Rose est la deuxième épouse de Hebrew, et quand il lui a annoncé qu'il allait en prendre une troisième, elle s'est mise en rogne et elle s'est coupé le doigt. En signe de protestation.

Hebrew, le mari, est assis à côté du feu. Anne-Marie demande comment il a pris ça.

– Moi pas aimer ça, répond Hebrew en petit nègre.

Il essaie de s'exprimer en anglais pour nous.

– Mieux Rose qu'elle arrête cette folie, ou je la divorce, dit-il en se tapant sur la cuisse pour souligner son propos.

– Voulez voir le doigt ? demande-t-il. Elle l'a gardé. Vous pouvez le voir si vous voulez.

– Peut-être après le dîner, répond Anne-Marie.

La mine boudeuse, Rose nettoie son moignon de doigt.

– Je lui ai dit de ne pas le ramasser, explique Nemo, mais j'imagine qu'elle sait ce qu'elle fait.

En observant cette scène, je ne peux m'empêcher de penser au changement de tapis dans les ascenseurs du Shangri-La Hotel à Singapour.

La veille, on y avait passé la nuit. C'est un très bel hôtel de standing. Comme beaucoup de gens de passage à Singapour ont changé de fuseau horaire, ils renouvellent le tapis tous les jours comme un calendrier dont on arracherait les feuilles. On prend l'ascenseur et on peut lire : AUJOURD'HUI, SAMEDI. BONNE JOURNÉE.

Un jour plus tard, nous voici dans une petite chaumière au cœur de la Nouvelle-Guinée, entourés d'hommes peints. Une fillette de trois-quatre ans me dévisage solennellement. C'est la fille de Rose et de Hebrew.

– Quel âge a-t-elle ?

– Huit ans, répond Hebrew.

De toute évidence, c'est faux.

– Il ne sait pas quel âge elle a, cette mioche, explique Nemo. Ces zèbres ne savent jamais leur âge. Cela n'a aucune importance par ici.

Pour je ne sais trop quelle raison, cela me déroute davantage que les pagnes et les visages peints. Ils ne savent pas leur âge ? Au Shangri-La Hotel, tout un mur du hall d'entrée est couvert d'horloges digitales qui donnent l'heure locale à travers le monde. L'hôtel assure un service de télex et de secrétariat vingt-quatre heures sur vingt-quatre. Ici les gens ignorent l'heure. Ils ne savent pas leur âge. Ils n'y attachent aucune espèce d'importance. J'ai du mal à imaginer un monde où l'âge est dénué d'importance.

En tout cas, ce n'est pas le monde auquel je m'attendais. J'avais pris mes dispositions pour passer quelques jours dans une cabane dans un village indigène. J'imaginais un demi-cercle de chaumières au cœur de la jungle, dont une qu'on mettrait à ma disposition. La cabane des visiteurs. Je m'attendais à avoir un aperçu de la vie villageoise. Mais cette cabane est isolée. Quand je sors, je n'en vois aucune autre. Tout autour, il n'y a que les champs de Rose, où ils cultivent des légumes, des *kai-kai*. Apparemment, il n'y a pas de village, mais Nemo explique que chez les Tari, le « village » désigne en fait le voisinage, toutes les autres cabanes, pareillement isolées, des environs, à plusieurs kilomètres à la ronde.

En fait, toutes les maisons et les champs des Taris sont dissimulés derrière de massifs remparts de terre sèche sculptée de quatre mètres cinquante de haut. Quand on suit une route, on ne voit que ces murailles de tous côtés. Avec la végétation en surplomb, on dirait un tunnel.

Les remparts ont des fins défensives, afin de parer à toute attaque surprise. Car les populations tribales de Nouvelle-Guinée sont toujours en guerre, toujours attentives à la possibilité d'une attaque. Comme les Siciliens, ils vivent dans un climat de vendetta perpétuelle.

Avant notre arrivée, on avait eu quelque crainte pour notre sécurité. Nemo nous assure qu'il n'y a aucun problème. Les carnages sont des histoires de tribus et de clans. En tant qu'étrangers, nous n'appartenons à aucune tribu ni à aucun clan ; sauf à s'en mêler, nous sommes donc tenus à l'écart des hostilités. En attendant j'ai du mal à concilier la personnalité enjouée des Taris et leur empressement à tuer.

Je me retire avec Anne-Marie dans la chambre voisine. On se glisse dans nos sacs de couchage. À la lueur d'une lampe à pétrole, je regarde les jolis motifs que dessine le chaume sur les murs. Dehors, on entend les battements d'ailes des chauves-souris et des renards volants. Dans les chambres voisines, il y a des discussions, des enfants qui braillent. Des puces sautillent dans le sac de couchage, me mordent, s'installent sur mon nez.

Je finis par m'endormir en me demandant ce que je suis venu faire ici.

Après le Groenland, la Nouvelle-Guinée est la plus grande île, avec une superficie en gros équivalente à celle de la Suède pour trois millions d'habitants. C'est un pays de montagnes, ce qui est synonyme de grande diversité de mœurs et de langues. Isolées les unes des autres par de grandes chaînes montagneuses, les populations évoluent différemment : on n'y parle pas moins de sept mille langues et dialectes, bien que le pidgin serve de *lingua franca.*

En réalité, la Nouvelle-Guinée est la réunion de trois milieux totalement séparés. La côte, qui ressemble beaucoup aux îles voisines du Pacifique, comme la Nouvelle-Calédonie ou la Nouvelle-Bretagne. Au nord, une région plate et chaude de jungle, où la vie s'organise autour des fleuves, en particulier le Sepik et ses affluents. Mais la grande majorité de la population habite les Highlands, une région montagneuse à l'intérieur du pays, et ce n'est que dans les années trente qu'on en a découvert l'existence. Certes il s'est passé beaucoup de choses en un demi-siècle, mais certaines parties de ce pays demeurent très isolées. Et la vie tribale s'y poursuit plus ou moins telle qu'elle a toujours été.

Je souhaitais vivre au sein des tribus, me faire une idée de ce qu'était la vie des hommes des milliers d'années avant ce que nous appelons la civilisation, et j'avais donc parcouru près de la moitié du monde pour me retrouver dans cette chaumière de montagne, dans une province perdue, où j'essayais de trouver le sommeil tandis que les puces s'en donnaient à cœur joie sur mon nez.

Me voici donc en Nouvelle-Guinée enveloppé de romans de toutes sortes.

Le roman de l'anthropologue : je vais parler à ces indigènes peinturlurés et m'informer de leurs mœurs. Beaucoup parlent anglais, ce qui est commode pour l'anthropologue de passage dont le temps est compté. Mais j'ai tôt fait de découvrir que tout le monde me sert une histoire différente. C'est on ne peut plus clair s'agissant du sujet qui me tient le plus à cœur, moi. Un exemple. S'il y a une bagarre dans un autre endroit, mettons dans la ville de Mount Hagen, et qu'un membre de la famille de Hebrew tue un homme d'une autre tribu, les parents du mort viennent se venger. Dans ces conditions, est-ce que je cours un danger, moi le visiteur innocent ? La plupart disent que non. Certains haussent les épaules. D'autres disent que oui. Si les vengeurs ne trouvent pas Hebrew, ils tueront sa femme ou ses enfants ; et s'ils ne les trouvent pas, c'est à moi qu'ils s'en prendront.

Naturellement, ça m'intéresse de savoir quelle est la bonne réponse. Mais je ne le saurai jamais. Je n'arrive même pas à savoir comment Hebrew saura qu'il y a eu une bagarre à Mount Hagen, à plus de cent soixante kilomètres de là, par-delà une chaîne de montagnes accidentée. Comment est-il renseigné ?

– Ne vous inquiétez pas, je le saurai, me répond un Hebrew hilare.

Le fait est que l'exogamie est de règle entre les clans, si bien que chaque village aura ses espions qui tiendront au courant leurs familles de tout ce qui se trame. De surcroît, les enfants appartiennent aux deux clans, celui de leur père et celui de leur mère, si bien qu'un Tari peut finalement appartenir à sept ou huit clans en même temps. Tout le monde a des allégeances multiples, ce qui complique les choses à l'extrême.

À côté du roman de l'anthropologue, il y a aussi le roman du visiteur raffiné : Bwana Michael avec ses chemises à épaulettes kaki, qui avec son fidèle Nikon photographie des rituels tribaux hauts en couleur. J'ai un intérêt tout particulier pour leurs méthodes guerrières. Des méthodes traditionnelles : des haches, des arcs et des flèches. Les hommes évitent les armes modernes comme les fusils, parce que ces moyens de tuer donnent des indices à la police. Mais j'ai du mal à imaginer que des arcs et des flèches soient réellement dangereux, véritablement meurtriers.

Hebrew et ses amis se moquent de moi. Un matin, ils me font voir leurs flèches : des bouts de bois tout droits, sans penne, dont les pointes sont durcies par le feu. La flèche peut abattre un oiseau, mais suffit-elle vraiment à tuer un homme ? Hebrew plante une tige de bambou de douze centimètres de diamètre au beau milieu d'un champ. Il m'invite à tirer cette cible. Elle est bien mince et je suis maladroit : les flèches sans penne partent dans toutes les directions.

Hebrew prend son arc. Ses flèches de bois transpercent le bambou de part en part. Je n'en reviens pas : cette flèche n'aurait aucun mal à traverser un corps humain. Les autres tirent à leur tour : tous atteignent sans mal la cible à plus de cinquante mètres.

Puis il y a le roman de l'Arcadie primitive. Un petit séjour chez les nobles sauvages de Rousseau. L'homme dans l'état de nature, incorrompu, sans le poids de la civilisation matérialiste et de sa camelote. Malheureusement, Hebrew passe son temps à se chamailler avec sa femme. Le petit dernier hurle. Les petits ont l'air malheureux et essaient de se tenir à l'écart.

Un jour se présente la future épouse numéro trois, armée d'une batte de base-ball. Son arrivée est une provocation. Rose lui saute dessus avec un couteau de cuisine. Amis et parents se jettent sur elles pour les séparer ; il y a des cris, des échanges d'insultes. On parvient à arracher son couteau à Rose ; la troisième épouse est délestée de sa batte de base-ball et invitée à se retirer. Elle refuse. Une sale histoire dont nous sommes les témoins. Nemo nous conseille de nous éclipser un moment, le temps que les choses se calment. Nous montons dans la Land Cruiser. Juste quand nous partons, Rose se jette avec son petit sur le capot de la voiture. On s'arrête, on descend : nouvelles discussions.

Pour une sensibilité moderne, ces palabres semblent interminables. Mais les acteurs ont tout leur temps. À quoi bon vouloir résoudre ces conflits au plus vite ? À quoi bon chercher une issue ? Qu'est-ce qui empêche de passer la journée à parlementer devant la Land Cruiser ?

La troisième épouse finit par se retirer, son gourdin à la main. Rose s'est calmée. Nous partons dans la cambrousse.

Ah ! j'oubliais. Le roman de la nature primitive. Par malheur, tout, en Nouvelle-Guinée, a son propriétaire. La terre, les arbres, les animaux, tout ! Si vous portez la main sur quoi que ce soit, vous risquez la mort. Les remparts de terre transforment le pays en une sorte de ligne Maginot. Il n'y a pas de points de vue dégagés, aucun espace préservé. On est dans une zone de guerre, et les gens ont beau se montrer amicaux, l'atmosphère est toujours à la méfiance.

Une petite marche jusqu'à la cascade nous fera du bien. Une ravissante cascade à ne pas manquer ! On prend la voiture jusqu'à la ferme et on passe une bonne demi-heure à chercher le fermier pour lui demander l'autorisation de pénétrer sur ses terres. Il est hors de question d'y mettre les pieds sans permission. Si on ne le trouve pas, il ne nous restera plus qu'à faire demi-tour.

On aperçoit une pancarte de bois avec une main d'homme rouge et ces mots : ITAMBU NOGAT BOT. Je demande ce que ça veut dire. Hebrew me regarde d'un air étrange : je ne sais pas lire l'anglais le plus élémentaire ? Ça veut dire : IT TABOO NO GOT RIGHT, c'est-à-dire « tabou, pas droit aller », autrement dit « Défense d'entrer » !

On finit par trouver le fermier, qui nous donne son autorisation et nous nous dirigeons vers la cascade. Presque aussitôt nous descendons une pente couverte de forêt. Je glisse et je trébuche sur ce sentier de boue. Hebrew nous montre du doigt tout un tas de curiosités, le pandanus et un arbre qu'ils appellent le « plentynut », qui ressemble au cocotier et dont raffole le *cus-cus*, ou opossum. Ou la « plante rouge-à-lèvres », une cosse rouge moutonnée enfermant des graines avec laquelle on fait une teinture rouge pour peindre les guerriers.

Je lui sais gré de toutes ces interruptions, qui sont pour moi autant de prétextes à reprendre ma respiration et à retrouver mon équilibre. On marche depuis près d'une heure quand Hebrew nous prévient : « En bas, c'est facile. Le *haut* est difficile. » Je finis par entendre le fracas de la cascade. Encore quinze minutes de marche et la végétation, est toute trempée, la terre boueuse. Nous nous enfonçons dans la gadoue jusqu'au genou. La piste est encore à la verticale.

Nous émergeons enfin au pied d'une cascade d'une force incroyable. On a du mal à la voir tant la brume qu'elle projette est épaisse. On glisse sur des rochers géants pour l'observer d'en bas. Impossible d'échanger un mot tant le vacarme est assourdissant. Cette nature n'a rien de placide. Une force brute. Comme si on collait l'oreille à un haut-parleur dans un concert de rock. Je me sens mal à l'aise et je suis trempé comme une soupe. On fait demi-tour.

Il faut une heure pour remonter jusqu'en haut. La boue nous retarde. Mes pieds pèsent une tonne. On est obligés de multiplier les arrêts pour retirer les sangsues. Je chancelle jusqu'à la voiture et m'effondre sur mon siège.

– Un pays tout en verticales ! observe Nemo avec un art consommé de la litote. Pas étonnant qu'ils soient en forme, ces zèbres !

On rentre pour assister au *sing-sing*.

Quand on dit Nouvelle-Guinée, la plupart des gens pensent sing-sing. Les guerriers se peignent des motifs élaborés sur le corps, endossent leur accoutrement traditionnel, puis dansent et chantent ensemble. Les Taris ont l'un des motifs décoratifs les plus beaux ; les hommes se peignent le visage en jaune vif, et portent des coiffes élaborées à base d'immortelles et de plumes de colibri. Pendant qu'ils se costument, toute la population du pays se rassemble autour d'eux. L'impatience grandit parmi les spectateurs. Le sing-sing va bientôt commencer.

Mais la danse elle-même est étrangement décevante. Les hommes s'alignent, chantent et martèlent le sol pendant une trentaine de secondes. Puis ils s'arrêtent, bavardent, fument, rient. Au bout d'une minute ou deux, ils se remettent à chanter un petit moment. Puis ils s'arrêtent. Puis ils se remettent à chanter. Toute cette cérémonie, avec ses départs et ses arrêts brutaux, a un côté décousu déroutant pour l'œil occidental habitué à un spectacle d'au moins trois minutes – la durée normale d'une chanson populaire. Mais c'est comme ça, et l'enthousiasme de la foule est la preuve que tout va bien. Je prends des photos. Je connais nombre de ces hommes maintenant, mais leurs peintures et leurs costumes leur donnent une tout autre allure, et ils sont tout fiers de poser pour moi.

Le sing-sing terminé, ils retirent leurs coiffes, qu'ils enveloppent avec soin dans un plastique et rapportent chez eux. Ce sont des biens très précieux, dont on s'occupe avec le plus grand soin. En revanche, ils gardent le visage peint. Cette nuit-là, autour du feu, ils bavardent et fument, tout rouge et jaune. Se parer est pour eux un plaisir. Dans la journée, Hebrew orne parfois sa chevelure de petites feuilles vertes. Toute la soirée, il se met des lucioles dans les cheveux tant et si bien que sa tête finit par scintiller et clignoter comme un arbre de Noël.

Le maquillage a une raison d'être : grimer les guerriers. De la sorte, si un guerrier tue un ennemi au cours d'une bataille, ses adversaires auront du mal à repérer qui a tué. En pratique, pourtant, tout le monde le sait : encore une contradiction trop difficile à résoudre pour un anthropologue dont le temps est limité.

Mais j'aimerais bien voir une guerre tribale. Des anthropologues en ont donné des récits que j'ai lus : ce sont des affaires formelles qui durent toute la journée. Au petit matin, les deux camps se retrouvent dans un champ et commencent par se pavaner et par échanger des insultes. Plus tard, ils lanceront des javelines et des flèches. Plus la journée avance, plus le combat devient sérieux jusqu'à ce qu'un homme soit tué ou mortellement blessé. Tout le monde rentre alors chez soi.

En cas de bataille, les spectateurs sont autorisés à regarder, voire à se glisser parmi les guerriers pour prendre des photos. Je confie que j'aimerais beaucoup voir une bataille.

Un homme qui conduisait des touristes en bus m'a raconté qu'il était tombé un jour sur une guerre tribale et que tous les touristes – des Italiens – étaient descendus en trombe pour faire des photos. Tandis qu'ils officiaient, un guerrier en décapita un autre à coups de hache. Juste devant les touristes !

Ceux-ci ne s'en sont pas aperçus tant ils étaient fascinés par la pompe et les costumes colorés. Jamais ils n'ont vu la tête tranchée, ni le sang gicler et le corps se contorsionner.

En revanche, le chauffeur l'a vu.

– Je n'aime pas voir ce genre de choses, conclut-il. C'est trop vrai.

Dans la soirée, alors que tout le monde est assis autour du feu, il est question des serpents. Nemo décrit les serpents venimeux d'Australie. Les Taris écoutent. Puis l'un d'eux déclare qu'il a vu un jour un film sur les serpents.

Tout excités, les Taris l'écoutent raconter les aventures de Hindy, le héros du film. Hindy, qui avait peur des serpents, se retrouve un jour dans une pièce qui en est pleine : le sol est couvert de serpents qui rampent en sifflant. Des milliers de serpents, de terribles serpents. Pour dominer sa peur, Hindy devait entrer dans cette pièce, et il l'a fait ! Puis il s'est battu contre les serpents et les a tous tués, jusqu'au dernier. Il a gagné. Le Tari dit que jamais il n'y mettrait les pieds, mais que Hindy l'a fait. Les serpents étaient tellement excitants.

Je demande à l'homme s'il a gardé un autre souvenir du film. Il dit que non, que c'était l'histoire d'un homme et de serpents, et que tout le reste du film était fait pour en arriver là.

Ainsi donc, des touristes italiens prenaient des clichés et ne voyaient pas qu'on décapitait un homme sous leurs yeux, et le membre de cette tribu de Nouvelle-Guinée voyait *Les Aventuriers de l'Arche perdue* et prenait ce film pour une histoire d'homme combattant les serpents. Plus je restais en Nouvelle-Guinée, plus le fossé entre nos cultures me parut se creuser. Je perdais mes illusions romantiques sans pour autant que la clarté se fît. J'en récoltais des morsures de puce par centaines et sombrais dans la plus grande confusion.

Je finis par quitter les terres hautes pour rejoindre le Sépia, où des nuages de moustiques étaient comme suspendus dans l'air humide tandis que les tribus avaient une apparence et un comportement très différents. Ceux-là ne combattent pas avec des armes. Ils se tuent par la sorcellerie.

Pour finir, j'allai sur la côte. Le dernier jour que je passai en Nouvelle-Guinée, je fis de la plongée et tombai sur un B-24, une relique de la Seconde Guerre mondiale. D'une grande beauté, l'épave était recouverte de coraux, mais le plus surprenant, c'était sa taille. C'était un tout petit appareil. Dans les années quarante, le B-24 passait pour un gros avion. Le voir reposer ainsi au fond de la mer était un rappel saisissant des changements que le monde avait connus et du train auquel continuent à aller les choses. Remonté à la surface, je tâchai d'en savoir plus. Quelqu'un en connaissait-il l'histoire ? Savait-on comment il était arrivé là, pourquoi il s'était écrasé ? Personne n'en savait rien. Il n'y avait que des histoires, des théories, des hypothèses.

Tordre des cuillers

Au printemps 1985, je fus invité à une séance de cuillers tordues. Un certain Jack Houck, ingénieur de l'aérospatiale, s'intéressait au phénomène et, de temps à autre, organisait des soirées où des gens pliaient des cuillers. On me donna une adresse, dans le sud de la Californie, en me demandant d'apporter une demi-douzaine de fourchettes et de cuillers auxquelles je ne tenais pas puisqu'il s'agissait, précisément, de les tordre.

C'était le type même de la maison californienne de banlieue. Une centaine de personnes s'y pressaient, pour l'essentiel des gens venus en famille avec leurs gosses. L'atmosphère était à la fête, un peu désordre même, avec les gamins qui couraient dans tous les sens. Tout le monde avait un petit rire bébête : on allait tordre des cuillers !

On avait tous balancé l'argenterie qu'on avait apportée au centre du parquet, où cela formait maintenant un grand tas de métal. Jack Houck déversa un nouveau carton de couverts en argent sur le sol et nous expliqua comment on allait procéder. Suivant son expérience, il fallait créer un état d'excitation, presque de fébrilité. Il nous encouragea à nous exciter, à faire du tapage.

On était censés choisir une cuiller dans le tas et lui poser la question.

– Veux-tu bien te plier pour moi ?

Si on ne pensait pas que la cuiller serait consentante, il fallait la rejeter dans le tas et en choisir une autre. Mais si elle nous faisait une impression positive, il fallait la tenir à la verticale et crier : « Courbe-toi ! Courbe-toi ! » Une fois qu'elle était tout intimidée d'avoir été ainsi houspillée, il ne restait plus qu'à la frotter doucement entre les doigts, et la cuiller ne tardait pas à se plier.

C'est du moins ce que Jack nous assura.

Les gens le regardaient d'un air plutôt sceptique.

La séance commença : une centaine de gens choisissant des cuillers et demandant « Veux-tu bien te plier ? », et les rejetant dans le tas si le courant ne passait pas. Puis tout autour de moi je les entendis crier à l'élue : « Courbe-toi ! Courbe-toi ! » Beaucoup riaient. Ce n'est pas facile de garder son sérieux quand on houspille une petite cuiller que l'on tient à la main.

J'étais assis par terre à côté d'Anne-Marie et de Judith. Elles avaient fini d'engueuler leurs cuillers et les frottaient délicatement entre leurs doigts, mais il ne se passait rien. Moi aussi je frottais une cuiller, mais il ne se passait rien non plus. Je me sentais un peu idiot. Un voile de tristesse nous enveloppa tous les trois.

– Je ne pense pas que ça marche ! dit Anne-Marie en frottant sa cuiller. C'est stupide. Je ne vois pas comment ça pourrait marcher.

Je regardai ses mains. Sa cuiller était en train de fléchir.

– Anne-Marie ! Regarde...

Anne-Marie se mit à rire. Sa cuiller était comme du caoutchouc. Elle n'eut aucun mal à faire des nœuds avec.

Soudain, celle de Judith commença à se tordre elle aussi. Elle réussit à tordre le cuilleron en deux ! Tout autour de moi, les cuillers se tordaient. La mienne demeurait raide et solide. Je la frottais avec application, sans même parvenir à la réchauffer.

J'étais contrarié. Qu'elle aille au diable ! Je la tordrai bien par la force. J'essayai : le manche céda sous la pression, naturellement, mais le cuilleron ne voulut rien entendre. Je finis par avoir mal aux doigts. Je me détendis. Peut-être que ça n'allait pas marcher pour moi. Jack Houck nous avait prévenus que tout le monde n'y arrivait pas. Peut-être que c'était mon cas.

– Félicitations, me dit Judith.

– Quoi ?

– Félicitations.

Je baissai les yeux. Ma cuiller avait commencé à ployer sans même que je m'en aperçoive. Le métal était devenu parfaitement docile, comme du plastique souple. Il n'était pas particulièrement brûlant non plus, juste un peu chaud. Je n'eus aucun mal non plus à plier en deux le cuilleron du bout des doigts. Il n'y avait pas besoin de la moindre pression ; il suffisait de guider la manœuvre avec les doigts.

Je mis de côté la cuiller courbée et pris une fourchette. Je la frottai quelques instants, et la fourchette devint aussi docile qu'un bretzel ! Un jeu d'enfant. Je renouvelai l'opération avec des cuillers et des fourchettes.

Puis je finis par me lasser et cessai de tordre des petites cuillers. J'allai prendre un café avec des biscuits. Les petits gâteaux m'intéressaient maintenant plus que tout au monde.

Cette histoire de petites cuillers, on s'en souvient, avait été au centre d'une longue controverse. Uri Geller, un magicien israélien qui revendique des pouvoirs psychiques, tord souvent des cuillers, mais d'autres magiciens comme James Randi assurent que ça n'a rien à voir avec un phénomène psychique : ce n'est qu'un tour de magie.

Moi qui avais tordu une cuiller, je *savais* bien que ce n'était pas un tour. Promenant mon regard dans la pièce, j'aperçus des gamins de sept ou huit ans qui faisaient plier de grosses barres de métal. Qui cherchaient-ils à duper ? Ce n'étaient que des gamins qui passaient un bon moment. Dispensés d'aller au lit parce que c'était vendredi soir, ils s'amusaient à ces âneries avec les adultes.

Voilà pour la controverse entre les magiciens ! Parce que cette histoire de petites cuillers tordues admet forcément une explication ordinaire, vu qu'une centaine de personnes venues de tous les horizons étaient en train de se livrer à ce petit jeu. Et on aurait été bien en peine d'éprouver le moindre sentiment de mystère : il suffit de frotter un moment la cuiller, qui bien vite commence à mollir et à se tordre. Voilà tout.

La seule chose que je remarquai, c'est que la torsion semblait exiger une inattention soutenue. Il fallait commencer par vouloir la faire plier puis oublier tout ça. Peut-être faire la conversation à quelqu'un tout en frottant le couvert. Ou regarder autour de soi. Détourner l'attention. C'est à ce moment-là qu'elle avait une chance de fléchir. Cette inattention demandait un certain apprentissage, mais c'était à la portée du premier venu. Du point de vue de la difficulté, c'était un peu comme apprendre à compter exactement cinq secondes dans sa tête. Il suffisait de s'exercer quelques fois, et ça y était.

Pourquoi les cuillers se tordent ? Jack Houck avait des théories. Mais j'avais de longue date décidé de me concentrer sur les phénomènes et de ne pas me préoccuper des théories. Je ne sais donc pas pourquoi les cuillers se tordent, mais il semblait évident que c'était à la portée de tout le monde ou presque. Alors pourquoi en faire un tel foin ?

L'assemblée se disloqua autour de vingt-trois heures. Judith, Anne-Marie et moi, chacun prit le chemin du retour sans oublier ses couverts tordus. Le lendemain, j'essayai de rendre à l'une de mes cuillers sa forme d'origine. J'eus beau m'acharner, je n'obtins aucun résultat. Je montrai mes cuillers tordues à quelques amis, mais pas trop. Toute cette affaire paraissait assez quelconque.

Un an plus tard, je racontai à un professeur du Massachusetts Institute of Technology que j'avais tordu des cuillers.

Il se renfrogna.

– Il y a un truc pour tordre les cuillers, dit-il après avoir marqué un temps de silence.

– Je veux bien le croire, mais je ne le connais pas.

Long silence du professeur.

– Vous voulez dire que vous avez *personnellement* tordu des cuillers ?

– Oui.

Du coup, il voulut tout savoir. Où j'avais trouvé les cuillers ? Comment est-ce que je savais qu'elles n'avaient pas été préalablement « traitées » ? Est-ce qu'on m'avait aidé à les tordre ? Est-ce que quelqu'un était en contact avec moi tandis que j'opérais ? N'avait-on pu me glisser entre les mains, à mon insu, une cuiller tordue ?... Il continua quelque temps sa litanie de questions. J'essayai de lui faire comprendre l'atmosphère de cette soirée, et comment il était impossible que tout le monde se soit laissé duper en même temps.

– Alors vous y croyez ?

– Oui.

– Vous avez cherché à savoir pourquoi les cuillers se tordent ?

– Non, avouai-je.

– Comment ! Vous voulez dire que vous avez fait l'expérience de ce phénomène extraordinaire et que vous n'avez même pas cherché à l'expliquer ?

– En effet.

– Comme c'est étrange ! Je serais tenté de dire que votre conduite est un déni pathologique de ce qui vous est arrivé. Il se produit cette expérience incroyable et vous ne faites rien pour en savoir un peu plus long ?

– Je ne vois pas en quoi c'est pathologique. Je ne vais quand même pas faire des recherches sur tout ce qui se passe dans le monde. Par exemple, je sais que si je tords un fil rapidement, le fil va chauffer et finir par se casser, mais je ne sais pas vraiment pourquoi. Je ne pense pas que ce soit mon boulot d'aller chercher le pourquoi du comment. Dans ce cas précis des petites cuillers, la pièce était pleine de gens qui faisaient la même chose, et tout cela semblait très ordinaire. Presque lassant.

En fait, ce sentiment d'ennui me paraît souvent accompagner les phénomènes « psychiques ». Au départ, ça semble excitant et mystérieux, mais très vite ça devient un truc prosaïque incapable de retenir plus longtemps l'intérêt. Ce qui me confirme dans l'idée que les phénomènes dits psychiques ou paranormaux sont mal nommés. Il n'y a rien d'anormal en eux. Au contraire, ils sont tout ce qu'il y a de plus normal. C'est juste qu'on a oublié qu'on en est capable. À l'instant où on s'y livre, on les reconnaît pour ce qu'ils sont, et on se dit : Et alors ? Tordre des petites cuillers, c'est comme faire la lessive ou enfourcher sa bicyclette. Pas vraiment la grande aventure. Certainement pas de quoi en faire toute une histoire.

Voir des auras

La force de la religion de mon enfance venait de ce que tout y était inexplicable. Dans ma famille, on discutait de tout sauf des questions religieuses. Elles étaient incontestables. L'histoire de Joseph et de sa tunique bariolée n'était pas une histoire, mais un postulat. De même, la naissance virginale du Christ – une histoire qui m'a créé des problèmes dès mon plus jeune âge – n'était ni une fable ni une métaphore. Ça s'était vraiment passé ainsi.

Si ces choses étaient possibles, c'est qu'elles étaient arrivées dans un lointain passé. L'Antiquité, ça voulait dire qu'il fallait prendre pour argent comptant tout ce qu'on vous racontait au catéchisme, si absurde que ça paraisse. Le partage de la mer Rouge, l'eau changée en sang, le Buisson ardent... rien de tout cela ne se produisait *maintenant.* Même pas à New York !

Bien des années passèrent avant que je ne découvre un certain nombre de vérités qui compliquaient grandement les choses : les nonnes engrossées et les papes putassiers ; l'histoire complexe de l'Ancien et du Nouveau Testament considérés comme des documents historiques ; l'anthropologie des tribus nomades de bergers au Moyen-Orient, et ainsi de suite. En cours de route, je découvris que quantité de gens, y compris mes parents, ne prenaient pas l'histoire sainte à la lettre.

Mais en même temps, je voulais comprendre à tout prix. Et comme les récits semblaient incroyables, je regardais les images.

Par malheur, les images religieuses étaient aussi déroutantes. Sur les images du petit catéchisme, tous les personnages étaient en robe de chambre. J'avais du mal à imaginer un univers dans lequel tout le monde se promenait dans cet accoutrement.

Et l'art religieux, dans les musées, me rendait un peu malade.

Toute cette émotion au service de ce qui m'apparaissait comme un genre de folie. Ces saints qui levaient les yeux au ciel avec un large sourire tandis qu'ils avaient le corps en sang, criblé de flèches : qu'on ne vienne pas me dire que ces gens n'étaient pas cinglés !

Même les artistes modernes me flanquaient la nausée. Les rabbis flottants de Chagall : telle était exactement mon image de la religion ; tout était déraciné et tourbillonnait librement. C'était propre à vous donner mal au cœur parce qu'on ne savait jamais où tout cela était censé vous conduire. Je ne voyais pas pourquoi les gens qui flottaient ou les animaux avaient un large sourire, pourquoi ils ne trouvaient pas leur condition horrible comme les gens pris par la tornade dans *Le Magicien d'Oz*.

Confus, interdit, je finis par me méfier de tout ce qui se rapportait aux choses de la religion et aux images saintes. Et au bout de quelque temps, je cessai de me creuser les méninges au sujet de la découverte la plus déroutante de mon enfance : les auréoles qui apparaissaient au-dessus de la tête de certaines personnes. Les cercles jaunes, dans leur nuque.

– Qu'est-ce que c'est ?
– Une auréole.
– C'est quoi, une auréole ?
– C'est ce qu'ont les gens très pieux. C'est un cercle de lumière.
– C'est encore le cas aujourd'hui ?
– Non. On n'en voit plus.
– Mais, à l'époque, ils en avaient ?
– Eh bien, en fait, ce sont les artistes qui ont imaginé ça.
– Tu veux dire que les saints n'avaient pas vraiment d'auréoles, mais que ce sont les artistes qui les ont imaginés comme ça ? Que c'était une illusion ?
– C'est une façon de nous montrer qu'il s'agit de saints.
– Oh !

J'étais loin de me satisfaire de ces explications. Pour commencer, les auréoles n'étaient pas toujours représentées de la même façon. Parfois, elles formaient un cercle au-dessus de la tête. Parfois, c'était une lueur orange qui semblait émaner du crâne. Dans certains cas, une seule personne – comme Jésus – avait une auréole. Dans d'autres, tout le monde en avait.

Ensuite, sur ces peintures, personne ne faisait ce que ferait, à mon avis, une personne normale : pointer le doigt et s'exclamer : « Oh, Regarde ! Il a un grand cercle jaune autour de la tête ! » Les autres personnages faisaient comme si de rien n'était. Ou peut-être qu'ils ne la voyaient pas.

De surcroît, dans certaines peintures, Jésus lui-même n'avait pas d'auréole. Certains artistes peignaient une auréole, d'autres pas. Les artistes les plus proches de nous n'en faisaient pas. Ça me semblait significatif. L'auréole était une affaire de style. C'était une façon de peindre. Les auréoles n'avaient aucune réalité. Peut-être que dans les temps anciens les gens croyaient à de telles superstitions, mais les modernes n'y croyaient plus. De la lumière jaune qui vous sort de la tête ! L'idée même était grotesque.

Je ne l'ai jamais dit à personne, mais, en secret, je cherchais à voir les auréoles. Je me disais que notre pasteur, M. Van Zanten, était assez pieux pour en avoir une. Pendant l'office, je ne le quittais pas des yeux. Apparemment, il n'en avait pas. En tout cas, je n'ai jamais pu en voir une autour de lui. J'examinais les portraits du pape dans le magazine *Life*. Apparemment, lui non plus n'en avait jamais. Peut-être que ça ne se voyait pas sur les photos ?

De temps en temps, je jetais un coup d'œil à mes amis, quand les conditions s'y prêtaient, et j'apercevais un truc blanchâtre autour de leur tête. Mais toujours sur un fond uniforme, un ciel bleu par exemple. De toute évidence, j'étais victime d'une illusion d'optique à force d'écarquiller les yeux.

Je connaissais d'autres illusions d'optique, comme les taches qu'on voit en fermant les yeux et en comprimant ses globes oculaires. Ou quand on regarde ses mains posées sur une surface sombre et qu'on louche : les doigts semblent deux fois plus longs et font penser à des rubans jaunes. De toute évidence une illusion provoquée par les cils.

Quoi qu'il en soit, jamais je n'aperçus la moindre auréole.

Je finis par renoncer.

De loin en loin, à l'âge adulte, je m'interrogeai de nouveau sur les auréoles. Elles étaient si omniprésentes dans l'art religieux : pouvait-il vraiment s'agir d'une convention aussi arbitraire ? En ce cas, pourquoi les artistes avaient-ils choisi cette convention-là ? Pourquoi un cercle, plutôt qu'une étoile ou un croissant ? Pourquoi jaune et pas une couleur plus vive, un bleu, un rouge ou un vert ? Pourquoi les artistes faisaient-ils les auréoles de cette façon ?

L'explication la plus simple ne m'est jamais venue à l'esprit : que les artistes avaient dessiné des auréoles parce que tout le monde en avait, et que quiconque le voulait pouvait les voir.

La seule différence est qu'aujourd'hui on ne parle plus d'auréoles mais d'auras.

Je voulais voir des auras. Je me disais qu'il était temps d'essayer. Au cours des toutes dernières années, j'en étais venu à considérer que la plupart des activités, y compris les plus mystérieuses, avaient une composante pratique. Peut-être qu'à force de m'exercer je pourrais voir les auras.

J'avais entendu dire que Carolyn Conger serait un bon maître pour moi. Au printemps 1986, avec huit autres personnes, je suivis quinze jours de séminaire dans le haut désert de Californie.

La maison de bois sans prétention de Carolyn se trouvait au pied de montagnes désertiques culminant à 1 600 mètres. Carolyn était quelqu'un de très chaleureux.

– Vous devez être Michael, dit-elle en me serrant dans ses bras.

Sa chaleur et son sens pratique sont les premières choses qui me frappèrent.

– Je vous ai réservé le grand lit, bien que vous ne m'ayez pas dit que vous étiez si grand. Pourquoi ne pas m'avoir dit que vous étiez grand ?

– J'ai oublié. Mais de toute façon vous êtes censée savoir ces choses.

Carolyn était une voyante célèbre.

– Vous êtes tout prêt à croire *ça* ? dit-elle en riant.

Je posai mes sacs dans ma chambre, sautai sur le lit et jetai un œil par la fenêtre. Quand je suis sorti, il y avait un coyote juste devant la fenêtre du séjour : une belle bête au pelage gris, blanc et feu.

– Oh ! regardez ça ! fis-je tout en me disant : Voici un signe. Un signe fabuleux !

– Oui, dit Carolyn. Il y a toujours des coyotes dans les parages à cette heure de la journée. Je leur donne à manger.

Et je me dis : Bon, bon, ce n'est pas un signe.

On me présenta aux autres membres du groupe. Pour l'essentiel, des gens de trente ou quarante ans passés bien insérés dans la vie professionnelle : un homme d'affaires de Washington, une programmatrice informaticienne de Georgetown, un ingénieur électronicien de Los Angeles, une maîtresse de maison de l'Oklahoma, et une autre de Seattle. Le plus âgé du groupe – soixante-treize ans – était une actrice retirée de San Francisco. C'était aussi la plus dynamique.

La maison de Carolyn était confortable, bien que les murs fussent entièrement nus. Carolyn expliquait qu'elle voyait passer tant de gens que les tableaux l'auraient distraite.

Carolyn nous raconta qu'elle était sensible depuis son plus jeune âge. Enfant, elle avait vu des auras et avait interrogé sa sœur sur les belles robes chatoyantes qui entouraient tout le monde. Sa sœur lui répondit qu'elle ne voyait pas la moindre couleur autour des gens. Les autres membres de sa famille non plus. Lorsque Carolyn fit des dessins avec des arbres pourvus d'une auréole rayonnante, l'instituteur lui fit la leçon. « Peut mieux faire ! » Peu à peu, elle comprit qu'elle avait une perception particulière, qu'elle ne partageait pas avec les autres.

Aujourd'hui, Carolyn est docteur en psychologie et a participé à divers programmes de l'UCLA. Elle se disait également « mordue de techno » et raffolait d'informatique et de gadgets électroniques. Elle n'était pas du genre babacool.

Mais quand on l'interrogea sur ce qu'on allait faire au cours de la conférence, elle préféra rester dans le vague.

– Cependant, si quelqu'un souhaite faire quelque chose en particulier, qu'il me le fasse savoir.

– Je veux voir des auras !

– Je parierais que vous en verrez, dit-elle en riant.

Tous les jours, à six heures du matin, un moine venait méditer une heure avec nous. Puis on prenait le petit déjeuner et commençait alors la séance du matin avec Carolyn. Après le déjeuner, la plupart faisaient une excursion en montagne ou une petite sieste. Dîner à dix-huit heures, puis séance du soir. Brugh avait organisé sa conférence de la même façon ; en fait Carolyn et Brugh étaient amis.

– Sortons ! dit-elle après la première séance du soir. Tout le monde se retrouva sur la terrasse. Il était autour de vingt-deux heures. C'était une nuit de pleine lune.

– Regardez la montagne !

On regarda les montagnes derrière la maison. Seize cents mètres.

– Vous ne voyez rien ?

Je voyais les montagnes.

– Rien d'autre ?

– Du genre ?

– Pas la moindre activité ? Pas la moindre lumière ?

Je regardais. Je voyais des montagnes en plein désert, la roche à nu au clair de lune.

– Que voyez-vous ? demandai-je.

– Oh ! tout un tas de choses, fit-elle en partant d'un grand rire. Un tas d'énergie sur les montagnes.

Je continuai à regarder. Je ne voyais toujours rien d'autre. Puis, à force de persévérance, j'aperçus quelque chose que je pris pour des lucioles. Des petits points de lumière blanche. Très discrets.

– Je vois des petits éclairs de lumière.

– Et quoi d'autre ?

Je ne voyais rien d'autre.

– Pas la moindre explosion ? De belles explosions ?

Elle avait une voix rêveuse.

Non, je ne voyais aucune explosion. Bon sang de bon soir, ce n'est jamais qu'une foutue montagne que je regardais. Je commençais à devenir méfiant. Je n'avais aucune envie de me faire embobiner. Et je le dis.

– Détendez-vous. Ça suffira.

Je me sentais parfaitement relaxé. Je ne pouvais pas l'être davantage.

Je balayai du regard la chaîne de montagnes jusqu'à la crête. Et c'est alors que je vis une nuée orange, un genre de grosse explosion de poudre orange. Je m'arrêtai. Elle avait disparu.

– J'ai vu une nuée orange.

– Hum, hum. Rien d'autre?

– Il y a bien eu une nuée orange ?

– C'est l'énergie. Rien d'autre?

Je regardai. Je vis de longues lignes horizontales, comme des stries. Des trucs blanc striés sur le flanc de la montagne.

– Exact, fit Carolyn. J'appelle ça des serpents. Le long des crêtes?

– Oui, le long des crêtes.

Elle hocha la tête.

– D'ordinaire, expliqua-t-elle, je vois trois choses différentes. Des petits points de lumière blanche gros comme des têtes d'épingles, des explosions et ce que j'appelle des serpents.

– Et vous êtes sûre que c'est vraiment là?

– Vous ne les voyez pas?

– Eh bien, ça pourrait être une illusion d'optique.

– Et quel genre d'illusion d'optique?

– Je ne sais pas. Peut-être un effet de la lumière discrète de la lune, peut-être quelque chose qui se passe dans la rétine. On imagine voir ces étincelles et tous ces trucs.

– Eh bien, sortons une nuit sans lune et voyons si c'est toujours là.

– Vous dites que c'est toujours là?

– Ce sera à vous d'en décider.

Là-dessus, elle se retourna pour regarder les genévriers, dans sa cour.

– Regardez les buissons.

Je regardai. On aurait dit qu'ils rayonnaient dans la nuit d'une lueur bleu vert. Mais à certains endroits, la lumière était plus intense.

– C'est l'aura, dit Carolyn.

– Les arbres et les plantes ont une aura?

– Bien sûr!

– Mais alors, qu'est-ce que ça veut dire?

– Je n'en ai pas la moindre idée, avoua-t-elle. Mais c'est comme ça.

Carolyn hésitait à formuler des hypothèses. Elle répugnait à créer une structure définissant des expériences et apportant des explications. Comme elle dirigeait des séminaires où les gens faisaient souvent des expériences peu ordinaires – des expériences pour lesquelles ils réclamaient des explications –, elle était passée maître dans l'art de renvoyer la balle au questionneur.

– Les cristaux retiennent l'énergie ?

– Si vous le croyez, c'est que c'est vrai pour vous.

– La méditation quotidienne est une bonne chose ?

– Si vous le croyez, c'est que c'est vrai pour vous.

– Ça existe vraiment la sorcellerie ?

– Si vous le croyez, c'est que c'est vrai pour vous.

Mais elle ne renvoyait pas tout le temps la balle de la même façon. Il fallait l'observer attentivement pour voir comment elle modulait ses réponses. Il y avait une échelle subtile.

– Croyez-vous que les pyramides empêchaient la nourriture de se gâter ?

– Je ne sais pas. Certains disent que oui. Ou l'ont cru.

– Croyez-vous à l'astrologie ?

– C'est amusant à lire dans la presse.

– Croyez-vous au triangle des Bermudes ?

– Eh bien...

– Croyez-vous aux vampires ?

– Non, bien sûr que non, répondait-elle en partant d'un grand rire.

Mais en règle générale, quand il s'agissait de dire ce que les choses signifiaient, elle restait prudente. Quelqu'un l'interrogea sur le sens des couleurs dans les auras.

– Je ne sais pas ce que signifient les couleurs, avoua-t-elle. Les gens ont des idées différentes sur les couleurs.

Une nuit, elle éteignit les lumières et sortit un tissu noir qu'elle suspendit à une porte. Puis elle demanda à l'un des hommes de retirer sa chemise et de se placer tout contre.

– Qu'est-ce que vous voyez ?

Aussitôt, tout le monde se mit à parler.

– Son aura est rose.

– Elle palpite.

– Plus fort à gauche qu'à droite.

– Il a beaucoup d'énergie dans les mains.

Carolyn hocha la tête d'un air bienveillant. Ses élèves travaillaient bien.

– Et vous ? Que voyez-vous ? demanda-t-elle en me regardant.

– Rien !

C'était vrai : je ne voyais rien. Et plus les autres voyaient, plus je louchais et je plissais les yeux, sans résultat. C'était frustrant d'écouter les autres.

– Son chakra du cœur est très actif.

– Il a une bande rouge vif autour de la taille.

– Il a les genoux qui font des petites décharges.

Tous les autres voyaient ce genre de trucs, mais pas moi.

– Détendez-vous, insistait Carolyn, détendez-vous. N'y attachez donc pas tant d'importance.

Ça commençait à m'être bien égal. Tout cela n'était que des sottises. Je n'avais aucune envie de voir des auras. Ça n'avait strictement aucun intérêt. Personne n'en avait rien à faire des auras ! À quoi ça pouvait bien servir ? Ce n'était qu'un caprice de l'imagination. Tous y cédaient allégrement. J'étais de loin le plus sain en me tenant à l'écart de la liesse générale.

Je détournai le regard et me frottai les yeux. Je pensai renoncer. Mes yeux se posèrent à nouveau sur l'homme.

Je vis un homme debout, adossé à un linge noir. Il était entouré d'un nuage de lumière blanche scintillante, qui s'étendait à une vingtaine de centimètres de son corps. Elle était très claire au niveau des épaules et de la tête, mais je la voyais aussi partout ailleurs. Elle se dilatait et se contractait lentement, comme si elle respirait. Mais elle n'était pas réglée sur sa respiration. Elle suivait son propre rythme.

– Oh ! mon Dieu !

Carolyn rit.

Elle choisit un autre homme. L'effet fut entièrement différent. Il avait bien un nuage autour de lui, mais il battait vite, très vite. Et il avait toutes sortes de décharges électriques sur la peau. De grosses étincelles crépitaient sur son front. Il avait une bande rose-rouge autour du cou. Ses mains rayonnaient comme s'il avait pris un bain de phosphore.

– Je n'y crois pas.

– Tant pis pour vous, fit Carolyn.

Les autres décrivaient ce qu'ils voyaient.

– John a une pulsation beaucoup plus rapide. Ses mains sont très chaudes. Il a une bande rouge autour du cou et des tas de choses qui lui jaillissent du front.

Ils voyaient bien ce que je voyais.

Fantastique ! pensai-je. *Je vois les auras !*

Et brusquement, je ne vis plus rien. Il n'y avait que John, debout, sans chemise.

Mais maintenant, j'y étais. J'avais une idée des dispositions dans lesquelles il fallait être. Je me relaxai. Je me mis en condition. Je commençai à comprendre que ça exigeait un genre d'inattention, un peu comme on marche avec une tasse de café à la main. Si vous regardez le café, vous ne manquerez pas de le renverser. Si vous faites comme s'il n'existait pas, idem. Il faut y être attentif sans être préoccupé, et on le porte où on veut. C'était comme ça.

Il fallait prendre les choses avec une certaine négligence.

Je revis l'aura. George, le premier cobaye, revint se placer devant le linge. Il continuait à palpiter lentement, beaucoup plus lentement que John. Je fixai son visage. Il devint gris au point que ses traits s'effaçaient.

J'interrogeai Carolyn à ce sujet.

– Oui, fit-elle. C'est parce que son aura existe en trois dimensions. Vous voyez l'aura devant la figure et ça rend les traits indistincts.

C'était manifestement ce que j'avais observé chez Linda en méditant avec elle quelques années plus tôt. Les choses commençaient à prendre sens. On observa encore un moment, puis Carolyn ralluma.

Je voyais l'énergie tout autour d'elle. Elle était si puissante. On n'avait aucun mal à la voir, même en pleine lumière. Je vis des grandes plumes vert vif qui passaient comme des éclairs autour de sa tête. Ouah ! Fantastique !

Mais à peine commençais-je à m'exciter que je ne voyais plus rien. Je devais me relaxer et recommencer à zéro.

Je passai la nuit à me promener pour voir des auras. Je sortis regarder la montagne. Elle débordait d'activité : partout des étincelles, des serpents, des souffles d'explosion orange. Je regardai les arbres. Ils rayonnaient. Je rentrai. Tout le monde rayonnait. C'était fantastique. Pas étonnant que Carolyn n'ait pas de tableaux aux murs. Cette énergie était beaucoup plus intéressante.

Le lendemain matin, je m'étais rendu à la raison. J'étais capable de voir des auras. J'étais fait comme ça. Et après ? J'étais sûr qu'allait suivre quelque chose de merveilleux. Je me sentais des ailes. Je passai la journée seul en montagne. Je m'attendais à une expérience merveilleuse, quelque chose de spectaculaire. Une véritable illumination.

Je vis deux lapins qui détalaient.

Et c'est tout.

Carolyn nous assigna un exercice de méditation.

– Tout le monde, dans ce groupe, est capable d'aimer les autres. Je vous demande de sortir et de vous aimer vous-mêmes. Asseyez-vous dans le désert à côté d'un genévrier et méditez. Et aimez-vous. Si vous en êtes capables.

Je savais bien que c'était une méditation difficile. C'était classique, mais j'y étais prêt. Je pouvais y arriver, je le savais. Plein d'assurance, je m'éloignai dans le désert et trouvai un genévrier. Je m'assis et commençai à méditer. Mais je commençai à me dire qu'il y avait peut-être des fourmis ou je ne sais quoi dans le sable. Je changeai d'endroit. Peut-être qu'il y avait des serpents dans les parages. Je ferais bien de m'en assurer.

Ces pensées troublaient ma méditation. Je n'arrivais pas à me concentrer. Je finis par conclure que ce n'était pas le bon arbuste et j'en trouvai un autre. Ce n'était pas le bon non plus.

Je m'enfonçai dans le désert. De toute évidence, j'avais besoin de solitude pour cette méditation difficile. Je choisis un arbuste, je m'assis et commençai à me relaxer. J'aperçus un lapin qui s'éloignait en sautillant. Mais je savais qu'il était toujours dans les parages. À peine commençais-je à méditer qu'il se remettait à sauter et gâchait ma concentration. Je décidai de changer d'endroit.

Je choisis un nouvel arbuste, un peu desséché d'un côté. Je m'assis. Mais comme il était flétri, il me protégeait mal du soleil. Il faisait trop chaud pour méditer là. Je crus devoir trouver un autre endroit.

Puis je me ravisai. C'est ridicule. Reste ici et va de l'avant!

Je restai donc et j'essayai de méditer. Je n'y arrivais pas. Et je finis par renoncer. Je décidai de m'aimer un autre jour.

On eut droit à deux jours de jeûne et de silence. Carolyn nous invita à ne pas plonger nos regards dans les yeux des autres. Il fallait faire comme s'ils n'existaient pas.

Je trouvais cela d'une incroyable difficulté. Je ne pouvais me trouver dans une pièce – mettons, à la cuisine – avec quelqu'un d'autre sans prendre acte de sa présence. Je ne pouvais pas faire semblant de ne pas le voir. Ça me paraissait incroyablement insultant.

Le jeûne ne me posait aucune difficulté. Le silence, non plus. Mais cette indifférence! C'était un peu brutal. Non seulement j'avais du mal à m'y faire, mais je me sentais terriblement blessé quand les autres faisaient comme si je n'existais pas. Comment pouvaient-ils m'ignorer ainsi? C'était une expérience douloureuse.

Les règles? Ça m'était bien égal. J'essayai de capter le regard des autres, de faire un signe de tête, de sourire. Mais personne ne me rendait mon regard. La première journée, je me sentis affreusement malheureux.

Puis je finis par m'y faire.

La plupart des gens du séminaire me plaisaient, mais il y en a deux que je ne supportais pas. Ils me sortaient par les yeux. Une femme, qui était toujours morose, larmoyante, triste. Je ne supportais pas de la voir défaite à longueur de journée, toujours à trimballer sa boîte de Kleenex et à renifler. Qu'est-ce qui l'empêchait de se ressaisir et de réussir sa vie ?

Et un homme qui passait son temps à se plaindre. Un geignard. Il avait des tas de motifs de pleurnicher sur sa vie actuelle comme sur sa vie passée. Il avait été malmené. On lui avait fait du mal. Et il était toujours prêt à vous débiter sa litanie de malheurs. Je ne supportais pas d'entendre cet emmerdeur.

La seconde semaine, mon aversion pour ces deux personnes commença à me peser. J'eus envie d'en finir avec ça. J'allai dans le désert afin d'essayer de comprendre ce qui m'indisposait à ce point en eux. Après tout, les autres avaient eux aussi leurs petites manies, qui ne me dérangeaient pas outre mesure. Que se passait-il donc avec ces deux-là ?

Probablement me rappelaient-ils certaines facettes de ma personnalité que je n'aimais pas, mais j'avais beau chercher, je ne voyais pas en quoi. Je ne passais certainement pas mon temps à chialer. Et je n'étais certainement pas un geignard. À moins que... ?

D'un autre côté, pour arriver à me défaire de mon aversion, je devais me dire que, tout compte fait, ces larmoiements et ces pleurnicheries ne me posaient aucun problème. Or j'en étais incapable.

Je me laissai aller à la morosité. Je regardais tout d'un œil critique et commençais à remarquer des choses qui ne me plaisaient pas dans ce séminaire. Par exemple, le jargon.

On emploie un jargon spécialisé dans ces conférences. On ne réfléchit pas à un problème, on s'y confronte. On ne dit pas quelque chose, on partage. On n'a pas de problèmes, mais des questions. On n'aide pas, on facilite. On n'a pas une façon de faire, mais une démarche. On n'a pas un amant, on a un autre signifiant.

Ce jargon me tapait sur les nerfs. En me confrontant à mes questions sur mon autre signifiant, je me disais : Je préférerais penser à ma vie amoureuse. J'irais plus droit au but.

Je commençai à me plaindre de tout ce jargon. J'avais le sentiment qu'un groupe attaché au développement spirituel ne devrait pas créer un jargon spécialisé. Ses membres se définissaient par ce jargon, qui leur donnait un caractère suffisant, fermé, et se mettait en travers de l'expérience directe. Personne ne prêtait attention à mon point de vue.

Peu après, je commençai à trouver que tout le monde était indifférent à mon égard, que ni eux ni personne ne s'intéressaient à ma vie. Près de deux jours durant, je fus accablé de tristesse.

Puis je m'aperçus que toute rancœur envers les participants m'avait abandonné. Ils étaient tous très bien. Je les aimais bien, tous. Même le jargon me convenait parfaitement.

Je progressais sur tous les plans, sauf un. Depuis le début de la conférence, j'avais dormi le plus souvent dans le désert, sans parvenir à surmonter ma peur irraisonnée des bêtes sauvages.

Quelques années plus tôt, j'avais conclu définitivement que je n'avais pas peur des animaux. Mais toutes les nuits, chez Carolyn, les pensées m'assaillaient à peine je me pelotonnais dans mon sac de couchage.

D'abord les scorpions. Je m'inquiétais des scorpions. Je n'en avais jamais vu dans le désert, mais je savais bien qu'il y en avait. Puis les serpents à sonnettes. Et si un serpent se glissait dans mon sac ? Il faisait trop froid pour que les serpents restent dehors, mais c'était une raison de plus pour que l'un d'eux se mette au chaud dans mon sac.

Qu'est-ce que je ferais au juste, si je découvrais un serpent dans mon sac ? Où se logerait-il ? Irait-il se blottir au fond du sac, tout près de mes pieds ?

Quand j'en avais assez des serpents à sonnettes, j'entendais les coyotes hurler et je commençais à me faire du mauvais sang.

Mais non, les coyotes ne m'importuneront pas.

Ah ouais ? Qu'est-ce que tu imagines ? De quoi as-tu l'air dans ce sac de couchage ? D'un salami géant, voilà de quoi tu as l'air. Un savoureux sac de viande. Le morceau rêvé pour un coyote.

Je ne crois pas que les coyotes viendront m'importuner.

Ah ouais ? Sait-on jamais ? Surtout s'ils sont enragés. Les animaux enragés sont imprévisibles, tu sais bien. Ils n'ont plus peur de l'homme. Ils viennent jusqu'à toi. Juste une petite morsure...

Je ne crois pas que la rage soit un problème par ici.

Ah ouais ? Si tu te fais mordre, tu ne couperas pas aux piqûres. Tu sais bien que tu n'aimes pas trop ça, les aiguilles !

Bof ! Les piqûres ne sont jamais que des piqûres.

Ça fait quand même mal. Et puis tu sais, ça ne marche pas toujours les piqûres. Tu pourrais mourir quand même. Et... et si tu te fais mordre sans t'en apercevoir ?

Je m'en apercevrais.

Ah ouais ? Les vampires ont des dents en lame de rasoir et mordent entre les orteils. Quand ils sucent le sang, on ne se réveille jamais.

Il n'y a pas de chauves-souris par ici. On ne peut pas dormir, non ?

Non. Ce n'est pas sûr, par ici.

Mon dialogue se poursuivait ainsi. Toutes les nuits, il me fallait près d'une demi-heure pour me calmer avant de réussir à m'endormir. Et d'une nuit à l'autre, ça ne s'arrangeait pas. Le dernier jour de la conférence, je me réveillai à minuit et entendis des coyotes qui se régalaient des ordures, juste devant la maison. Des os qui craquaient. Crunch, crunch.

Juste à côté.

Allons, allons, on ne peut pas dormir ? Souviens-toi de l'éléphant au Kenya. Tu te souviens comme tu avais l'air malin ?

Mais ça n'a rien à voir.

Crunch, crunch.

Imagine un peu comme tu serais bien dans la maison...

Pas question que je rentre.

Bien au chaud dans ton lit...

Il n'en est pas question.

Si tu ne rentres pas, c'est juste parce que tu as dit aux autres que tu n'as pas peur des animaux. En fait tu as la trouille. Tu n'as aucune idée de ce que tu es vraiment. Avoue donc ! Tu trembles de peur.

Je ne rentrerai pas.

C'est bon. Comme tu voudras. Quand ils en auront fini avec les détritus, les coyotes auront encore faim...

Je ne rentrerai pas.

Et je ne rentrai pas. Mais la bataille ne devait jamais cesser. Dans ma tête, les voix continuaient le dialogue. Et je me disais : N'ai-je pas déjà livré cette bataille ? Je ne peux pas dormir sans faire d'histoires ? Et la réponse était : non !

Et finalement, au beau milieu de la nuit, je gueulai : « C'est vrai, bordel ! Je l'admets. *J'ai peur des bêtes !* »

Et tu ne sais pas vraiment qui tu es...

– Et je ne sais pas vraiment qui je suis !

Sur ce je m'endormis d'un sommeil paisible.

De retour chez moi, je dévisageai les gens comme si je pouvais encore voir des auras. De fait, je le pouvais. Que c'était drôle ! Vous vous ennuyez dans une soirée ? Regardez les auras.

Mais, à mes yeux, ce n'était pas ce que j'avais retiré de plus important de ce séminaire. L'essentiel me semblait être ailleurs : j'avais beau en savoir beaucoup plus long sur moi que je n'en avais jamais su, il me fallait bien admettre, comme je l'avais gueulé dans le désert, que je ne savais pas qui j'étais.

Une entité

Au printemps 1986, je travaillais encore avec Gary, l'homme qui m'avait appris à canaliser. Je continuai à explorer avec lui les états altérés.

J'essayai de ne pas juger ce qui se passait, mais simplement de tout accepter comme une expérience. Les vies passées, la méditation dirigée, le voyage astral : tout cela me faisait passer des moments intéressants.

J'étais dans ces dispositions – un moment intéressant, des tas de doutes et aucune idée de ce que tout ça voulait dire – quand, à la fin d'une séance, Gary laissa tomber ces quelques mots :

– Aujourd'hui, pendant notre travail, j'ai senti une entité autour de vous.

– Une quoi ?

– Une entité. Une force obscure.

– Une entité, répétai-je.

J'étais rapide, mais il fallait m'expliquer longtemps. Je ne pigeais pas ce qu'il disait.

– Je crois que ça interfère avec notre travail, expliqua Gary.

– Quoi ?

– L'entité. Elle est attachée à vous. Vous ne sentez vraiment rien ?

– Non.

Je commençais à l'avoir mauvaise. J'avais l'impression qu'il était en train de me dire que quelque chose n'allait pas de mon côté. Et ça semblait grave, ce n'était pas bien d'avoir une entité attachée à soi.

– Mais qu'est-ce que c'est, une entité ?

– Eh bien, ça pourrait être une âme désincarnée, une âme en peine.

– Une âme en peine.

– Quelque chose que vous avez ramassé autrefois, peut-être à une époque où vous étiez malade, ou si vous avez bu, si vous vous êtes drogué à un moment de votre vie. Un coup de pompe, et c'est des trucs qui font irruption. Et ça peut vous coller aux basques pendant des années. Ça peut être aussi une forme de pensée que vous avez créée. Je n'en sais strictement rien. Mais elle est là.

J'y étais tout à fait maintenant.

– Vous êtes en train de me dire que je suis possédé.

– Euh... C'est juste une façon de parler.

Ah vraiment ?! Je bouillais.

– Quelle façon de parler ? demandai-je, complètement chaviré. Vous dites que j'ai un démon ou je ne sais quoi en moi ! Vous dites que j'ai besoin d'un exorciste !

– Est-ce si grave ? demanda Gary calmement.

– Oui ! hurlai-je. Oui ! C'est abominable ! Et qu'est-ce que je suis censé faire maintenant ?

– Je ne sais pas très bien. Il faut que je demande.

– Demander quoi ?

– Je connais des gens qui ont l'expérience de ces choses-là.

– Des gens qui ont une expérience de l'exorcisme ?

– Oui, un. On en reparle demain.

– Qu'est-ce que vous êtes en train de me dire ? Écoutez, Gary ! J'ai un boulot, je dois écrire, j'ai besoin de calme, vous ne pouvez pas dire aux gens qu'ils ont une entité accrochée à leurs basques et leur dire qu'on en reparlera demain !

Je hurlais maintenant, je hurlais pour de bon.

– Comprenez-moi bien, dit-il d'une voix ferme. Moi non plus, je n'aime pas ça. Nous en reparlerons demain. Mais je suis absolument sûr que vous avez une entité autour de vous. Ne vous inquiétez pas. Ce n'est pas la fin du monde.

Ce n'est pas la fin du monde.

J'étais très en colère. Complètement affolé. Qui ne le serait en apprenant qu'il y a une entité qui l'asticote ? Le lendemain, j'étais encore dans tous mes états. Impossible d'écrire. J'étais énervé, bouleversé. J'appelai Gary.

– Comment vous sentez-vous ? demanda-t-il.

– À votre avis ? Affreusement mal.

– OK, fit-il. Rendez-vous à cinq heures, on aura une séance.

– Parfait.

– Écoutez, reprit-il. J'ai demandé à quelqu'un d'autre de venir. Un psychologue, si ça vous va.

– OK.

– Vous êtes sûr que ça vous va ? Elle ne viendra que si vous n'y voyez pas d'inconvénient.

– C'est parfait, dis-je.

À cinq heures, je me rendis chez Gary. L'appartement était entièrement transformé. Les rideaux étaient tirés. Il y avait des bougies allumées partout. Sur le divan, toute une ribambelle d'images de saints, de Jésus-Christ à Muktananda. Il y avait des cristaux un peu partout sur les tables. Au centre de la pièce, la table de massage était couverte d'un drap blanc.

Oh, oh ! me dis-je. *C'est qu'il va vraiment le faire. Il va pratiquer un exorcisme.*

Il me présenta une petite femme, jolie, les cheveux courts. Beth. Elle était d'un calme olympien, mais on devinait une tension sous-jacente dans la pièce. Gary avait l'air tendu.

Moi aussi, j'étais tendu. J'en voulais à Gary de m'avoir balancé cette histoire d'entité. Et d'abord tout ça, c'était complètement ridicule. L'entité, je veux dire.

Ils m'écoutèrent, puis Beth me dit, très calmement :

– Et si c'était vrai ?

J'accusai le coup : elle était d'accord avec lui.

– *Vous* croyez que j'ai une entité ?

– Je sens quelque chose autour de vous.

– OK.

Me voilà bien !

– Quand vous serez prêt, dit Gary, couchez-vous sur la table.

Je m'allongeai. J'avais les nerfs à cran. Je ne cessais de penser aux images mélodramatiques de Max von Sydow et de Linda Blair.

Mais d'une certaine façon, j'étais aussi excité. Un exorcisme ! Voyons voir ce qui arrive.

Ce qui arriva, c'est que Gary dit qu'il allait d'abord passer un moment avec Beth.

– Pendant ce temps, relaxez-vous.

Je suis allongé sur la table, les yeux clos, détendu. J'entends Gary qui aide Beth à s'allonger sur un canapé, à l'autre bout de la pièce, et qui l'incite à s'abandonner, à entrer dans un état altéré en lui parlant et en lui passant des cassettes de vibrations. Ça prend un moment. Il l'entraîne vraiment très profond.

Enfin, j'entends sa voix tout près de mon oreille.

– Prêt ?

– Prêt.

Je suis vraiment inquiet. Une partie de moi dit : C'est dément. Un exorcisme ! Vous ne savez pas ce qui va arriver, vous dites que vous êtes possédé, un démon, c'est fou ! Mais je suis bien décidé à continuer.

– OK, fait Gary, et il procède en gros comme il a fait avec Beth. Visualisation de la lumière, relaxation, visualisation du moi qui se retire du centre. Habituellement, cette induction ne prend que quelques minutes. Mais cette fois-ci, cela met visiblement un bon moment. Il m'entraîne très profond.

– C'est bon, conclut enfin Gary. Maintenant, Michael, je veux que vous visualisiez votre corps entièrement entouré de lumière, tellement de lumière que tout ce qui est sombre se détachera sur toute cette lumière.

Je visualise.

– C'est bon. Maintenant, Michael, voyez-vous quelque chose de sombre autour de votre corps ?

Je cherche à voir. À ma grande surprise, je découvre un démon de dessin animé, un genre de mauvais esprit avec des ailes à la Walt Disney et qui ressemble au diable de *Fantasia*. Il est juste devant moi. Je vois aussi une sorte de gros insecte, pareil à une fourmi, tout près de mes pieds. Et un petit homme haut comme trois pommes, avec un chapeau, juste derrière l'épaule gauche.

– Vous voyez quelque chose ?

Je me sens ridicule. L'image principale est un démon de dessin animé. Je ne vais quand même pas ouvrir la bouche pour dire que je vois un diablotin de Walt Disney.

– Non, dis-je.

Gary traverse la pièce.

– Beth, vous avez du nouveau maintenant ?

J'entends Beth répondre d'une voix lointaine, comme en transe.

– Il y a trois entités autour de lui. Une grande créature, un insecte et un petit homme.

Oh, mon Dieu ! pensé-je.

Parce que je n'ai rien dit. Je suis allongé sur une table, les yeux fermés. Beth est couchée sur un canapé, les yeux fermés. Je ne l'ai jamais rencontrée auparavant. Il n'y a aucune espèce de communication entre nous, et pourtant elle voit ce que je vois. Comment est-ce possible ?

Gary se rapproche de mon oreille.

– Vous avez entendu ce qu'a dit Beth ?

– Oui.

– Vous n'avez rien à dire ?

– Si.

Je reconnais qu'elle a raison et lui décris ces trois entités obscures. Je commence à avoir une crampe douloureuse au cou et à l'épaule gauche. Je me souviens de la première fois que j'ai eu cette sensation : dans le courant de l'été 1968, en quittant la Floride pour rentrer chez moi, au Massachusetts. J'étais en fac de médecine, j'étais allé passer quinze jours en Floride avec ma femme, pour faire de la plongée et revoir un bouquin que je comptais appeler *La Variété Andromède*, si tant est que j'arrive à le boucler. Le travail avait bien avancé, mais en rentrant à la maison, au volant de ma Volvo bleue, j'avais ressenti une douleur atroce au cou et à l'épaule gauche. La douleur avait duré cinq mois puis s'était progressivement éteinte. J'avais pris ça pour une crampe liée à un usage intensif de la machine à écrire, ou à la plongée.

– Parlons au petit homme, dit Gary.

Je tente d'engager la conversation avec l'homoncule. Il ne parle pas, mais je sens que c'est un vieil homme qui dissimule sa colère sous son chapeau à larges bords, et je vois qu'il a une canne à pêche. Je ne le vois pas très bien, parce qu'il se tient dans mon dos, derrière mon épaule.

Gary lui pose quelques questions directement, mais on n'arrive pas à grand-chose avec l'homoncule. Il est fermé.

Gary demande conseil à Beth.

– Parlez à la créature devant vous.

– Mais c'est un diablotin de Walt Disney ! protesté-je. Un diable de dessin animé.

– C'est comme ça qu'il se présente à vous, explique-t-elle. C'est comme ça qu'il cherche à être vu de vous.

– Pouvez-vous parler à la créature ? demande Gary.

J'essaie. Je le vois comme une chauve-souris, les yeux vides, furibard. Mais oui, je peux lui parler.

– Demandez-lui depuis combien de temps il vous accompagne.

Depuis longtemps. Des années.

– Demandez-lui d'où il vient ?

C'est moi qui l'ai fait.

– Quand l'avez-vous fait ?

J'avais quatre ans.

– Pourquoi ?

Pour me protéger.

– Vous protéger de quoi ?

De mon père.

– Pourquoi de votre père ?

Mon père veut me tuer.

Je suis dehors, en tricycle, les yeux braqués sur un chemin de gravier en courbe. Je suis plié en deux, les yeux à la hauteur du guidon. Dans mon dos, la maison est étroite, deux étages. C'est le printemps.

Il fait soleil, les arbres sont verts. Au-delà du chemin, c'est la route. De l'autre côté de la route, une grande falaise. Une trentaine de mètres, peut-être, de roches jaunâtres.

Mon père vient de rentrer de la marine. Lui et moi, on va escalader la falaise. On dit au revoir à maman, on traverse la route. En avant pour l'escalade. Je passe devant, mon père me suit. Comme ça, il pourra me rattraper si je tombe.

On commence à grimper. Je n'ai pas peur. Mais bientôt on se retrouve assez haut, la falaise est à pic et il n'y a pas vraiment de sentier bien tracé jusqu'au sommet. Je ne sais pas où je dois placer les mains et les pieds pour continuer. J'ai la frousse. Je baisse les yeux sur mon père, juste derrière moi. Je comprends qu'il a la frousse, lui aussi, qu'il a présumé de ses forces. Je ne suis pas en sécurité avec lui. Si je chute, il sera incapable de me rattraper.

Il m'a menti. Je panique. Les cailloux sont tranchants. je m'entaille les doigts. La roche est friable, elle part en morceaux entre mes mains.

On se débrouille pour continuer. On arrive tant bien que mal au sommet. On a apporté nos mouchoirs pour faire signe à maman qui nous regarde depuis la maison tout en bas. On lui fait signe, puis on descend par un autre chemin qui serpente doucement à travers les pins. Mon père est à côté de moi. J'ai le cœur qui bat la chamade de marcher à ses côtés tant j'ai la frousse.

Mount Ivy, New York, 1946.

– Vous avez fait la créature pour vous protéger de votre père? insiste Gary.

Mon père était dans la marine. Il était rentré à la maison, mais ma mère me préférait à lui, et il le supportait très mal. Il aurait aimé me voir disparaître. Me voir tomber du haut de cette falaise et mourir. Il me détestait.

– Et la créature vous a protégé?

Oui.

– C'est pour ça que vous l'avez gardée tout ce temps-là?

J'ai treize ans. Depuis peu, je suis plus grand que mon père, mais je suis maigre comme un clou. Nous jouons au basket dans la cour. Il me pousse et me bouscule. Souvent, il me fait tomber. J'ai parfois envie de pleurer.

Roslyn, New York, 1955.

– Et la créature vous a protégé d'autres façons?

Oui.

Au lycée. J'ai treize ans. J'ai poussé comme une asperge : deux mètres cinq pour un peu moins de soixante-trois kilos. J'ai l'air d'un squelette. J'ai grandi d'une tête l'an passé. Je suis le plus grand du lycée, même plus grand que les profs. Tout le monde se moque de moi. Certains jours, à la sortie du bahut, les plus grands me courent après, ils me renversent et s'assoient sur moi en riant.

Mais à chaque fois, chaque fois que je suis humilié, chaque fois qu'on se moque de moi, je me blinde. Comme si un mur invisible s'abaissait. Le reste du monde se voile, c'est à peine si j'entends leurs gros rires. J'entends juste une voix me chuchoter au creux de l'oreille. Et le chuchotis me dit que ce sont des nuls. Je suis malin et ils vont voir de quel bois je me chauffe. Ce sont des nuls. Quiconque se moque de moi est un nul.

– Alors comme ça, cette créature que vous avez inventée vous a protégé de la douleur ?

Oui.

– De la douleur de monter en graine.

Oui.

– Et plus tard ?

À la fac, oui. J'ai pu disséquer des cadavres. Je pouvais fusiller les emmerdeurs du regard en pensant Vous n'êtes que des trous-du-cul ! Je pouvais leur clouer le bec, les envoyer promener.

– Et plus tard ?

Pendant mes études de médecine. Moins. De moins en moins avec le temps.

– Et maintenant ? La créature fait encore quelque chose pour vous ?

Non.

Je suis le premier surpris de ce constat. Les images que je vois maintenant sont des épisodes où je sens des barrières, des obstructions, où j'ai du mal à triompher de mes propres défenses. De ma propre sévérité.

– Vous êtes donc prêt à renoncer à la créature ?

– Oui.

– Beth, comment recevez-vous ce qu'il vient de dire ?

– Je ne pense pas que Michael soit prêt à y renoncer.

– Moi non plus, confirme Gary.

Je les entends avec un étrange détachement. Je me sens très passif, flottant, je me laisse porter par un flot d'images et de sensations.

– Vous avez le sentiment que la créature ne peut plus vous aider maintenant, reprend Gary. Tâchons d'en avoir la certitude. La créature n'intervient pas dans votre écriture ?

Non.

Je suis formel. La créature est défensive, protectrice. Elle fait preuve d'une parano dont je fais tout pour me libérer.

– Beth ?

– Je suis d'accord.

– La créature intervient-elle en quoi que ce soit dans vos autres boulots, au cinéma, à la télé ?

Ça mérite un instant de réflexion. Le travail en collaboration crée parfois des frictions. Les gens sont parfois rudes. Il m'arrive d'être blessé, et la petite voix s'efforce de m'apaiser par son chuchotis.

– Oui, mais je peux m'en passer.

– Beth ?

– Oui. C'est exact.

– La créature se mêle-t-elle de votre relation avec Anne-Marie ?

Je m'aperçois que oui.

– Elle me laisse me reposer.

Parfois, quand on a des disputes, quand je me sens faussement accusé, quand je suis froissé, j'érige un mur de colère derrière lequel je me retire. Je peux me retirer et bouder, je peux m'asseoir au salon et ruminer ma colère en silence. Mais dans les deux cas, je suis en sécurité, je suis protégé. Je peux me reposer du combat. Je suis sûr de mon fait : ah, les femmes, qu'est-ce que tu y peux ? Elles sont toutes les mêmes. Elles ne font jamais qu'expulser ce que papa leur a fait voir, et tu n'en es que le dernier destinataire en date. Elles se fichent pas mal de toi, elles ne t'ont même jamais rencontré. Elles se servent de toi, et c'est tout.

Et ainsi de suite. Assuré dans ma vertueuse indignation et ma légitime colère.

– Vous êtes prêt à y renoncer ?

– Je ne sais pas.

C'est un endroit qui m'appartient, ce refuge de la colère. Si j'y renonce, je serais beaucoup plus *exposé*. Ça risque d'être inconfortable.

Je pense à d'autres occasions. Aux fois où j'ai voulu faire des compliments, mais où j'ai eu peur de renoncer ce faisant à un avantage psychologique ; aux fois où j'ai voulu dire que j'étais blessé, au lieu de me mettre en rogne ; les fois où j'ai essayé de me libérer de ma colère au lieu de m'y accrocher des jours durant comme à une protection ; à toutes les fois où j'aurais aimé formuler un désir au lieu de me plaindre.

Je vois bien, maintenant, qu'il vaudrait mieux y renoncer. Et de toute façon, je m'aperçois que j'en suis fatigué.

– Je suis fatigué de cette vie. Oui, j'y renoncerai.

– Beth ?
– Je n'ai toujours pas l'impression qu'il soit prêt.
– Moi non plus, conclut Gary.

Je me sens encore neutre. Égal, équilibré, flottant. S'ils le disent, alors...

– Cette créature joue depuis longtemps un rôle très important dans votre vie.

– Oui.

– Je voudrais que vous la remerciiez une fois pour toutes de ce qu'elle a fait pour vous.

– OK.

Je commence, intérieurement.

– Tout haut.

– OK.

J'hésite. Je me sens un peu crétin de m'adresser à un diablotin de Walt Disney quand d'autres peuvent m'entendre. J'imagine que je vais y mettre les formes et que je vais dire merci à cette créature. Des remerciements compassés, en bonne et due forme, voilà à quoi je pense

Soudain ma bouche s'ouvre et j'entends une voix pleine de chaleur.

– Je tiens vraiment à vous remercier de tout ce que vous avez fait, vous m'avez été fidèle à travers un nombre incalculable d'épreuves, et je vous en suis profondément reconnaissant. Je ne m'en serais pas sorti sans vous, jamais je n'aurais pu y arriver. Sans vous, je serais mort. Vous m'avez vraiment protégé, vous avez fait pour moi des merveilles.

Je suis choqué de tenir ces propos, mais je visualise un homme qui est mon invité depuis des années, un parent, quelqu'un envers qui je me sens coupable, parce que je dois le flanquer à la porte. Et j'essaie de lui exprimer mes sincères remerciements, mais aussi, un peu, de le manipuler pour le pousser à prendre la porte.

– Vous allez vraiment me manquer, dis-je, mais il est temps de se séparer, temps pour vous d'aller votre chemin, et pour moi de suivre le mien. C'est ici que nos chemins divergent ; toutes les bonnes choses ont une fin, mais je tiens à ce que vous sachiez : jamais je ne vous oublierai, jamais je n'oublierai ce que vous avez fait pour moi.

Je suis en larmes. C'est que je l'aime vraiment cette vieille créature, ce bon et fidèle serviteur. De le blesser ainsi me fait horreur. Il a l'air perdu et désespéré, mais je vois bien qu'il l'accepte. Je suis surpris de l'amour que je lui porte et de la tristesse dans laquelle me plonge son départ.

Je prends congé.

– Beth ?

– J'ai le sentiment qu'il est prêt.

– Je suis d'accord, fait Gary en se penchant encore plus près de moi. Michael, nous allons nous débarrasser totalement de l'entité maintenant.

– Qu'est-ce que je fais ?

– Rien. C'est Beth qui va s'en charger avec moi. Elle va le faire sur le plan astral.

Je me sens un peu mis à l'écart de ce plan, mais je suis toujours d'humeur passive. Je ferai où on me dira de faire.

Gary s'éloigne. Il chuchote quelques mots à Beth qui l'envoient sur le plan astral. Je n'entends pas vraiment ce qu'ils disent. Ils parlent à voix basse et je suis encore tout enveloppé de mes émotions. Je pleure. Cette séparation m'attriste.

Au bout d'un moment, j'entends la voix de Beth.

– Elle ne vient pas encore.

Je sens aussitôt que c'est vrai.

L'entité rôde encore autour de moi.

Il faudra que je m'en mêle.

Je m'imagine debout à la porte d'une ferme. L'entité est derrière la grille. Il est temps de dire au revoir. Je lui tourne le dos, pour l'aider à partir. Je me détourne, sachant que je ne la reverrai jamais plus. J'éclate en sanglots. Mais je ne me retourne pas pour voir si elle est encore là.

– Elle ne vient pas.

Je ne me retourne toujours pas. J'ai l'impression que si je reste là, en lui tournant le dos, elle finira par renoncer et par s'en aller.

– Non. Pas encore.

Je veux me rendre utile. Il doit subsister un lien entre l'entité et moi, même si je ne le vois pas. J'imagine une grande paire de ciseaux, dont je me sers pour découper l'air tout autour de mon corps, trancher quelques vagues liens. Je n'y vais pas de main morte.

– Elle ne vient pas.

Peut-être que j'interviens trop. Sans doute devrais-je la laisser tranquille. La laisser faire.

Je la vois, sur le plan astral, dans un brouillard jaune et lumineux, un peu au-dessus de moi. Comme si on était sur un plan incliné, ou une pente, et qu'elle fût un peu plus haut, dans le brouillard jaune. Je la vois debout, et soudain j'aperçois clairement l'entité.

L'entité est toute petite. Elle lui arrive à peine à la taille. Elle lève les yeux vers elle. Un regard plein d'espoir.

Ce n'est qu'un petit gosse.

Je sens une explosion d'émotions, de tristesse, pour cette tout petite chose formée à l'image de son tout petit créateur, de ce gamin effrayé, désespéré, qui doit partir maintenant, et j'en suis triste pour moi, triste de continuer mon chemin, et à l'instant de cette explosion de tristesse le petit gosse file comme un trait et se perd au loin.

– Elle est partie, annonce Beth d'une voix éteinte.

Beth sort au moment même où je sors. On s'assied, hébétés. Gary nous apporte un verre d'eau. Je jette un coup d'œil à ma montre. Ça a duré trois heures et demie. Il n'y a pas grand-chose à dire. Nous sommes tous fatigués.

– Ne vous inquiétez pas, dit Gary. Elle est partie. Elle ne reviendra pas.

Il me demande d'être prudent sur la route. Je rentre et raconte tout à Anne-Marie. Elle est très affectée. Mais je n'en parle à personne d'autre. À combien de gens peut-on raconter qu'on a été exorcisé ?

De toute façon, la vraie question, c'est : Quel est le résultat ? Dans les tout premiers jours, assez modeste. Puis je me suis chamaillé avec Anne-Marie. La dispute a commencé comme d'habitude, mais très vite, elle a pris un tour différent. Je me suis surpris à tourner en rond dans la cuisine en me demandant où aller. Comme si on nous avait retiré une pièce de notre appartement. Elle n'était plus là, cette chambre. J'étais bien obligé de rester où j'étais et de traiter avec elle. Les disputes suivantes furent elles aussi différentes et, au bout de quelque temps, je commençai à m'apercevoir qu'il s'était produit un changement durable.

L'autre chose que je remarquai, c'est que pendant quelques semaines je ressentis avec une acuité infinie les petites douleurs ordinaires de la vie, les petites rebuffades momentanées, les gens qui se détournent, les insincérités minuscules et les insultes les plus banales. Tout cela était incroyablement douloureux. Jamais auparavant je n'avais ressenti de telles blessures. Mais, en même temps, je remarquai que bien des gens étaient plus gentils avec moi qu'ils ne l'avaient jamais été. Et en tout état de cause, au bout de quelques semaines, je retrouvai ma capacité de réaction normale.

Quelques mois plus tard, je discutais avec Lu, une psychologue que je vois de temps à autre. Assez réticent, je lui fis part de mon expérience, me demandant comment elle réagirait.

– C'est intéressant, dit-elle. Beaucoup de gens ont des expériences comme ça.

– Vraiment ?

– Oh oui. Les entités sont très encombrantes de nos jours.

Je fus bien obligé d'en rire.

Expérience directe

En acceptant la possibilité d'une entité, si timidement et brièvement que ce soit, je m'étais passablement éloigné des traditions intellectuelles, académiques, rationnelles dans lesquelles j'avais été élevé. En vérité, j'étais un peu nerveux en pensant à quel point je m'en étais écarté. Je décidai donc de résumer les conclusions que j'avais tirées de toutes ces expériences au fil des ans. Je sortis un bout de papier pour en dresser la liste.

Je fus surpris de constater que, tout compte fait, ça ne faisait pas tant que ça.

1. La conscience a des dimensions légitimes qu'on n'a pas encore devinées. Les états de conscience sont infiniment plus divers et contradictoires que je ne l'avais précédemment reconnu. Je ne suis pas persuadé qu'un de ces états de conscience ait une signification métaphysique, pas plus que je ne suis convaincu que j'avais, attachée à moi, une véritable entité. Je ne suis absolument pas convaincu de l'existence des entités. Mais j'admets que, sur un plan, la différence peut être en vérité bien mince entre une entité réelle et une entité métaphorique. Je suis bien obligé de me souvenir que la conscience elle-même est terriblement puissante : dans toutes les cultures, les gens se retrouvent estropiés, perdent la vue ou même la vie à cause de leurs croyances.

De mon point de vue, toutes les variétés de conscience dessinent le paysage de l'esprit, semblable au paysage physique de notre planète. L'exploration de ce paysage de la conscience me paraît gratifiante. L'exploration de ces différents états m'intéresse personnellement, je le reconnais ; et tout le monde ne partage pas cet intérêt.

Mais j'ai le sentiment que la valeur de ces explorations n'est pas uniquement privée. Je soupçonne qu'à l'avenir imaginer les variétés de conscience aura une importance de plus en plus grande dans des domaines comme le traitement de la maladie, l'entretien de la santé et l'encouragement de la créativité.

Dès lors qu'on aura reconnu la valeur pratique de l'altération de la conscience, les procédures à cet effet deviendront de plus en plus ordinaires et banales. L'idée même de changer les états de conscience cessera d'avoir un aspect exotique ou menaçant.

2. Certains phénomènes psychiques, au moins, sont réels. Parmi ceux-ci, on distingue généralement la télépathie (la communication entre esprits), la voyance (la perception à distance), la prescience (la perception des événements avant qu'ils n'arrivent) et la psychokinésie (l'influence exercée sur des objets et des événements par la seule pensée). En fait, cela recouvre une gamme assez large de thèses et de phénomènes qui se recoupent amplement.

J'en ai conclu que certaines personnes sont capables de connaître les événements passés ou futurs d'une manière qu'on ne saurait actuellement expliquer. Pour moi, la preuve la plus convaincante nous vient de renseignements assez banals.

Je soupçonne que tout le monde a une capacité psychique, à un degré ou à un autre, de même que tout le monde a des capacités athlétiques ou artistiques plus ou moins développées. Certaines personnes ont des dons particuliers ; d'autres ont un intérêt particulier qui les conduit à cultiver leurs talents. Mais le phénomène lui-même est ordinaire et général.

Je n'ai aucune idée des limites de la capacité psychique. Par exemple, je ne sais pas si quelqu'un peut déplacer un objet par la seule force de sa pensée. Je ne sais même pas comment il faut s'y prendre pour évaluer une telle idée, puisque je n'ai pas de théorie pour expliquer les phénomènes psychiques en général.

3. Il existe des énergies associées au corps humain qui sont encore mal comprises. On peut les sentir et les voir, et elles sont en rapport avec la guérison, la maladie et la santé. Bien que l'existence de ces énergies corporelles soit formellement acceptée dans certains systèmes théoriques, comme ceux des yogis indiens et des acupuncteurs chinois, elles ne sont pas encore acceptées dans les systèmes médicaux occidentaux.

Je soupçonne qu'elles seront acceptées dans un proche avenir. Ce jour-là, la médecine se ressaisira de quelque sagesse traditionnelle concernant l'importance de la façon de s'y prendre avec les malades – ce que l'on appelle aujourd'hui « l'art de la médecine », par opposition à la science.

Voilà toutes mes conclusions. Et ce n'est pas très différent de ce que croyaient Carl Gustav Jung ou William James. Ça ne tranche que sur les convictions d'un certain nombre de spécialistes des sciences physiques téméraires et peu portés sur l'introspection. En leur temps, Jung et James se sont trouvés en désaccord avec cette espèce d'hommes de science.

J'entrepris ensuite de dresser une liste des choses auxquelles je ne crois pas, et qui fut beaucoup plus longue. Je ne crois pas à la lévitation, aux soucoupes volantes, aux OVNI, aux sites péruviens antiques d'atterrissage pour astronautes, au triangle des Bermudes, aux extraterrestres, à la chiromancie, à la numérologie, à l'astrologie, à la chirurgie psychique, à la renaissance, aux biorythmes, à la coïncidence ou au pouvoir des pyramides.

Pour finir, je fis la liste des croyances sur lesquelles je n'ai pas d'opinion. Soit qu'on manque de preuves, soit que ça me semble être, au fond, une question de foi. Je veux parler de la réincarnation, des vies passées, des entités, des esprits frappeurs, des fantômes, du yéti, du monstre du loch Ness et du pouvoir des cristaux.

Mais en parcourant mes listes, je compris que j'étais à côté de la plaque. Je n'avais pas voyagé dans l'intention d'apprendre quoi que ce soit, sauf sur moi. Et l'intérêt de ce voyage ne tenait pas à ce que, au bout du compte, je croyais ou ne croyais pas sur le monde, mais à ce que j'avais appris sur mon compte.

En repensant à ces voyages, je perçois une soif presque obsessionnelle d'expériences propres à accroître ma conscience de moi. J'avais besoin d'expériences nouvelles pour continuer à me secouer. Je ne vois pas pourquoi ce ne serait vrai que pour moi.

En un sens, j'imagine que la quête d'expériences nouvelles représente un appétit. C'est un goût acquis – dans mon cas, acquis de bonne heure. Par mes parents, j'ai appris à trouver les expériences nouvelles drôles et revigorantes au lieu d'en être effrayé. C'est donc un comportement appris.

Dans un autre sens, mes voyages m'apparaissent comme une stratégie pour résoudre des problèmes de ma vie. Chaque fois que les choses tournaient mal, chaque fois que ça n'allait pas dans ma vie, je prenais l'avion. Non pas tant pour fuir mes problèmes que pour prendre du recul. Je m'aperçus que c'était une stratégie efficace. Je reprenais le cours de ma vie fort d'un nouvel équilibre. J'étais capable d'aller droit au but, de cesser de patiner, de savoir ce que je désirais et comment m'y prendre. J'étais concentré et efficace.

Dans tous les cas, c'est parce que j'étais parti et avais découvert quelque chose sur moi. Quelque chose qu'il m'était nécessaire de savoir.

Mon sentiment personnel, c'est que le monde moderne a rendu plus difficile cette connaissance de soi. Les êtres humains sont toujours plus nombreux à vivre dans d'immenses espaces urbains, entourés d'autres êtres humains et de leurs créations. Le monde naturel, source naturelle de l'intérêt personnel, est de plus en plus absent. En outre, au cours des cent dernières années, notre vie s'est trouvée de plus en plus déterminée par le monde irrésistible que définissent les médias électroniques. Ceux-ci ont évolué à un rythme totalement étranger à notre vraie nature. Il est déroutant de vivre dans un univers de spots d'une dizaine de secondes, qui nous pressent tantôt d'acheter je ne sais quoi, tantôt de faire ou de penser quelque chose. Les êtres humains du passé n'étaient pas assaillis de la sorte. Et m'est avis que cette agression constante nous a rendus malléables d'une façon qui n'est pas saine. Coupés de l'expérience directe, de nos sentiments et parfois de nos sensations, nous ne sommes que trop disposés à adopter le point de vue ou la perspective qu'on nous propose, et qui n'est pas nôtre.

En 1972, j'achetai une maison dans les hauts de Los Angeles. J'y emménageai et y connus plusieurs mois de bonheur extatique. Un jour, je parlai de cette maison à un ami.

– J'imagine que tu n'as pas peur des serpents, me dit-il.

– Quels serpents ?

– Les serpents à sonnettes. Il y en a plein dans ces collines.

– Allons donc ! Arrête ton char !

– Je ne plaisante pas. Tu n'en as jamais vu ?

– Non, bien sûr que non.

– Eh bien, il y en a. Tu as un peu de terrain autour de ta maison ?

– Oui. Près d'un demi-hectare, à flanc de colline.

– Alors tu ne peux pas y couper. Attends un peu. Les crotales sortent quand il fait sec. Septembre-octobre. Attends un peu, tu verras bien.

Je regagnai la maison de mes rêves profondément déprimé. Ce n'était plus drôle du tout. Je ne pensais plus qu'aux serpents. Je craignais que des serpents ne se faufilent dans ma chambre et, toutes les nuits, je prenais la peine de fermer toutes les portes pour les empêcher d'entrer. Je me disais qu'ils pouvaient venir boire à la piscine, et je m'en tenais à l'écart, surtout aux heures de grande chaleur, parce que les serpents se doraient probablement la pilule sur la terrasse. Je ne faisais jamais le tour de ma propriété, parce que j'étais sûr que des serpents se cachaient dans les buissons. Je me contentais de suivre le petit chemin qui menait du garage à la maison, en inspectant avec soin les moindres détours avant de faire un pas. Mais, de jour en jour, je perdis le goût de sortir. Je vivais chez moi comme en prison. Pour une chose qu'on m'avait racontée, j'avais changé du tout au tout de comportement et d'état émotionnel. Je n'avais encore jamais vu de serpent. Mais maintenant j'avais peur.

Puis un jour, j'aperçus le jardinier qui traversait allégrement les buissons à la lisière de la propriété. Je l'interrogeai sur les serpents.

– C'est vrai qu'il y a des crotales par ici ?

– Bien sûr que oui, répondit-il. Surtout en septembre-octobre.

– Ça ne vous fait pas peur ?

– Eh bien, expliqua-t-il, ça fait six ans que je travaille ici, et en tout ce temps-là, je n'en ai vu qu'un seul. Alors non, je ne m'inquiète pas trop.

– Et qu'avez-vous fait quand vous avez vu le serpent à sonnettes ?

– Je l'ai tué.

– Comment ?

– Je suis allé chercher une pelle, je suis revenu et je l'ai tué. Ce n'était jamais qu'un serpent à sonnettes.

– C'est le seul que vous ayez vu ?

– Exact.

– Un seul serpent en six ans ?

– Exact.

J'allai chercher ma serviette et passai le reste de la journée au bord de la piscine, parfaitement à l'aise. Un seul serpent en six ans, c'était une chose à savoir, mais ça ne valait pas la peine de rester sur le qui-vive vingt-quatre heures sur vingt-quatre.

Ainsi donc, sans avoir encore jamais vu un serpent, j'avais adopté une nouvelle perspective et, une fois, de plus, j'avais changé de conduite et d'émotions. J'étais juste un peu plus prudent qu'autrefois, mais détendu.

– Vous pouvez être sûr que vous n'avez pas beaucoup de serpents dans votre propriété, me dit le jardinier en partant.

– Comment le savez-vous ?

– Parce que vous avez des tas de géomyidés.

Ça faisait des semaines que j'essayais de me débarrasser des géomyidés qui se logeaient dans ma pelouse. Les géomyidés étaient quelque chose de nouveau pour moi : on n'en trouvait pas à l'est. Les géomyidés sont de petits rongeurs à l'air malin [1]. Ils créaient un réseau compliqué de galeries souterraines tout autour de votre propriété au point de la transformer en gruyère ! De temps en

1. Famille de rongeurs propres aux Amériques et qui ressemblent à des rats avec des abajoues et une queue ronde et nue. (*N.d.T.*)

temps, en traversant ma pelouse, il m'arrivait de m'enfoncer jusqu'aux chevilles. Je voyais déjà ma maison s'enfoncer dans la terre le jour où les géomyidés auraient fini par creuser une galerie de trop. J'essayai donc le poison, les pièges, de temps à autre je lâchais au petit bonheur un coup de fusil à air comprimé. Sans le moindre effet. Tous les matins, ma pelouse était trouée de nouvelles galeries. C'était extrêmement agaçant. Ma maison était le Parc national des géomyidés.

Je compris alors que si mes amis les crotales étaient un peu plus nombreux à élire domicile autour de la maison, cet exaspérant problème de fouisseurs serait résolu. Je me surpris à souhaiter qu'il y eût davantage de serpents à sonnettes. Y avait-il quelque chose à faire pour les attirer chez moi ? Leur distribuer leurs aliments préférés ou peut-être disposer des baquets d'eau ? Il devait y avoir quelque chose qui ne tournait pas rond dans ma propriété pour que les serpents la désertent et me laissent à la merci des géomyidés.

J'avais encore changé de perspective. J'avais maintenant le sentiment qu'il manquait de serpents et j'en voulais davantage. J'étais passé par tous ces stades successifs sans avoir encore jamais aperçu le moindre serpent. Je ne pouvais pas vraiment dire que j'avais connu, tour à tour, des épisodes de calme, de panique et de regret des suites de quelque expérience. J'avais appris des choses, mais il ne m'était véritablement rien *arrivé*.

Je me sentais différent uniquement parce que j'avais changé de perspectives. Et chaque revirement s'était accompagné d'un changement complet d'attitudes, de comportement et d'émotions, d'un changement quasi physiologique. Chaque nouvelle perspective adoptée m'avait aussitôt et entièrement modifié.

Mais jamais des suites d'une expérience directe. Jamais parce qu'il m'était réellement arrivé quelque chose.

Peu accoutumés à l'expérience directe, nous finissons par en avoir peur. Avant d'avoir lu les comptes rendus et de savoir qu'en penser, nous n'avons pas envie de lire un livre ou d'aller voir une exposition. Nous perdons confiance dans nos propres facultés de perception. Nous voulons savoir le sens d'une expérience avant d'avoir fait l'expérience en question !

Nous avons tellement peur de l'expérience directe que nous sommes capables de tours et de détours sans fin pour l'éviter.

J'ai découvert que j'aimais voyager, parce que ça m'arrachait à ma routine et à mes petites habitudes. Plus je voyageais, plus je m'organisais. J'emportais de plus en plus de choses avec moi. Naturellement, je prenais des bouquins. Puis je pris mon walkman et les cassettes que j'avais envie d'écouter. Bientôt, j'y ajoutai des carnets de notes et des crayons de couleur pour le dessin. Puis un portable pour écrire. Et un pull – on ne sait jamais, s'il faisait froid dans l'avion ? Et de la crème pour les peaux sèches.

Très vite, ce fut beaucoup moins amusant de voyager, tant je croulais sous les affaires que je me croyais obligé d'emporter. Au lieu d'échapper à mon train-train habituel, je m'étais créé de nouvelles routines. Je ne quittais plus vraiment mon bureau : je chargeais le plus possible mes épaules de son contenu.

Un jour, je décidai donc de prendre l'avion les mains vides. Sans rien pour me distraire, rien pour tromper mon ennui. Je m'installai dans l'avion en proie à la panique : rien de ce qui m'était familier ! Qu'allais-je bien pouvoir faire ?

Finalement, je passai un bon moment. Je me plongeai dans les magazines disponibles à bord. Je bavardai avec mes voisins. Je regardai par le hublot. Je réfléchis.

En fait, tout ce fatras que j'avais cru nécessaire ne m'était d'aucune utilité. J'étais beaucoup plus actif sans rien pour m'encombrer.

L'une des choses les plus difficiles dans l'expérience directe, c'est qu'on n'a pas le filtre des théories et des attentes. Il n'est pas facile d'observer sans plaquer une théorie qui explique ce que nous voyons. Mais l'ennui avec les théories, comme disait Einstein, c'est qu'elles expliquent non seulement ce qui est observé, mais ce qui *peut* être observé. On se met à fonder nos attentes sur nos théories. Et souvent, ces attentes font écran.

Le Claridge's Hotel, à Londres, est connu pour veiller aux petites habitudes de sa clientèle. Si vous aimez avoir à votre chevet une bouteille d'eau minérale, le personnel du Claridge's ne manquera pas de s'en apercevoir et tous les soirs, d'en placer une à côté de votre lit. Si vous la préférez à moitié vide, vous la trouverez à moitié pleine. Et comme le personnel est anglais, aucune excentricité ne saurait être trop bizarre au point de demeurer insatisfaite.

1978. J'étais depuis plusieurs semaines au Claridge's. Je passais mon temps à récrire un scénario, tapant à la machine, découpant et collant les pages. Mais impossible de mettre la main sur un dévideur ordinaire. Je devais me contenter d'un rouleau de scotch et d'une paire de ciseaux. Chaque fois que j'en coupais un bout, naturellement, l'extrémité se recollait sur le rouleau et j'avais le plus grand mal à essayer de le récupérer avec mes ongles pour en couper un autre bout. Je finis par trouver la solution : je coupais de longs bouts de scotch que je collais légèrement aux poignées des tiroirs du bureau. Quand j'avais besoin d'un bout de scotch, il me suffisait de couper entre les poignées. Je fis cela pendant plusieurs semaines.

Un an plus tard, je retournai au Claridge's. On me fit visiter une chambre. Une belle chambre, mais qui avait une particularité : quelqu'un avait accroché des bouts de scotch aux tiroirs du bureau, dans un angle.

Ils s'en étaient souvenus ! J'en fus flatté, mais j'essayai d'imaginer ce que le personnel avait bien pu imaginer. Qui sait pourquoi ce type aime ça ? Le fait est qu'il scotche toujours les tiroirs de son bureau. Veillons donc à ce qu'ils soient scotchés à son arrivée. C'est M. Crichton qui sera content !

Voilà l'inconvénient des théories. L'observation originale n'était pas fausse, mais la conclusion qu'ils en avaient tirée était mauvaise.

Éviter toutes les théories et se contenter de voir – de faire une expérience directe – requiert des efforts considérables. Mais, pendant un temps, l'expérience subjective pourrait bien profiter d'une petite liberté avant qu'on essaie de la fourrer de force dans la camisole des concepts.

Parfois, il vaut mieux attendre et regarder.

C'est étonnant ce qu'on peut apprendre ainsi.

Les expériences que je rapporte dans ce livre sont à la portée de tous : je crois que quiconque le désire peut les reproduire.

Je suis allé en Afrique. Qu'est-ce qui vous empêche d'y aller ? Peut-être avez-vous des problèmes de temps ou d'argent, mais tout le monde a ses problèmes. Pour peu que vous en ayez assez envie, vous pouvez aller où ça vous chante.

S'agissant des voyages intérieurs, je crois exactement la même chose. Vous n'êtes pas obligé de me prendre au mot quand je vous parle des chakras, de l'énergie qui guérit ou des auras. Vous pouvez découvrir tout ça par vous-même si le cœur vous en dit. Ne me croyez pas sur parole. Soyez aussi sceptique qu'il vous plaira.

Faites vous-même l'expérience.

J'ai beaucoup d'amis qui ont une formation scientifique, et qui m'acceptent avec une tolérance amusée. Ils m'aiment bien, malgré mes idées. Mais j'ai appris à ne plus débattre avec eux. À moins d'être disposé à faire soi-même l'expérience de ces choses, même un phénomène aussi prosaïque que la méditation paraît fantastique et absurde. À mon sens, ces hommes de science sont exactement comme ces indigènes de Nouvelle-Guinée qui ne veulent pas croire aux oiseaux de métal qui transportent des gens dans le ciel. Comment discuter avec eux ? S'ils refusent d'aller à l'aéroport et de s'en assurer par eux-mêmes, aucune discussion n'est réellement possible.

Et naturellement, s'ils y vont, aucune discussion n'est nécessaire. Alors, au bout du compte, c'est à vous de voir.

Il ne manque pas de gens susceptibles de vous aider dans ces explorations intérieures. On pourrait les considérer comme des agents de voyage intérieur. Beaucoup proposent des voyages organisés d'une journée, d'un week-end ou de deux semaines. Comme tous les agents de voyages, certains font de l'esbroufe, d'autres sont discrets ; d'aucuns attirent des célébrités et des stars médiatiques, d'autres des professionnels de la santé, d'autres encore des malades. Certains sont des imposteurs qui vous trompent sur la marchandise. Les uns sont vaporeux et imprévisibles, les autres exigeants et cérémonieux, ou bien encore ouverts et directs. Il y a des intellectuels, et d'autres qui marchent à l'émotion, des esprits rationnels et des esprits religieux.

Il y a quantité de voyages à faire. Il est même possible de devenir un groupie, un habitué des conférences qui court d'un séminaire à l'autre, un Bel Être Évolué qui donne la nausée à son entourage.

Vous vous demandez peut-être comment trouver la personne, le groupe ou la conférence qui vous conviendra. Regardez autour de vous, vous trouverez bien quelque chose. Et si ça ne vous convient pas, continuez jusqu'à ce que vous ayez déniché ce que vous souhaitez. Je me garderai bien de recommander qui ou quoi que ce soit. Mais je vais vous faire part de mes préjugés en matière de voyage intérieur :

1. Prudence dès que quelqu'un laisse entendre qu'il a la réponse. Les vraies gâchettes évitent toujours de dégainer. Il en va de même avec les gourous. De toute façon, personne d'autre que vous n'a la réponse qui vous convient.

2. Prudence dès que quelqu'un cherche à faire des prosélytes. Le plus souvent, le développement personnel n'est associé que temporairement à tel ou tel groupe en particulier.

3. Prudence dès que quelqu'un semble en avoir après votre argent.

4. Attendez des résultats. Personne n'a d'illumination sur un claquement de doigts, mais si vous n'avez aucun résultat, changez de méthodes. N'ayez pas peur de multiplier les expériences : personne d'autre que vous n'a la réponse.

5. Fiez-vous à vos instincts. Si vous êtes bien, ne laissez pas les autres vous décourager. Si ça sent le roussi, tirez-vous !

J'en suis arrivé à une vision assez naïve de tout cela. Par nature, l'homme résiste au changement. Nous entrons tous dans des modèles, nous prenons tous des habitudes qui finissent par limiter notre horizon, mais dont nous avons le plus grand mal à nous défaire. Rilke a résumé ce problème avec une grande simplicité :

Qui que tu sois : quand vient le soir,
sors de ta chambre où tu sais tout ;
au bord de l'horizon ta demeure est l'ultime [1]...

1. Trad. J. Legrand, *in* R. M. Rilke, *Œuvres 2. Poésie*, Paris, Éd. du Seuil, 1972, p. 133. (*N.d.T.*)

Post-scriptum :
les sceptiques de Cal Tech

C'est au printemps 1987 que j'ai fait la connaissance de Paul MacCready, le spirituel et charmant ingénieur de l'aéronautique qui, en 1977, a mis au point le *Gossamer Condor*, réalisant ainsi l'un des rêves les plus anciens de l'humanité : le premier avion à traverser la Manche grâce à la seule énergie de l'homme. Il a aussi réalisé un avion à énergie solaire.

Au cours de notre conversation, Paul se mit à dénigrer les voyants, ceux qui prétendent être capables de voir des auras. De son point de vue, ces gens-là étaient au mieux des dupes, au pire des charlatans.

Je dis mon désaccord, et s'ensuivit une discussion au cours de laquelle Paul me confia qu'il était membre actif du cercle du CSICOP, à Pasadena.

Le CSICOP, ou Comité pour l'étude scientifique des phénomènes dits paranormaux, a été fondé en 1976 par un groupe de philosophes, de psychologues, de scientifiques et de magiciens éminents. Dans sa revue trimestrielle, *The Skeptical Inquirer,* le CSICOP a réussi avec un grand succès à démolir les prétentions des phénomènes « paranormaux ». Il y avait des cercles du CSICOP dans tout le pays, et celui de Pasadena, qui comptait de nombreux enseignants de Cal Tech, était particulièrement actif. MacCready pensait que je devrais prendre la parole devant ce groupe.

J'acceptai tout de suite. Je me disais que ce serait une expérience intéressante, tant pour moi que pour mon auditoire. Paul promit de me faire inviter. Je m'en allai préparer mon intervention.

Comme je savais fort peu de choses des travaux du CSICOP, je commençai par lire un recueil d'essais du *Skeptical Inquirer* publié sous le titre *La science face au paranormal*[1]. Nombre de ces essais ne présentaient aucun intérêt pour moi ; ils démontaient des phénomènes comme les biorythmes, la chiromancie, l'astrologie, les OVNI et le triangle des Bermudes, auxquels, de toute façon, je ne croyais pas. D'autres essais, par exemple la critique des équipées à la recherche du monstre du Loch Ness[2], ne me semblaient guère plus intéressants parce que sans implications philosophiques ou intellectuelles.

Mais plusieurs essais m'indisposèrent par le ton péremptoire de nombreux auteurs que j'admirais ; ils avaient tendance à soupçonner leurs adversaires des mobiles les plus vils. En fait, de part et d'autre, semblait régner une vive animosité personnelle. On n'hésitait pas à traiter l'autre camp de tous les noms d'oiseaux. Par exemple, évoquant les prétendues similitudes entre la physique et la mystique orientale esquissées par des auteurs comme Fritjof Capra, Isaac Asimov observait :

> ... Si l'intuition a autant d'importance pour le monde que la raison, et si les sages orientaux sont aussi informés sur l'univers que les physiciens, pourquoi ne pas prendre les choses à l'envers ? Pourquoi ne pas puiser dans la sagesse de l'Orient la clé de quelques-unes des questions en suspens de la physique ? Par exemple, quelle est la composante élémentaire des particules subatomiques auxquelles les physiciens donnent le nom de quark ?...

Et Asimov de conclure :

> Quelle sottise que cette soi-disant vérité d'intuition ! Quel spectacle comique que les génuflexions que font devant elle les esprits rationnels dont les nerfs ont lâché.
>
> Non, ce n'est pas vraiment comique ; c'est tragique. L'histoire a connu au moins un autre épisode de ce genre, lorsque la pensée laïque et rationnelle des Grecs s'est inclinée devant les mystères du christianisme. Ce qui nous a conduits au Moyen Age.
>
> On ne peut pas s'en permettre un autre[3].

En lisant ces propos véhéments, je commençai à soupçonner que, pour le CSICOP, l'enjeu était loin de se limiter à l'évaluation sereine

1. Kendrick Frazier, éd., *Science Confronts the Paranormal*, Buffalo, N.Y., Prometheus, 1986.
2. R. Razadan et Alan Kielar, « Sonar and Photographic Searches for the Loch Ness Monster : A Reassessment », *in* Frazier, *op. cit.*, p. 349-357.
3. Isaac Asimov, « Science and the Mountain Peak », *ibid.*, p. 299.

de données contestables. Asimov lui-même avait implicitement opposé la science et la religion, considérées comme des visions du monde contradictoires. Cela ouvrait naturellement la porte à la possibilité que la science fût une religion – hérésie que peu d'hommes de science accepteraient. Reste que, en passant en revue les essais du CSICOP, je commençai à me dire que la science défendait sa suprématie contre les menaces d'autres formes de perception.

Si je prenais la parole devant le cercle de Pasadena, je me ferais tailler en pièces.

D'emblée, je mis les choses au clair : je ne comptais pas les faire changer d'avis par ce que j'allais dire. Ce soir, à Pasadena, mon intention n'était aucunement de convaincre quiconque de quoi que ce soit.

Je croyais à la validité de certains phénomènes psychiques, ce qui n'était pas le cas, je le savais, de la plupart de mes auditeurs. Plutôt que d'en débattre en détail, je suggérai qu'on pouvait au moins s'accorder là-dessus : l'histoire finirait par nous départager. Ou c'était moi qui me fourvoyais, ou c'étaient eux qui faisaient fausse route. Nous pouvions tous attendre avec confiance que ce problème trouve sa solution ultime.

En attendant, je souhaitais faire part à ce groupe de quelques-unes des expériences qui m'avaient conduit à modifier mes vues et essayer d'expliquer comment je voyais les choses désormais. Parce que la vraie question, telle qu'elle m'apparaissait, allait bien au-delà de la question relativement étroite des phénomènes « paranormaux ». Elle touchait à la position intellectuelle fondamentale de la science en cette fin de siècle.

Je posai alors une série de questions : Y avait-il quelqu'un, dans cette salle, qui s'était fait retirer les amygdales et les végétations ? Quelqu'un avait-il subi une mastectomie pour cause de cancer du sein ? Quelqu'un avait-il séjourné en unité de soins intensifs ? Quelqu'un avait-il eu droit à un pontage coronarien ? Beaucoup de personnes, naturellement, avaient subi l'une ou l'autre de ces opérations.

Vous êtes donc tous bien placés, continuai-je, pour savoir ce qu'il en est des superstitions, parce que toutes ces pratiques sont autant d'exemples de démarche superstitieuse. Ces actes sont accomplis sans preuve scientifique de leur bénéfice. Cette société consacre chaque année des milliards de dollars à des pratiques médicales superstitieuses. C'est là un problème et des dépenses autrement plus importants que la rubrique astrologique dans la presse, que les têtes pensantes du CSICOP dénoncent avec tant de vigueur.

Et j'ajoutai : Ne vous hâtez pas trop de nier la force de la superstition dans nos vies. Lequel d'entre nous, victime d'une crise cardiaque, refuserait d'être traité dans une unité de soins intensifs sous prétexte que la valeur de ces unités n'a pas été démontrée ? Nous serions tous partants. Nous le sommes tous.

J'évoquai ensuite les nombreux cas de tricherie dans la recherche scientifique. Isaac Newton a sans doute truqué ses données [1] ; Gregori Mendel, le père des lois mendéliennes de l'hérédité, a certainement triché [2]. Le mathématicien italien Lazzarini a inventé de toutes pièces une expérience censée déterminer la valeur de pi, et ses résultats ont été acceptés sans autre forme de procès pendant plus d'un demi-siècle [3]. Non content d'inventer ses données, le psychologue britannique sir Cyril Burt s'est prêté des assistants imaginaires pour les recueillir [4]. Plus près de nous, William T. Summerlin, de Sloan-Kettering, le Dr John Long et le Dr John Darsee, tous deux de la Harvard Medical School, ont tous été mis en cause dans des affaires de fraude, tout comme une équipe de chercheurs du Dana Farer Cancer Institute, le Dr Robert Slutsky de l'UCSD Medical School, le Dr Jeffrey Borer de Cornell University, ou Stephen Breuning, de l'University of Pittsburgh. La plupart de ces affaires concernent la médecine et la biologie, mais on pourrait en citer aussi bien en d'autres domaines ; trois articles du *Journal of the American Chemical Society* ont été dernièrement retirés dans le cadre d'une affaire litigieuse. L'enquête suit son cours. Même si on en ignore l'ampleur, je rappelai au groupe que l'existence de la fraude est indéniable dans les sciences. On ne saurait donc arguer de pratiques frauduleuses dans un domaine pour disqualifier tout un champ d'investigation.

Je rappelai ensuite que la science ne progresse pas de manière exclusivement rationnelle ni autrement que les autres champs d'activité humaine tels que les affaires ou le commerce. « Une nouvelle vérité scientifique, expliquait Max Planck, prix Nobel de physique, ne triomphe pas en emportant la conviction de ses adversaires et en leur faisant voir la lumière, mais plutôt parce que ses adversaires finissent par mourir et que cette vérité est familière à la nouvelle génération qui monte. »

---

1. Voir Richard S. Westfall, « Newton and the Fudge Factor », *Science*, n° 179, 1973, p. 751-758. Pour une étude en profondeur du large éventail des préoccupations de Newton, de l'alchimie à l'Ancien Testament, voir la biographie définitive de Westfall, *Never at Rest*, Cambridge, Cambridge University Press, 1981.
2. R. A. Fisher, « Has Mendel's Work Been Rediscovered ? », *Annals of Science*, n° 1, 1936, p. 115-124.
3. Norman T. Gridgeman, « Geometric Probability and the Number Pi », *Scripta Mathematica*, n° 15, novembre 1970, p. 183 *sq*.
4. Voir L. S. Hearnshaw, *Cyril Burt, Psychologist*, Ithaca, N.Y., Cornell University Press, 1979.

Je leur rappelai que, de tout temps, les hommes de science avaient eu tendance à penser qu'ils avaient enfin le dernier mot. Le baron Georges Cuvier – l'un des hommes les plus brillants et les plus influents de son époque – affirma par exemple en 1812 qu'on ne pouvait guère espérer découvrir de nouvelles espèces de grands quadrupèdes. Malheureusement pour notre anatomiste, il tint ces propos avant la découverte de l'ours kodiak, du gorille de montagne, de l'okapi, du tapir à dos blanc, du dragon de Komodo, de la gazelle de Grant, du zèbre de Grevy, de l'hippopotame nain et du panda géant pour ne citer qu'un petit nombre de grands quadrupèdes. À chaque génération ou presque, des physiciens ont pareillement prétendu à un savoir quasi complet, et invariablement l'histoire leur a donné tort.

Je leur rappelai les échecs passés de la science qui n'avait pas su reconnaître, en leur temps, des découvertes légitimes. Lorsque J.J. Thomson mesura en 1899 la masse et la charge de l'électron, nombre de ses collègues crièrent à l'imposture ou à la sottise, tant était notoire sa maladresse dans le maniement des appareils [1]. Lorsque Carl Anderson, de Cal Tech, a découvert le positron, en 1932, Bohr et Rutherford ont tous deux crié au délire [2]. Et la théorie de la dérive des continents, exposée par Alfred Wegener en 1922 : elle aurait dû paraître évidente à quiconque examinait une carte du monde et voyait comment les continents s'ajustaient les uns aux autres. Or il a fallu quarante ans aux géologues pour venir à bout de l'opposition à cette théorie d'hommes aussi éminents que Harold Jeffreys et Maurice Ewing.

Je leur rappelai que le progrès scientifique suit un rythme très variable. La théorie newtonienne de la gravitation demeura incontestée pendant plus de deux cents ans, jusqu'au jour où l'on s'aperçut qu'elle était infirmée par la précession de la planète Mercure [3]. Inversement, l'hypnose a sombré deux siècles durant dans le discrédit après qu'un jury d'hommes de science éminents, dont Benjamin Franklin et Lavoisier, réuni à Paris eut décrété sans valeur le mesmérisme ; aujourd'hui, pourtant, on ne saurait douter de l'authenticité

1. Emilio Segre, *From X-Rays to Quarks ; Modern Physicists and Their Discoveries*, San Francisco, Freeman, 1980, p. 16-19.

2. Daniel J. Kevles, *The Physicists*, New York, Knopf, 1977, p. 233.

3. On objectera peut-être qu'« infirmer », en l'occurrence, est trop fort, que la précession de Mercure a simplement conduit à modifier la mécanique newtonienne ou à conclure que la théorie de Newton n'était qu'une approximation. Mais ce n'est qu'une façon de noyer le poisson. Dire que la théorie de la relativité énoncée par Einstein « modifie » la mécanique newtonienne, c'est faire passer la bombe atomique pour une « modification » de la poudre à canon. Pour une analyse subtile du profond malaise intellectuel provoqué par l'effondrement de la mécanique newtonienne, voir J. Bronowski, *The Common Sense of Science*, Cambridge, Mass., Harvard University Press, 1978.

de l'hypnose, par ailleurs largement pratiquée. Le rythme des progrès en un domaine n'est donc pas un indicateur de validité.

Puis je fis observer que la science est sujette à des modes et à des caprices qui affectent les hommes de science à tous les niveaux. Il était parfaitement acceptable que des dizaines de scientifiques, parmi les plus éminents du monde, proposent que notre société s'engage dans une coûteuse recherche de la vie extraterrestre [1], alors même que l'étude de la vie extraterrestre, pour reprendre la formule du paléontologue George Gaylord Simpson, est une « étude sans sujet [2] ». La croyance en une vie extraterrestre est une spéculation impossible à distinguer de la foi pure. Peu, voire aucun, de ces hommes de science de renom apposeraient leur nom sur un projet d'étude des phénomènes psychiques, parce que le paranormal n'est pas aussi à la mode que les extraterrestres. Or on peut plaider qu'il y a davantage de preuves des phénomènes psychiques que des extraterrestres.

Je disais donc que, de la position qui était la mienne, l'entreprise scientifique ne semblait pas si différente des autres entreprises humaines, avec son lot de superstition institutionnalisée, de fraude, de faux pas et d'erreurs, de conservatisme et de franche obstination, mais aussi d'engouements. « Les scientifiques, observait Marcello Truzzi, ancien rédacteur en chef de la revue du CSICOP, ne sont pas les parangons de rationalité, d'objectivité, d'ouverture d'esprit et d'humilité dont nombre d'entre eux voudraient donner l'image aux autres [3]. »

Je rappelai tout cela, non pas afin de discréditer la science, mais pour placer ses interventions dans une perspective plus réaliste face aux phénomènes non acceptés.

Je déclarai que je souhaitais aborder maintenant l'une des pierres d'achoppement les plus difficiles dans l'approche scientifique des phénomènes contestés. Dans bien des cas, comme celui de l'activité dite psychique, les chercheurs s'insurgeaient contre les « praticiens » lorsque ceux-ci expliquaient qu'ils ne pouvaient garantir des résultats à la demande, que ça ne marchait pas en laboratoire, qu'ils étaient gênés par les sceptiques qui fronçaient les sourcils, etc. Apparemment, les praticiens définissaient un « état dépendance ». Ils devaient

1. Carl Sagan, « Extraterrestrial Intelligence : An International Petition », *Science*, n° 218, 1982, p. 426.
2. G. G. Simpson, « The Non Prevalence of Humanoids », *Science*, n° 143, 1965, p. 769-775.
3. Marcello Truzzi, « On the Reception of Unconventionnal Scientific Claims », *in* Seymour H. Mauskopf, éd., *The Reception of Unconventionnal Science*, AAAS Selected Symposium 25, Boulder, Col., Westview Press, 1979, p. 130.

être dans des « humeurs » propices, et il suffisait d'un rien pour tout gâcher. Traditionnellement, les scientifiques avaient du mal à admettre cette position. Ils avaient du mal à admettre les états mystiques, les états méditatifs et les états de transe.

Pourtant, tout le monde a une connaissance de première main d'activités pour lesquelles il faut être « d'humeur » : les rapports sexuels, par exemple, qui requièrent une lubrification chez la femme, une érection chez l'homme. Le travail de création est une autre activité « état dépendance » qu'on ne saurait promettre d'accomplir à la demande. L'immense littérature consacrée aux « muses qu'on courtise » l'atteste.

On sait, par des confessions subjectives comme par son expérience personnelle, que ces phénomènes d' « état dépendance » s'accompagnent d'un changement de la conscience. Il peut s'agir d'un changement perçu ou réel touchant l'énergie et la concentration, mais aussi d'un changement dans la perception du temps, et ainsi de suite. Ces changements varient de jour en jour, d'une personne à l'autre, et d'une expérience à l'autre pour une même personne. Du fait de la nature éminemment variable des expériences et de leur subjectivité, ces phénomènes d'« état dépendance » posent un problème épineux à la recherche scientifique.

Je serais tenté de dire que l'étude scientifique de la créativité n'a pas été plus heureuse depuis un siècle que l'étude scientifique de l'activité psychique, et ce largement pour les mêmes raisons. Pourtant, il ne viendrait à l'idée de personne de nier l'existence de la créativité. Elle est simplement trop difficile à étudier.

Les hommes de science sceptiques font souvent valoir, comme Carl Sagan, que les merveilles de la vraie science dépassent de beaucoup les prétendues merveilles de la science limitrophe. Je crois possible d'inverser la proposition et d'affirmer que les prodiges de la conscience réelle dépassent de beaucoup les limites de ce qui peut exister suivant la science traditionnelle. Un exemple. Imaginez que je vous aie raconté cette petite histoire : un groupe de géants vous tombent dessus à bras raccourcis, tandis que vous êtes censé lancer un ballon à soixante-dix mètres en direction d'une cible d'un mètre que vous n'avez pas le temps de voir avant d'être plaqué au sol et réduit en charpie. Je doute qu'une seule personne présente dans cette salle puisse le faire, ou même ait assez d'audace pour tenter le coup. Or tous les dimanches après-midi vous pouvez suivre cet improbable spectacle à la télévision. Pendant la saison de football.

Le changement de conscience nécessaire pour exécuter une passe au-delà de la ligne de mêlée, dans le football américain, est pour nous une chose familière, partant qui n'a rien de remarquable. Mais au moins suggère-t-elle que d'autres changements orientés de la conscience, venant d'autres cultures et d'autres traditions, peuvent aussi donner des résultats surprenants.

J'ai tenté plus haut de répondre de manière informelle à quelques-unes des objections scientifiques aux prétendus phénomènes paranormaux. Il est vrai que nombre de ces croyances relèvent de la superstition, mais c'est aussi le cas de nombreuses croyances du monde plus scientifique, comme de la médecine « high-tech ».

Il est vrai que nombre de praticiens sont des fumistes, tout comme une partie des scientifiques sont des imposteurs.

Il est vrai que la recherche paranormale progresse lentement, mais c'est aussi le cas de nombreux domaines scientifiques, en particulier lorsqu'ils manquent de crédits.

Il est vrai que certains phénomènes paranormaux semblent être « états dépendances » et liés à la conscience, mais cela est également vrai de quantité de phénomènes quotidiens qui débouchent sur des merveilles aussi ordinaires qu'une nouvelle peinture ou une passe en touche un dimanche.

À mon sens, donc, aucun de ces griefs scientifiques traditionnels au sujet du paranormal ne paraît justifier qu'on écarte ce domaine du champ des études légitimes. En y regardant de plus près, je vois trois autres raisons qui sont des bases de rejet beaucoup plus solides.

La première est le malaise quasi religieux dans lequel ces phénomènes plongent un scientifique pur et dur. Au début de ce siècle, c'est la question des phénomènes occultes qui sonna le glas de l'amitié de Freud et de Jung[1] ; à la différence de Freud, Jung ne dissimulait pas son intérêt pour le paranormal[2]. « Mon cher fils, avait écrit Freud à Jung avant la rupture, gardez la tête froide, parce que mieux vaut ne pas comprendre quelque chose dont la compréhension exige d'aussi grands sacrifices[3]. » Et l'intérêt passionné de Jung pour l'astrologie, qu'il étudiait non pas comme une réalité physique mais comme une projection psychologique, inspira à Freud cette réaction : « Je promets de croire tout ce qu'on peut faire paraître raisonnable. Je ne le ferai pas de gaieté de cœur[4]... »

1. Voir C. G. Jung, *Memories, Dreams, Reflections*, Londres, Collins and Routledge & Kegan Paul, 1963 ; *Ma vie. Souvenirs, rêves et pensées*, Paris, Gallimard, 1966 ; éd. revue et augmentée, 1973.

2. En fait, Jung avait consacré sa thèse de doctorat à l'occulte, « On the Psychology and Pathology of So-Called Occult Phenomena », *in* C. G. Jung, *Psychology and the Occult*, Princeton, Bollingen Series, XX, 1977, p. 6-91.

3. Cité *in* C. G. Jung, *Psychology*, p. VII.

4. *Ibid.*, p. IX.

La question est : pourquoi pas ? De quelle nature était la réticence de Freud ? Lui-même n'eut aucune hésitation à étudier l'art et la mythologie. Mais l'occulte le mettait mal à l'aise d'une façon évidente, bien qu'il soit difficile de l'identifier avec précision. On ne saurait soutenir que ce malaise a des origines fondamentalement religieuses – des origines si profondes qu'on ne peut remonter jusqu'à elles qu'au prix d'un long raisonnement, qui n'a pas sa place ici.

En outre, les phénomènes paranormaux provoquent un malaise apparenté, au cœur duquel on retrouve un préjugé intellectuel. Je me hasarderais à dire que, dans l'assemblée de ce soir, tout le monde ou presque a un diplôme d'études supérieures. Nous avons tous suivi une longue formation, nous sommes tous rompus à la pensée linéaire, rationnelle. On nous à appris à apprécier cette pensée et ses produits. Aussi est-ce avec une gêne tangible que nous découvrons le rayon occultisme dans les librairies, où l'on trouve des publications de toutes sortes d'analphabètes et d'autodidactes. Ces gens-là ne partagent ni nos systèmes de pensée ni nos formes d'expression, et nous avons l'impression de déchoir si nous prenons ces ouvrages en considération.

Que nous le voulions ou non, quiconque a suivi une formation universitaire respecte certains critères dans le choix des références qu'il citera dans ses écrits, partant, dans le choix des sujets qu'il abordera. Ces critères, de mon point de vue, sont l'expression d'un solide préjugé qui a coloré toute l'approche académique officielle du paranormal, de même que la réputation douteuse de Mesmer a affecté l'appréciation de ses thèses sur l'hypnotisme.

La troisième raison de la répugnance des scientifiques à se pencher sur les phénomènes paranormaux est que ceux-ci semblent contredire les lois physiques connues. À quoi bon étudier l'impossible ? Seul un imbécile perdrait son temps à cela. On ne saurait surestimer ce problème des données qui contredisent la théorie acceptée. L'astronome Arthur Eddington disait un jour qu'il ne faut jamais croire aucune expérience tant qu'elle n'a pas été confirmée par la théorie, mais ce trait d'humour possède une indéniable vérité.

De fait, l'histoire des sciences confirme cette primauté de la théorie. « Charles Darwin, observe Bronowski, n'a pas inventé la théorie de l'évolution, qui était connue de son grand-père. Ce qu'il a pensé, c'est le mécanisme, le mécanisme de la sélection naturelle... Du jour où Darwin exposa ce mécanisme, tout le monde accepta la théorie de l'évolution ; et lui donner le nom de théorie darwinienne parut être la chose la plus naturelle du monde [1]. »

Autrement dit les éléments confortant l'idée de l'évolution – les fos-

1. J. Bronowski, *op. cit.*, p. 61.

siles, par exemple – étaient connus de longue date ; ce qui faisait défaut, c'était une théorie convaincante pour les expliquer. Du jour où Darwin apporta la théorie, on accepta les données.

J'en viens aux phénomènes dits psychiques, comme la voyance, la télépathie et la psychokinésie. En apparence, ce sont tous des phénomènes que contredit la théorie physique. À tout le moins, on n'a pas sous la main de théorie qui permette d'en rendre compte. À mon sens, c'est là une raison capitale de la propension à nier les données qui pourraient les confirmer.

Quelles données ? demanderez-vous. Beaucoup de scientifiques vont jusqu'à en nier l'existence même. Il n'y aurait pas d'incident ni d'événement convenablement documenté et contrôlé, et donc non sujet à la fraude et à l'imposture.

Il n'en reste pas moins qu'il existe bel et bien des sujets dûment étudiés qui semblent défier l'explication scientifique : je pense en particulier à la célèbre médium du siècle dernier, Mme Piper, dont William James, professeur de psychologie à Harvard, se fit le champion. Mme Piper fut soumise à une étude intensive pendant près d'un quart de siècle sans qu'aucun sceptique n'ait jamais pu faire la preuve de la fraude ou de l'imposture.

On n'en continua pas moins à crier à la supercherie. « Le " scientifique " qui est ici convaincu de la " supercherie ", écrivit James, visiblement irrité, doit se souvenir que, dans la science non moins que dans la vie ordinaire, une hypothèse doit faire l'objet d'une spécification et d'une détermination positives avant qu'on puisse en discuter avec profit ; et une supercherie qui n'est pas dûment identifiée, mais qui reste simplement une " supercherie " en général, une supercherie *in abstracto*, ne saurait guère passer pour une explication spécifiquement scientifique de faits concrets spécifiques [1]. »

Et aux autres scientifiques qui persistaient à invoquer une imposture qui n'aurait pas encore été démasquée, James répliqua : « Dans l'étude de la nature, il n'y a pas, je crois, de source de tromperie qui puisse se comparer à la certitude figée que certains types de phénomènes sont *impossibles* [2]. »

Au-delà de la question spécifique – tel ou tel phénomène isolé comme la voyance, la télépathie ou la vision d'auras se produit-il vraiment ? –, il y a un problème plus large qui concerne toute la science des temps modernes. Je fais allusion à une certaine fixité de

1. William James, « Review of " A Further Record of Observations of Certain Phenomena of Trance " by Richard Hodgson (1898) », *in* William James, *Essays in Psychical Research*, Cambridge, Mass., Harvard University Press, 1986, p. 189.

2. Lettre à Carl Stumpf, *in The Letters of William James*, éd. Henry James, Cambridge, Mass., Harvard University Press, 1920, vol. 1, p. 248.

point de vue dans la communauté scientifique, à une propension à confondre les théories scientifiques contemporaines avec la réalité sous-jacente elle-même.

Jacob Bronowski, l'un des commentateurs les plus éloquents du commerce entre la science et les autres activités humaines, n'a cessé de nous rappeler que les théories scientifiques sont une fiction. « La science, comme l'art, n'est pas une copie de la nature, mais une recréation [1]. » Elle présente une image du monde, qu'il faut se garder de confondre avec la réalité sous-jacente elle-même.

Or nous avons tous tendance à confondre nos fictions avec la réalité. La plupart d'entre nous, j'imagine, ont dû jeter un coup d'œil par les hublots en survolant les États-Unis et ont eu la surprise de ne pas voir entre les États les lignes qui figurent sur les cartes. Je me souviens moi-même du choc que j'ai reçu la première fois que j'ai observé un tissu humain vivant au microscope : il était incolore ! Je m'attendais à voir des cellules roses avec des noyaux pourpres. Or ces couleurs sont des artefacts venant de colorants microscopiques. Les cellules réelles n'ont pas de couleur.

Bien sûr que je savais à quoi m'en tenir, de même que nous savons tous qu'il n'y a pas de lignes de démarcation entre les États. Mais on oublie. Et, en fait, on oublie avec une surprenante facilité.

Je suis un enfant du XXe siècle, élevé dans la tradition rationnelle et scientifique de l'Occident. J'ai grandi dans l'idée que la vision scientifique du monde était la seule correcte, et que toutes les autres n'étaient que pure superstition. J'étais d'accord avec Bertrand Russell quand il disait : « Ce que la science ne peut nous dire, l'humanité ne saurait le savoir. »

J'ai eu peu d'expériences formelles qui démentaient ce point de vue. Mais mes expériences ultérieures ont eu raison de cette perspective scientifico-rationnelle. Je persiste à juger utile le point de vue scientifique et, le plus clair du temps, je m'en satisfais. Mais je tiens aujourd'hui que la science nous offre un modèle de la réalité arbitraire et limité.

Parce que la réalité est toujours plus grande – beaucoup plus grande – que ce que nous savons, que ce que nous pouvons en dire.

Voyons un peu pourquoi à l'aide d'une petite expérience mentale toute simple.

Pensez à quelqu'un que vous connaissez bien.

Faites maintenant un énoncé descriptif correct à son sujet.

Georges est un homme d'humeur égale.

---

1. J. Bronowski, *Science and Human Values*, New York, Harper & Row, 1956, p. 20.

Arrêtons-nous sur cette proposition. Est-elle vraiment correcte ? Il y a toute chance, en y réfléchissant, que vous reviennent en mémoire les circonstances où Georges a perdu son calme, où quelque chose l'a bouleversé, où quelque raison l'a mis de mauvaise humeur. Vous penserez forcément à des exceptions.

Force vous est donc d'admettre que l'énoncé n'est pas tout à fait exact. Vous pourriez le modifier et dire, *Georges est souvent un homme d'humeur égale*, mais c'est un peu une dérobade. Ce mot « souvent » n'est jamais qu'une façon de dire que tantôt le constat est juste, tantôt il ne l'est pas. Et puisqu'il n'indique pas à quel moment ce n'est pas vrai, il n'est pas très utile.

Il faut donc être plus explicite, plus complet.

Georges est habituellement un homme d'humeur égale, sauf le lundi, lorsque son équipe de football favorite a perdu la veille, ou lorsque il s'est chamaillé avec sa femme, ou lorsqu'il est fatigué et qu'il devient capricieux – généralement en fin de semaine – mais pas toujours – ou quand son patron lui en fait voir de vertes et de pas mûres, ou quand il doit récrire une note, ou quand il doit quitter la ville... ou quand... ou quand...

Bien vite, votre proposition descriptive tourne à l'essai. Et encore n'aurez-vous pas fait le tour de tout ce que vous savez. Ce n'est toujours pas complet. Vous pourriez noircir des pages et des pages et vous n'en auriez pas encore fini. En fait, il est vain d'essayer de faire un énoncé complet sur l'inconstance de Georges ! C'est un sujet trop compliqué. L'échec est couru d'avance.

Recommençons à zéro.

Faisons un autre énoncé.

Georges est un homme soigné et ordonné.

C'est vrai. Incontestable, pensez-vous. Il est toujours bien habillé et son bureau est toujours parfaitement rangé.

Mais avez-vous jamais vu son établi, au garage ? Quel foutoir ! Il y a des outils qui traînent dans tous les coins. Son épouse passe son temps à remettre de l'ordre sur son passage. Et le coffre de sa voiture ? Vous l'avez-vu le coffre de sa voiture ? Un bazar innommable dans lequel il ne prend jamais la peine de mettre de l'ordre.

Georges est habituellement un homme soigné et ordonné.

Mais vous voyez bien, maintenant, où cette modification va vous mener : à un nouvel essai !

Faisons une autre proposition, à la fois précise et complète.

Georges a les cheveux gris.

C'est un fait, pensez-vous. Il a les cheveux gris... et ce n'est pas la peine de couper les cheveux en quatre.

Naturellement, tous ses cheveux ne sont pas gris. La plupart, oui, surtout autour des tempes et dans la nuque. Il y a là quelque simplification, mais ce n'est pas contestable.

Mais si Georges a aujourd'hui les cheveux gris, ce n'était pas le cas voici quelques années. Et dans le futur, il ne les aura plus gris, mais blancs. Cette description n'est donc juste que dans l'instant, à ce moment précis. Elle n'a pas une valeur universelle, invariante.

Essayons encore.

Georges mesure un mètre quatre-vingt-trois.

Encore une fois, c'est exact, dans les limites de la mesure. Probablement ne mesure-t-il pas exactement un mètre quatre-vingt-trois. Probablement entre quatre-vingt et quatre-vingt-trois. Et, naturellement, il n'a pas toujours été aussi grand. Autrefois, il était beaucoup plus petit. Là aussi, ce n'est qu'une approximation.

Georges est un homme.

Eh bien, oui. Mais « homme » est un mot un peu vague. Si on va au fond des choses, c'est en fait un mot culturellement déterminé. À la naissance, on ne le considérait pas comme un homme. Il faut avoir atteint un certain âge et acquis une certaine position dans la société pour être considéré comme un homme.

Et ainsi de suite.

Ce petit exercice appelle deux commentaires. Le premier, c'est qu'il n'est pas un seul énoncé qui ne puisse être contredit. Pourquoi cela ?

Parce que nos propositions sur Georges ne sont que des approximations, des simplifications. La personne que nous appelons Georges est réalité beaucoup plus compliquée que tout ce que nous pouvons dire de lui. Il est donc toujours possible de se référer à cette personne et de trouver en elle quelque chose qui contredit ce que nous venons de dire.

Le second point, c'est que les propositions les plus certaines sont aussi les moins intéressantes. On ne peut rien dire de complet sur ses humeurs, son sens de l'ordre ou la complexité de son comportement. Nous sommes sur un terrain beaucoup plus sûr lorsque nous décrivons les aspects les plus simples de son apparence physique : la couleur de ses cheveux, sa taille, son sexe, etc. À quelques réserves près, liées à d'éventuelles erreurs de mesure ou à des changements au fil du temps, nous pouvons être sûrs de ce que nous disons.

Mais ce ne saurait être un motif de fierté que pour un tailleur. Un motif légitime. Après avoir taillé quantité de costumes pour Georges, et ajusté son patron à chaque pièce, le tailleur pourrait bien lui en couper un autre en son absence. Lorsque Georges viendra l'essayer, il lui ira comme un gant.

C'est un triomphe de l'art de la mesure, mais les vêtements que Georges porte à merveille habillent une créature que le tailleur ne connaît peut-être aucunement. Qui ne l'intéresse pas. Les autres aspects de sa personnalité lui sont totalement indifférents. Ce n'est pas son boulot.

En revanche, ce qui nous intéresse, *nous*, ce ne sont pas ses mensurations, mais précisément les autres aspects dont, par définition, le tailleur n'a rien à faire. Il nous est beaucoup plus difficile de définir ceux-ci qu'au tailleur de donner ses mensurations.

Le tailleur peut faire son travail de description à la perfection, alors que nous, nous sommes bien en peine de le décrire vraiment.

Mais puisque le tailleur est si doué, qu'il a l'œil si aigu, que tout lui réussit si bien, pourquoi ne pas lui poser la question?

– Qui est Georges?

– Il fait du quarante-quatre, répondra le tailleur.

Et si nous protestons que cette réponse n'est pas vraiment satisfaisante, il répliquera avec assurance qu'il est sûr de son fait parce qu'il peut lui faire un costume qui lui ira comme un gant.

Tel est, au fond, le problème que pose la vision scientifique de la réalité. La science est une forme superlative du métier de tailleur, une méthode pour prendre des mesures qui décrivent quelque chose – la réalité – qui n'est pas forcément compréhensible le moins du monde.

Jusque-là, la science excelle. Elle a certainement produit des bénéfices considérables. Ce serait folie que de s'en détourner, d'en nier la validité.

Mais il est tout aussi absurde d'imaginer que la réalité tient dans ce « quarante-quatre ». Or c'est bien ce que semble avoir fait la société occidentale. Depuis des centaines d'années, la science a si bien réussi que nous sommes devenus une société de tailleurs. Le savoir du tailleur paraît tellement plus précis et puissant que celui des autres disciplines comme l'histoire, la psychologie, ou l'art.

Mais, au bout du compte, les créations de la science nous laissent avec un sentiment de vide exaspérant. On peut même soupçonner que la réalité est plus riche que ne nous le diront jamais les mesures.

Revenons au problème précédent: décrire un dénommé Georges. Dès qu'on s'est intéressé à autre chose qu'aux mensurations, on s'est aperçu qu'il est extrêmement difficile de faire la moindre proposition sur lui qui ne soit aussitôt contredite par d'autres propositions, tout aussi vraies.

On pourrait continuer à s'acharner sur ce problème, quêter sans relâche des propositions incontestables. Mais finalement, après avoir essuyé des échecs répétés, il est permis de se demander si on a quelque chance de réussir dans cette entreprise. La réalité de Georges ne cesse de se dérober à nous. Quoi qu'on dise, on se trompe.

À ce stade, quelqu'un qui intervient pour dire qu'« il n'est pas au pouvoir des mots de définir l'existence » ne paraîtra pas forcément si ésotérique que ça. Il semble que ce soit exactement ce que nous ayons découvert par nous-même. Or ce sont des propos sortis de la bouche de Lao-tseu, mystique chinois du ve siècle avant notre ère. Lao-tseu était formel sur ce point, répétant sans cesse : « l'existence étant infinie, gardons-nous de la définir ».

Mais si tel est le cas – si la réalité reste toujours insaisissable, rebelle à nos définitions, comme l'est Georges –, que faire ?

Sans franchir sa porte,
on connaît le monde entier.
Sans regarder par sa fenêtre,
on voit la voie du ciel.

Plus on voit loin
moins au connaît.

Lao-tseu prétend qu'il est nécessaire d'aller voir en soi, de s'en remettre au sens intérieur de la réalité, plutôt que de tourner son regard vers l'extérieur. Ce qui a tout l'air d'une critique de la recherche classique. Ailleurs, en fait, il est tout à fait explicite :

Quiconque renonce à l'étude
n'aura plus de soucis.
Quelle est la différence
entre le oui et le non ?
Quelle est la différence
entre la beauté et la laideur ?

Lao-tseu multiplie les déclarations de ce genre, qui semblent hostiles à la recherche, voire à la connaissance. Pourquoi pense-t-il ainsi ?

Tout le monde sait que la beauté est belle,
Voilà ce qui fait sa laideur.
Tout le monde sait que le bien est bien,
Voilà ce qui fait son imperfection.

L'être et le néant s'engendrent l'un l'autre.
Le facile et le difficile se parfont.

Le long et le court se forment l'un par l'autre.
Le haut et le bas se touchent.
La voix et le son s'harmonisent.
L'avant et l'après se suivent.
C'est pourquoi le saint adopte
la tactique du non-agir
et pratique l'enseignement sans parole.
Tous les êtres du monde surgissent
sans qu'il en soit l'auteur[1].

Il le dit vraiment. Ne pas faire de distinctions, parce que chaque définition définit simultanément son contraire, et que bien souvent le jeu des contraires est indivisible, de même que les notes se fondent pour faire de la musique. Qui approche le monde en opérant des distinctions ne pourra jamais démêler ses perceptions : bref, pour paraphraser Lao-tseu, le saint, le sage, accepte la vie telle qu'elle est, sans chercher à mesurer ou à toucher pour comprendre la source incommensurable et intangible de ses images...

L'attitude de Lao-tseu illustre une des façons de s'accommoder du fait que, quoi qu'on dise de la réalité, c'est inévitablement faux ou incomplet. Il faut accepter la vie dans sa totalité, sans chercher à comprendre.

Cette attitude est en un sens irrationnelle, certainement anti-intellectuelle. Mais c'est une autre perspective, claire et cohérente. Bien qu'elle ne soit sans doute pas au goût de tout le monde, nous sommes bien obligés d'admettre que voilà une solution authentique à un authentique problème.

Jacob Bronowski, en son temps, s'est donné la peine de s'adresser à un public essentiellement humaniste, de persuader ses auditeurs de prêter attention à la science en jetant des ponts entre la quête des humanistes et celle des hommes de science. Trente ans après, la balance penche dans l'autre sens. Aujourd'hui, me semble-t-il, c'est aux hommes de science qu'il faut rappeler les similitudes entre leurs activités et celles d'autres hommes, et surtout leur rappeler que la méthode rationnelle, scientifique, réductionniste n'est pas la seule voie d'accès à la vérité utile.

Car tel est, à mon sens, le préjugé le plus frappant des scientifiques que je connais. Dans un ouvrage récent, mon ami Marvin Minsky évoque les états mystiques dans des termes éminemment critiques. Il

1. Lao-tseu est ici cité dans la traduction de Liou Kia-hway relue par Etiemble, *in Philosophes taoïstes*, Bibliothèque de la Pléiade, Paris, Gallimard, 1980, p. 50, 22 et 4. (*N.d.T.*)

qualifie ces états de « sinistres » et parle des « victimes de ces incidents ». Il s'explique ainsi : « On ne peut obtenir de certitude que par amputation... Offrir l'hospitalité au paradoxe, c'est se pencher au-dessus du précipice. On peut savoir ce que c'est en y tombant, mais on n'y tombe pas deux fois. Sitôt que la contradiction a fait son nid, qui peut repousser la force destructrice de sens de slogans tels que " Tout est un " [1] ? »

Plus brutalement encore, Stephen Hawking prétend que le mysticisme est « un refuge. Si la physique théorique ou les mathématiques vous paraissent trop dures, vous vous tournez vers le mysticisme [2] ».

Ces propos, dans l'ensemble, s'accordent avec le point de vue d'Asimov, quand il déclare que l'intuition est pour ceux dont « les nerfs ont lâché ». Hawking va plus loin en insinuant que la mystique est tout juste bonne pour ceux qui ne sont pas assez brillants pour faire de la physique.

Je ne partage pas cette attitude. La façon la plus facile de formuler mon objection, peut-être, est de dire que le contenu de la physique ne me paraît pas suffisant pour expliquer le comportement des physiciens eux-mêmes.

D'où les physiciens tiennent-ils leur croyance à la cohérence, à l'unification ? Cette croyance est si forte que des hommes et des femmes passent leur vie à en prouver l'existence. Pourtant, elle n'est aucunement visible dans le monde. Ce que nous avons sous les yeux, c'est un monde d'objets et d'événements apparemment désunis. L'unité sous-jacente est précisément ce que nous cherchons et trouvons. Admettons que la perception scientifique de l'unité n'est pas la même que la perception mystique de l'unité, reste cette question : qu'est-ce qui pousse l'homme de science à quêter cette unité ? S'agit-il simplement de mettre de l'ordre dans les mathématiques ? Un homme de science réfléchi croit-il sérieusement que les préoccupations purement formalistes suffisent à le faire travailler des heures et des heures, à longueur d'année ? La science est-elle un système aussi totalement autoréférentiel que sa seule et unique force motrice est d'établir des liens intérieurs entre les théories ?

Je ne le pense pas. Je soupçonne que les scientifiques sont mus par le sentiment que le monde qu'ils ont sous les yeux – la réalité – contient un ordre caché, que l'homme de science s'efforce d'élucider. Et cet *élan*-là, il le partage avec le mystique. L'élan qui pousse à aller au fond des choses. À savoir comment le monde marche vraiment. À connaître la nature de la réalité.

---

1. Marvin Minsky, *The Society of Mind*, New York, Simon and Schuster, 1986, p. 65.
2. Renée Weber, *Dialogues with Scientists and Sages : The Search for Unity in Science and Mysticism*, New York, Methuen, 1986, p. 210.

Voici ce qu'on peut lire sous la plume d'un prix Nobel de physique :

> J'avais tellement envie d'apprendre à dessiner, pour une raison que je gardais pour moi. J'avais envie de transmettre l'émotion que je ressens devant la beauté du monde. Il est difficile de la décrire, parce que c'est une émotion. Elle est analogue au sentiment qu'on a dans la religion, qu'il doit bien y avoir un dieu qui contrôle tout dans l'univers : il y a un sentiment de généralité qu'on éprouve quand on songe que des choses qui paraissent si différentes et se comportent si différemment sont toutes régies « en coulisses » par la même organisation, par les mêmes lois physiques. C'est une appréciation de la beauté mathématique de la nature, de son fonctionnement intérieur : le constat que les phénomènes que nous voyons résultent de la complexité des mécanismes intérieurs entre les atomes ; le sentiment que tout cela est extraordinaire et merveilleux. C'est une sensation d'effroi mystérieux – d'effroi scientifique – que j'avais le sentiment de pouvoir communiquer par un dessin à quelqu'un qui avait aussi cette émotion. L'espace d'un instant, il pourrait lui rappeler ce sentiment des prodiges de l'univers [1].

Certains d'entre vous auront sans doute reconnu Richard Feynman, membre éminent de Cal Tech. Je cite ce passage parce qu'il me semble, à grands traits, exprimer exactement le genre d'intuition unifiée que d'autres scientifiques dénigrent. Mais aussi parce que, sous la plume du plus sûr et du moins pédant des auteurs, le propos est assorti de grandes nuances. Feynman dit que ce sentiment est « *analogue* au sentiment qu'on a dans la religion ». Il ne s'agit jamais que d'une appréciation de la beauté *mathématique* de la nature. Et son effroi est expressément un *effroi scientifique*, comme si l'effroi scientifique différait un tant soit peu de l'effroi normal.

Je vois là une expression étrangement circonspecte de ce qui est, me semble-t-il, une émotion humaine quasi universelle.

Et puisque nous parlons de la carrière artistique de Richard Feynman, il vaut la peine de signaler l'une de ses découvertes ultérieures. Peu de temps après s'être mis au dessin, il a visité la chapelle Sixtine. Ayant oublié son guide, il se contenta d'en faire le tour pour voir les peintures. D'aucunes lui semblèrent excellentes, d'autres « nulles ».

1. Richard Feynman, *Surely You're Joking, M. Feynman !*, New York, Norton, 1985, p. 261 (*Vous voulez rire, M. Feynman !*, Paris, Inter-éditions, 1985).

De retour dans sa chambre d'hôtel, il s'aperçut que son jugement était corroboré par le guide :

> C'était terriblement excitant ! Je pouvais faire la différence entre une œuvre d'art qui était belle et une qui ne l'était pas, sans être capable de la définir. En tant que scientifique, on pense toujours savoir ce qu'on fait, et on a donc tendance à se méfier de l'artiste qui dit, « C'est magnifique » ou « Ce n'est pas bon », sans être capable de vous expliquer pourquoi... Mais j'en étais là, coulé ! Moi aussi, j'en faisais autant [1].

Pourquoi dit-il qu'il était « coulé » ? Qu'est-ce qui est « coulé » au juste ?

Tout au long de ses Mémoires, Feynman rejette allègrement la plupart des domaines d'activité autres que la physique. Homme d'une rigueur mathématique, il ne trouve pas grand intérêt à la philosophie, à l'art ou à la psychologie. Ces domaines n'ont pas grand sens à ses yeux ; les praticiens « ne savent pas de quoi ils parlent ». Dans la chapelle Sixtine, pourtant, il a fait une expérience qui « coule » sa conception de ces autres domaines. C'est simplement qu'en faisant de l'art lui-même il a acquis une faculté de perception qui s'accorde avec les perceptions formelles et codifiées de l'histoire de l'art.

Feynman ne s'attarde pas sur cet incident remarquable, même s'il y a de toute évidence d'autres choses à en dire. Pour commencer, son expérience semblerait impliquer que, même s'il ne cherche pas à élucider ses critères critiques, à en prendre conscience, ceux-ci n'en existent pas moins. Ils existent nécessairement, sans quoi jamais il ne pourrait tomber d'accord avec l'auteur du guide. Ensuite, ces critères ne sont pas arbitraires ni académiques, puisque Feynman est capable de les formuler du seul fait qu'il a une expérience picturale. En vérité, les critères de l'histoire de l'art ne sont pas sans rapport avec la pratique artistique. L'histoire de l'art possède une rigueur sous-jacente, dont Feynman a fait la démonstration en en reproduisant les conclusions.

J'insiste à loisir là-dessus parce que l'exemple me semble typique d'une situation dans laquelle, confronté à des données et même s'il les admet, un scientifique terriblement brillant n'en tire pas la conclusion qui s'impose : il n'y a pas moins de rigueur dans l'art que dans la science. Peut-être est-ce une rigueur d'une nature différente, mais ce n'en est pas moins de la rigueur.

Quand un artiste comme Jasper Johns confie : « Je cherche simple-

1. Richard Feynman, *op. cit.*

ment un moyen de faire des tableaux [1] », il ne dit pas autre chose que le physicien qui déclare : « Je cherche simplement un moyen de faire de la physique. » Comme l'homme de science, l'artiste doit s'appuyer sur le travail de ses prédécesseurs. Comme lui, il peut en être intimidé.

Ainsi, qu'un scientifique rejette l'art comme une espèce d'activité informe où « on peut faire n'importe quoi », ça veut dire simplement qu'il ne comprend pas l'activité artistique. Il ne comprend pas ce qu'il rejette. Il n'a que son modèle pour la comprendre, et son modèle est faux. Il manque d'informations, il ne cadre pas avec les données.

Le manque d'informations des scientifiques sur la réalité du travail des non-scientifiques me semble atteindre son point ultime lorsqu'ils examinent les états méditatifs, les altérations de la conscience et les si disputés phénomènes psychiques. Si vous n'avez aucune connaissance de première main de ces choses-là, vous jugerez naturellement étranges les descriptions qu'on en donne. Elles sont tellement différentes des expériences de la conscience ordinaire ! Il n'y a pas grand mystère en l'occurrence, et assurément rien de sinistre. C'est simplement différent. Juste une autre forme de conscience.

J'ai eu l'occasion de connaître et d'observer un prodige de l'informatique. Je n'arrivais pas à comprendre comment il était capable de faire ce qu'il faisait. Je fus bien obligé, après quelques vérifications, de me rendre à l'évidence. Je connais un réalisateur de cinéma qui a une mémoire photographique, mais il est du genre raseur, il se lance dans des discours impromptus, sans négliger aucun détail, sur toutes sortes de sujets. Tout ce que j'ai appris, c'est que jamais je ne le reprendrai sur un fait obscur : il a invariablement raison. Mais je suis bien incapable, là encore, de comprendre comment il fait.

Les gens qui possèdent des talents psychiques m'inspirent plus ou moins les mêmes sentiments. Ils peuvent faire des choses qui ne sont pas dans mes cordes. Pour eux, c'est tout naturel, et cette faculté, somme toute, a de bons et de mauvais côtés.

J'entends souvent, de la bouche des sceptiques, que si c'était vrai les voyants joueraient aux courses ou boursicoteraient. À ma connaissance, beaucoup le font. De grandes sociétés les consultent, même si elles gardent une certaine discrétion. Les gens paraissent gênés de l'admettre, mais c'est un fait. Comment en irait-il autrement ?

1. Michael Crichton, *Jasper Johns*, New York, Abrams, 1977.

Et je vous rappellerai que, d'un certain point de vue, on a tout lieu de croire *a priori* aux comportements dits psychiques. Je citerai de nouveau le très raisonnable Dr Bronowski :

> Dans la science... la prédiction est un processus conscient et rationnel. Même chez les êtres humains, ce n'est pas la seule forme de prédiction. Des hommes ont de bonnes intuitions qui n'ont certainement pas été décomposées, soumises à une analyse rationnelle ; pour certaines, ce serait bien impossible. Par exemple, il se peut, comme on le prétend parfois, que la plupart des gens réussissent un peu mieux, et certains beaucoup mieux, à découvrir une carte cachée que ne le ferait une machine qui pioche ses réponses au hasard. Ce ne serait pas vraiment surprenant... L'évolution nous a certainement sélectionnés rapidement parce que nous avons des dons de prévision nettement supérieurs à ceux des autres animaux... L'intelligence rationnelle est l'un de ces dons, et il est au fond aussi remarquable et aussi inexpliqué. Et lorsque l'intelligence rationnelle se tourne vers le futur et, sur la foi des expériences passées, en déduit de quoi sera fait un lendemain inconnu, sa démarche est... un grand mystère [1]... »

Mais pour en revenir à notre point de départ, l'expérience de ces autres formes de conscience me semble ordinaire, voire prosaïque. Qu'il s'agisse de dons innés ou de procédés acquis, ces formes de conscience différentes débouchent sur d'autres formes de connaissance, d'autres perceptions de l'ordre sous-jacent dans le monde qui nous entoure. Elles ne sont pas mathématiques, mais ce sont des perceptions quand même. Avant de les balayer d'un revers de main, de crier à la supercherie ou au caprice de l'imagination, il paraît utile de commencer par les examiner. Si vous n'y êtes pas disposés, vous encourez le reproche de refuser ce que vous ne comprenez pas.

Et votre expérience de la réalité s'en trouve réduite d'autant.

Parce que, comme je l'ai dit, la perception scientifique de la réalité et la réalité sont deux choses différentes. La loi scientifique la plus puissante elle-même n'est pas une description complète de la réalité. Il y a toujours plus à savoir.

Il importe d'être très clair là-dessus, je le sais. Feynman, pour qui j'ai beaucoup d'admiration, dit des esprits non scientifiques qu'« ils ne comprennent pas le monde dans lequel ils vivent ». C'est, me

1. J. Bronowski, *The Common Sense of Science*, *op. cit.*, p. 109.

semble-t-il, l'une de ses formules favorites. Il n'avait que ces mots à la bouche lors des enquêtes sur l'accident de la navette spatiale.

Mais soyons clair : *personne ne comprend le monde dans lequel il vit.* Ni vous, ni moi, ni Richard Feynman. Chacun de nous peut en comprendre une partie, un aspect de l'ensemble, mais, au sens plein ou fort de ce terme, la réalité défie tout effort de description.

Et si d'autres modes de connaissance sont intérieurs, subjectifs et intrinsèquement invérifiables, cela ne les rend pas nécessairement moins intéressants ou moins utiles.

Les gens qui sont fâchés avec les chiffres ne sont pas des sous-hommes, des zombis, des ignares qu'il faut mépriser de ne pas savoir résoudre des équations différentielles et de n'avoir pas accès à la vérité mathématique reçue.

Parce que la science seule ne suffit pas.

Confronté à un public qui accepte le créationnisme et croit aux phénomènes psychiques, le scientifique pur et dur est souvent perplexe. Il voit un monde de beauté et de complexité qui lance un défi plus que suffisant à son approche rationnelle. Pourquoi diable d'autres ne se satisfont pas de sa vision du monde ?

Pourquoi la science ne suffit pas ?

La réponse la plus simple est que, si la science est une méthode de recherche d'une extraordinaire puissance, elle ne nous dit pas ce que nous désirons vraiment savoir. Comme le disait très simplement Max Planck : « D'où je viens et où je vais ? Voilà la grande question insondable, la même pour chacun de nous. La science n'a pas de réponse. »

L'une des raisons est que la science est bien incapable de nous dire pourquoi une chose se produit. Je citerai une fois encore Feynman, dans une conférence sur l'électrodynamique quantique : « Alors que je suis en train de vous décrire *comment* marche la Nature, vous ne comprendrez pas *pourquoi* les choses se passent ainsi. Mais, voyez-vous, personne ne le comprend. Je ne puis expliquer pourquoi la Nature se conduit de la sorte [1]. »

C'est exact, mais c'est oublier une chose : alors que la connaissance du fonctionnement des choses suffit à permettre une manipulation de la nature, ce que les êtres humains veulent savoir, en vérité, c'est pourquoi. Les enfants ne demandent pas *comment* le ciel est bleu, mais *pourquoi.*

Feynman rétorquerait probablement que cette question n'a pas de sens. Et dans le corps de la pensée scientifique moderne, elle n'en a

1. Feynman, *QED*, Princeton, N.J., Princeton University Press, 1965, p. 10.

pas. Mais il n'est pas évident que cet état de choses doive continuer indéfiniment.

> Les pères fondateurs de la mécanique quantique, explique le physicien John Bell, se faisaient une certaine gloire de renoncer à l'idée même d'explication. Ils étaient très fiers de ne traiter que des phénomènes : ils refusaient d'aller voir derrière les phénomènes, y voyant le prix à payer pour s'accommoder de la nature. Et c'est un fait d'histoire : ceux qui ont adopté cette attitude agnostique envers le monde réel au niveau microphysique ont connu un immense succès. À l'époque, c'était plutôt indiqué. Mais je ne pense pas que ça dure indéfiniment [1].

Dans le même temps, cependant, un mathématicien observe que « c'est à peine si les physiciens effleurent la question du *pourquoi*; tout l'accent porte sur le *comment*... La métaphysique du cosmos est donnée en termes de mathématiques abstraites que l'on prétend absolument dénuées d'objectifs et de fins; la réalité de la cosmologie contemporaine est une réalité mathématique [2] ».

Pourtant, cette réalité mathématique est foncièrement arbitraire [3]. Et on ne parvient pas sans coût à cette perception d'un univers sans finalité. La science moderne brandit son modèle mathématique comme un triomphe de la raison; pourtant, comme le dit justement Hannah Arendt, « les temps modernes, dominés par la technique, se caractérisent précisément par le fait que la raison, au sens de compréhension contemplative autorévélatrice, donnée à l'origine, s'est *perdue* pour être remplacée par une [technologie] détachée, activement préoccupée par la théorie mathématique abstraite et la réplication physique [4] ».

Pour ma part, je ne trouve rien à redire à une perception mathématique de la réalité du moment qu'on ne laisse pas cette perception

1. Entretien avec John Bell *in* P. C. W. Davies et J. R. Brown, éd., *The Ghost in the Atom*, Cambridge, Cambridge University Press, 1986, p. 51.
2. Philip J. Davis et Reuben Hersh, *Descartes' Dream : The World According to Mathematics*, New York, Harcourt Brace Jovanovich, 1986, p. 275.
3. Werner Heisenberg peut ainsi observer : « On ne saurait décrire les phénomènes atomiques sans ambiguïté dans aucun langage ordinaire... Toutefois, il serait prématuré d'affirmer qu'il nous faut éviter la difficulté en nous limitant à l'usage du langage mathématique. Ce n'est pas une véritable issue, puisque nous ne savons pas dans quelle mesure le langage mathématique peut s'appliquer aux phénomènes. En dernier ressort, même la science doit s'en remettre au langage de tous les jours, puisque c'est le seul dans lequel nous pouvons être sûrs de réellement saisir les phénomènes. » Werner Heisenberg, *Across the Frontiers*, New York, Harper Torchbooks, 1971, p. 119. (En français, *Physique et philosophie*, Paris, Albin Michel, 1971.)
4. Davis et Hersh, *op. cit.*, p. 294.

dominer. Parce que, en tant qu'êtres humains, vivant notre vie, prenant des décisions pour nous-mêmes et notre société, il nous faut trouver du sens. Et ce sens doit avoir des bases assez larges.

> Je sais bien, observe un mathématicien, les ingrédients avec lesquels on crée du sens... amour et langage, mythe, pensée rationnelle et élan irrationnel, institutions humaines, droit, histoire, devoir, rituel, foi religieuse, le sens mystique, transcendantal, allégorique, esthétique, le jeu, le monde comme énigme, le monde comme étape, la contemplation de la vie et de la mort, les nécessités qu'imposent la physique et la biologie ; tous ces ingrédients, et des centaines d'autres, sont des voies d'accès au sens [1].

Peut-être est-ce pour cette raison qu'Albert Einstein déclara un jour : « L'humanité a toute raison de placer les proclamateurs des normes et des valeurs morales les plus hautes au-dessus des découvreurs de la vérité objective. Ce que l'humanité doit à des personnalités comme Bouddha, Moïse et Jésus est bien supérieur, à mon sens, à tous les acquis de l'esprit chercheur et constructif. »

Le fait est que nous avons besoin des intuitions de la mystique tout autant que de celles de l'homme de science. Que les unes ou les autres manquent, et c'est l'humanité tout entière qui est diminuée :

> La nature de la psyché se perd dans des obscurités qui passent notre entendement. Elle ne contient pas moins d'énigmes que l'univers avec ses systèmes galactiques, devant les majestueuses configurations desquels il faudrait être un esprit dénué d'imagination pour ne pas admettre son insuffisance... Si, en conséquence, obéissant aux impératifs de son cœur, ou en accord avec les leçons de l'antique sagesse humaine, ou encore par respect pour la réalité psychologique des perceptions « télépathiques », quelqu'un en tire la conclusion que la psyché, dans ses plus profonds retranchements, participe à une forme d'existence au-delà de l'espace et du temps... la raison critique ne saurait lui opposer d'autre argument que le « *non liquet* [2] » de la science. De surcroît, il aurait l'inestimable avantage de se conformer à un parti pris de l'esprit humain qui existe depuis des temps immémoriaux et qui est universel. Quiconque ne tire pas cette conclusion,

1. Davis et Hersh, *op. cit.*, p. 297.
2. C'est-à-dire : « il y a doute ». (*N.d.T.*)

> que ce soit par scepticisme... par manque de courage, expérience psychologique insuffisante ou ignorance irréfléchie... a plutôt l'indubitable certitude d'entrer en conflit avec les vérités de son sang... S'éloigner des vérités du sang engendre une agitation névrotique... Cette agitation engendre le sentiment de l'absurde, et l'absence de sens de la vie est une maladie de l'âme dont notre âge n'a pas encore commencé à prendre la pleine mesure ni à mesurer toute l'importance [1].

Merci beaucoup.

Eh bien, voilà mon discours aux sceptiques de Pasadena. Mais comme je n'ai jamais été invité à prendre la parole, je ne l'ai jamais prononcé.

---

1. C. G. Jung, *Psychology, op. cit.*, p. 136-137.

Table

VOYAGES

Cet ouvrage a été réalisé par la
SOCIÉTÉ NOUVELLE FIRMIN-DIDOT
Mesnil-sur-l'Estrée
pour le compte des Éditions Robert Laffont
24, avenue Marceau, 75008 Paris
en janvier 1998

Imprimé en France
Dépôt légal : janvier 1998
N° d'édition : 37796 – N° d'impression : 37493